LES MISÉRABLES

I

VICTOR HUGO

LES MISÉRABLES

I

Chronologie et introduction
par
René Journet
agrégé de l'Université

GARNIER-FLAMMARION

© 1967, GARNIER - FLAMMARION, Paris.

CHRONOLOGIE

1802 : *26 février :* naît à Besançon, « petit et chétif »,
Victor-Marie, fils de Sophie Trébuchet, Nantaise, et
d'un officier nancéen, le major Léopold-Sigisbert Hugo.
Il porte les prénoms de ses parrain et marraine, l'ad-
judant-général Victor Lahorie et Marie Delelée. Il a
pour frères Abel, né en 1798, et Eugène, né en 1800.
D'après son père, il a été conçu au cours d'un voyage,
au sommet du Donon.

1803 : Bastia, l'île d'Elbe.

1804 : Paris, 24, rue de Clichy; Victor à l'école chez
Mlle Rose, qu'il regarde mettre ses bas.

1807 : *décembre :* départ pour Avellino, dans le royaume
de Naples, où le père pourchasse Fra Diavolo.

1808 : retour à Paris. Le colonel Hugo, en Espagne,
pourchasse l'Empecinado.

1809 : études au pensionnat La Rivière; *mai :* installation
dans l'ancien couvent des Feuillantines. Mme Hugo y
cache le général Lahorie, son amant, qui conspire pour
la monarchie. Le colonel Hugo nommé général.

1810 : *30 décembre :* arrestation aux Feuillantines du
général Lahorie.

1811 : *mars :* départ de la famille Hugo pour Madrid. A
Bayonne, Victor connaît sa première idylle et voit six
fois de suite un drame de Pixérécourt. A Madrid,
séjour au palais Masserano, études au Collège des
Nobles.

1812 : *printemps :* retour aux Feuillantines et à la pension
La Rivière. Grandes lectures chez le libraire Royol;
29 octobre : le général Lahorie, qui a pris part à la
conspiration Malet, est fusillé devant « le hideux mur
de Grenelle, tigré de balles » (*Mis.*, III, 1, v).

1813 : perte de l'Espagne; retour et disgrâce du général
Hugo; *31 décembre :* départ des Feuillantines.

1814 : *janvier :* le général Hugo, redevenu major, reçoit le commandement de Thionville; la France envahie; joie de Mme Hugo; *20 avril :* capitulation de Thionville, après une énergique défense; *juin :* les époux Hugo décident de divorcer; Eugène et Victor confiés à leur tante qu'ils détestent; leur père, en demi-solde, rêve pour eux de Polytechnique.

1815 : *13 février :* Eugène et Victor pensionnaires chez Cordier et Decotte; *18 juin :* Waterloo; *20 septembre :* reddition de Thionville, encore défendue par le major Hugo. Victor, royaliste voltairien comme sa mère, écrit son premier cahier de vers.

1816 : grosse activité poétique; *octobre :* Eugène et Victor à Louis-le-Grand, en classe de philosophie et mathématiques.

1817 : *25 août :* mention d'encouragement au concours de poésie de l'Académie française.

1818 : premières *Odes; 3 février :* jugement de séparation des époux Hugo; Eugène et Victor s'orientent vers le droit; *17 août :* Victor a le 5e accessit de physique au concours général; quitte la pension Cordier; première version de *Bug Jargal.*

1819 : *décembre :* fonde *le Conservateur littéraire.*

1820 : la mère de Victor Hugo hostile à son mariage avec Adèle Foucher. Dans son carnet, Victor note toutes ses rencontres avec Adèle. Cette année, il voit conduire l'assassin du duc de Berry à l'échafaud.

1821 : *27 juin :* mort de Mme Hugo à l'âge de 49 ans; Victor renoue avec les Foucher et se rapproche de son père; se lie avec Lamennais; *20 juillet :* le général Hugo épouse sa maîtresse, Catherine Thomas, « comtesse de Salcano ».

1822 : *8 juin : Odes et poésies diverses ; 12 octobre :* épouse Adèle Foucher, à Saint-Sulpice; le soir, crise de folie d'Eugène.

1823 : *8 février : Han d'Islande ;* se lie avec Charles Nodier; *juin :* Eugène interné à Charenton; *16 juillet :* naissance de Léopold, qui mourra le 9 octobre.

1824 : *28 août :* naissance de Léopoldine ; *17 novembre :* lettre de Gaspard de Pons, qui lui fournit des renseignements sur le bagne de Toulon.

1825 : voyages : Blois, où son père s'occupe d'agriculture et d'archéologie, et la Sologne *(avril-mai),* Reims pour le sacre de Charles X *(29 mai),* Chamonix et Genève avec Nodier *(août).* A la fin de l'été, assiste avec Jules Lefèvre à l'exécution du parricide Jean Martin.

1826 : *février* : *Bug-Jargal*; *2 novembre* : naissance de Charles Hugo; *novembre* : *Odes et Ballades*.

1827 : *janvier* : se lie avec Sainte-Beuve; *9 février* : l'*Ode à la Colonne* marque la séparation d'avec les ultras; *5 décembre* : *Cromwell*.

1828 : *29 janvier* : mort subite du général Hugo à l'âge de 54 ans; *14 octobre* : après avoir vu, place de l'Hôtel-de-Ville, le bourreau préparant sa guillotine, commence le *Dernier Jour d'un Condamné* ; *21 octobre* : naissance de Victor-François, dit plus tard François-Victor. Cette année paraissent les *Mémoires* de Vidocq.

1829 : *19 janvier* : *les Orientales* ; *3 février* : le *Dernier Jour d'un Condamné* ; *13 août* : *Marion Delorme* reçue au Théâtre-Français est interdite; Hugo refuse une nouvelle pension du roi; commence *Hernani*.
Cette année paraissent les *Mémoires d'un forban philosophe* (anonymes) où il puisera plus tard des détails pour *les Misérables*.

1830 : *25 février* : première d'*Hernani* ; *7 avril* : installation 9, rue Jean-Goujon; *28 juillet* : naissance d'Adèle; *19 août* : *A la jeune France* (dans *le Globe*) : ralliement au libéralisme.
Sainte-Beuve amoureux de Mme Hugo; les époux Hugo font désormais chambre à part.

1831 : *16 mars* : *Notre-Dame de Paris* ; *30 novembre* : les *Feuilles d'automne*.

1832 : *15 mars* : préface à la 5e éd. du *Dernier Jour d'un Condamné* : plaidoyer contre la peine de mort; *31 mars* : traité avec Gosselin pour un ou deux romans; il s'agit, non des futurs *Misérables*, mais probablement de deux romans historiques : *la Quiquengrogne* et *le Fils de la Bossue* ; *5-6 juin* : émeute républicaine, à l'occasion des funérailles du général Lamarque; Hugo en est le spectateur forcé. Dans une note, il condamne à la fois l'émeute et sa répression (cf. *Misérables*, parties IV et V); *8 juin* : exécution de Claude Gueux, meurtrier d'un gardien de prison; *8 octobre* : installation 6, place Royale; *22 novembre* : première du *Roi s'amuse*, suspendu le lendemain.

1833 : *2 février* : première de *Lucrèce Borgia* où Mlle Juliette (Drouet) joue un petit rôle; *16-17 février* : première nuit d'amour avec Juliette Drouet, qui peu à peu deviendra sa véritable épouse; c'est la date de la nuit de noces de Cosette et de Marius; *6 novembre* : première de *Marie Tudor* ; Juliette Drouet, victime d'une cabale, abandonne le rôle de Jane.

1834 : *19 mars* : *Littérature et philosophie mêlées* ; *août* : Victor Hugo ramène à Paris Juliette Drouet, qui, harcelée par les créanciers, s'est enfuie en Bretagne. A cette occasion, il visite le bagne de Brest ; *6 septembre* : *Claude Gueux* : c'est la société qui fait les criminels.

1835 : *28 avril* : Première d'*Angelo* ; *27 octobre* : les *Chants du Crépuscule* ; à cette occasion, dernier article de Sainte-Beuve sur Victor Hugo.

1837 : *20 février* : mort d'Eugène Hugo à Charenton ; *10 juin* : reçu par le roi à Versailles, est conquis par le charme de la duchesse Hélène, épouse du duc d'Orléans ; *5 septembre* : au cours d'un voyage dans le Nord de la France, avec Juliette Drouet, passe à Montreuil-sur-Mer.

1838 : *8 novembre* : première de *Ruy Blas* ; Juliette Drouet a été écartée du rôle de la Reine.

1839 : *17 juillet* : obtient du roi la grâce de Barbès, condamné à mort ; *septembre-octobre* : le Haut-Rhin, la Suisse et la Provence avec Juliette ; visite le bagne de Toulon. Notes dans un carnet sur l'évêque des *Misérables*.

1840 : *16 mai* : les *Rayons et les Ombres*.
29 août-2 novembre : voyage sur le Rhin inférieur, visite aux chutes du Rhin.
Villermé, *Tableau de l'Etat physique et moral des ouvriers*.

1841 : *7 janvier* : élu après trois échecs à l'Académie française ; *9 janvier* : secourt une prostituée malmenée par la police (cf. *Mis.*, I, V, XII) ; *3 juin* : reçu à l'Académie.

1842 : *28 janvier* : le *Rhin*. Cette année, Eugène Sue, *les Mystères de Paris*.

1843 : *15 février* : Léopoldine épouse à Villequier le fils d'un armateur du Havre, Charles Vacquerie : « Le bonheur désolant de marier sa fille » ; *7 mars* : première des *Burgraves*, qui n'auront que 33 représentations ; *18 juillet* : part pour les Pyrénées et l'Espagne avec Juliette ; *4 septembre* : Léopoldine se noie à Villequier avec son mari ; Hugo l'apprend le 9 près de Rochefort.

1845 : *13 avril* : nommé pair de France ; *5 juillet* : surpris en flagrant délit d'adultère avec Léonie d'Aunet, épouse du peintre Biard. Mme Biard à Saint-Lazare, puis au couvent des Augustines ; Hugo se cache pendant quelques mois ; va en août-septembre à Chelles et Montfermeil ; *17 novembre* : commence à écrire *Jean Tréjean* (c'est-à-dire *les Misérables*). La rédaction progressera lentement pendant la première année, et ira ensuite en s'accélérant.

1846 : *19 mars* : premier discours à la Chambre des Pairs, sur la Pologne : accueil méprisant ; *21 juin* : Claire Pradier, fille du sculpteur et de Juliette Drouet, meurt de la poitrine ; *28 juin et 1ᵉʳ juillet* : Chambre des Pairs, discours sur la défense du littoral ; *20 juillet* : commence le *Journal de ce que j'apprends chaque jour* ; *23 août* : Charles atteint de la typhoïde ; *10 septembre* : visite la Conciergerie en vue de la loi sur les prisons ; *octobre-novembre* : compose la plus grande partie de *Pauca meae* ; Marguerite Louet devient Fantine (c'est-à-dire la fée), Anna Louet devient Cosette ; *24 novembre* : est arrivé à la fin de I, II, XIII ; *17 décembre* : note un mot de gamin (employé dans *Mis.*, III, VIII, XXII).

1847 : *1ᵉʳ janvier* : commence *Mis.*, I, VI, I ; *5 avril* : visite la prison de la Roquette ; *18 avril* : interrompt son roman à la fin de II, II, I. ; travaille pour la loi sur les prisons ; *1ᵉʳ-7 juin* : écrit II, II, III et s'interrompt pour la loi sur le travail des enfants ; *14 juin* : discours pour le retour en France de la famille Bonaparte ; *5 juillet* : commence II, III, I ; *16 août* : connaît les faveurs de Mlle Ozy ; *18 août* : commence II, III, IX ; *4 septembre* : François-Victor atteint de la typhoïde ; *25 septembre* : interrompt le roman dans III, I, XIII ; *9 octobre* : Mme Hugo malade à son tour ; *20 octobre* : reprend le roman et accélère la rédaction ; *30 décembre* : traité avec Gosselin et Renduel, qui reprend celui de 1832, pour un roman en 4 volumes, *les Misères* (c.-à-d. *les Misérables*).

1848 : *1ᵉʳ janvier* : écrit IV, VII, II. *25 janvier* : commence IV, I, V ; *9 février* : Thomas Pontmercy devient Marius ; *14 février* : s'arrête à la fin de IV, XIV, VII, pour la loi sur le travail des enfants ; *21 février* : brouillon du début de IV, XV, I ; la Révolution arrête ses activités littéraires ; *24 février* : soutient en vain la régence de la duchesse Hélène ; *25 février* : nommé maire provisoire de son arrondissement ; *4 juin* : élu député, siège à droite ; *24 juin* : hostile à l'émeute, aide la troupe à réduire les barricades ; *6 juillet* : quitte la place Royale ; *1ᵉʳ août* : les fils Hugo fondent *l'Evénement* ; *2 septembre* : discours contre les excès de la répression ; *10 décembre* : élection à la présidence de Louis-Napoléon, soutenu par Hugo.

1849 : *13 février* : député conservateur à l'Assemblée législative. À la suite de ses discours sur la misère *(9 juillet)* et sur les affaires de Rome *(19 octobre)* rompt avec la droite, qui l'attaque désormais violemment.

1851 : *20 février* : visite les taudis de Lille avec Adolphe Blanqui ; *18 juillet* : « Républicains, ouvrez vos rangs, je suis des vôtres. » *Septembre-octobre* : envisage, puis abandonne une reprise des *Misères* ; *11 décembre* :

après avoir tenté de résister au coup d'Etat, passe en Belgique avec le passeport d'un ouvrier imprimeur et s'installe à Bruxelles ; *14 décembre* : envisage de reprendre *les Misères*.

1852 : à Bruxelles, écrit *Histoire d'un crime* et *Napoléon le Petit ;* devançant l'expulsion, arrive à Jersey ; *12 août* : installation à Marine Terrace. Hésite entre *les Misères* et *les Contemplations*, puis se met aux futurs *Châtiments*.

1853 : *6 septembre* : visite de Mme de Girardin, qui apporte à Marine Terrace la pratique des tables tournantes ; *4 octobre* : propose à ses éditeurs le choix entre le roman commencé et *les Contemplations ; 25 novembre* : *les Châtiments ;* au dos, l'annonce des *Misérables* en 6 volumes (première apparition de ce titre).

1854 : *10 janvier* : *Aux habitants de Guernesey*, contre la peine de mort ; *20 janvier* : commence ce qui sera *la Fin de Satan ; 11 février* : *les Misérables* seront, « sous la forme drame et roman, une sorte d'épopée sociale de la misère » ; *mai* : négocie avec Hetzel la vente des *Contemplations ; 12 juillet* : Charles lui reproche d'avoir choisi un évêque comme modèle de la vertu.

1855 : *7 février* : mort d'Abel Hugo ; *12 avril* : achève *Solitudines Coeli* (première forme de *Dieu*); travaille à l'achèvement des *Contemplations ; 31 octobre* : expulsé de Jersey, débarque à Guernesey ; loue une maison au 20, Hauteville ; *25 décembre* : lit à sa famille *Melancholia (Contemplations)* qu'il présente comme « le germe du roman inédit *Misérables* ».

1856 : *15 janvier* : propose en vain *Dieu* et *la Fin de Satan* à Michel Lévy à la place du roman ; *23 avril* : *les Contemplations ; 16 mai* : achète une maison au 38, Hauteville (Hauteville-House) et s'y installe en octobre ; au cours de l'année, travaille au poème *Dieu*.

1857 : écrit *l'Ane*, *la Pitié suprême*, *la Révolution*, *le Verso de la page* en vue de *la Légende des Siècles*.

1858 : *juillet-septembre* : grave maladie (anthrax); lit alors le livre d'un proscrit, le colonel Charras, sur Waterloo.

1859 : *mai-juin* : séjour à l'île de Serk ; songe à un roman sur l'archipel de la Manche ; *28 septembre* : *la Légende des Siècles* (première série) ; *16 novembre* : se remet à *la Fin de Satan*.

1860 : *11 avril* : abandonne *la Fin de Satan ; 26 avril* : commence à relire le manuscrit des *Misérables ; mai-août* : travaille surtout à une longue préface, de caractère cosmique, qui se séparera du roman sous le titre *Philosophie* et restera inédite; *août-décembre* : additions à la partie du roman déjà écrite, notamment II, III,

II; III, IV; IV, VIII, VIII; I, III; travaille au livre sur l'égout (V, II); *30 décembre* : reprend le fil de la narration à IV, XV, I.

1861 : *17 mars* : interrompt la narration, parvenue à la fin de V, III; *20 mars* : Jean Tréjean, changé en exil en Jean Vlajean, devient Jean Valjean; *24 mars* : départ pour la Belgique; *7 mai* : s'installe à Mont-Saint-Jean pour « faire l'autopsie de ce cadavre » : la bataille de Waterloo; *22 mai* : reprend la narration; *30 juin* : achève le dernier chapitre; *8 juillet* : ébauche la division du roman en livres; « Waterloo » figure alors en tête du plan; *13 juillet* : fait la liste des additions à faire; *14 juillet* : part pour la Hollande avec Juliette Drouet; *3 septembre* : retour à Guernesey; *16 septembre* : début de la dernière campagne d'additions, notamment I, I, VIII; I, II, VIII; II, I, Waterloo (8-21 décembre); II, VII; II, VIII; III, III, VII; III, IV; III, V, VI; III, VII; IV, I; IV, IV, II, etc.; *4 octobre* : contrat de publication avec l'éditeur bruxellois Albert Lacroix; le roman est payé 300. 000 francs; prévu pour huit volumes, il en comprendra dix; *12 octobre* : le roman est prévu en trois parties; il en comprendra quatre, puis cinq.

1862 : *7 janvier* : arrivée à Guernesey des premières épreuves; Hugo continue à procéder à des accroissements, dont certains seront sacrifiés; *25 février* : envoie la *Préface* et commence à réviser la quatrième partie; *13 mars* : « Ce livre..., c'est le siècle; c'est un vaste miroir reflétant le genre humain pris sur le fait à un jour donné de sa vie immense. » *30 mars* : la première partie paraît à Bruxelles, à Paris le 3 avril; *14 mai* : ce livre est « l'épopée de l'âme »; *19 mai* : fin de la révision du manuscrit; *15 juin* : fin de la correction des épreuves; *30 juillet* : arrive à Bruxelles; *3 et 7 septembre* : banquet des *Misérables* à Bruxelles.

1863 : *18 mai* : Adèle Hugo s'enfuit de Guernesey pour rejoindre au Canada le lieutenant Penson, qu'elle connaissait dès 1854; elle l'y trouve marié; *août-septembre* : voyage en Belgique et en Allemagne.

1864 : *14 avril* : *William Shakespeare* ; *août-septembre* : voyage en Belgique.

1865 : *Août-septembre* : voyage sur le Rhin; *17 octobre* : Charles Hugo épouse à Bruxelles Alice Lehaene; *25 octobre* : les *Chansons des Rues et des Bois* ; *30 octobre* : retour à Guernesey.

1866 : *12 mars* : les *Travailleurs de la Mer* ; Adèle vit à la Barbade.

1867 : *31 mars* : naissance de Georges, fils de Charles;

11 mai : Paris-Guide (préface de Victor Hugo); *juillet-septembre :* Belgique et Zélande.

1868 : *14 avril :* mort du petit Georges; *16 août :* naissance de Georges, second fils de Charles Hugo; *27 août :* mort subite de Mme Victor Hugo à Bruxelles.

1869 : *19 avril : l'Homme qui rit ; 29 septembre :* naissance de Jeanne, fille de Charles Hugo.

1870 : *5 septembre :* retour à Paris, chez Paul Meurice, avenue Frochot; siège de Paris.

1871 : *28 janvier :* armistice; *8 février :* élu député de Paris; *13 février :* se rend à Bordeaux; *8 mars :* démissionne; *13 mars :* mort subite de Charles à Bordeaux; *18 mars :* obsèques de Charles à Paris et début de la Commune; *21 mars :* Victor Hugo va à Bruxelles, pour régler la succession de Charles; blâme la Commune, et plus encore la répression; *30 mai :* expulsé de Belgique pour aide aux communards exilés, va au Luxembourg; *25 septembre :* Paris, 66, rue de La Rochefoucauld.

1872 : *17 février :* Adèle, ramenée de la Barbade, entre dans une maison de santé à Saint-Mandé, où elle mourra en 1915; *20 avril : l'Année terrible ; 7 août :* part pour Guernesey, où il écrit *Quatrevingt-Treize.*

1873 : *31 juillet :* retour à Paris; *26 décembre :* mort de François-Victor, malade de la poitrine.

1874 : *20 février : Quatrevingt-Treize ; octobre : Mes fils.*

1875 : *mai : Actes et Paroles,* I; *6 novembre : Actes et Paroles,* II.

1876 : *30 janvier :* élu sénateur de Paris; *22 mai :* discours pour l'amnistie des communards; *5 juillet : Actes et Paroles,* III.

1877 : *26 février : la Légende des Siècles,* deuxième série; *3 avril :* mariage d'Alice Hugo avec un homme politique, Edouard Lockroy; *12 mai : l'Art d'être grand-père ; 1er octobre : Histoire d'un Crime,* première partie.

1878 : *mars : Histoire d'un Crime,* deuxième partie; *29 avril : le Pape ; 27 juin :* congestion cérébrale; désormais n'écrira plus guère; *8 juillet :* départ pour Guernesey; *9 novembre :* retour à Paris.

1879 : *février : la Pitié Suprême ; avril :* s'installe 130, avenue d'Eylau (avenue Victor-Hugo).

1880 : *avril : Religions et Religion ; 27 juin :* discours pour la grâce des rebelles de l'Aurès; *3 juillet :* discours pour l'amnistie des communards; *24 octobre : l'Ane.*

1881 : *31 mai : les Quatre Vents de l'Esprit.*

1882 : *26 mai : Torquemada.*

1883 : *11 mai :* mort de Juliette Drouet; *9 juin :* la *Légende des Siècles,* série complémentaire.

1885 : *14 mai :* congestion pulmonaire; *22 mai :* meurt à treize heures trente; *1er juin :* funérailles nationales. La dépouille de Victor Hugo, exposée sous l'Arc de Triomphe, est conduite au Panthéon par une foule immense.

INTRODUCTION

Il est impossible de dire avec précision quand l'idée des *Misérables* germa dans l'esprit de Victor Hugo. Nous voyons le « royaliste voltairien » de 1815 évoluer graduellement, après la mort de sa mère, vers l'acceptation de la grandeur napoléonienne, puis découvrir, quand on interdit *Marion Delorme*, que le régime des Bourbons n'était pas, comme il l'avait cru avec sa mère, le rétablissement de la liberté. D'ailleurs, bon gré mal gré, il est rangé par la critique parmi les révolutionnaires et il admet au début de 1830 que « le romantisme, c'est le libéralisme en littérature ». Dans les dernières années de la Restauration, sa profonde aversion pour la violence lui fait apparaître la peine de mort comme un assassinat : *le Dernier Jour d'un Condamné* (1829), œuvre si moderne dans sa technique, s'accorde avec toute une littérature des bas-fonds, dont les *Mémoires* de Vidocq sont l'exemple le plus connu, et qui intéressera aussi Balzac. On y trouve l'histoire du Friauche, condamné au bagne pour le vol d'un pain.

Claude Gueux, en 1834, attaque une conception répressive de la justice et du système pénitentiaire : ce sont les prisons qui souvent font les criminels. Mais ce ne sont là que de lointains signes annonciateurs. Le premier indice certain qui se rattache aux *Misérables* ne remonte qu'à 1839, et encore il est tellement isolé qu'on ne sait trop quoi en faire : quelques notes concernant des propos de l'évêque se trouvent dans un carnet de voyage utilisé pendant le retour de Provence. Hugo vient de visiter le bagne de Toulon, dont l'ordre spartiate ne lui a pas paru absolument antipathique. A-t-il alors entendu parler de Mgr de Miollis, le pieux évêque de Digne, qui fournira quelques traits, assez extérieurs, à la figure de Mgr Myriel ?

On peut admettre sans trop de preuves qu'à partir de cette époque il songe à un roman social. On peut admettre aussi que des œuvres sans valeur littéraire, mais riches de suggestions, comme *les Mystères de Paris*

d'Eugène Sue et *les Vrais Mystères de Paris*, signés de
Vidocq, lui montrèrent, comme négativement, ce qu'on
pouvait faire dans cette direction. Rappelons enfin les
enquêtes sérieuses qui, à partir de 1835, attirèrent l'attention
sur la misère et la déchéance morale des ouvriers : la plus
connue, le rapport Villermé, peut avoir inspiré dans
Melancholia, poème des *Contemplations* commencé en
1845, le fragment sur le travail des enfants.

Mais voici une autre énigme : l'écrivain qui, le 17 novembre 1845, couvre d'une écriture fine et régulière les
premières pages de *Jean Tréjean* est un personnage impor-
tant, rallié au régime. Il remplit avec scrupule ses devoirs
d'académicien et de pair de France, est influent dans le
monde des lettres, des arts et du théâtre, tient exactement
ses comptes, ne croit pas à l'avènement proche de la
république et redoute celui du socialisme. Il a un salon
recherché, où parfois retentissent les sermons fouriéristes
de Jean Journet, l'apôtre en blouse et en sabots. Il a des
bonnes fortunes, moins nombreuses que celles qu'on lui
attribue, mais dont il tient aussi le compte. Quel rapport
avec Jean Tréjean, le forçat vierge ? C'est que, derrière
ce visage qu'on nous décrit alors comme envahi par la
matière, se cachent aussi un autre homme, torturé par
les deuils, les attaques ou les perfidies, et un désir profond
et humilié de s'en aller de tout, de quitter le monde, pour
ne le regarder plus que par-dessus l'épaule. A cette époque,
Hugo recopie un passage des *Lois de Manou* qui, d'après
lui, contient toute la sagesse; ce texte définit exactement
l'attitude de ce qu'on appelle aux Indes les « renonçants » :
ces hommes abandonnent leur famille et leur état, pour
errer en demandant leur subsistance, et se mettent ainsi
en dehors de la société. Le roman répond à ce besoin, en
attendant l'exil.

Si les racines de l'œuvre nous échappent, nous pouvons
assez bien nous en représenter la croissance. Le point de
départ est un canevas très simple, où sont fixés les points
cruciaux et le dénouement : c'est l'odyssée, ou le calvaire,
d'un homme rejeté par la société qui monte de sacrifice
en sacrifice vers l'épreuve suprême, la privation d'une fille
adoptive qui a été son seul amour, et meurt de cette privation. Assez tôt se précisent certains nœuds de l'action :
Cosette abandonnée à Montfermeil, le sauvetage par le
père d'un insurgé, amoureux de sa fille, et qui n'a pas
encore de nom. Ce qui soutient d'abord le roman, c'est
l'échelonnement d'une série de situations par lesquelles
il faut passer, parce qu'elles contiennent le sens de l'œuvre.
La première rédaction consiste à tendre un fil parfois
assez ténu pour relier ces moments. En dehors d'épisodes
déjà très fouillés, comme les deux premiers livres, la
narration se fait souvent cursive, presque utilitaire. Mais
très vite, Hugo revient sur ces parties esquissées pour leur

conférer une importance propre, nomme les personnages
secondaires, les « creuse » et les « approfondit » au point
de leur donner un relief inoubliable : Gavroche, Eponine,
Mabeuf... Dès avant l'exil, le manuscrit présente une
véritable mosaïque d'additions minutieuses, souvent faites
simultanément à des endroits fort éloignés entre eux. Car
une autre constante de l'activité de Hugo, c'est qu'il
travaille à la fois à des parties entièrement différentes,
comme s'il voulait pousser le tableau sur toute sa surface.

Lorsque, de 1860 à 1862, il termine l'œuvre abandonnée
en février 1848, le conservateur progressiste est devenu
républicain, les procédés restent les mêmes : alors apparaissent les grandes digressions (Waterloo, l'année 1817,
les amis de l'ABC, Paris vu dans son atome, Patron-
Minette, l'intestin de Léviathan, etc.), qui pour la plupart
étaient en germe ou en attente avant l'exil et dont un des
objets semble être de lutter contre le déroulement du temps
romanesque, pour imposer, à la limite, une vision simul-
tanée de l'ensemble. Jusqu'à la fin aussi, des personnages
secondaires sortent de l'ombre ou de l'anonymat : le
sénateur, Théodule, Grantaire, le père Fauchelevent. La
plupart d'entre eux représentent l'adhésion à la vie immédiate et font ainsi contraste avec les figures principales.
Celles-ci de leur côté s'exaltent et se relient entre elles :
c'est en exil que le colonel Pontmercy tombe dans le chemin
creux d'Ohain, que Thénardier devient un détrousseur de
cadavres, que les petits enfants recueillis par Gavroche
deviennent ses frères, qu'Eponine sauve la vie de Marius,
après avoir voulu l'entraîner dans la mort. Même pendant
l'impression, la prolifération des détails s'accentue, au
point qu'il faudra sacrifier certains ensembles : d'une
digression sur la passion amoureuse chez les voleurs (les
Fleurs), il ne reste que le début : *Patron-Minette*; une
scène symbolique, la rencontre entre les étudiants et les
voleurs dans une carrière, est restée sur le chantier.

Les Misérables ne sont donc, en aucune façon, un roman
à épisodes, mais une construction arrêtée, fermée d'avance
et ouverte seulement vers le haut. Les éléments contrastés
s'y font équilibre : l'évêque et le policier; le bagne et le
couvent; ces deux défaites héroïques, Waterloo et la
barricade; le sauvetage aérien de Cosette et le sauvetage
souterrain de Marius... Pour caractériser la manière de
Hugo romancier, on peut recourir à deux comparaisons.
La première est de lui : il disait en 1846 à Auguste Vacquerie que l'artiste doit imiter la nature : elle recouvre les
lignes solides et élémentaires des roches d'une luxuriante
ornementation végétale et ne craint jamais la surcharge.
Simplicité des grandes lignes, exubérance du détail, c'est
aussi l'impression que laisse la décoration intérieure de
Hauteville-House, cette juxtaposition d'éléments à première vue disparates et souvent rencontrés par hasard.

Si *les Misérables* ne sont pas un « roman populaire »,
au sens que le dix-neuvième siècle donnait à ces mots,
dans quelle mesure sont-ils un roman social et même,
Hugo le dit, « socialiste » ? La classe paysanne en est
absente et l'on n'y trouve pas d'autre ouvrier que l'éven-
tailliste Feuilly, très tardivement ajouté. La partie du
peuple qui est au centre de l'action, c'est la classe déchue
et déshéritée, avilie par l'ignorance et le sous-emploi.
Hugo s'est documenté sur elle, a poussé parfois jusqu'aux
ouvrages techniques. Il disposait d'ailleurs d'informateurs
compétents, comme ce cousin Adolphe Trébuchet qui lui
a donné la *Statistique des égouts de Paris en 1836* et qui
annotait en 1857 l'ouvrage de Parent-Duchatelet, *De la
prostitution dans la ville de Paris.* Enfin, qui pourra dire
tout ce qu'il a retiré de la fréquentation des femmes du
peuple ? Le tableau de la déchéance de la famille Thénardier, la description de la bande Patron-Minette ont pu
être tenus par de bons juges pour des analyses exactes
de la réalité sociale. Quant à la condamnation aux travaux
forcés pour le vol d'un pain, c'est simplement un cas
limite : il suffit d'ouvrir les registres du bagne de Toulon
pour s'en apercevoir.

Pourtant Hugo n'a pas voulu refaire un reportage sur
les bas-fonds que l'on avait trouvé, charrié par une intrigue
mélodramatique, dans *les Mystères de Paris.* Il ne prétendait pas davantage présenter un ensemble de mesures
destinées à assurer le progrès social. C'était l'affaire des
réformateurs, dont l'esprit systématique lui inspirait une
grande méfiance. Il voulait seulement affirmer quelques
vérités élémentaires, qu'il faudra sans doute éternellement
répéter aux régimes successifs : c'est du plus profond du
peuple que monte la sève d'une société. Ce dont l'être
le plus humble a le plus grand besoin, c'est de dignité.
Ce sens de la dignité existe chez un simple comme Champmathieu, dont le monologue est une des pages les plus
vraies du livre, et même chez les plus déchus : Thénardier,
les bandits. Le peuple a faim avant toute chose d'instruction et de valeur morale. Aussi Hugo a-t-il pu définir
son roman comme « une épopée supérieure, celle de la
conscience ». Mais cela nous ramène au héros principal.

La faute de Jean Valjean n'est pas d'avoir volé pour
nourrir ses neveux affamés, c'est d'avoir, précipité au
bagne par « la damnation sociale », désespéré de la société
et accepté la loi de haine. Son ascension sera l'effet d'une
lutte entre deux forces contraires, « la fatalité sociale »
et « le devoir, fatalité de l'homme ». Forces toutes deux
nécessaires à cette montée vers la lumière : Jean Valjean
devait passer par le bagne pour y acquérir une endurance
presque surhumaine; l'évêque, puis le couvent devaient
lui apprendre la loi d'amour. A chaque étape de son
progrès, sa raison se révolte contre la tyrannie de sa

conscience, mais en fin de compte, c'est lui seul qui, venu du plus bas, s'est élevé par ses seules forces jusqu'à l'acceptation de la mort, « avènement du vrai ». La courbe de ce destin est aussi pour Hugo celle du destin de l'Etre, parce que « tout est identique ».

Pourquoi ces personnages symboliques, quoiqu'on en ait dit, existent-ils ? C'est qu'avant de le livrer au lecteur, Hugo s'est joué à lui-même ce drame, il en a été le décor, l'acteur, le spectateur. Comme l'enfant qui se raconte une histoire, il a situé cette action grandiose dans tout ce qui lui était le plus familier. Le couvent, qui existe encore, est à deux pas des Feuillantines, bien que des modifications de dernière heure l'aient placé dans un quartier imaginaire. Dans ces ruelles où Javert traque Jean Valjean, Victor Hugo guettait le passage d'Adèle Foucher. La barricade est à dix minutes de la place Royale. Les salons ultras ressemblent à ceux que fréquentait sa mère et elle habita, comme Monsieur Mabeuf, rue de Mézières. L'évolution politique de Marius, c'est celle du jeune Victor Hugo déchiré par la séparation de ses parents, et le budget de Marius pauvre, c'est le sien à vingt ans. La proche banlieue dont, exilé, il ressuscite le charme en des pages prodigieuses, c'est celle qu'il fréquentait vers 1828, lorsqu'il allait au cabaret de la mère Saguet. Les drames de conscience de Jean Valjean, sa bienfaisance, son goût du sauvetage, son amour jaloux de Cosette, tout cela procède de l'auteur. Mais saurons-nous jamais qui a posé pour le merveilleux portrait de Fantine en 1817, quelle rencontre de hasard lui a suggéré la beauté décharnée d'Eponine ? Parfois un coup de sonde imprévu montre jusqu'où pouvait aller l'imagination combinatoire du romancier : M. Gillenormand, dit-il, « avait des tranquillités singulières; il se faisait raser tous les jours par un barbier qui avait été fou et qui le détestait, étant jaloux de M. Gillenormand à cause de sa femme, jolie barbière coquette ». Vers 1845, Hugo a noté des propos assez bizarres de son barbier, qui s'appelait Richy. Or, dans la liste des dames qui lui ont accordé à l'époque diverses faveurs, nous trouvons Mme Richy. M. Gillenormand, c'est peut-être sa mère, ou les amis de sa mère; mais c'est aussi Victor Hugo.

René JOURNET

BIBLIOGRAPHIE

Manuscrit :

Bibliothèque Nationale, n. a. f. 13 379, 13 380. Voir
René Journet et Guy Robert, *Le Manuscrit des Misérables*,
Les Belles Lettres, 1963.

Editions :

Edition originale : Le roman a paru presque simultanément à Paris et à Bruxelles; l'édition belge, corrigée par
Hugo, était considérée par lui comme le modèle à suivre.
Bruxelles, A. Lacroix et Verbœckhoven, 10 vol. in-8°,
à partir du 30 mars 1862.
Paris, Michel-Lévy et Pagnerre, 10 vol. in-8°, à partir
du 3 avril 1862.
Edition définitive. Paris, Hetzel et Quantin, 1881, édition
dite Ne Varietur, 5 vol. in-8°; quelques rares correc-
tions sont apportées au texte original.
Editions posthumes. Paris, Ollendorff, édition dite de
l'Imprimerie Nationale, 4 vol. grand in-8°, 1908-1909;
contient des parties laissées inédites et une étude sommaire
du manuscrit.
Paris, Garnier frères, 2 vol. in-16, 1957, introduction,
notes et variantes, par Marius-François Guyard (3ᵉ édition parue).

Etudes :

E. BENOIT-LÉVY, *Les Misérables de Victor Hugo*. Paris,
Malfère, 1929, un vol. in-16.
J.-B. BARRÈRE, *Victor Hugo, l'homme et l'œuvre*. Paris,
Boivin, 2ᵉ édition, 1 vol. in-16.

Centenaire des Misérables, Annales de la Faculté des
Lettres et des Sciences humaines de Strasbourg, Strasbourg, un vol. in-8°, 1962. (Actes du colloque organisé
par cette Faculté en décembre 1961.)

Europe, numéro spécial, février-mars 1962.

René JOURNET et Guy ROBERT, *Le Mythe du Peuple dans
les Misérables*. Paris, Éditions Sociales, 1963, un vol. in-8°.

Un carnet des Misérables, octobre-décembre 1860, publié
par J.-B. Barrère. Minard, 1965, un vol. in-12.

LES MISÉRABLES

Tant qu'il existera, par le fait des lois et des mœurs, une damnation sociale créant artificiellement, en pleine civilisation, des enfers, et compliquant d'une fatalité humaine la destinée qui est divine ; tant que les trois problèmes du siècle, la dégradation de l'homme par le prolétariat, la déchéance de la femme par la faim, l'atrophie de l'enfant par la nuit, ne seront pas résolus ; tant que, dans de certaines régions, l'asphyxie sociale sera possible ; en d'autres termes, et à un point de vue plus étendu encore, tant qu'il y aura sur la terre ignorance et misère, des livres de la nature de celui-ci pourront ne pas être inutiles.

Hauteville house, 1862.

PREMIÈRE PARTIE

FANTINE

LIVRE PREMIER

I

M. MYRIEL

En 1815, M. Charles-François-Bienvenu Myriel était évêque de D—. C'était un vieillard d'environ soixante-quinze ans; il occupait le siège de D.— depuis 1806.

Quoique ce détail ne touche en aucune manière au fond même de ce que nous avons à raconter, il n'est peut-être pas inutile, ne fût-ce que pour être exact en tout, d'indiquer ici les bruits et les propos qui avaient couru sur son compte au moment où il était arrivé dans le diocèse. Vrai ou faux, ce qu'on dit des hommes tient souvent autant de place dans leur vie et surtout dans leur destinée que ce qu'ils font. M. Myriel était fils d'un conseiller au parlement d'Aix; noblesse de robe. On contait que son père, le réservant pour hériter de sa charge, l'avait marié de fort bonne heure, à dix-huit ou vingt ans, suivant un usage assez répandu dans les familles parlementaires. Charles Myriel, nonobstant ce mariage, avait, disait-on, beaucoup fait parler de lui. Il était bien fait de sa personne, quoique d'assez petite taille, élégant, gracieux, spirituel; toute la première partie de sa vie avait été donnée au monde et aux galanteries. La révolution survint, les événements se précipitèrent, les familles parlementaires décimées, chassées, traquées, se dispersèrent. M. Charles Myriel, dès les premiers jours de la révolution, émigra en Italie. Sa femme y mourut d'une maladie de poitrine dont elle était atteinte depuis longtemps. Ils n'avaient point d'enfants. Que se passa-t-il ensuite dans la destinée de M. Myriel? L'écroulement de l'ancienne société française, la chute de sa propre famille, les tragiques spectacles de 93, plus effrayants encore peut-être pour les émigrés qui les voyaient de loin avec le grossissement de l'épouvante, firent-ils germer en lui des idées de renoncement et de solitude ? Fut-il, au milieu d'une de ces distractions et de ces affections qui occupaient sa vie, subitement atteint d'un de ces coups mystérieux et terribles qui viennent quelquefois renverser, en le frappant au cœur, l'homme que les catastrophes publiques n'ébranleraient pas en le frappant dans son existence et dans sa fortune ? Nul n'aurait pu le dire; tout ce qu'on savait, c'est que lorsqu'il revint d'Italie, il était prêtre.

En 1804 M. Myriel était curé de B. (Brignolles). Il était déjà vieux, et vivait dans une retraite profonde.

Vers l'époque du couronnement, une petite affaire de sa cure, on ne sait plus trop quoi, l'amena à Paris. Entre autres personnes puissantes, il alla solliciter pour ses paroissiens M. le cardinal Fesch. Un jour que l'empereur était venu faire visite à son oncle, le digne curé qui attendait dans l'antichambre, se trouva sur le passage de sa majesté. Napoléon, se voyant regarder avec une certaine curiosité par ce vieillard, se retourna et dit brusquement :

— Quel est ce bonhomme qui me regarde ?

— Sire, dit M. Myriel, vous regardez un bonhomme et moi je regarde un grand homme. Chacun de nous peut profiter.

L'empereur, le soir même, demanda au cardinal le nom de ce curé, et quelque temps après M. Myriel fut tout surpris d'apprendre qu'il était nommé évêque de D—.

Qu'y avait-il de vrai du reste dans les récits qu'on faisait sur la première partie de la vie de M. Myriel ? Personne ne le savait. Peu de familles avaient connu la famille Myriel avant la révolution.

M. Myriel devait subir le sort de tout nouveau venu dans une petite ville où il y a beaucoup de bouches qui parlent et fort peu de têtes qui pensent. Il devait le subir, quoiqu'il fût évêque et parce qu'il était évêque. Mais, après tout, les propos auxquels on mêlait son nom n'étaient que des propos; du bruit, des mots, des paroles; moins que des paroles, des *palabres*, comme dit l'énergique langue du midi.

Quoi qu'il en fût, après neuf ans d'épiscopat et de résidence à D —, tous ces racontages, sujets de conversation qui occupent dans le premier moment les petites villes et les petites gens, étaient tombés dans un oubli profond. Personne n'eût osé en parler, personne n'eût osé s'en souvenir.

M. Myriel était arrivé à D.— accompagné d'une vieille fille, mademoiselle Baptistine, qui était sa sœur et qui avait dix ans de moins que lui.

Ils avaient pour tout domestique une servante du même âge que mademoiselle Baptistine, et appelée madame Magloire, laquelle, après avoir été *la servante de M. le curé*, prenait maintenant le double titre de femme de chambre de mademoiselle et femme de charge de monseigneur.

Mademoiselle Baptistine était une personne longue, pâle, mince, douce; elle réalisait l'idéal de ce qu'exprime le mot « respectable »; car il semble qu'il soit nécessaire qu'une femme soit mère pour être vénérable. Elle n'avait jamais été jolie; toute sa vie, qui n'avait été qu'une suite de saintes œuvres, avait fini par mettre sur elle une sorte de blancheur et de clarté; et, en vieillissant, elle avait gagné ce qu'on pourrait appeler la beauté de la bonté. Ce qui avait été de la maigreur dans sa jeunesse était devenu, dans sa maturité, de la transparence; et cette diaphanéité laissait voir l'ange. C'était une âme plus encore que ce n'était une vierge. Sa personne semblait faite d'ombre; à peine assez de corps pour qu'il y eût là un sexe; un peu de matière contenant une lueur; de grands yeux toujours baissés; un prétexte pour qu'une âme reste sur la terre.

Madame Magloire était une petite vieille, blanche, grasse, replète, affairée, toujours haletante, à cause de son activité d'abord, ensuite à cause d'un asthme.

A son arrivée, on installa M. Myriel en son palais épiscopal avec les honneurs voulus par les décrets impériaux qui classent l'évêque immédiatement après le maréchal de camp. Le maire et le président lui firent la première visite et lui de son côté fit la première visite au général et au préfet.

L'installation terminée, la ville attendit son évêque à l'œuvre.

II

M. MYRIEL DEVIENT MONSEIGNEUR BIENVENU

Le palais épiscopal de D.— était attenant à l'hôpital.

Le palais épiscopal était un vaste et bel hôtel bâti en pierre au commencement du siècle dernier par monseigneur Henri Puget, docteur en théologie de la faculté de Paris, abbé de Simore, lequel était évêque de D.— en 1712. Ce palais était un vrai logis seigneurial. Tout y avait grand air, les appartements de l'évêque, les salons, les chambres, la cour d'honneur, fort large avec promenoirs à arcades, selon l'ancienne mode florentine, les jardins plantés de magnifiques arbres. Dans la salle à manger, longue et superbe galerie qui était au rez-dechaussée et s'ouvrait sur les jardins, monseigneur Henri Puget avait donné à manger en cérémonie le 29 juillet 1714 à messeigneurs Charles Brûlart de Genlis, archevêque prince d'Embrun, Antoine de Mesgrigny, capucin, évêque de Grasse, Philippe de Vendôme, grand prieur de France, abbé de St-Honoré de Lérins, François de Berton de Grillon, évêque baron de Vence, César de Sabran de Forcalquier, évêque seigneur de Glandève et Jean Soanen, prêtre de l'oratoire, prédicateur ordinaire du roi, évêque seigneur de Senez; les portraits de ces sept révérends personnages décoraient cette salle, et cette date mémorable, 29 JUILLET 1714, y était gravée en lettres d'or sur une table de marbre blanc.

L'hôpital était une maison étroite et basse à un seul étage avec un petit jardin.

Trois jours après son arrivée, l'évêque visita l'hôpital. La visite terminée, il fit prier le directeur de vouloir bien venir jusque chez lui.

— Monsieur le directeur de l'hôpital, lui dit-il, combien en ce moment avez-vous de malades ?

— Vingt-six, monseigneur.

— C'est ce que j'avais compté, dit l'évêque.

— Les lits, reprit le directeur, sont bien serrés les uns contre les autres.

— C'est ce que j'avais remarqué.

— Les salles ne sont que des chambres et l'air s'y renouvelle difficilement.

— C'est ce qui me semble.

— Et puis, quand il y a un rayon de soleil, le jardin est bien petit pour les convalescents.

— C'est ce que je me disais.

— Dans les épidémies, nous avons eu cette année le typhus, nous avons eu la suette miliaire il y a deux ans; cent malades quelquefois, nous ne savons que faire.

— C'est la pensée qui m'était venue.

— Que voulez-vous, monseigneur ? dit le directeur, il faut se résigner.

Cette conversation avait lieu dans la salle à manger-galerie du rez-de-chaussée.

L'évêque garda un moment le silence, puis il se tourna brusquement vers le directeur de l'hôpital.

— Monsieur, dit-il, combien pensez-vous qu'il tiendrait de lits rien que dans cette salle ?

— Dans la salle à manger de monseigneur ? s'écria le directeur stupéfait.

L'évêque parcourait la salle du regard et semblait y faire avec les yeux des mesures et des calculs.

— Il y tiendrait bien vingt lits! dit-il, comme se parlant à lui-même, puis élevant la voix :

— Tenez, monsieur le directeur de l'hôpital, je vais vous dire. Il y a évidemment une erreur. Vous êtes vingt-six personnes dans cinq ou six petites chambres. Nous sommes trois ici et nous avons place pour soixante, il y a erreur, je vous dis, vous avez mon logis et j'ai le vôtre. Rendez-moi ma maison; c'est ici chez vous.

Le lendemain les vingt-six pauvres malades étaient installés dans le palais de l'évêque et l'évêque était à l'hôpital.

M. Myriel n'avait pas de biens, sa famille ayant été ruinée par la révolution. Sa sœur touchait une rente viagère de cinq cents francs qui, au presbytère, suffisait à cette dépense personnelle. M. Myriel recevait de l'Etat comme évêque un traitement de quinze mille francs. Le jour même où il vint se loger dans la maison de l'hôpital, M. Myriel détermina l'emploi de cette somme une fois pour toutes de la manière suivante. Nous transcrivons ici une note écrite de sa main.

« *Note pour régler les dépenses de ma maison.*

« Pour le petit séminaire ..	quinze cents livres.
« Congrégation de la mission	cent livres.
« Pour les lazaristes de Montdidier	cent livres.
« Séminaire des missions étrangères à Paris	deux cents livres.
« Congrégation du Saint-Esprit	cent cinquante livres.
« Établissements religieux de la Terre Sainte	cent livres.
« Sociétés de charité maternelle	trois cents livres.
« En sus, pour celle d'Arles	cinquante livres.
« Œuvres pour l'amélioration des prisons	quatre cents livres.
« Œuvre pour le soulagement et la délivrance des prisonniers	cinq cents livres.
« Pour libérer des pères de famille prisonniers pour dettes	mille livres.
« Supplément au traitement des pauvres maîtres d'école du diocèse	deux mille livres.
« Grenier d'abondance des Hautes Alpes	cent livres.
« Congrégation des dames de D.—, de Manosque et de Sisteron pour l'enseignement gratuit des filles indigentes .	quinze cents livres.
« Pour les pauvres	six mille livres.
« Ma dépense personnelle.	mille livres.
« Total	quinze mille livres. »

Pendant tout le temps qu'il occupa le siège de D—, M. Myriel ne changea rien à cet arrangement. Il appelait cela, comme on voit, *avoir réglé les dépenses de sa maison.*

Cet arrangement fut accepté avec une soumission absolue par mademoiselle Baptistine. Pour cette sainte fille, M. de D.— était tout à la fois son frère et son évêque, son ami selon la nature et son supérieur selon l'église.

Elle l'aimait et elle le vénérait tout simplement. Quand il parlait, elle s'inclinait; quand il agissait, elle adhérait. La servante seule, madame Magloire, murmura un peu. M. l'évêque, on l'a pu remarquer, ne s'était réservé que mille livres, ce qui, joint à la pension de mademoiselle Baptistine, faisait quinze cents francs par an. Avec ces quinze cents francs ces deux vieilles femmes et ce vieillard vivaient.

Et, quand un curé de village venait à D.— M. l'évêque trouvait encore moyen de le traiter, grâce à la sévère économie de madame Magloire et à l'intelligente administration de mademoiselle Baptistine.

Un jour, il était à D.— depuis environ trois mois, l'évêque dit :

— Avec tout cela je suis bien gêné!

— Je le crois bien, s'écria madame Magloire, monseigneur n'a seulement pas réclamé la rente que le département lui doit pour ses frais de carrosse en ville et de tournées dans le diocèse. Pour les évêques d'autrefois c'était l'usage.

— Tiens! dit l'évêque, vous avez raison, madame Magloire.

Il fit sa réclamation.

Quelque temps après, le conseil général, prenant cette demande en considération, lui vota une somme annuelle de trois mille francs, sous cette rubrique : *Allocation à M. l'évêque pour frais de carrosse, frais de poste et frais de tournées pastorales.*

Cela fit beaucoup crier la bourgeoisie locale, et à cette occasion un sénateur de l'empire, ancien membre du Conseil des Cinq Cents favorable au dix-huit brumaire et pourvu près de la ville de D.— d'une sénatorerie magnifique, écrivit au ministre des cultes, M. Bigot de Préameneu, un petit billet irrité et confidentiel dont nous extrayons ces lignes authentiques :

« — Des frais de carrosse ? pour quoi faire dans une
« ville de moins de quatre mille habitants ? Des frais de
« tournées ? à quoi bon ces tournées d'abord ? ensuite
« comment courir la poste dans ces pays de montagne ?
« il n'y a pas de routes. On ne va qu'à cheval. Le pont
« même de la Durance à Château-Arnoux peut à peine
« porter des charrettes à bœufs. Ces prêtres sont tous
« ainsi; avides et avares. Celui-ci a fait le bon apôtre
« en arrivant. Maintenant il fait comme les autres, il lui
« faut carrosse et chaise de poste. Il lui faut du luxe

« comme aux anciens évêques. Oh ! toute cette prêtraille !
« Monsieur le comte, les choses n'iront bien que lorsque
« l'empereur nous aura délivrés des calotins. A bas le
« pape ! (les affaires se brouillaient avec Rome) quant à
« moi, je suis pour César tout seul, etc., etc., etc. »

La chose en revanche réjouit fort madame Magloire.

— Bon, dit-elle à mademoiselle Baptistine, monseigneur a commencé par les autres, mais il a bien fallu qu'il
finît par lui-même. Il a réglé toutes ses charités. Voilà
trois mille livres pour nous. Enfin !

Le soir même l'évêque écrivit et remit à sa sœur une
note ainsi conçue :

« *Frais de carrosse et de tournées.*

« Pour donner du bouil- lon de viande aux malades de l'hôpital...............	quinze cents livres.
« Pour la société de cha- rité maternelle d'Aix	deux cent cinquante livres.
« Pour la société de cha- rité maternelle de Dragui- gnan	deux cent cinquante livres.
« Pour les enfants trouvés .	cinq cents livres.
« Pour les orphelins	cinq cents livres.
« Total	trois mille livres.

Tel était le budget de M. Myriel.

Quant au casuel épiscopal, rachats de bans, dispenses,
ondoiements, prédications, bénédictions d'églises ou de
chapelles, mariages, etc., l'évêque le percevait sur les
riches avec d'autant plus d'âpreté qu'il le donnait aux
pauvres.

Au bout de peu de temps les offrandes d'argent
affluèrent. Ceux qui ont et ceux qui manquent frappaient
à la porte de M. Myriel, les uns venant chercher l'aumône
que les autres venaient y déposer. L'évêque en moins
d'un an devint le trésorier de tous les bienfaits, et le
caissier de toutes les détresses. Des sommes considérables
passaient par ses mains, mais rien ne put faire qu'il chan-
geât quelque chose à son genre de vie et qu'il ajoutât le
moindre superflu à son nécessaire.

Loin de là. Comme il y a toujours encore plus de misère en bas que de fraternité en haut, tout était donné, pour ainsi dire, avant d'être reçu ; c'était comme de l'eau sur une terre sèche ; il avait beau recevoir de l'argent, il n'en avait jamais. Alors il se dépouillait.

L'usage étant que les évêques énoncent leurs noms de baptême en tête de leurs mandements et de leurs lettres pastorales, les pauvres gens du pays avaient choisi, avec une sorte d'instinct affectueux, dans les noms et prénoms de l'évêque, celui qui leur présentait un sens, et ils ne l'appelaient que monseigneur Bienvenu. Nous ferons comme eux, et nous le nommerons ainsi dans l'occasion. Du reste cette appellation lui plaisait. — J'aime ce nom-là, disait-il. Bienvenu corrige monseigneur.

Nous ne prétendons pas que le portrait que nous faisons ici soit vraisemblable : nous nous bornons à dire qu'il est ressemblant.

III

A BON ÉVÊQUE DUR ÉVÊCHÉ

M. l'évêque, pour avoir converti son carrosse en aumônes, n'en faisait pas moins ses tournées. C'est un diocèse fatigant que celui de D—. Il a fort peu de plaines et beaucoup de montagnes, presque pas de routes, on l'a vu tout à l'heure ; trente-deux cures, quarante et un vicariats et deux cent quatre-vingt-cinq succursales. Visiter tout cela, c'est une affaire. M. l'évêque en venait à bout. Il allait à pied quand c'était dans le voisinage, en carriole quand c'était dans la plaine, en cacolet dans la montagne. Les deux vieilles femmes l'accompagnaient. Quand le trajet était trop pénible pour elles, il allait seul.

Un jour il arriva à Senez, qui est une ancienne ville épiscopale, monté sur un âne. Sa bourse, fort à sec dans ce moment, ne lui avait pas permis d'autre équipage. Le maire de la ville vint le recevoir à la porte de l'évêché et le regardait descendre de son âne avec des yeux scandalisés. Quelques bourgeois riaient autour de lui. — Monsieur le maire, dit l'évêque, et messieurs les bourgeois, je vois ce qui vous scandalise, vous trouvez que c'est bien de l'orgueil à un pauvre prêtre de monter une monture qui était celle de Jésus-Christ. Je l'ai fait par nécessité, je vous assure, et non par vanité.

Dans ces tournées il était indulgent et doux, et prêchait moins qu'il ne causait. Il n'allait jamais chercher bien loin ses raisonnements et ses modèles. Aux habitants d'un pays il citait l'exemple du pays voisin. Dans les cantons où l'on était dur pour les nécessiteux, il disait : — Voyez les gens de Briançon. Ils ont donné aux indigents, aux veuves et aux orphelins le droit de faire faucher leurs prairies trois jours avant tous les autres. Ils leur rebâtissent gratuitement leurs maisons quand elles sont en ruines. Aussi est-ce un pays béni de Dieu. Durant tout un siècle de cent ans, il n'y a pas eu un meurtrier.

Dans les villages âpres au gain et à la moisson, il disait : — Voyez ceux d'Embrun. Si un père de famille, au temps de la récolte, a ses fils au service à l'armée et ses filles en service à la ville, et qu'il soit malade et empêché, le curé le recommande au prône; et le dimanche, après la messe, tous les gens du village, hommes, femmes, enfants, vont dans le champ du pauvre homme lui faire sa moisson, et lui rapportent paille et grain dans son grenier. — Aux familles divisées par des questions d'argent et d'héritage, il disait : — Voyez les montagnards de Devolny, pays si sauvage qu'on n'y entend pas le rossignol une fois en cinquante ans. Eh bien, quand le père meurt dans une famille, les garçons s'en vont chercher fortune, et laissent le bien aux filles afin qu'elles puissent trouver des maris. — Aux cantons qui ont le goût des procès et où les fermiers se ruinent en papier timbré, il disait : — Voyez ces bons paysans de la vallée de Queyras. Ils sont là trois mille âmes. Mon Dieu! c'est comme une petite république. On n'y connaît ni le juge, ni l'huissier. Le maire fait tout. Il répartit l'impôt, taxe chacun en conscience, juge les querelles gratis, partage les patrimoines sans honoraires, rend des sentences sans frais, et on lui obéit, parce que c'est un homme juste parmi des hommes simples. — Aux villages où il ne trouvait pas de maître d'école, il citait encore ceux de Queyras : — Savez-vous comment ils font ? disait-il. Comme un petit pays de douze et quinze feux ne peut pas toujours nourrir un magister, ils ont des maîtres d'école payés par toute la vallée, qui parcourent les villages, passant huit jours dans celui-ci,

dix dans celui-là, et enseignent. Ces magisters vont aux
foires où je les ai vus. On les reconnaît à des plumes à
écrire qu'ils portent dans la ganse de leur chapeau.
Ceux qui n'enseignent qu'à lire ont une plume; ceux
qui enseignent la lecture et le calcul ont deux plumes;
ceux qui enseignent la lecture, le calcul et le latin ont
trois plumes. Ceux-là sont de grands savants. Mais
quelle honte d'être ignorants ? Faites comme les gens
de Queyras.

Il parlait ainsi, gravement et paternellement; à défaut
d'exemples il inventait des paraboles, allant droit au but,
avec peu de phrases et beaucoup d'images, ce qui était
l'éloquence même de Jésus-Christ, convaincu et persua-
dant.

IV

LES ŒUVRES SEMBLABLES AUX PAROLES

Sa conversation était affable et gaie. Il se mettait à la
portée des deux vieilles femmes qui passaient leur vie
près de lui; quand il riait, c'était le rire d'un écolier.

Madame Magloire l'appelait volontiers *Votre Grandeur*.
Un jour il se leva de son fauteuil et alla à sa bibliothèque
chercher un livre. Ce livre était sur un des rayons d'en
haut. Comme l'évêque était d'assez petite taille, il ne
put y atteindre. — *Madame Magloire*, dit-il, *apportez-
moi une chaise. Ma Grandeur ne va pas jusqu'à cette
planche.*

Une de ses parentes éloignées, madame la comtesse de
Lô, laissait rarement échapper une occasion d'énumérer
en sa présence ce qu'elle appelait « les espérances » de
ses trois fils. Elle avait plusieurs ascendants fort vieux
et proches de la mort dont ses fils étaient naturellement
les héritiers. Le plus jeune des trois avait à recueillir
d'une grand-tante cent bonnes mille livres de rentes; le
deuxième était substitué au titre de duc de son oncle;
l'aîné devait succéder à la pairie de son aïeul. L'évêque
écoutait habituellement en silence ces innocents et
pardonnables étalages maternels. Une fois pourtant, il
paraissait plus rêveur que de coutume, tandis que

madame de Lô renouvelait le détail de toutes ces successions et de toutes ces « espérances ». Elle s'interrompit avec quelque impatience : — Mon Dieu, mon cousin! mais à quoi songez-vous donc ? — Je songe, dit l'évêque, à quelque chose de singulier qui est, je crois, dans saint Augustin : « Mettez votre espérance dans celui auquel on ne succède point. »

Une autre fois, recevant une lettre de faire part du décès d'un gentilhomme du pays, où s'étalaient en une longue page, outre les dignités du défunt, toutes les qualifications féodales et nobiliaires de tous ses parents : — Quel bon dos a la mort! s'écria-t-il. Quelle admirable charge de titres on lui fait allégrement porter, et comme il faut que les hommes aient de l'esprit pour employer ainsi la tombe à la vanité!

Il avait dans l'occasion une raillerie douce qui contenait presque toujours un sens sérieux. Pendant un carême, un jeune vicaire vint à D.— et prêcha dans la cathédrale. Il fut assez éloquent. Le sujet de son sermon était la charité. Il invita les riches à donner aux indigents afin d'éviter l'enfer qu'il peignit le plus effroyable qu'il put et de gagner le paradis qu'il fit désirable et charmant. Il y avait dans l'auditoire un riche marchand retiré, un peu usurier, nommé M. Géborand, lequel avait gagné deux millions à fabriquer de gros draps, des serges, des cadis et des gasquets. De sa vie M. Géborand n'avait fait l'aumône à un malheureux. A partir de ce sermon, on remarqua qu'il donnait tous les dimanches un sou aux vieilles mendiantes du portail de la cathédrale. Elles étaient six à se partager cela. Un jour l'évêque le vit faisant sa charité et dit à sa sœur avec un sourire : — Voilà monsieur Géborand qui achète pour un sou de paradis.

Quand il s'agissait de charité, il ne se rebutait pas même devant un refus, et il trouvait alors des mots qui faisaient réfléchir. Une fois, il quêtait pour les pauvres dans un salon de la ville; il y avait là le marquis de Champtercier, vieux, riche, avare, lequel trouvait moyen d'être tout ensemble ultra-royaliste et ultra-voltairien. Cette variété a existé. L'évêque arrivé à lui lui toucha le bras : — *Monsieur le marquis, il faut que vous me donniez quelque chose.* Le marquis se retourna et répondit sèchement : — *Monseigneur, j'ai mes pauvres.* — *Donnez-les-moi,* dit l'évêque.

Un jour, dans la cathédrale, il fit ce sermon :

« Mes très chers frères, mes bons amis, il y a en France treize cent vingt mille maisons de paysans qui n'ont que trois ouvertures, dix-huit cent dix-sept mille qui ont deux ouvertures, la porte et une fenêtre, et enfin trois cent quarante-six mille cabanes qui n'ont qu'une ouverture, la porte. Et cela, à cause d'une chose qu'on appelle l'impôt des portes et fenêtres. Mettez-moi de pauvres familles, des vieilles femmes, des petits enfants, dans ces logis-là, et voyez les fièvres et les maladies! Hélas! Dieu donne l'air aux hommes, la loi le leur vend. Je n'accuse pas la loi; mais je bénis Dieu. Dans l'Isère, dans le Var, dans les deux Alpes, les hautes et les basses, les paysans n'ont pas même de brouettes, ils transportent les engrais à dos d'homme; ils n'ont pas de chandelles, et ils brûlent des bâtons résineux et des bouts de corde trempés dans la poix résine. C'est comme cela dans tout le pays haut du Dauphiné. Ils font le pain pour six mois, ils le font cuire avec de la bouse de vache séchée. L'hiver, ils cassent ce pain à coups de hache, et ils le font tremper dans l'eau vingt-quatre heures pour pouvoir le manger. — Mes frères, ayez pitié! voyez comme on souffre autour de vous! »

Né provençal, il s'était facilement familiarisé avec tous les patois du midi. Il disait : — *Eh bé! moussu, sès sagé?* comme dans le bas Languedoc. — *Onté anaras passa?* comme dans les basses Alpes. — *Puerte un bouen moutou embe un bouen froumage grase,* comme dans le haut Dauphiné. Ceci plaisait beaucoup au peuple et n'avait pas peu contribué à lui donner accès près de tous les esprits. Il était dans la chaumière et dans la montagne comme chez lui. Il savait dire les choses les plus grandes dans les idiomes les plus vulgaires. Parlant toutes les langues, il entrait dans toutes les âmes.

Du reste il était le même pour les gens du monde et pour les gens du peuple.

Il ne condamnait rien hâtivement, et sans tenir compte des circonstances. Il disait : Voyons le chemin par où la faute a passé.

Etant, comme il se qualifiait lui-même en souriant, un *ex-pécheur*, il n'avait aucun des escarpements du rigorisme, et il professait assez haut, et sous le froncement de sourcil des vertueux féroces, une doctrine qu'on pourrait résumer à peu près ainsi :

« L'homme a sur lui la chair qui est tout à la fois son fardeau et sa tentation. Il la traîne et lui cède.

« Il doit la surveiller, la contenir, la réprimer, et ne lui obéir qu'à la dernière extrémité. Dans cette obéissance-là il peut encore y avoir de la faute; mais la faute, ainsi faite, est vénielle. C'est une chute; mais une chute sur les genoux, qui peut s'achever en prière.

« Etre un saint, c'est l'exception; être un juste, c'est la règle. Errez, défaillez, péchez, mais soyez des justes.

« Le moins de péché possible, c'est la loi de l'homme. Pas de péché du tout est le rêve de l'ange. Tout ce qui est terrestre est soumis au péché. Le péché est une gravitation. »

Quand il voyait tout le monde crier bien fort et s'indigner bien vite : — Oh! oh! disait-il en souriant, il y a apparence que ceci est un gros crime que tout le monde commet. Voilà les hypocrisies effarées qui se dépêchent de protester et de se mettre à couvert.

Il était indulgent pour les femmes et les pauvres sur qui pèse le poids de la société humaine. Il disait : — Les fautes des femmes, des enfants, des serviteurs, des faibles, des indigents et des ignorants sont la faute des maris, des pères, des maîtres, des forts, des riches et des savants.

Il disait encore : — A ceux qui ignorent, enseignez-leur le plus de choses que vous pourrez; la société est coupable de ne pas donner l'instruction gratis; elle répond de la nuit qu'elle produit. Cette âme est pleine d'ombre, le péché s'y commet. Le coupable n'est pas celui qui fait le péché, mais celui qui fait l'ombre.

Comme on voit, il avait une manière étrange et à lui de juger les choses. Je soupçonne qu'il avait pris cela dans l'Evangile.

Il entendit un jour conter dans un salon un procès criminel qu'on instruisait et qu'on allait juger. Un misérable homme, par amour pour une femme et pour l'enfant qu'il avait d'elle, à bout de ressources, avait fait de la fausse monnaie. La fausse monnaie était encore punie de mort à cette époque. La femme avait été arrêtée émettant la première pièce fausse fabriquée par l'homme. On la tenait, mais on n'avait de preuves que contre elle. Elle seule pouvait charger son amant et le perdre en avouant. Elle nia. On insista. Elle s'obstina à nier. Sur ce, le procureur du roi avait eu une idée. Il avait supposé une infidélité de l'amant, et était parvenu, avec des fragments de lettres savamment présentés, à persuader à la malheureuse qu'elle avait une rivale et que cet homme la trompait. Alors exaspérée de jalousie, elle avait dénoncé son amant, tout avoué, tout prouvé. L'homme était perdu. Il allait être prochainement jugé à Aix avec sa complice. On racontait le fait et chacun s'extasiait sur l'habileté du magistrat. En mettant la jalousie en jeu, il avait fait jaillir la vérité par la colère, il avait fait sortir la justice de la vengeance. L'évêque écoutait tout cela en silence. Quand ce fut fini, il demanda :

— Où jugera-t-on cet homme et cette femme ?

— A la cour d'assises.

Il reprit : — Et où jugera-t-on monsieur le procureur du roi ?

Il arriva à D.— une aventure tragique. Un homme fut condamné à mort pour meurtre. C'était un malheureux pas tout à fait lettré, pas tout à fait ignorant, qui avait été bateleur dans les foires et écrivain public. Le procès occupa beaucoup la ville. La veille du jour fixé pour l'exécution du condamné, l'aumônier de la prison tomba malade. Il fallait un prêtre pour assister le patient à ses derniers moments. On alla chercher le curé. Il paraît qu'il refusa en disant : Cela ne me regarde pas. Je n'ai que faire de cette corvée et de ce saltimbanque; moi aussi je suis malade; d'ailleurs ce n'est pas là ma place. On rapporta cette réponse à l'évêque qui dit : — *Monsieur le curé a raison. Ce n'est pas sa place, c'est la mienne.*

Il alla sur-le-champ à la prison, il descendit au cabanon du « saltimbanque », il l'appela par son nom, lui prit la main et lui parla. Il passa toute la journée auprès de lui, oubliant la nourriture et le sommeil, priant Dieu pour l'âme du condamné et priant le condamné pour la sienne propre. Il lui dit les meilleures vérités qui sont les plus simples. Il fut père, frère, ami; évêque pour bénir seulement. Il lui enseigna tout, en le rassurant et en le consolant. Cet homme allait mourir désespéré. La mort était pour lui comme un abîme. Debout et frémissant sur ce seuil lugubre, il reculait avec horreur. Il n'était pas assez ignorant pour être absolument indifférent. Sa condamnation, secousse profonde, avait en quelque sorte rompu çà et là autour de lui cette cloison qui nous sépare du mystère des choses et que nous appelons la vie. Il regardait sans cesse au dehors de ce monde par ces brèches fatales, et ne voyait que des ténèbres. L'évêque lui fit voir une clarté.

Le lendemain quand on vint chercher le malheureux, l'évêque était là. Il le suivit et se montra aux yeux de la

foule en camail violet et avec sa croix épiscopale au cou,
côte à côte avec ce misérable lié de cordes.

Il monta sur la charrette avec lui, il monta sur l'échafaud avec lui. Le patient, si morne et si accablé la veille,
était rayonnant. Il sentait que son âme était réconciliée
et il espérait Dieu. L'évêque l'embrassa, et au moment
où le couteau allait tomber, il lui dit : « — Celui que
l'homme tue, Dieu le ressuscite; celui que les frères
chassent, retrouve le Père. Priez, croyez, entrez dans
la vie! Le Père est là. » Quand il descendit de l'échafaud, il avait quelque chose dans son regard qui fit ranger
le peuple. On ne savait ce qui était le plus admirable
de sa pâleur ou de sa sérénité. En rentrant à cet humble
logis qu'il appelait en souriant *son palais*, il dit à sa sœur :
Je viens d'officier pontificalement.

Comme les choses les plus sublimes sont souvent aussi
les moins comprises, il y eut dans la ville des gens qui
dirent en commentant cette conduite de l'évêque :
c'est de l'affectation. Ceci ne fut du reste qu'un propos
de salons. Le peuple qui n'entend pas malice aux actions
saintes fut attendri et admira.

Quant à l'évêque, avoir vu la guillotine fut pour lui
un choc et il fut longtemps à s'en remettre.

L'échafaud, en effet, quand il est là, dressé et debout,
a quelque chose qui hallucine. On peut avoir une certaine indifférence sur la peine de mort, ne point se prononcer, dire oui et non, tant qu'on n'a pas vu de ses
yeux une guillotine, mais si l'on en rencontre une, la
secousse est violente, il faut se décider, et prendre parti
pour ou contre. Les uns admirent, comme de Maistre;
les autres exècrent, comme Beccaria. La guillotine est
la concrétion de la loi; elle se nomme *vindicte ;* elle
n'est pas neutre, et ne vous permet pas de rester neutre.
Qui l'aperçoit frissonne du plus mystérieux des frissons.
Toutes les questions sociales dressent autour de ce
couperet leurs points d'interrogation. L'échafaud est
vision. L'échafaud n'est pas une charpente, l'échafaud
n'est pas une machine, l'échafaud n'est pas une mécanique inerte faite de bois, de fer et de cordes. Il semble
que ce soit une sorte d'être qui a je ne sais quelle sombre
initiative; on dirait que cette charpente voit, que cette
machine entend, que cette mécanique comprend, que
ce bois, ce fer et ces cordes veulent. Dans la rêverie
affreuse où sa présence jette l'âme, l'échafaud apparaît
terrible et se mêlant de ce qu'il fait. L'échafaud est le

complice du bourreau; il dévore; il mange de la chair, il boit du sang. L'échafaud est une sorte de monstre fabriqué par le juge et par le charpentier, un spectre qui semble vivre d'une espèce de vie épouvantable faite de toute la mort qu'il a donnée.

Aussi l'impression fut-elle horrible et profonde; le lendemain de l'exécution et beaucoup de jours encore après, l'évêque parut accablé. La sérénité presque violente du moment funèbre avait disparu; le fantôme de la justice sociale l'obsédait. Lui qui d'ordinaire revenait de toutes ses actions avec une satisfaction si rayonnante, il semblait qu'il se fît un reproche. Par moments il se parlait à lui-même, et bégayait à demi-voix des monologues lugubres. En voici un que sa sœur entendit un soir et recueillit : — Je ne croyais pas que cela fût si monstrueux. C'est un tort de s'absorber dans la loi divine au point de ne plus s'apercevoir de la loi humaine. La mort n'appartient qu'à Dieu. De quel droit les hommes touchent-ils à cette chose inconnue ?

Avec le temps ces impressions s'atténuèrent, et probablement s'effacèrent. Cependant on remarqua que l'évêque désormais évitait de passer sur la place des exécutions.

On pouvait appeler M. Myriel à toute heure au chevet des malades et des mourants. Il n'ignorait pas que là était son plus grand devoir et son plus grand travail. Les familles veuves ou orphelines n'avaient pas besoin de le demander, il arrivait de lui-même. Il savait s'asseoir et se taire de longues heures auprès de l'homme qui avait perdu la femme qu'il aimait, de la mère qui avait perdu son enfant. Comme il savait le moment de se taire, il savait aussi le moment de parler. O admirable consolateur! il ne cherchait pas à effacer la douleur par l'oubli, mais à l'agrandir et à la dignifier par l'espérance. Il disait : — « Prenez garde à la façon dont vous vous tournez vers les morts. Ne songez pas à ce qui pourrit. Regardez fixement. Vous apercevrez la lueur vivante de votre mort bien-aimé au fond du ciel. » Il savait que la croyance est saine. Il cherchait à conseiller et à calmer l'homme désespéré en lui indiquant du doigt l'homme résigné, et à transformer la douleur qui regarde une fosse en lui montrant la douleur qui regarde une étoile.

V

QUE MONSEIGNEUR BIENVENU FAISAIT DURER TROP LONGTEMPS SES SOUTANES

La vie intérieure de M. Myriel était pleine des mêmes pensées que sa vie publique. Pour qui eût pu la voir de près, c'eût été un spectacle grave et charmant que cette pauvreté volontaire dans laquelle vivait M. l'évêque de D—.

Comme tous les vieillards et comme la plupart des penseurs, il dormait peu. Ce court sommeil était profond. Le matin il se recueillait pendant une heure, puis il disait sa messe, soit à la cathédrale, soit dans sa maison. Sa messe dite, il déjeunait d'un pain de seigle trempé dans le lait de ses vaches. Puis il travaillait.

Un évêque est un homme fort occupé; il faut qu'il reçoive tous les jours le secrétaire de l'évêché, qui est d'ordinaire un chanoine, presque tous les jours ses grands-vicaires. Il a des congrégations à contrôler, des privilèges à donner, toute une librairie ecclésiastique à examiner, paroissiens, catéchismes diocésains, livres d'heures, etc., des mandements à écrire, des prédications à autoriser, des curés et des maires à mettre d'accord, une correspondance cléricale, une correspondance administrative, d'un côté l'État, de l'autre le saint-siège, mille affaires.

Le temps que lui laissaient ces mille affaires et ses offices et son bréviaire, il le donnait d'abord aux nécessiteux, aux malades et aux affligés; le temps que les affligés, les malades et les nécessiteux lui laissaient, il le donnait au travail. Tantôt il bêchait dans son jardin, tantôt il lisait et il écrivait. Il n'avait qu'un mot pour ces deux sortes de travail; il appelait cela *jardiner*. « L'esprit est un jardin », disait-il.

Vers midi, quand le temps était beau, il sortait et se promenait à pied dans la campagne ou dans la ville, entrant souvent dans les masures. On le voyait cheminer seul, tout à ses pensées, l'œil baissé, appuyé sur sa longue canne, vêtu de sa douillette violette ouatée et bien chaude, chaussé de bas violets dans de gros souliers et coiffé de son chapeau plat qui laissait passer par ses trois cornes trois glands d'or à graines d'épinards.

C'était une fête partout où il paraissait. On eût dit que son passage avait quelque chose de réchauffant et de lumineux. Les enfants et les vieillards venaient sur le seuil des portes pour l'évêque comme pour le soleil. Il bénissait et on le bénissait. On montrait sa maison à quiconque avait besoin de quelque chose.

Çà et là, il s'arrêtait, parlait aux petits garçons et aux petites filles et souriait aux mères. Il visitait les pauvres tant qu'il avait de l'argent; quand il n'en avait plus, il visitait les riches.

Comme il faisait durer ses soutanes beaucoup de temps, et qu'il ne voulait pas qu'on s'en aperçût, il ne sortait jamais dans la ville autrement qu'avec sa douillette violette. Cela le gênait un peu en été.

En rentrant il dînait. Le dîner ressemblait au déjeuner.

Le soir à huit heures et demie il soupait avec sa sœur, madame Magloire debout derrière eux et les servant à table. Rien de plus frugal que ce repas. Si pourtant l'évêque avait un de ses curés à souper, madame Magloire en profitait pour servir à monseigneur quelque excellent poisson des lacs ou quelque fin gibier de la montagne. Tout curé était un prétexte à bon repas; l'évêque se laissait faire. Hors de là, son ordinaire ne se composait guère que de légumes cuits dans l'eau et de soupe à l'huile. Aussi disait-on dans la ville : *quand l'évêque ne fait pas chère de curé, il fait chère de trappiste.*

Après son souper, il causait pendant une demi-heure avec mademoiselle Baptistine et madame Magloire; puis il rentrait dans sa chambre et se remettait à écrire, tantôt sur des feuilles volantes, tantôt sur la marge de quelque in-folio. Il était lettré et quelque peu savant. Il a laissé cinq ou six manuscrits assez curieux; entre autres une dissertation sur le verset de la Genèse : *Au commencement l'esprit de Dieu flottait sur les eaux.* Il confronte avec ce verset trois textes : le verset arabe qui dit : *les vents de Dieu soufflaient ;* Flavius Josèphe qui dit : *Un vent d'en haut se précipitait sur la terre ;* et enfin la paraphrase chaldaïque d'Onkelos qui porte : *Un vent venant de Dieu soufflait sur la face des eaux.* Dans une autre dissertation, il examine les œuvres théologiques de Hugo, évêque de Ptolémaïs, arrière-grand-oncle de

celui qui écrit ce livre, et il établit qu'il faut attribuer
à cet évêque les divers opuscules publiés au siècle dernier, sous le pseudonyme de Barleycourt.

Parfois au milieu d'une lecture, quel que fût le livre
qu'il eût entre les mains, il tombait tout à coup dans une
méditation profonde d'où il ne sortait que pour écrire
quelques lignes sur les pages mêmes du volume. Ces
lignes souvent n'ont aucun rapport avec le livre qui les
contient. Nous avons sous les yeux une note écrite par
lui sur une des marges d'un in-quarto intitulé : *Corres-*
pondance du lord Germain avec les généraux Clinton,
Cornwalis et les amiraux de la station de l'Amérique.
A Versailles, chez Poinçot, libraire, et à Paris chez Pissot,
libraire, quai des Augustins.

Voici cette note :

« O vous qui êtes !

« L'Ecclésiaste vous nomme Toute-puissance, les
Machabées vous nomment Créateur, l'Epître aux Ephésiens vous nomme Liberté, Baruch vous nomme Immensité, les Psaumes vous nomment Sagesse et Vérité, Jean
vous nomme Lumière, les Rois vous nomment Seigneur,
l'Exode vous appelle Providence, le Lévitique Sainteté,
Esdras Justice, la création vous nomme Dieu, l'homme
vous nomme Père, mais Salomon vous nomme Miséri-
corde, et c'est là le plus beau de tous vos noms. »

Vers neuf heures du soir, les deux femmes se retiraient
et montaient à leurs chambres au premier, le laissant
jusqu'au matin seul au rez-de-chaussée.

Ici il est nécessaire que nous donnions une idée
exacte du logis de M. l'évêque de D—.

VI

PAR QUI IL FAISAIT GARDER SA MAISON

La maison qu'il habitait se composait, nous l'avons
dit, d'un rez-de-chaussée et d'un seul étage : trois pièces
au rez-de-chaussée, trois chambres au premier, au-dessus
un grenier. Derrière la maison un jardin d'un quart
d'arpent. Les deux femmes occupaient le premier.

L'évêque logeait en bas. La première pièce, qui s'ouvrait
sur la rue, lui servait de salle à manger, la deuxième de
chambre à coucher et la troisième d'oratoire. On ne
pouvait sortir de cet oratoire, sans passer par la chambre
à coucher, et sortir de la chambre à coucher sans passer
par la salle à manger. Dans l'oratoire, au fond, il y avait
une alcôve fermée, avec un lit pour les cas d'hospitalité.
M. l'évêque offrait ce lit aux curés de campagne que
des affaires ou les besoins de leur paroisse amenaient
à D—.

La pharmacie de l'hôpital, petit bâtiment ajouté à la
maison et pris sur le jardin, avait été transformée en
cuisine et en cellier.

Il y avait en outre dans le jardin une étable qui était
l'ancienne cuisine de l'hospice et où l'évêque entretenait
deux vaches. Quelle que fût la quantité de lait qu'elles
lui donnassent, il en envoyait invariablement tous les
les matins la moitié aux malades de l'hôpital. *Je paie ma
dîme*, disait-il.

Sa chambre était assez grande et assez difficile à
chauffer dans la mauvaise saison. Comme le bois est
très cher à D—, il avait imaginé de faire faire dans
l'étable à vaches un compartiment fermé d'une cloison
en planches. C'était là qu'il passait ses soirées dans les
grands froids. Il appelait cela son *salon d'hiver*.

Il n'y avait dans ce salon d'hiver, comme dans la
salle à manger, d'autres meubles qu'une table en bois
blanc, carrée, et quatre chaises de paille. La salle à manger
était ornée en outre d'un vieux buffet peint en rose à la
détrempe. Du buffet pareil, convenablement habillé de
napperons blancs et de fausses dentelles, l'évêque avait
fait l'autel qui décorait son oratoire.

Ses pénitentes riches et les saintes femmes de D.—
s'étaient souvent cotisées pour faire les frais d'un bel
autel neuf à l'oratoire de monseigneur; il avait chaque
fois pris l'argent et l'avait donné aux pauvres. — Le
plus beau des autels, disait-il, c'est l'âme d'un malheureux consolé qui remercie Dieu.

Il avait dans son oratoire deux chaises prie-Dieu en
paille, et un fauteuil à bras également en paille dans sa
chambre à coucher. Quand par hasard il recevait sept
ou huit personnes à la fois, le préfet, ou le général, ou
l'état-major du régiment en garnison, ou quelques
élèves du petit séminaire, on était obligé d'aller chercher
dans l'étable les chaises du salon d'hiver, dans l'oratoire

les prie-Dieu et le fauteuil dans la chambre à coucher ; de cette façon on pouvait réunir jusqu'à onze sièges pour les visiteurs. A chaque nouvelle visite on démeublait une pièce.

Il arrivait parfois qu'on était douze ; alors l'évêque dissimulait l'embarras de la situation en se tenant debout devant la cheminée si c'était l'hiver, ou en se promenant dans le jardin si c'était l'été.

Il y avait encore dans l'alcôve fermée une chaise, mais elle était à demi dépaillée et ne portait que sur trois pieds, ce qui faisait qu'elle ne pouvait servir qu'appuyée contre le mur. Mademoiselle Baptistine avait bien aussi dans sa chambre une très grande bergère en bois jadis doré et revêtue de pékin à fleurs, mais on avait été obligé de monter cette bergère au premier par la fenêtre, l'escalier étant trop étroit ; elle ne pouvait donc pas compter parmi les en-cas du mobilier.

L'ambition de mademoiselle Baptistine eût été de pouvoir acheter un meuble de salon en velours d'Utrecht jaune à rosaces et en acajou à cou de cygne, avec canapé. Mais cela eût coûté au moins cinq cents francs, et ayant vu qu'elle n'avait réussi à économiser pour cet objet que quarante-deux francs dix sous en cinq ans, elle avait fini par y renoncer. D'ailleurs qui est-ce qui atteint son idéal ?

Rien de plus simple à se figurer que la chambre à coucher de l'évêque. Une porte-fenêtre donnant sur le jardin ; vis-à-vis, le lit, un lit d'hôpital en fer avec baldaquin de serge verte ; dans l'ombre du lit, derrière un rideau, les ustensiles de toilette trahissant encore les anciennes habitudes élégantes de l'homme du monde ; deux portes, l'une près de la cheminée, donnant dans l'oratoire ; l'autre près de la bibliothèque, donnant dans la salle à manger. La bibliothèque, grande armoire vitrée pleine de livres ; la cheminée, de bois peint en marbre, habituellement sans feu ; dans la cheminée, une paire de chenets en fer ornés de deux vases à guirlandes et cannelures jadis argentés à l'argent haché, ce qui était un genre de luxe épiscopal ; au-dessus de la cheminée, un crucifix de cuivre désargenté fixé sur un velours noir râpé dans un cadre de bois dédoré ; près de la porte-fenêtre, une grande table avec un encrier, chargée de papiers confus et de gros volumes. Devant la table, le fauteuil de paille. Devant le lit un prie-Dieu, emprunté à l'oratoire.

Deux portraits dans des cadres ovales étaient accrochés au mur des deux côtés du lit. De petites inscriptions dorées sur le fond neutre de la toile à côté des figures, indiquaient que les portraits représentaient, l'un, l'abbé de Chaliot, évêque de St-Claude, l'autre, l'abbé Tourteau, vicaire général d'Agde, abbé de Grand-Champs, ordre de Cîteaux, diocèse de Chartres. L'évêque, en succédant dans cette chambre aux malades de l'hôpital, y avait trouvé ces portraits et les y avait laissés. C'étaient des prêtres, probablement des donateurs, deux motifs pour qu'il les respectât. Tout ce qu'il savait de ces deux personnages, c'est qu'ils avaient été nommés par le roi, l'un à son évêché, l'autre à son bénéfice, le même jour, le 27 avril 1785. Madame Magloire ayant décroché les tableaux pour en secouer la poussière, l'évêque avait trouvé cette particularité écrite d'une encre blanchâtre sur un petit carré de papier, jauni par le temps, collé avec quatre pains à cacheter, derrière le portrait de l'abbé de Grand-Champs.

Il avait à sa fenêtre un antique rideau de grosse étoffe de laine qui finit par devenir tellement vieux que, pour éviter la dépense d'un neuf, madame Magloire fut obligée de faire une grande couture au beau milieu. Cette couture dessinait une croix. L'évêque la faisait souvent remarquer. — Comme cela fait bien! disait-il.

Toutes les chambres de la maison, au rez-de-chaussée ainsi qu'au premier, sans exception, étaient blanchies au lait de chaux, ce qui est une mode de caserne et d'hôpital.

Cependant, dans les dernières années, madame Magloire retrouva, comme on le verra plus loin, sous le papier badigeonné, des peintures qui ornaient l'appartement de mademoiselle Baptistine. Avant d'être l'hôpital, cette maison avait été le parloir aux bourgeois. De là cette décoration. Les chambres étaient pavées en briques rouges qu'on lavait toutes les semaines, avec des nattes de paille devant tous les lits. Du reste ce logis, tenu par deux femmes, était du haut en bas d'une propreté exquise. C'était le seul luxe que l'évêque permît. Il disait : — *Cela ne prend rien aux pauvres.*

Il faut convenir cependant qu'il lui restait de ce qu'il avait possédé jadis six couverts d'argent et une cuillère à soupe que madame Magloire regardait tous les jours avec bonheur reluire splendidement sur la grosse nappe de toile blanche. Et comme nous peignons ici l'évêque

de D— tel qu'il était, nous devons ajouter qu'il lui
était arrivé plus d'une fois de dire : — Je renoncerais
difficilement à manger dans de l'argenterie.

Il faut ajouter à cette argenterie deux gros flambeaux
d'argent massif qui lui venaient de l'héritage d'une
grand-tante. Ces flambeaux portaient deux bougies de
cire et figuraient habituellement sur la cheminée de
l'évêque. Quand il avait quelqu'un à dîner, madame
Magloire allumait les deux bougies et mettait les deux
flambeaux sur la table.

Il y avait dans la chambre même de l'évêque, à la
tête de son lit, un petit placard dans lequel madame
Magloire serrait chaque soir les six couverts d'argent
et la grande cuillère. Il faut dire qu'on n'en ôtait jamais
la clef.

Le jardin, un peu gâté par les constructions assez
laides dont nous avons parlé, se composait de quatre
allées en croix rayonnant autour d'un puisard; une autre
allée faisait tout le tour du jardin et cheminait le long
du mur blanc dont il était enclos. Ces allées laissaient
entre elles quatre carrés bordés de buis. Dans trois,
madame Magloire cultivait des légumes; dans le quatrième, l'évêque avait mis des fleurs; il y avait çà et là
quelques arbres fruitiers. Une fois madame Magloire
lui avait dit avec une sorte de malice douce : — Monseigneur, vous qui tirez parti de tout, voilà pourtant un
carré inutile. Il vaudrait mieux avoir là des salades que
des bouquets. — Madame Magloire, répondit l'évêque,
vous vous trompez. Le beau est aussi utile que l'utile. —
Il ajouta après un silence : Plus peut-être.

Ce carré, composé de trois ou quatre plates-bandes,
occupait M. l'évêque presque autant que ses livres. Il
y passait volontiers une heure ou deux, coupant, sarclant
et piquant çà et là des trous en terre où il mettait des
graines. Il n'était pas aussi hostile aux insectes qu'un
jardinier l'eût voulu. Du reste aucune prétention à la
botanique; il ignorait les groupes et le solidisme; il ne
cherchait pas le moins du monde à décider entre Tour-
nefort et la méthode naturelle; il ne prenait parti ni
pour les utricules contre les cotylédons, ni pour Jussieu
contre Linné. Il n'étudiait pas les plantes; il aimait les
fleurs. Il respectait beaucoup les savants, il respectait
encore plus les ignorants, et, sans jamais manquer à ces
deux respects, il arrosait ses plates-bandes chaque soir
d'été avec un arrosoir de fer-blanc peint en vert.

La maison n'avait pas une porte qui fermât à clef. La porte de la salle à manger qui, nous l'avons dit, donnait de plain-pied sur la place de la cathédrale, était jadis ornée de serrures et de verroux comme une porte de prison. L'évêque avait fait ôter toutes ces ferrures, et cette porte, la nuit comme le jour, n'était fermée qu'au loquet. Le premier passant venu, à quelque heure que ce fût, n'avait qu'à la pousser. Dans les commencements, les deux femmes avaient été fort tourmentées de cette porte jamais close; mais M. de D.— leur avait dit : faites mettre des verroux à vos chambres, si cela vous plaît. Elles avaient fini par partager sa confiance ou du moins par faire comme si elles la partageaient. Madame Magloire seule avait de temps en temps des frayeurs. Pour ce qui est de l'évêque, on peut trouver sa pensée expliquée ou du moins indiquée dans ces trois lignes écrites par lui sur la marge d'une Bible : « Voici la nuance : « la porte du médecin ne doit jamais être fermée, la « porte du prêtre doit toujours être ouverte. »

Sur un autre livre, intitulé *Philosophie de la science médicale*, il avait écrit cette autre note : « Est-ce que je ne « suis pas médecin comme eux ? moi aussi j'ai mes « malades; d'abord j'ai les leurs, qu'ils appellent les « malades; et puis j'ai les miens, que j'appelle les mal- « heureux. »

Ailleurs encore il avait écrit : « Ne demandez pas son « nom à qui vous demande un gîte. C'est surtout celui-là « que son nom embarrasse, qui a besoin d'asile. »

Il advint qu'un digne curé, je ne sais plus si c'était le curé de Couloubroux ou le curé de Pompierry, s'avisa de lui demander un jour, probablement à l'instigation de madame Magloire, si monseigneur était bien sûr de ne pas commettre jusqu'à un certain point une imprudence en laissant jour et nuit sa porte ouverte à la disposition de qui voulait entrer, et s'il ne craignait pas enfin qu'il n'arrivât quelque malheur dans une maison si peu gardée. L'évêque lui toucha l'épaule avec une gravité douce et lui dit : *Nisi dominus custodierit domum, in vanum vigilant qui custodiunt eam.*

Puis il parla d'autre chose.

Il disait assez volontiers : « Il y a la bravoure du prêtre comme il y a la bravoure du colonel de dragons. » Seulement, ajoutait-il, la nôtre doit être tranquille.

VII

CRAVATTE

Ici se place naturellement un fait que nous ne devons pas omettre, car il est de ceux qui font le mieux voir quel homme c'était que M. l'évêque de D—.

Après la destruction de la bande de Gaspard Bès qui avait infesté les gorges d'Ollioules, un de ses lieutenants, Cravatte, se réfugia dans la montagne. Il se cacha quelque temps avec ses bandits, reste de la troupe de Gaspard Bès, dans le comté de Nice, puis gagna le Piémont, et tout à coup reparut en France du côté de Barcelonnette. On le vit à Jauziers d'abord, puis aux Tuiles. Il se cacha dans les cavernes du Joug de l'Aigle, et de là il descendait vers les hameaux et les villages par les ravins de l'Ubaye et de l'Ubayette.

Il poussa même jusqu'à Embrun, pénétra une nuit dans la cathédrale et dévalisa la sacristie. Ses brigandages désolaient le pays. On mit la gendarmerie à ses trousses, mais en vain. Il échappait toujours; quelquefois il résistait de vive force. C'était un hardi misérable. Au milieu de toute cette terreur, l'évêque arriva. Il faisait sa tournée au Chastelar. Le maire vint le trouver, et l'engagea à rebrousser chemin. Cravatte tenait la montagne jusqu'à l'Arche et au-delà; il y avait danger, même avec une escorte. C'était exposer inutilement trois ou quatre malheureux gendarmes.

— Aussi, dit l'évêque, je compte aller sans escorte.

— Y pensez-vous, monseigneur? s'écria le maire.

— J'y pense tellement que je refuse absolument les gendarmes et que je vais partir dans une heure.

— Partir?

— Partir.

— Seul?

— Seul.

— Monseigneur! vous ne ferez pas cela.

— Il y a là dans la montagne, reprit l'évêque, une humble petite commune grande comme ça que je n'ai

pas vue depuis trois ans. Ce sont mes bons amis. De
doux et honnêtes bergers. Ils possèdent une chèvre
sur trente qu'ils gardent, ils font de fort jolis cordons
de laine de diverses couleurs, et ils jouent des airs de
montagnes sur de petites flûtes à six trous. Ils ont besoin
qu'on leur parle de temps en temps du bon Dieu. Que
diraient-ils d'un évêque qui a peur ? Que diraient-ils
si je n'y allais pas ?

— Mais, monseigneur, les brigands ?

— Tiens, dit l'évêque, j'y songe. Vous avez raison.
Je puis les rencontrer. Eux aussi doivent avoir besoin
qu'on leur parle du bon Dieu.

— Monseigneur, mais c'est une bande ! un troupeau
de loups !

— Monsieur le maire, c'est peut-être précisément de
ce troupeau que Jésus me fait le pasteur. Qui sait les
voies de la Providence ?

— Monseigneur, ils vous dévaliseront.

— Je n'ai rien.

— Ils vous tueront.

— Un vieux bonhomme de prêtre qui passe en marmottant ses momeries ? Bah ! à quoi bon ?

— Oh ! mon Dieu ! Si vous alliez les rencontrer !

— Je leur demanderai l'aumône pour mes pauvres.

— Monseigneur, n'y allez pas. Au nom du ciel ! vous
exposez votre vie.

— Monsieur le maire, dit l'évêque, n'est-ce décidément que cela ? Je ne suis pas au monde pour garder
ma vie, mais pour garder les âmes.

Il fallut le laisser faire. Il partit accompagné seulement
d'un enfant, qui s'offrit à lui servir de guide. Son obstination fit bruit dans le pays et effraya fort.

Il ne voulut emmener ni sa sœur, ni madame Magloire.
Il traversa la montagne à mulet, ne rencontra personne
et arriva sain et sauf chez ses « bons amis » les bergers.
Il y resta quinze jours, prêchant, administrant, ensei-
gnant, moralisant. Lorsqu'il fut près de son départ, il
résolut de chanter pontificalement un Te Deum. Il en
parla au curé. Mais comment faire ? pas d'ornements
épiscopaux. On ne pouvait mettre à sa disposition qu'une
chétive sacristie de village avec quelques vieilles chasubles
de damas usées et ornées de galons faux.

— Bah ! dit l'évêque. Monsieur le curé, annonçons
toujours au prône notre Te Deum. Cela s'arrangera.

On chercha dans les églises d'alentour. Toutes les

magnificences de ces humbles paroisses réunies n'auraient
pas suffi à vêtir convenablement un chantre de cathédrale.

Comme on était dans cet embarras, une grande caisse
fut apportée et déposée au presbytère pour M. l'évêque
par deux cavaliers inconnus qui repartirent sur-le-champ.
On ouvrit la caisse; elle contenait une chape de drap d'or,
une mitre ornée de diamants, une croix archiépiscopale,
une crosse magnifique, tous les vêtements pontificaux
volés un mois auparavant au trésor de Notre-Dame
d'Embrun. Dans la caisse il y avait un papier sur lequel
étaient écrits ces mots : *Cravatte à monseigneur Bienvenu.*

— Quand je disais que cela s'arrangerait! dit l'évêque.
Puis il ajouta en souriant : à qui se contente d'un surplis
de curé, Dieu envoie une chape d'archevêque.

— Monseigneur, murmura le curé en hochant la tête
avec un sourire, Dieu, — ou le diable.

L'évêque regarda fixement le curé et reprit avec autorité : — Dieu!

Quand il revint au Chastelar, et tout le long de la
route, on venait le regarder par curiosité. Il retrouva
au presbytère du Chastelar mademoiselle Baptistine et
madame Magloire qui l'attendaient, et il dit à sa sœur :
— Eh bien! avais-je raison? le pauvre prêtre est allé
chez ces pauvres montagnards les mains vides, il en
revient les mains pleines. J'étais parti n'emportant que
ma confiance en Dieu; je rapporte le trésor d'une cathédrale.

Le soir avant de se coucher il dit encore : — Ne crai-
gnons jamais les voleurs ni les meurtriers. Ce sont là
les dangers du dehors, les petits dangers. Craignons-
nous nous-mêmes. Les préjugés, voilà les voleurs; les
vices, voilà les meurtriers. Les grands dangers sont au
dedans de nous. Qu'importe ce qui menace notre tête ou
notre bourse. Ne songeons qu'à ce qui menace notre âme.

Puis se tournant vers sa sœur : — Ma sœur, de la part
du prêtre jamais de précaution contre le prochain. Ce
que le prochain fait, Dieu le permet. Bornons-nous
à prier Dieu quand nous croyons qu'un danger arrive
sur nous. Prions-le, non pour nous, mais pour que notre
frère ne tombe pas en faute à notre occasion.

Du reste les événements étaient rares dans son existence. Nous racontons ceux que nous savons; mais
d'ordinaire il passait sa vie à faire toujours les mêmes
choses aux mêmes moments. Un mois de son année
ressemblait à une heure de sa journée.

Quant à ce que devint « le trésor » de la cathédrale d'Embrun, on nous embarrasserait de nous interroger là-dessus. C'étaient là de bien belles choses, et bien tentantes, et bien bonnes à voler au profit des malheureux. Volées, elles l'étaient déjà d'ailleurs. La moitié de l'aventure était accomplie; il ne restait plus qu'à changer la direction du vol, et qu'à lui faire faire un petit bout de chemin du côté des pauvres. Nous n'affirmons rien du reste à ce sujet. Seulement, on a trouvé dans les papiers de l'évêque une note assez obscure qui se rapporte peut-être à cette affaire et qui est ainsi conçue : *la question est de savoir si cela doit faire retour à la cathédrale ou à l'hôpital.*

VIII

PHILOSOPHIE APRÈS BOIRE

Le sénateur, dont il a été parlé plus haut, était un homme entendu, qui avait fait son chemin avec une rectitude inattentive à toutes ces rencontres qui font obstacle et qu'on nomme conscience, foi jurée, justice, devoir; il avait marché droit à son but et sans broncher une seule fois dans la ligne de son avancement et de son intérêt. C'était un ancien procureur, attendri par le succès, pas méchant homme du tout, rendant tous les petits services qu'il pouvait à ses fils, à ses gendres, à ses parents, même à des amis; ayant sagement pris de la vie les bons côtés, les bonnes occasions, les bonnes aubaines. Le reste lui semblait assez bête. Il était spirituel, et juste assez lettré pour se croire un disciple d'Epicure en n'étant peut-être qu'un produit de Pigault-Lebrun. Il riait volontiers, et agréablement, des choses infinies et éternelles, et des « billevesées du bonhomme évêque ». Il en riait quelquefois, avec une aimable autorité, devant M. Myriel lui-même, qui écoutait.

A je ne sais plus quelle cérémonie demi-officielle, le comte*** (ce sénateur), et M. Myriel durent dîner chez le préfet. Au dessert le sénateur, un peu égayé, quoique toujours digne, s'écria :

— Parbleu, monsieur l'évêque, causons. Un sénateur

et un évêque se regardent difficilement sans cligner de
l'œil. Nous sommes deux augures. Je vais vous faire un
aveu. J'ai ma philosophie.

— Et vous avez raison, répondit l'évêque. Comme on
fait sa philosophie, on se couche. Vous êtes sur le lit
de pourpre, monsieur le sénateur.

Le sénateur, encouragé, reprit :

— Soyons bons enfants.

— Bons diables même, dit l'évêque.

— Je vous déclare, repartit le sénateur, que le marquis
d'Argens, Pyrrhon, Hobbes et M. Naigeon ne sont pas
des maroufles. J'ai dans ma bibliothèque tous mes philosophes dorés sur tranche.

— Comme vous-même, monsieur le comte, interrompit l'évêque.

Le sénateur poursuivit :

— Je hais Diderot ; c'est un idéologue, un déclamateur
et un révolutionnaire, au fond croyant en Dieu, et plus
bigot que Voltaire. Voltaire s'est moqué de Needham,
et il a eu tort ; car les anguilles de Needham prouvent
que Dieu est inutile. Une goutte de vinaigre dans une
cuillerée de pâte de farine supplée le *fiat lux*. Supposez
la goutte plus grosse et la cuillerée plus grande, vous
avez le monde. L'homme, c'est l'anguille. Alors à quoi
bon le Père Eternel ? Monsieur l'évêque, l'hypothèse
Jéhovah me fatigue. Elle n'est bonne qu'à produire des
gens maigres qui songent creux. A bas ce grand Tout qui
me tracasse ! Vive Zéro qui me laisse tranquille ! De vous
à moi, et pour vider mon sac, et pour me confesser à
mon pasteur, comme il convient, je vous avoue que j'ai
du bon sens. Je ne suis pas fou de votre Jésus qui prêche
à tout bout de champ le renoncement et le sacrifice.
Conseil d'avare à des gueux. Renoncement : pourquoi ?
Sacrifice : à quoi ? je ne vois pas qu'un loup s'immole
au bonheur d'un autre loup. Restons donc dans la nature.
Nous sommes au sommet ; ayons la philosophie supérieure. Que sert d'être en haut, si l'on ne voit pas plus
loin que le bout du nez des autres ? Vivons gaiement.
La vie, c'est tout. Que l'homme ait un autre avenir,
ailleurs, là-haut, là-bas, quelque part, je n'en crois pas
un traître mot. Ah ! l'on me recommande le sacrifice
et le renoncement, je dois prendre garde à tout ce que
je fais, il faut que je me casse la tête sur le bien et le mal,
sur le juste et l'injuste, sur le fas et le nefas. Pourquoi ?
parce que j'aurai à rendre compte de mes actions. Quand ?

Après ma mort. Quel bon rêve! Après ma mort, bien fin qui me pincera. Faites donc saisir une poignée de cendre par une main d'ombre. Disons le vrai, nous qui sommes des initiés et qui avons levé la jupe d'Isis : il n'y a ni bien, ni mal; il y a de la végétation. Cherchons le réel. Creusons tout à fait. Allons au fond, que diable! il faut flairer la vérité, fouiller sous terre, et la saisir. Alors elle vous donne des joies exquises. Alors vous devenez fort, et vous riez. Je suis carré par la base, moi. Monsieur l'évêque, l'immortalité de l'homme est un écoute-s'il-pleut. Oh! la charmante promesse! fiez-vous-y. Le bon billet qu'a Adam! on est âme, on sera ange, on aura des ailes bleues aux omoplates. Aidez-moi donc : n'est-ce pas Tertullien qui dit que les bienheureux iront d'un astre à l'autre ? Soit. On sera les sauterelles des étoiles. Et puis, on verra Dieu. Ta ta ta. Fadaises que tous ces paradis. Dieu est une sornette monstre. Je ne dirais point cela dans *le Moniteur*, parbleu, mais je le chuchote entre amis. *Inter pocula.* Sacrifier la terre au paradis, c'est lâcher la proie pour l'ombre. Etre dupe de l'infini! pas si bête. Je suis néant. Je m'appelle monsieur le comte Néant, sénateur. Etais-je avant ma naissance ? Non. Serai-je après ma mort ? Non. Que suis-je ? un peu de poussière agrégée par un organisme. Qu'ai-je à faire sur cette terre ? j'ai le choix. Souffrir ou jouir. Où me mènera la souffrance ? au néant. Mais j'aurai souffert. Où me mènera la jouissance ? au néant. Mais j'aurai joui. Mon choix est fait. Il faut être mangeant ou mangé. Je mange. Mieux vaut être la dent que l'herbe. Telle est ma sagesse. Après quoi, va comme je te pousse, le fossoyeur est là, le Panthéon pour nous autres, tout tombe dans le grand trou. Fin. *Finis.* Liquidation totale. Ceci est l'endroit de l'évanouissement. La mort est morte, croyez-moi. Qu'il y ait là quelqu'un qui ait quelque chose à me dire, je ris d'y songer. Invention de nourrices. Croquemitaine pour les enfants, Jéhovah pour les hommes. Non, notre lendemain est de la nuit. Derrière la tombe, il n'y a plus que des néants égaux. Vous avez été Sardanapale, vous avez été Vincent de Paule, cela fait le même rien. Voilà le vrai. Donc vivez, par-dessus tout. Usez de votre moi pendant que vous le tenez. En vérité, je vous le dis, monsieur l'évêque, j'ai ma philosophie, et j'ai mes philosophes. Je ne me laisse pas enguirlander par des balivernes. Après ça, il faut bien quelque chose à ceux qui sont en bas, aux va-nu-pieds, aux gagne-petit, aux misérables. On leur donne à gober les légendes, les chimères, l'âme, l'immortalité, le paradis, les étoiles. Ils mâchent cela. Ils le mettent sur leur pain sec. Qui n'a rien a le bon Dieu. C'est bien le moins. Je n'y fais point obstacle, mais je garde pour moi monsieur Naigeon. Le bon Dieu est bon pour le peuple.

L'évêque battit des mains.

— Voilà parler! s'écria-t-il. L'excellente chose, et vraiment merveilleuse, que ce matérialisme-là! ne l'a pas qui veut. Ah! quand on l'a, on n'est plus dupe; on ne se laisse pas bêtement exiler comme Caton, ni lapider comme Étienne, ni brûler vif comme Jeanne d'Arc. Ceux qui ont réussi à se procurer ce matérialisme admirable, ont la joie de se sentir irresponsables, et de penser qu'ils peuvent dévorer tout, sans inquiétude, les places, les sinécures, les dignités, le pouvoir bien ou mal acquis, les palinodies lucratives, les trahisons utiles, les savoureuses capitulations de conscience, et qu'ils entreront dans la tombe, leur digestion faite. Comme c'est agréable! je ne dis pas cela pour vous, monsieur le sénateur. Cependant il m'est impossible de ne point vous féliciter. Vous autres grands seigneurs, vous avez, vous le dites, une philosophie à vous et pour vous, exquise, raffinée, accessible aux riches seuls, bonne à toutes les sauces, assaisonnant admirablement les voluptés de la vie. Cette philosophie est prise dans les profondeurs et déterrée par des chercheurs spéciaux. Mais vous êtes bons princes, et vous ne trouvez pas mauvais que la croyance au bon Dieu soit la philosophie du peuple, à peu près comme l'oie aux marrons est la dinde aux truffes du pauvre.

IX

LE FRÈRE RACONTÉ PAR LA SŒUR

Pour donner une idée du ménage intérieur de M. l'évêque de D.— et de la façon dont ces deux saintes filles subordonnaient leurs actions, leurs pensées, même leurs instincts de femmes aisément effrayées, aux habitudes et aux intentions de l'évêque, sans qu'il eût même à prendre la peine de parler pour les exprimer, nous ne pouvons mieux faire que de transcrire ici une lettre de mademoiselle Baptistine à madame la vicomtesse de Boischevron, son amie d'enfance. Cette lettre est entre nos mains.

D. — 16 décembre 18..

« Ma bonne madame, pas un jour ne se passe où nous ne parlions de vous. C'est assez notre habitude, mais il y a une raison de plus. Figurez-vous qu'en lavant et époussetant les plafonds et les murs, madame Magloire a fait des découvertes ; maintenant nos deux chambres tapissées de vieux papier blanchi à la chaux ne dépareraient pas un château dans le genre du vôtre. Madame Magloire a déchiré tout le papier. Il y avait des choses dessous. Mon salon, où il n'y a pas de meubles et dont nous nous servons pour étendre le linge après les lessives, a quinze pieds de haut, dix-huit de large carrés, un plafond peint anciennement avec dorure, des solives comme chez vous. C'était recouvert d'une toile du temps que c'était l'hôpital. Enfin des boiseries du temps de nos grand-mères. Mais c'est ma chambre qu'il faut voir. Madame Magloire a découvert, sous au moins dix papiers collés dessus, des peintures, sans être bonnes, qui peuvent se supporter. C'est Télémaque reçu chevalier par Minerve, c'est lui encore dans les jardins, le nom m'échappe. Enfin où les dames romaines se rendaient une seule nuit. Que vous dirai-je ? j'ai des romains, des romaines *(ici un mot illisible)*, et toute la suite. Madame Magloire a débarbouillé tout cela, cet été elle va réparer quelques petites avaries, revernir le tout et ma chambre sera un vrai musée. Elle a aussi trouvé dans un coin du grenier deux consoles en bois genre ancien. On demandait deux écus de six livres pour les redorer, mais il vaut bien mieux donner cela aux pauvres ; d'ailleurs c'est fort laid et j'aimerais mieux une table ronde en acajou.

« Je suis toujours bien heureuse. Mon frère est si bon. Il donne tout ce qu'il a aux indigents et aux malades. Nous sommes très gênés. Le pays est dur l'hiver, et il faut bien faire quelque chose pour ceux qui manquent. Nous, nous sommes à peu près chauffés et éclairés. Vous voyez que ce sont de grandes douceurs.

« Mon frère a ses habitudes à lui. Quand il cause,

il dit qu'un évêque doit être ainsi. Figurez-vous que la porte de la maison n'est jamais fermée. Entre qui veut, et l'on est tout de suite chez mon frère. Il ne craint rien, même la nuit. C'est sa bravoure à lui, comme il dit.

« Il ne veut pas que je craigne pour lui, ni que madame Magloire craigne. Il s'expose à tous les dangers, et il ne veut même pas que nous ayons l'air de nous en apercevoir. Il faut savoir le comprendre.

« Il sort par la pluie, il marche dans l'eau, il voyage en hiver. Il n'a pas peur de la nuit, des routes suspectes, ni des rencontres.

« L'an dernier il est allé tout seul dans un pays de voleurs. Il n'a pas voulu nous emmener. Il est resté quinze jours absent. A son retour il n'avait rien eu, on le croyait mort, et il se portait bien, et il a dit : Voilà comme on m'a volé! Et il a ouvert une malle pleine de tous les bijoux de la cathédrale d'Embrun que les voleurs lui avaient donnés.

« Cette fois-là, en revenant, je n'ai pu m'empêcher de le gronder un peu, en ayant soin de ne parler que pendant que la voiture faisait du bruit, afin que personne ne pût entendre.

« Dans les premiers temps je me disais : il n'y a pas de dangers qui l'arrêtent, il est terrible. A présent j'ai fini par m'y accoutumer. Je fais signe à madame Magloire pour qu'elle ne le contrarie pas. Il se risque comme il veut. Moi j'emmène madame Magloire, je rentre dans ma chambre, je prie pour lui, et je m'endors. Je suis tranquille, parce que je sais bien que s'il lui arrivait malheur, ce serait ma fin. Je m'en irais au bon Dieu avec mon frère et mon évêque. Madame Magloire a eu plus de peine que moi à s'habituer à ce qu'elle appelait ses imprudences. Mais à présent, le pli est pris. Nous prions toutes les deux, nous avons peur ensemble et nous nous endormons. Le diable entrerait dans la maison qu'on le laisserait faire. Après tout, que craignons-nous dans cette maison ? Il y a toujours quelqu'un avec nous qui est le plus fort. Le diable peut y passer, mais le bon Dieu l'habite.

« Voilà qui me suffit. Mon frère n'a plus même besoin de me dire un mot maintenant. Je le comprends sans qu'il parle, et nous nous abandonnons à la Providence.

« Voilà comme il faut être avec un homme qui a du grand dans l'esprit.

« J'ai questionné mon frère pour le renseignement

que vous me demandez sur la famille de Faux. Vous
savez comme il sait tout et comme il a des souvenirs,
car il est toujours très bon royaliste. C'est de vrai une
très ancienne famille normande de la généralité de Caen.
Il y a cinq cents ans d'un Raoul de Faux, d'un Jean de
Faux et d'un Thomas de Faux, qui étaient des gentilshommes, dont un seigneur de Rochefort. Le dernier
était Guy Etienne Alexandre et était mestre-de-camp,
et quelque chose dans les chevau-légers de Bretagne.
Sa fille Marie-Louise a épousé Adrien Charles de Gramont, fils du duc Louis de Gramont, pair de France,
et colonel des gardes-françaises et lieutenant général des
armées. On écrit Faux, Fauq et Faouq.

« Bonne madame, recommandez-nous aux prières
de votre saint parent monsieur le cardinal. Quant à
votre chère Sylvanie, elle a bien fait de ne pas perdre
les courts instants qu'elle passe près de vous pour
m'écrire. Elle se porte bien, travaille selon vos désirs,
m'aime toujours. C'est tout ce que je veux. Son souvenir
par vous m'est arrivé, je m'en trouve heureuse. Ma
santé n'est pas trop mauvaise, et cependant je maigris
tous les jours davantage. Adieu, le papier me manque
et me force à vous quitter. Mille bonnes choses.

                                        « BAPTISTINE.

« *P. S.* Votre petit neveu est charmant. Savez-vous
qu'il a cinq ans bientôt ? Hier il a vu passer un cheval
auquel on avait mis des genouillères, et il disait : qu'est-ce
qu'il a donc aux genoux ? — Il est si gentil cet enfant.
Son petit frère traîne un vieux balai dans l'appartement
comme une voiture et dit : hu! »

Comme on le voit par cette lettre, ces deux femmes
savaient se plier aux façons d'être de l'évêque avec ce
génie particulier de la femme qui comprend l'homme
mieux que l'homme ne se comprend. L'évêque de D—,
sous cet air doux et candide qui ne se démentait jamais,
faisait parfois des choses grandes, hardies et magnifiques,
sans paraître même s'en douter. Elles tremblaient, mais
elles le laissaient faire. Quelquefois madame Magloire
essayait une remontrance avant; jamais pendant ni après.
Jamais on ne le troublait, ne fût-ce que par un mot, ne
fût-ce que par un signe, dans une action commencée.
A de certains moments, sans qu'il eût besoin de le dire,
lorsqu'il n'en avait peut-être pas lui-même conscience,
tant sa simplicité était parfaite, elles sentaient vaguement

qu'il agissait comme évêque; alors elles n'étaient plus que deux ombres dans la maison. Elles le servaient passivement, et, si c'était obéir que de disparaître, elles disparaissaient. Elles savaient, avec une admirable délicatesse d'instinct, que de certaines sollicitudes peuvent gêner. Aussi, même le croyant en péril, elles comprenaient, je ne dis pas sa pensée, mais sa nature, jusqu'au point de ne plus veiller sur lui. Elles le confiaient à Dieu.

D'ailleurs Baptistine disait, comme on vient de le lire, que la fin de son frère serait la sienne. Madame Magloire ne le disait pas, mais elle le savait.

X

L'ÉVÊQUE EN PRÉSENCE D'UNE LUMIÈRE INCONNUE

A une époque un peu postérieure à la date de la lettre citée dans les pages précédentes, il fit une chose, à en croire toute la ville, plus risquée encore que sa promenade à travers les montagnes des bandits.

Il y avait près de D.— dans la campagne un homme qui vivait solitaire. Cet homme, disons tout de suite le gros mot, était un ancien conventionnel. Il se nommait G.

On parlait du conventionnel G. dans le petit monde de D.— avec une sorte d'horreur. Un conventionnel, vous figurez-vous cela? Cela existait du temps qu'on se tutoyait et qu'on disait : citoyen. Cet homme était à peu près un monstre. Il n'avait pas voté la mort du roi, mais presque. C'était un quasi-régicide. Il avait été terrible. Comment, au retour des princes légitimes, n'avait-on pas traduit cet homme-là devant une cour prévôtale? On ne lui eût pas coupé la tête, si vous voulez; il faut de la clémence, soit; mais un bon bannissement à vie. Un exemple enfin! etc., etc. C'était un athée d'ailleurs, comme tous ces gens-là. Commérages des oies sur le vautour.

Etait-ce du reste un vautour que G.? Oui, si l'on en jugeait par ce qu'il y avait de farouche dans sa solitude.

N'ayant pas voté la mort du roi, il n'avait pas été compris dans les décrets d'exil, et avait pu rester en France.

Il habitait, à trois quarts d'heure de la ville, loin de tout hameau, loin de tout chemin, on ne sait quel repli perdu d'un vallon très sauvage. Il avait là, disait-on, une espèce de champ, un trou, un repaire. Pas de voisins; pas même de passants. Depuis qu'il demeurait dans ce vallon, le sentier qui y conduisait avait disparu sous l'herbe. On parlait de cet endroit-là comme de la maison du bourreau.

Pourtant l'évêque songeait, et de temps en temps regardait l'horizon à l'endroit où un bouquet d'arbres marquait le vallon du vieux conventionnel, et il disait : Il y a là une âme qui est seule.

Et au fond de sa pensée, il ajoutait : je lui dois ma visite.

Mais, avouons-le, cette idée, au premier abord naturelle, lui apparaissait, après un moment de réflexion, comme étrange et impossible, et presque repoussante. Car au fond, il partageait l'impression générale, et le conventionnel lui inspirait, sans qu'il s'en rendît clairement compte, ce sentiment qui est comme la frontière de la haine et qu'exprime si bien le mot éloignement.

Toutefois, la gale de la brebis doit-elle faire reculer le pasteur ? non. Mais quelle brebis!

Le bon évêque était perplexe. Quelquefois il allait de ce côté-là, puis il revenait.

Un jour enfin le bruit se répandit dans la ville qu'une façon de jeune pâtre qui servait le conventionnel G. dans sa bauge, était venu chercher un médecin; que le vieux scélérat se mourait, que la paralysie le gagnait, et qu'il ne passerait pas la nuit. — Dieu merci! ajoutaient quelques-uns.

L'évêque prit son bâton, mit son pardessus à cause de sa soutane un peu trop usée, comme nous l'avons dit, et aussi à cause du vent du soir qui ne devait pas tarder à souffler, et partit.

Le soleil déclinait et touchait presque à l'horizon, quand l'évêque arriva à l'endroit excommunié. Il reconnut avec un certain battement de cœur qu'il était près de la tanière. Il enjamba un fossé, franchit une haie, leva un échalier, entra dans un courtil délabré, fit quelques pas assez hardiment, et tout à coup, au fond de la friche, derrière une haute broussaille, il aperçut la caverne.

C'était une cabane toute basse, indigente, petite et propre avec une treille clouée à la façade.

Devant la porte, dans une vieille chaise à roulettes, fauteuil du paysan, il y avait un homme en cheveux blancs qui souriait au soleil.

Près du vieillard assis se tenait debout un jeune garçon, le petit pâtre. Il tendait au vieillard une jatte de lait.

Pendant que l'évêque regardait, le vieillard éleva la voix : — Merci, dit-il, je n'ai plus besoin de rien. Et son sourire quitta le soleil pour s'arrêter sur l'enfant.

L'évêque s'avança. Au bruit qu'il fit en marchant, le vieux homme assis tourna la tête, et son visage exprima toute la quantité de surprise qu'on peut avoir après une longue vie.

— Depuis que je suis ici, dit-il, voilà la première fois qu'on entre chez moi. Qui êtes-vous, monsieur ?

L'évêque répondit :

— Je me nomme Bienvenu Myriel.

— Bienvenu Myriel. J'ai entendu prononcer ce nom. Est-ce que c'est vous que le peuple appelle monseigneur Bienvenu ?

— C'est moi.

Le vieillard reprit avec un demi sourire :

— En ce cas vous êtes mon évêque ?

— Un peu.

— Entrez, monsieur.

Le conventionnel tendit la main à l'évêque, mais l'évêque ne la prit pas. L'évêque se borna à dire :

— Je suis satisfait de voir qu'on m'avait trompé. Vous ne semblez, certes, pas malade.

— Monsieur, répondit le vieillard, je vais guérir.

Il fit une pause, et dit :

— Je mourrai dans trois heures.

Puis il reprit :

— Je suis un peu médecin; je sais de quelle façon la dernière heure vient. Hier je n'avais que les pieds froids; aujourd'hui le froid a gagné les genoux; maintenant je le sens qui monte jusqu'à la ceinture; quand il sera au cœur, je m'arrêterai. Le soleil est beau, n'est-ce pas ? je me suis fait rouler dehors pour jeter un dernier coup d'œil sur les choses. Vous pouvez me parler, cela ne me fatigue point. Vous faites bien de venir regarder un homme qui va mourir. Il est bon que ce moment-là ait des témoins. On a des manies; j'aurais voulu aller jusqu'à l'aube. Mais je sais que j'en ai à peine pour

trois heures. Il fera nuit. Au fait, qu'importe! finir est
une affaire simple. On n'a pas besoin du matin pour cela.
Soit. Je mourrai à la belle étoile.

Le vieillard se tourna vers le pâtre :

— Toi, va te coucher. Tu as veillé l'autre nuit. Tu es
fatigué.

L'enfant rentra dans la cabane.

Le vieillard le suivit des yeux et ajouta comme se parlant à lui-même :

— Pendant qu'il dormira, je mourrai. Les deux som-
meils peuvent faire bon voisinage.

L'évêque n'était pas ému comme il semble qu'il aurait
pu l'être. Il ne croyait pas sentir Dieu dans cette façon
de mourir; disons tout, car les petites contradictions des
grands cœurs veulent être indiquées comme le reste, lui
qui, dans l'occasion, riait si volontiers de Sa Grandeur,
il était quelque peu choqué de ne pas être appelé monseigneur, et il était presque tenté de répliquer : citoyen.
Il lui vint une velléité de familiarité bourrue, assez ordinaire aux médecins et aux prêtres, mais qui ne lui était
pas habituelle, à lui. Cet homme après tout, ce conventionnel, ce représentant du peuple, avait été un puissant
de la terre; pour la première fois de sa vie peut-être,
l'évêque se sentit en humeur de sévérité.

Le conventionnel cependant le considérait avec une
cordialité modeste, où l'on eût pu démêler peut-être
l'humilité qui sied quand on est si près de sa mise en
poussière.

L'évêque, de son côté, quoiqu'il se gardât ordinairement de la curiosité, laquelle, selon lui, était contiguë
à l'offense, ne pouvait s'empêcher d'examiner le conventionnel avec une attention qui, n'ayant pas sa source dans
la sympathie, lui eût été probablement reprochée par sa
conscience vis-à-vis de tout autre homme. Un conventionnel lui faisait un peu l'effet d'être hors la loi, même
hors la loi de charité.

G., calme, le buste presque droit, la voix vibrante,
était un de ces grands octogénaires qui font l'étonnement
du physiologiste. La révolution a eu beaucoup de ces
hommes proportionnés à l'époque. On sentait dans ce
vieillard l'homme à l'épreuve. Si près de sa fin, il avait
conservé tous les gestes de la santé. Il y avait dans son
coup d'œil clair, dans son accent ferme, dans son robuste
mouvement d'épaules, de quoi déconcerter la mort.
Azraël, l'ange mahométan du sépulcre, eût rebroussé

chemin et eût cru se tromper de porte. G. semblait mourir, parce qu'il le voulait bien. Il y avait de la liberté dans
son agonie. Les jambes seulement étaient immobiles. Les
ténèbres le tenaient par là. Les pieds étaient morts et
froids, et la tête vivait de toute la puissance de la vie, et
paraissait en pleine lumière. G., en ce grave moment,
ressemblait à ce roi du conte oriental, chair par en haut,
marbre par en bas.

Une pierre était là. L'évêque s'y assit. L'exorde fut
ex abrupto.

— Je vous félicite, dit-il du ton dont on réprimande.
Vous n'avez toujours pas voté la mort du roi.

Le conventionnel ne parut pas remarquer le sous-
entendu amer caché dans ce mot : toujours. Il répondit.
Tout sourire avait disparu de sa face :

— Ne me félicitez pas trop, monsieur ; j'ai voté la fin
du tyran.

C'était l'accent austère en présence de l'accent sévère.

— Que voulez-vous dire ? reprit l'évêque.

— Je veux dire que l'homme a un tyran, l'ignorance.
J'ai voté la fin de ce tyran-là. Ce tyran-là a engendré la
royauté qui est l'autorité prise dans le faux, tandis que
la science est l'autorité prise dans le vrai. L'homme ne
doit être gouverné que par la science.

— Et la conscience, ajouta l'évêque.

— C'est la même chose. La conscience, c'est la quantité de science innée que nous avons en nous.

Monseigneur Bienvenu écoutait, un peu étonné, ce
langage très nouveau pour lui.

Le conventionnel poursuivit :

— Quant à Louis XVI, j'ai dit non. Je ne me crois
pas le droit de tuer un homme ; mais je me sens le devoir
d'exterminer le mal. J'ai voté la fin du tyran. C'est-à-dire
la fin de la prostitution pour la femme, la fin de l'esclavage pour l'homme, la fin de la nuit pour l'enfant. En
votant la république, j'ai voté cela. J'ai voté la fraternité,
la concorde, l'aurore ! j'ai aidé à la chute des préjugés et
des erreurs. Les écroulements des erreurs et des préjugés font de la lumière. Nous avons fait tomber le vieux
monde, nous autres, et le vieux monde, vase des misères,
en se renversant sur le genre humain, est devenu une
urne de joie.

— Joie mêlée, dit l'évêque.

— Vous pourriez dire joie troublée, et aujourd'hui,
après ce fatal retour du passé qu'on nomme 1814, joie

disparue. Hélas, l'œuvre a été incomplète, j'en conviens; nous avons démoli l'ancien régime dans les faits, nous n'avons pu entièrement le supprimer dans les idées. Détruire les abus, cela ne suffit pas; il faut modifier les mœurs. Le moulin n'y est plus, le vent y est encore.

— Vous avez démoli. Démolir peut être utile; mais je me défie d'une démolition compliquée de colère.

— Le droit a sa colère, monsieur l'évêque; et la colère du droit est un élément du progrès. N'importe, et quoi qu'on en dise, la révolution française est le plus puissant pas du genre humain depuis l'avènement du Christ. Incomplète, soit; mais sublime. Elle a dégagé toutes les inconnues sociales. Elle a adouci les esprits; elle a calmé, apaisé, éclairé; elle a fait couler sur la terre des flots de civilisation. Elle a été bonne. La révolution française, c'est le sacre de l'humanité.

L'évêque ne put s'empêcher de murmurer :

— Oui ? 93!

Le conventionnel se dressa sur sa chaise avec une solennité presque lugubre, et autant qu'un mourant peut s'écrier, il s'écria :

— Ah! vous y voilà. 93. J'attendais ce mot-là. Un nuage s'est formé pendant quinze cents ans. Au bout de quinze siècles, il a crevé. Vous faites le procès au coup de tonnerre.

L'évêque sentit, sans se l'avouer peut-être, que quelque chose en lui était atteint. Pourtant il fit bonne contenance. Il répondit :

— Le juge parle au nom de la justice; le prêtre parle au nom de la pitié, qui n'est autre chose qu'une justice plus élevée. Un coup de tonnerre ne doit pas se tromper.

Et il ajouta en regardant fixement le conventionnel :

— Louis XVII ?

Le conventionnel étendit la main et saisit le bras de l'évêque :

— Louis XVII! voyons. Sur qui pleurez-vous ? est-ce sur l'enfant innocent ? alors soit, je pleure avec vous. Est-ce sur l'enfant royal ? je demande à réfléchir. Pour moi le frère de Cartouche, enfant innocent, pendu sous les aisselles en place de Grève jusqu'à ce que mort s'en suive, pour le seul crime d'avoir été le frère de Cartouche, n'est pas moins douloureux que le petit-fils de Louis XV, enfant innocent, martyrisé dans la tour du Temple pour le seul crime d'avoir été le petit-fils de Louis XV.

— Monsieur, dit l'évêque, je n'aime pas ces rapprochements de noms.

— Cartouche ? Louis XV ? pour lequel des deux réclamez-vous ?

Il y eut un moment de silence. L'évêque regrettait presque d'être venu, et pourtant il se sentait vaguement et étrangement ébranlé.

Le conventionnel reprit :

— Ah! monsieur le prêtre, vous n'aimez pas les crudités du vrai. Christ les aimait, lui. Il prenait une verge et il époussetait le temple. Son fouet plein d'éclairs était un rude diseur de vérités. Quand il s'écriait : *Sinite parvulos*, il ne distinguait pas entre les petits enfants. Il ne se fût pas gêné pour rapprocher le dauphin de Barabbas du dauphin d'Hérode. Monsieur, l'innocence est sa couronne à elle-même. L'innocence n'a que faire d'être altesse. Elle est aussi auguste, déguenillée que fleurdelysée.

— C'est vrai, dit l'évêque à voix basse.

— J'insiste, continua le conventionnel G. Vous m'avez nommé Louis XVII. Entendons-nous. Pleurons-nous sur tous les innocents, sur tous les martyrs, sur tous les enfants, sur ceux d'en bas comme sur ceux d'en haut ? J'en suis. Mais alors, je vous l'ai dit, il faut remonter plus haut que 93, et c'est avant Louis XVII qu'il faut commencer nos larmes. Je pleurerai sur les enfants des rois avec vous, pourvu que vous pleuriez avec moi sur les petits du peuple.

— Je pleure sur tous, dit l'évêque.

— Egalement! s'écria G., et si la balance doit pencher, que ce soit du côté du peuple. Il y a plus longtemps qu'il souffre.

Il y eut encore un silence. Ce fut le conventionnel qui le rompit. Il se souleva sur un coude, prit entre son pouce et son index replié un peu de sa joue, comme on fait machinalement lorsqu'on interroge et qu'on juge, et interpella l'évêque avec un regard plein de toutes les énergies de l'agonie. Ce fut presque une explosion.

— Oui, monsieur, il y a longtemps que le peuple souffre. Et puis, tenez, ce n'est pas tout cela, que venez-vous me questionner et me parler de Louis XVII ? Je ne vous connais pas, moi. Depuis que je suis dans ce pays, j'ai vécu dans cet enclos, seul, ne mettant pas les pieds dehors, ne voyant personne, que cet enfant qui m'aide. Votre nom est, il est vrai, arrivé confusément jusqu'à moi, et, je dois le dire, pas très mal prononcé; mais cela ne signifie rien ; les gens habiles ont tant de manières d'en faire accroire à ce brave bonhomme de peuple. A propos, je n'ai pas entendu le bruit de votre voiture, vous l'aurez sans doute laissée derrière le taillis, là-bas à l'embranchement de la route. Je ne vous connais pas, vous dis-je. Vous m'avez dit que vous étiez l'évêque, mais cela ne me renseigne point sur votre personne morale. En somme, je vous répète ma question : Qui êtes-vous ? Vous êtes un évêque, c'est-à-dire un prince de l'église, un de ces hommes dorés, armoriés, rentés, qui ont de grosses prébendes, — l'évêché de D—, quinze mille francs de fixe, dix mille francs de casuel, total, vingt-cinq mille francs, — qui ont des cuisines, qui ont des livrées, qui font bonne chère, qui mangent des poules d'eau le vendredi, qui se pavanent, laquais devant, laquais derrière, en berline de gala, et qui ont des palais et qui roulent carrosse au nom de Jésus-Christ qui allait pieds nus ! Vous êtes un prélat ; rentes, palais, chevaux, valets, bonne table, toutes les sensualités de la vie, vous avez cela comme les autres, et comme les autres vous en jouissez, c'est bien, mais cela en dit trop ou pas assez ; cela ne m'éclaire pas sur votre valeur intrinsèque et essentielle à vous qui venez avec la prétention probable de m'apporter de la sagesse. A qui est-ce que je parle ? Qui êtes-vous ?

L'évêque baissa la tête et répondit : — *Vermis sum.*

— Un ver de terre en carrosse ! grommela le conventionnel.

C'était le tour du conventionnel d'être hautain, et de l'évêque d'être humble.

L'évêque reprit avec douceur :

— Monsieur, soit. Mais expliquez-moi en quoi mon carrosse, qui est là à deux pas derrière les arbres, en quoi ma bonne table et les poules d'eau que je mange le vendredi, en quoi mes vingt-cinq mille livres de rentes, en quoi mon palais et mes laquais prouvent que la pitié n'est pas une vertu, que la clémence n'est pas un devoir, et que 93 n'a pas été inexorable.

Le conventionnel passa la main sur son front, comme pour en écarter un nuage.

— Avant de vous répondre, dit-il, je vous prie de me pardonner. Je viens d'avoir un tort, monsieur. Vous êtes chez moi, vous êtes mon hôte. Je vous dois courtoisie. Vous discutez mes idées, il sied que je me borne à combattre vos raisonnements. Vos richesses et vos jouissances sont des avantages que j'ai contre vous dans le débat, mais il est de bon goût de ne pas m'en servir. Je vous promets de ne plus en user.

— Je vous remercie, dit l'évêque.

G. reprit.

— Revenons à l'explication que vous me demandiez. Où en étions-nous ? que me disiez-vous ? que 93 a été inexorable ?

— Inexorable, oui, dit l'évêque. Que pensez-vous de Marat battant des mains à la guillotine ?

— Que pensez-vous de Bossuet chantant le Te Deum sur les dragonnades ?

La réponse était dure, mais allait au but avec la rigidité d'une pointe d'acier. L'évêque en tressaillit, il ne lui vint aucune riposte ; mais il était froissé de cette façon de nommer Bossuet. Les meilleurs esprits ont leurs fétiches, et parfois se sentent vaguement meurtris des manques de respect de la logique.

Le conventionnel commençait à haleter ; l'asthme de l'agonie, qui se mêle aux derniers souffles, lui entrecoupait la voix ; cependant il avait encore une parfaite lucidité d'âme dans les yeux. Il continua :

— Disons encore quelques mots çà et là, je veux bien. En dehors de la révolution qui, prise dans son ensemble, est une immense affirmation humaine, 93, hélas! est une réplique. Vous la trouvez inexorable, mais toute la monar-chie, monsieur ? Carrier est un bandit ; mais quel nom donnez-vous à Montrevel ? Fouquier-Tainville est un gueux ; mais quel est votre avis sur Lamoignon-Bâville ? Maillard est affreux, mais Saulx-Tavannes, s'il vous plaît ? Le père Duchêne est féroce, mais quelle épithète m'accorderez-vous pour le père Letellier ? Jourdan-Coupe-Tête est un monstre, mais moindre que monsieur le marquis de Louvois. Monsieur, monsieur, je plains Marie-Antoinette, archiduchesse et reine, mais je plains aussi cette pauvre femme huguenote qui, en 1685, sous Louis-le-Grand, monsieur, allaitant son enfant, fut liée, nue jusqu'à la ceinture, à un poteau, l'enfant tenu à distance ; le sein se gonflait de lait et le cœur d'angoisse ; le petit, affamé et pâle, voyait ce sein, agonisait et criait ; et le bourreau disait à la femme, mère et nourrice : Abjure! lui donnant à choisir entre la mort de son enfant et la mort de sa conscience. Que dites-vous de ce supplice de Tantale accommodé à une mère ? Monsieur, retenez bien ceci : la Révolution française a eu ses raisons. Sa

colère sera absoute par l'avenir. Son résultat, c'est le
monde meilleur. De ses coups les plus terribles il sort
une caresse pour le genre humain. J'abrège. Je m'arrête.
J'ai trop beau jeu. D'ailleurs je me meurs.

Et, cessant de regarder l'évêque, le conventionnel
acheva sa pensée en ces quelques mots tranquilles :

— Oui, les brutalités du progrès s'appellent révolutions. Quand elles sont finies, on reconnaît ceci : que le
genre humain a été rudoyé, mais qu'il a marché.

Le conventionnel ne se doutait pas qu'il venait d'emporter successivement l'un après l'autre tous les retran-
chements intérieurs de l'évêque. Il en restait un pourtant,
et de ce retranchement, suprême ressource de la résistance de monseigneur Bienvenu, sortit cette parole où
reparut presque toute la rudesse du commencement :

— Le progrès doit croire en Dieu. Le bien ne peut
pas avoir de serviteur impie. C'est un mauvais conduc-
teur du genre humain que celui qui est athée.

Le vieux représentant du peuple ne répondit pas. Il
eut un tremblement. Il regarda le ciel et une larme
germa lentement dans ce regard. Quand la paupière fut
pleine, la larme coula le long de sa joue livide, et il dit
presque en bégayant, bas et se parlant à lui-même, l'œil
perdu dans les profondeurs :

— O toi ! ô idéal ! toi seul existes !

L'évêque eut une sorte d'inexprimable commotion.

Après un silence, le vieillard leva un doigt vers le ciel,
et dit :

— L'infini est. Il est là. Si l'infini n'avait pas de moi,
le moi serait sa borne ; il ne serait pas infini ; en d'autres
termes, il ne serait pas. Or il est. Donc il a un moi. Ce
moi de l'infini, c'est Dieu.

Le mourant avait prononcé ces dernières paroles d'une
voix haute et avec le frémissement de l'extase, comme
s'il voyait quelqu'un. Quand il eut parlé, ses yeux se
fermèrent. L'effort l'avait épuisé. Il était évident qu'il
venait de vivre en une minute les quelques heures qui
lui restaient. Ce qu'il venait de dire l'avait approché de
celui qui est dans la mort. L'instant suprême arrivait.

L'évêque le comprit, le moment pressait, c'était comme
prêtre qu'il était venu, de l'extrême froideur il était
passé par degrés à l'émotion extrême, il regarda ces yeux
fermés, il prit cette vieille main ridée et glacée, et se
pencha vers le moribond :

— Cette heure est celle de Dieu. Ne trouvez-vous pas

qu'il serait regrettable que nous nous fussions rencontrés
en vain ?

Le conventionnel rouvrit les yeux. Une gravité où il y
avait de l'ombre s'empreignit sur son visage.

— Monsieur l'évêque, dit-il, avec une lenteur qui
venait peut-être plus encore de la dignité de l'âme que
de la défaillance des forces, j'ai passé ma vie dans la méditation, l'étude et la contemplation. J'avais soixante ans
quand mon pays m'a appelé et m'a ordonné de me mêler
de ses affaires. J'ai obéi. Il y avait des abus, je les ai
combattus ; il y avait des tyrannies, je les ai détruites ;
il y avait des droits et des principes, je les ai proclamés
et confessés. Le territoire était envahi, je l'ai défendu ;
la France était menacée, j'ai offert ma poitrine. Je n'étais
pas riche ; je suis pauvre. J'ai été l'un des maîtres de l'Etat,
les caves de la banque étaient encombrées d'espèces au
point qu'on était forcé d'étançonner les murs, prêts à se
fendre sous le poids de l'or et de l'argent, je dînais rue
de l'Arbre-Sec, à vingt-deux sous par tête. J'ai secouru
les opprimés, j'ai soulagé les souffrants. J'ai déchiré la
nappe de l'autel, c'est vrai ; mais c'était pour panser les
blessures de la patrie. J'ai toujours soutenu la marche en
avant du genre humain vers la lumière et j'ai résisté
quelquefois au progrès sans pitié. J'ai, dans l'occasion,
protégé mes propres adversaires, vous autres. Et il y a à
Peteghem en Flandre, à l'endroit même où les rois
mérovingiens avaient leur palais d'été, un couvent d'ur-
banistes, l'abbaye de Ste-Claire en Beaulieu, que j'ai
sauvé en 1793. J'ai fait mon devoir selon mes forces,
et le bien que j'ai pu. Après quoi j'ai été chassé, traqué,
poursuivi, persécuté, noirci, raillé, conspué, maudit,
proscrit. Depuis bien des années déjà, avec mes cheveux
blancs, je sens que beaucoup de gens se croient sur
moi le droit de mépris, j'ai pour la pauvre foule igno-
rante visage de damné, et j'accepte, ne haïssant personne, l'isolement de la haine. Maintenant j'ai quatre-
vingt-six-ans ; je vais mourir. Qu'est-ce que vous venez
me demander ?

— Votre bénédiction, dit l'évêque.

Et il s'agenouilla.

Quand l'évêque releva la tête, la face du conventionnel
était devenue auguste. Il venait d'expirer.

L'évêque rentra chez lui profondément absorbé dans
on ne sait quelles pensées. Il passa toute la nuit en prière.
Le lendemain quelques braves curieux essayèrent de lui

parler du conventionnel G., il se borna à montrer le ciel.

A partir de ce moment, il redoubla de tendresse et de fraternité pour les petits et les souffrants.

Toute allusion à « ce vieux scélérat de G. » le faisait tomber dans une préoccupation singulière. Personne ne pourrait dire que le passage de cet esprit devant le sien et le reflet de cette grande conscience sur la sienne ne fût pas pour quelque chose dans son approche de la perfection.

Cette « visite pastorale » fut naturellement une occasion de bourdonnement pour les petites coteries locales :

« — Etait-ce la place d'un évêque que le chevet d'un tel mourant ? Il n'y avait évidemment pas de conversion à attendre. Tous ces révolutionnaires sont relaps. Alors pourquoi y aller ? Qu'a-t-il été regarder là ? Il fallait donc qu'il fût bien curieux d'un emportement d'âme par le diable. »

Un jour une douairière, de la variété impertinente qui se croit spirituelle, lui adressa cette saillie : — Monseigneur, on demande quand Votre Grandeur aura le bonnet rouge. — Oh! oh! voilà une grosse couleur, répondit l'évêque. Heureusement que ceux qui la méprisent dans un bonnet la vénèrent dans un chapeau.

XI

UNE RESTRICTION

On risquerait fort de se tromper si l'on concluait de là que monseigneur Bienvenu fût « un évêque philosophe » ou « un curé patriote ». Sa rencontre, ce qu'on pourrait presque appeler sa conjonction avec le conventionnel G., lui laissa une sorte d'étonnement qui le rendit plus doux encore. Voilà tout.

Quoique monseigneur Bienvenu n'ait été rien moins qu'un homme politique, c'est peut-être ici le lieu d'indiquer, très brièvement, quelle fut son attitude dans les événements d'alors, en supposant que monseigneur Bienvenu ait jamais songé à avoir une attitude.

Remontons donc en arrière de quelques années.

Quelque temps après l'élévation de M. Myriel à l'épiscopat, l'empereur l'avait fait baron de l'empire, en même
temps que plusieurs autres évêques. L'arrestation du
pape eut lieu, comme on sait, dans la nuit du 5 au 6 juillet 1809; à cette occasion, M. Myriel fut appelé par
Napoléon au synode des évêques de France et d'Italie
convoqué à Paris. Ce synode se tint à Notre-Dame et
s'assembla pour la première fois le 15 juin 1811 sous la
présidence de M. le cardinal Fesch. M. Myriel fut du
nombre des quatre-vingt-quinze évêques qui s'y ren-
dirent. Mais il n'assista qu'à une séance et à trois ou
quatre conférences particulières. Evêque d'un diocèse
montagnard, vivant si près de la nature, dans la rusticité
et le dénuement, il paraît qu'il apportait parmi ces personnages éminents des idées qui changeaient la température
de l'assemblée. Il revint bien vite à D—. On le questionna
sur ce prompt retour, il répondit : — *Je les gênais. L'air
du dehors leur venait par moi. Je leur faisais l'effet d'une
porte ouverte.*

Une autre fois, il dit : — *Que voulez-vous ? ces mes-
seigneurs-là sont des princes. Moi, je ne suis qu'un pauvre
évêque paysan.*

Le fait est qu'il avait déplu. Entre autres choses
étranges, il lui serait échappé de dire, un soir qu'il se
trouvait chez un de ses collègues les plus qualifiés : —
Les belles pendules! les beaux tapis! les belles livrées!
Ce doit être bien importun! Oh! que je ne voudrais pas
avoir tout ce superflu-là à me crier sans cesse aux
oreilles : il y a des gens qui ont faim! il y a des gens qui
ont froid! il y a des pauvres! il y a des pauvres!

Disons-le en passant, ce ne serait pas une haine intelligente que la haine du luxe. Cette haine impliquerait
la haine des arts. Cependant, chez les gens d'église, en
dehors de la représentation et des cérémonies, le luxe
est un tort. Il semble révéler des habitudes peu réellement
charitables. Un prêtre opulent est un contresens. Le
prêtre doit se tenir près des pauvres. Or, peut-on toucher sans cesse et nuit et jour, à toutes les détresses, à
toutes les infortunes, à toutes les indigences, sans avoir
soi-même sur soi un peu de cette sainte misère, comme
la poussière du travail! Se figure-t-on un homme qui
est près d'un brasier, et qui n'a pas chaud ? Se figure-t-on
un ouvrier qui travaille sans cesse à une fournaise et qui
n'a ni un cheveu brûlé, ni un ongle noirci, ni une goutte
de sueur, ni un grain de cendre au visage! La première

preuve de la charité chez le prêtre, chez l'évêque surtout, c'est la pauvreté.

C'était là sans doute ce que pensait M. l'évêque de D—.

Il ne faudrait pas croire d'ailleurs qu'il partageât sur certains points délicats ce que nous appellerions « les idées du siècle ». Il se mêlait peu aux querelles théologiques du moment et se taisait sur les questions où sont compromis l'Eglise et l'Etat; mais si on l'eût beaucoup pressé, il paraît qu'on l'eût trouvé plutôt ultramontain que gallican. Comme nous faisons un portrait et que nous ne voulons rien cacher, nous sommes forcé d'ajouter qu'il fut glacial pour Napoléon déclinant. A partir de 1813, il adhéra ou il applaudit à toutes les manifestations hostiles. Il refusa de le voir à son passage au retour de l'île d'Elbe, et s'abstint d'ordonner dans son diocèse les prières publiques pour l'empereur pendant les Cent Jours.

Outre sa sœur, mademoiselle Baptistine, il avait deux frères; l'un général, l'autre préfet. Il écrivait assez souvent à tous les deux. Il tint quelque temps rigueur au premier, parce qu'ayant un commandement en Provence, à l'époque du débarquement de Cannes, le général s'était mis à la tête de douze cents hommes et avait poursuivi l'empereur comme quelqu'un qu'on veut laisser échapper. Sa correspondance resta plus affectueuse pour l'autre frère, l'ancien préfet, brave et digne homme qui vivait retiré à Paris, rue Cassette.

Monseigneur Bienvenu eut donc, aussi lui, son heure d'esprit de parti, son heure d'amertume, son nuage. L'ombre des passions du moment traversa ce doux et grand esprit occupé des choses éternelles. Certes, un pareil homme eût mérité de n'avoir pas d'opinions politiques. Qu'on ne se méprenne pas sur notre pensée, nous ne confondons point ce qu'on appelle « opinions politiques » avec la grande aspiration au progrès, avec la sublime foi patriotique, démocratique et humaine, qui, de nos jours, doit être le fond même de toute intelligence généreuse. Sans approfondir des questions qui ne touchent qu'indirectement au sujet de ce livre, nous disons simplement ceci : il eût été beau que monseigneur Bienvenu n'eût pas été royaliste et que son regard ne se fût pas détourné un seul instant de cette contemplation sereine où l'on voit rayonner distinctement, au-dessus des fictions et des haines de ce monde, au-dessus du va-et-

vient orageux des choses humaines, ces trois pures
lumières, la Vérité, la Justice et la Charité.

Tout en convenant que ce n'était point pour une
fonction politique que Dieu avait créé monseigneur
Bienvenu, nous eussions compris et admiré la protestation au nom du droit et de la liberté, l'opposition
fière, la résistance périlleuse et juste à Napoléon tout-
puissant. Mais ce qui nous plaît vis-à-vis de ceux qui
montent, nous plaît moins vis-à-vis de ceux qui tombent.
Nous n'aimons le combat que tant qu'il y a danger ; et
dans tous les cas, les combattants de la première heure
ont seuls le droit d'être les exterminateurs de la dernière.
Qui n'a pas été accusateur opiniâtre pendant la prospérité
doit se taire devant l'écroulement. Le dénonciateur du
succès est le seul légitime justicier de la chute. Quant à
nous, lorsque la Providence s'en mêle et frappe, nous la
laissons faire. 1812 commence à nous désarmer. En 1813,
la lâche rupture de silence de ce corps législatif taciturne,
enhardi par les catastrophes, n'avait que de quoi indigner,
et c'était un tort d'applaudir ; en 1814, devant ces
maréchaux   trahissant,   devant   ce   sénat   passant
d'une fange à l'autre, insultant après avoir divinisé,
devant cette idolâtrie lâchant pied et crachant sur
l'idole, c'était un devoir de détourner la tête ; en 1815,
comme les suprêmes désastres étaient dans l'air, comme
la France avait le frisson de leur approche sinistre, comme
on pouvait vaguement distinguer déjà Waterloo ouvert
devant Napoléon, la douloureuse acclamation de l'armée
et du peuple au condamné du destin n'avait rien de
risible, et, toute réserve faite sur le despote, un cœur
comme l'évêque de D— n'eût peut-être pas dû mécon-
naître ce qu'avait d'auguste et de touchant, au bord de
l'abîme, l'étroit embrassement d'une grande nation et
d'un grand homme.

A cela près, il était et il fut en toute chose juste, vrai,
équitable, intelligent, humble et digne ; bienfaisant et
bienveillant, ce qui est une autre bienfaisance. C'était un
prêtre, un sage et un homme. Même, il faut le dire, dans
cette opinion politique que nous venons de lui reprocher
et que nous sommes disposé à juger presque sévèrement,
il était tolérant et facile, peut-être plus que nous qui
parlons ici. Le portier de la maison de ville avait été
placé là par l'empereur. C'était un vieux sous-officier
de la vieille garde, légionnaire d'Austerlitz, bonapartiste
comme l'aigle. Il échappait dans l'occasion à ce pauvre

diable des paroles peu réfléchies que la loi d'alors
qualifiait *propos séditieux*. Depuis que le profil impérial
avait disparu de la légion d'honneur, il ne s'habillait
jamais *dans l'ordonnance*, comme il disait, afin de ne pas
être forcé de porter sa croix. Il avait ôté lui-même dévotement l'effigie impériale de la croix que Napoléon lui
avait donnée, cela faisait un trou et il n'avait rien voulu
mettre à la place. *Plutôt mourir*, disait-il, *que de porter
sur mon cœur les trois crapauds !* Il raillait volontiers
tout haut Louis XVIII. *Vieux goutteux à guêtres d'anglais !* disait-il, *qu'il s'en aille en Prusse avec son salsifis.*
Heureux de réunir dans la même imprécation les deux
choses qu'il détestait le plus, la Prusse et l'Angleterre.
Il en fit tant qu'il perdit sa place. Le voilà sans pain
sur le pavé avec femme et enfants. L'évêque le fit venir,
le gronda doucement et le nomma suisse de la cathédrale.

En neuf ans, à force de saintes actions et de douces
manières, monseigneur Bienvenu avait rempli la ville
de D— d'une sorte de vénération tendre et filiale. Sa
conduite même envers Napoléon avait été acceptée et
comme tacitement pardonnée par le peuple, bon troupeau
faible, qui adorait son empereur, mais qui aimait son
évêque.

XII

SOLITUDE DE MONSEIGNEUR BIENVENU

Il y a presque toujours autour d'un évêque une escouade
de petits abbés comme autour d'un général une volée
de jeunes officiers. C'est là ce que ce charmant saint
François de Sales appelle quelque part « les prêtres
blancs-becs ». Toute carrière a ses aspirants qui font
cortège aux arrivés. Pas une puissance qui n'ait son
entourage, pas une fortune qui n'ait sa cour. Les chercheurs d'avenir tourbillonnent autour du présent splendide. Toute métropole a son état-major. Tout évêque
un peu influent a près de lui sa patrouille de chérubins
séminaristes qui fait la ronde et maintient le bon ordre
dans le palais épiscopal et qui monte la garde autour
du sourire de monseigneur. Agréer à un évêque, c'est le

pied à l'étrier pour un sous-diacre. Il faut bien faire
son chemin; l'apostolat ne dédaigne point le canonicat.

De même qu'il y a ailleurs les gros bonnets, il y a dans
l'église les grosses mitres. Ce sont les évêques bien en
cour, riches, rentés, habiles, acceptés du monde, sachant
prier, sans doute, mais sachant aussi solliciter, peu scru-
puleux de faire faire antichambre en leur personne à
tout un diocèse, traits d'union entre la sacristie et la
diplomatie, plutôt abbés que prêtres, plutôt prélats
qu'évêques. Heureux qui les approche! Gens en crédit
qu'ils sont, ils font pleuvoir autour d'eux, sur les empres-
sés et les favorisés, et sur toute cette jeunesse qui sait
plaire, les grosses paroisses, les prébendes, les archidia-
conats, les aumôneries, et les fonctions cathédrales, en
attendant les dignités épiscopales. En avançant eux-
mêmes, ils font progresser leurs satellites; c'est tout un
système solaire en marche. Leur rayonnement empourpre
leur suite. Leur prospérité s'émiette sur la cantonade
en bonnes petites promotions. Plus grand diocèse au
patron, plus grosse cure au favori. Et puis Rome est là.
Un évêque qui sait devenir archevêque, un archevêque
qui sait devenir cardinal, vous emmène comme concla-
viste, vous entrez dans la rote, vous avez le pallium,
vous voilà auditeur, vous voilà camérier, vous voilà
monsignor, et de la Grandeur à l'Eminence il n'y a
qu'un pas, et entre l'Eminence et la Sainteté il n'y a que
la fumée d'un scrutin. Toute calotte peut rêver la tiare.
Le prêtre est de nos jours le seul homme qui puisse
régulièrement devenir roi; et quel roi! le roi suprême.
Aussi quelle pépinière d'aspirations qu'un séminaire!
Que d'enfants de chœur rougissants, que de jeunes abbés,
ont sur la tête le pot au lait de Perrette! comme l'ambition
s'intitule aisément vocation, qui sait? De bonne foi
peut-être et se trompant elle-même, béate qu'elle est!

Monseigneur Bienvenu, humble, pauvre, particulier,
n'était pas compté parmi les grosses mitres. Cela était
visible à l'absence complète de jeunes prêtres autour
de lui. On a vu qu'à Paris « il n'avait pas pris ». Pas un
avenir ne songeait à se greffer sur ce vieillard solitaire.
Pas une ambition en herbe ne faisait la folie de verdir à
son ombre. Ses chanoines et ses grands-vicaires étaient
de bons vieux hommes, un peu peuple comme lui, murés
comme lui dans ce diocèse sans issue sur le cardinalat,
et qui ressemblaient à leur évêque, avec cette différence
qu'eux étaient finis, et que lui était achevé. On sentait

si bien l'impossibilité de croître près de monseigneur
Bienvenu qu'à peine sortis du séminaire, les jeunes gens
ordonnés par lui se faisaient recommander aux arche-
vêques d'Aix ou d'Auch et s'en allaient bien vite. Car
enfin, nous le répétons, on veut être poussé. Un saint
qui vit dans un excès d'abnégation est un voisinage dangereux; il pourrait bien vous communiquer par contagion
une pauvreté incurable, l'ankylose des articulations
utiles à l'avancement, et, en somme, plus de renoncement
que vous n'en voulez; et l'on fuit cette vertu galeuse.
De là l'isolement de monseigneur Bienvenu. Nous
vivons dans une société sombre. Réussir; voilà l'ensei-
gnement qui tombe goutte à goutte de la corruption
en surplomb.

Soit dit en passant, c'est une chose assez hideuse que
le succès. Sa fausse ressemblance avec le mérite trompe
les hommes. Pour la foule, la réussite a presque le même
profil que la suprématie. Le succès, ce ménechme du
talent, a une dupe : l'histoire. Juvénal et Tacite seuls
en bougonnent. De nos jours, une philosophie à peu
près officielle est entrée en domesticité chez lui, porte la
livrée du succès, et fait le service de son antichambre.
Réussissez : théorie. Prospérité suppose capacité.
Gagnez à la loterie, vous voilà un habile homme. Qui
triomphe est vénéré. Naissez coiffé! tout est là. Ayez de la
chance, vous aurez le reste; soyez heureux, on vous
croira grand. En dehors des cinq ou six exceptions
immenses qui font l'éclat d'un siècle, l'admiration con-
temporaine n'est guère que myopie. Dorure est or.
Etre le premier venu, cela ne gâte rien, pourvu qu'on
soit le parvenu. Le vulgaire est un vieux narcisse qui
s'adore lui-même et qui applaudit le vulgaire. Cette
faculté énorme par laquelle on est Moïse, Eschyle,
Dante, Michel-Ange ou Napoléon, la multitude la
décerne d'emblée et par acclamation à quiconque
atteint son but dans quoi que ce soit. Qu'un notaire se
transfigure en député, qu'un faux Corneille fasse *Tiridate*,
qu'un eunuque parvienne à posséder un harem, qu'un
Prudhomme militaire gagne par accident la bataille
décisive d'une époque, qu'un apothicaire invente les
semelles de carton pour l'armée de Sambre-et-Meuse
et se construise, avec ce carton vendu pour du cuir,
quatre cent mille livres de rente, qu'un porte-balle
épouse l'usure et la fasse accoucher de sept à huit millions dont il est le père et dont elle est la mère, qu'un

prédicateur devienne évêque par le nasillement, qu'un
intendant de bonne maison soit si riche en sortant de
service qu'on le fasse ministre des finances, les hommes
appellent cela Génie, de même qu'ils appellent Beauté
la figure de Mousqueton et Majesté l'encolure de Claude.
Ils confondent avec les constellations de l'abîme les
étoiles que font dans la vase molle du bourbier les pattes
des canards.

XIII

CE QU'IL CROYAIT

Au point de vue de l'orthodoxie, nous n'avons point
à sonder M. l'évêque de D—. Devant une telle âme,
nous ne nous sentons en humeur que de respect. La
conscience du juste doit être crue sur parole. D'ailleurs,
de certaines natures étant données, nous admettons le
développement possible de toutes les beautés de la vertu
humaine dans une croyance différente de la nôtre.

Que pensait-il de ce dogme-ci ou de ce mystère-là ?
Ces secrets du for intérieur ne sont connus que de la
tombe où les âmes entrent nues. Ce dont nous sommes
certain, c'est que jamais les difficultés de foi ne se résol-
vaient pour lui en hypocrisie. Aucune pourriture n'est
possible au diamant. Il croyait le plus qu'il pouvait.
Credo in Patrem, s'écriait-il souvent. Puisant d'ailleurs
dans les bonnes œuvres cette quantité de satisfaction
qui suffit à la conscience, et qui vous dit tout bas : tu es
avec Dieu!

Ce que nous croyons devoir noter, c'est que, en dehors,
pour ainsi dire, et au-delà de sa foi, l'évêque avait un
excès d'amour. C'est par là, *quia multum amavit*, qu'il
était jugé vulnérable par les « hommes sérieux », « les
personnes graves » et les « gens raisonnables »; locutions
favorites de notre triste monde où l'égoïsme reçoit le
mot d'ordre du pédantisme. Qu'était-ce que cet excès
d'amour ? C'était une bienveillance sereine, débordant
les hommes, comme nous l'avons indiqué déjà, et, dans
l'occasion, s'étendant jusqu'aux choses. Il vivait sans
dédain. Il était indulgent pour la création de Dieu.

Tout homme, même le meilleur, a en lui une dureté irréfléchie qu'il tient en réserve pour l'animal. L'évêque de D.— n'avait point cette dureté-là, particulière à beaucoup de prêtres pourtant. Il n'allait pas jusqu'au brahmine, mais il semblait avoir médité cette parole de l'Ecclésiaste : « sait-on où va l'âme des animaux ? » Les laideurs de l'aspect, les difformités de l'instinct, ne le troublaient pas et ne l'indignaient pas. Il en était ému, presque attendri. Il semblait que, pensif, il en allât chercher, au-delà de la vie apparente, la cause, l'explication ou l'excuse. Il semblait par moments demander à Dieu des commutations. Il examinait sans colère, et avec l'œil du linguiste qui déchiffre un palimpseste, la quantité de chaos qui est encore dans la nature. Cette rêverie faisait parfois sortir de lui des mots étranges. Un matin, il était dans son jardin, il se croyait seul; mais sa sœur marchait derrière lui sans qu'il la vît; tout à coup, il s'arrêta, et il regarda quelque chose à terre; c'était une grosse araignée, noire, velue, horrible. Sa sœur l'entendit qui disait : — Pauvre bête! ce n'est pas sa faute.

Pourquoi ne pas dire ces enfantillages presque divins de la bonté ? Puérilités, soit; mais ces puérilités sublimes ont été celles de saint François d'Assise et de Marc-Aurèle. Un jour il se donna une entorse pour n'avoir pas voulu écraser une fourmi.

Ainsi vivait cet homme juste. Quelquefois il s'endormait dans son jardin, et alors il n'était rien de plus vénérable.

Monseigneur Bienvenu avait été jadis, à en croire les récits sur sa jeunesse et même sur sa virilité, un homme passionné, peut-être violent. Sa mansuétude universelle était moins un instinct de nature que le résultat d'une grande conviction filtrée dans son cœur à travers la vie et lentement tombée en lui pensée à pensée; car, dans un caractère comme dans un rocher, il peut y avoir des trous de gouttes d'eau. Ces creusements-là sont ineffaçables; ces formations-là sont indestructibles.

En 1815, nous croyons l'avoir dit, il atteignait soixante-quinze ans, mais il n'en paraissait pas avoir plus de soixante. Il n'était pas grand; il avait quelque embonpoint; et, pour le combattre, il faisait volontiers de longues marches à pied; il avait le pas ferme et n'était que fort peu courbé; détail d'où nous ne prétendons rien conclure; Grégoire XVI, à quatre-vingts ans, se tenait droit et souriait, ce qui ne l'empêchait pas d'être un mauvais évêque. Monseigneur Bienvenu avait ce que le peuple appelle « une belle tête », mais si aimable qu'on oubliait qu'elle était belle.

Quand il causait avec cette gaîté enfantine qui était une de ses grâces, et dont nous avons déjà parlé, on se sentait à l'aise près de lui, il semblait que de toute sa personne il sortît de la joie. Son teint coloré et frais, toutes ses dents bien blanches qu'il avait conservées et que son rire faisait voir, lui donnaient cet air ouvert et facile qui fait dire d'un homme : c'est un bon enfant, et d'un vieillard : c'est un bonhomme. C'était, on s'en souvient, l'effet qu'il avait fait à Napoléon. Au premier abord et pour qui le voyait pour la première fois, ce n'était guère qu'un bonhomme en effet. Mais si l'on restait quelques heures près de lui, et pour peu qu'on le vît pensif, le bonhomme se transfigurait peu à peu et prenait je ne sais quoi d'imposant; son front large et sérieux, auguste par les cheveux blancs, devenait auguste aussi par la méditation; la majesté se dégageait de cette bonté, sans que la bonté cessât de rayonner; on éprouvait quelque chose de l'émotion qu'on aurait si l'on voyait un ange souriant ouvrir lentement ses ailes sans cesser de sourire. Le respect, un respect inexprimable, vous pénétrait par degrés et vous montait au cœur, et l'on sentait qu'on avait devant soi une de ces âmes fortes, éprouvées et indulgentes, où la pensée est si grande qu'elle ne peut plus être que douce.

Comme on l'a vu, la prière, la célébration des offices religieux, l'aumône, la consolation aux affligés, la culture d'un coin de terre, la fraternité, la frugalité, l'hospitalité, le renoncement, la confiance, l'étude, le travail, remplissaient chacune des journées de sa vie. *Remplissaient* est bien le mot, et certes cette journée de l'évêque était bien pleine jusqu'aux bords de bonnes pensées, de bonnes paroles et de bonnes actions. Cependant elle n'était pas complète si le temps froid ou pluvieux l'empêchait d'aller passer le soir, quand les deux femmes s'étaient retirées, une heure ou deux dans son jardin avant de s'endormir. Il semblait que ce fût une sorte de rite pour lui de se préparer au sommeil par la méditation en présence des grands spectacles du ciel nocturne. Quelquefois, à une heure même assez avancée de la nuit, si les deux vieilles filles ne dormaient pas, elles

l'entendaient marcher lentement dans les allées. Il était
là seul avec lui-même, recueilli, paisible, adorant, compa-
rant la sérénité de son cœur à la sérénité de l'éther,
ému dans les ténèbres par les splendeurs visibles des
constellations et les splendeurs invisibles de Dieu,
ouvrant son âme aux pensées qui tombent de l'Inconnu.
Dans ces moments-là, offrant son cœur à l'heure où les
fleurs nocturnes offrent leur parfum, allumé comme
une lampe au centre de la nuit étoilée, se répandant en
extase au milieu du rayonnement universel de la création,
il n'eût pu peut-être dire lui-même ce qui se passait
dans son esprit; il sentait quelque chose s'envoler hors
de lui et quelque chose descendre en lui. Mystérieux
échanges des gouffres de l'âme avec les gouffres de
l'univers!

Il songeait à la grandeur et à la présence de Dieu; à
l'éternité future, étrange mystère; à l'éternité passée,
mystère plus étrange encore; à tous les infinis qui s'enfonçaient sous ses yeux dans tous les sens; et sans
chercher à comprendre l'incompréhensible, il regardait.
Il n'étudiait pas Dieu; il s'en éblouissait. Il considérait
ces magnifiques rencontres des atomes qui donnent des
aspects à la matière, révèlent les forces en les constatant,
créent les individualités dans l'unité, les proportions
dans l'étendue, l'innombrable dans l'infini, et par la
lumière produisent la beauté. Ces rencontres se nouent
et se dénouent sans cesse; de là la vie et la mort.

Il s'asseyait sur un banc de bois adossé à une treille
décrépite; il regardait les astres à travers les silhouettes
chétives et rachitiques de ses arbres fruitiers. Ce quart
d'arpent si pauvrement planté, si encombré de masures
et de hangars, lui était cher et lui suffisait.

Que fallait-il de plus à ce vieillard qui partageait le
loisir de sa vie, où il y avait si peu de loisir, entre le
jardinage le jour et la contemplation la nuit? Cet étroit
enclos, ayant les cieux pour plafond, n'était-ce pas assez
pour pouvoir adorer Dieu tour à tour dans ses œuvres
les plus charmantes et dans ses œuvres les plus sublimes?
N'est-ce pas là tout, en effet, et que désirer au-delà?
Un petit jardin pour se promener, et l'immensité pour
rêver. A ses pieds ce qu'on peut cultiver et recueillir;
sur sa tête ce qu'on peut étudier et méditer; quelques
fleurs sur la terre, et toutes les étoiles dans le ciel.

XIV

CE QU'IL PENSAIT

Un dernier mot.

Comme cette nature de détails pourrait, particulièrement au moment où nous sommes, et pour nous servir
d'une expression actuellement à la mode, donner à
l'évêque de D.— une certaine physionomie « panthéiste »
et faire croire, soit à son blâme, soit à sa louange, qu'il
y avait en lui une de ces philosophies personnelles,
propres à notre siècle, qui germent quelquefois dans les
esprits solitaires et s'y construisent et y grandissent
jusqu'à y remplacer les religions, nous insistons sur ceci
que pas un de ceux qui ont connu monseigneur Bienvenu
ne se fût cru autorisé à penser rien de pareil. Ce qui
éclairait cet homme, c'était le cœur. Sa sagesse était
faite de la lumière qui vient de là.

Point de systèmes, beaucoup d'œuvres. Les spécula-
tions abstruses contiennent du vertige; rien n'indique
qu'il hasardât son esprit dans les apocalypses. L'apôtre
peut être hardi, mais l'évêque doit être timide. Il se fût
probablement fait scrupule de sonder trop avant de
certains problèmes réservés en quelque sorte aux grands
esprits terribles. Il y a de l'horreur sacrée sous les porches
de l'énigme; ces ouvertures sombres sont là béantes,
mais quelque chose vous dit, à vous passant de la vie,
qu'on n'entre pas. Malheur à qui y pénètre!

Les génies, dans les profondeurs inouïes de l'abstraction et de la spéculation pure, situés pour ainsi dire
au-dessus des dogmes, proposent leurs idées à Dieu.
Leur prière offre audacieusement la discussion. Leur
adoration interroge. Ceci est la religion directe, pleine
d'anxiété et de responsabilité pour qui en tente les
escarpements.

La méditation humaine n'a point de limite. A ses
risques et périls, elle analyse et creuse son propre éblouissement. On pourrait presque dire que, par une sorte de
réaction splendide, elle en éblouit la nature; le mysté-

rieux monde qui nous entoure rend ce qu'il reçoit; il est probable que les contemplateurs sont contemplés. Quoi qu'il en soit, il y a sur la terre des hommes — sont-ce des hommes ? — qui aperçoivent distinctement au fond des horizons du rêve les hauteurs de l'absolu, et qui ont la vision terrible de la montagne infinie. Monseigneur Bienvenu n'était point de ces hommes-là; monseigneur Bienvenu n'était pas un génie. Il eût redouté ces sublimités d'où quelques-uns, très grands même, comme Swedenborg et Pascal, ont glissé dans la démence. Certes, ces puissantes rêveries ont leur utilité morale; et par ces routes ardues on s'approche de la perfection idéale. Lui, il prenait le sentier qui abrège; l'Évangile.

Il n'essayait point de faire faire à sa chasuble les plis du manteau d'Élie; il ne projetait aucun rayon d'avenir sur le roulis ténébreux des événements, il ne cherchait pas à condenser en flamme la lueur des choses; il n'avait rien du prophète, et rien du mage. Cette âme humble aimait; voilà tout.

Qu'il dilatât la prière jusqu'à une aspiration surhumaine, cela est probable; mais on ne peut pas plus prier trop qu'aimer trop; et, si c'était une hérésie de prier au-delà des textes, sainte Thérèse et saint Jérôme seraient des hérétiques.

Il se penchait sur ce qui gémit et sur ce qui expie. L'univers lui apparaissait comme une immense maladie; il sentait partout de la fièvre, il auscultait partout de la souffrance, et, sans chercher à deviner l'énigme, il tâchait de panser la plaie. Le redoutable spectacle des choses créées développait en lui l'attendrissement; il n'était occupé qu'à trouver pour lui-même et à inspirer aux autres la meilleure manière de plaindre et de soulager; ce qui existe était pour ce bon et rare prêtre un sujet permanent de tristesse cherchant à consoler.

Il y a des hommes qui travaillent à l'extraction de l'or; lui, il travaillait à l'extraction de la pitié. L'universelle misère était sa mine. La douleur partout n'était qu'une occasion de bonté toujours. *Aimez-vous les uns les autres ;* il déclarait cela complet, ne souhaitait rien de plus et c'était là toute sa doctrine. Un jour, cet homme qui se croyait « philosophe », ce sénateur, déjà nommé, dit à l'évêque : — Mais voyez donc le spectacle du monde; guerre de tous contre tous; le plus fort a le plus d'esprit. Votre *aimez-vous les uns les autres* est une bêtise. — *Eh bien*, répondit monseigneur Bienvenu sans disputer, *si c'est une bêtise, l'âme doit s'y enfermer comme la perle dans l'huître.* Il s'y enfermait donc, il y vivait, il s'en satisfaisait absolument, laissant de côté les questions prodigieuses qui attirent et qui épouvantent, les perspectives insondables de l'abstraction, les précipices de la métaphysique, toutes ces profondeurs convergentes, pour l'apôtre, à Dieu, pour l'athée, au néant : la destinée, le bien et le mal, la guerre de l'être contre l'être, la conscience de l'homme, le somnambulisme pensif de l'animal, la transformation par la mort, la récapitulation d'existences que contient le tombeau, la greffe incompréhensible des amours successifs sur le moi persistant, l'essence, la substance, le Nil et l'Ens, l'âme, la nature, la liberté, la nécessité; problèmes à pic, épaisseurs sinistres, où se penchent les gigantesques archanges de l'esprit humain; formidables abîmes que Lucrèce, Manou, saint Paul et Dante contemplent avec cet œil fulgurant qui semble, en regardant fixement l'infini, y faire éclore des étoiles.

Monseigneur Bienvenu était simplement un homme qui constatait du dehors les questions mystérieuses sans les scruter, sans les agiter, et sans en troubler son propre esprit; et qui avait dans l'âme le grave respect de l'ombre.

LIVRE DEUXIÈME

LA CHUTE

I

LE SOIR D'UN JOUR DE MARCHE

Dans les premiers jours du mois d'octobre 1815, une heure environ avant le coucher du soleil, un homme qui voyageait à pied entrait dans la petite ville de D—. Les rares habitants qui se trouvaient, en ce moment, à leurs fenêtres ou sur le seuil de leurs maisons, regardaient ce voyageur avec une sorte d'inquiétude. Il était difficile de rencontrer un passant d'un aspect plus misérable. C'était un homme de moyenne taille, trapu et robuste, dans la force de l'âge. Il pouvait avoir quarante-six ou quarante-huit ans. Une casquette à visière de cuir rabattue cachait en partie son visage brûlé par le soleil et le hâle et ruisselant de sueur. Sa chemise de grosse toile jaune, rattachée au col par une petite ancre d'argent, laissait voir sa poitrine velue; il avait une cravate, tordue en corde, un pantalon de coutil bleu, usé et râpé, blanc à un genou, troué à l'autre, une vieille blouse grise en haillons, rapiécée à l'un des coudes d'un morceau de drap vert cousu avec de la ficelle, sur le dos un sac de soldat fort plein, bien bouclé et tout neuf, à la main un énorme bâton noueux, les pieds sans bas dans des souliers ferrés, la tête tondue et la barbe longue.

La sueur, la chaleur, le voyage à pied, la poussière, ajoutaient je ne sais quoi de sordide à cet ensemble délabré.

Les cheveux étaient ras, et pourtant hérissés; car ils commençaient à pousser un peu et semblaient n'avoir pas été coupés depuis quelque temps.

Personne ne le connaissait. Ce n'était évidemment qu'un passant. D'où venait-il ? Du midi. Des bords de la mer peut-être. Car il faisait son entrée dans D— par la même rue qui sept mois auparavant avait vu passer l'empereur Napoléon allant de Cannes à Paris. Cet homme avait dû marcher tout le jour. Il paraissait très fatigué. Des femmes de l'ancien bourg qui est au bas de la ville l'avaient vu s'arrêter sous les arbres du boulevard Gassendi et boire à la fontaine qui est à l'extrémité de la promenade. Il fallait qu'il eût bien soif, car des enfants qui le suivaient le virent encore s'arrêter et boire, deux cents pas plus loin, à la fontaine de la place du marché.

Arrivé au coin de la rue Poichevert, il tourna à gauche et se dirigea vers la mairie. Il y entra; puis sortit un quart d'heure après. Un gendarme était assis près de la porte sur le banc de pierre où le général Drouot monta le 4 mars pour lire à la foule effarée des habitants de D. — la proclamation du golfe Juan. L'homme ôta sa casquette et salua humblement le gendarme.

Le gendarme, sans répondre à son salut, le regarda avec attention, le suivit quelque temps des yeux, puis entra dans la maison de ville.

Il y avait alors à D — une belle auberge à l'enseigne de *la Croix-de-Colbas*. Cette auberge avait pour hôtelier un nommé Jacquin Labarre, homme considéré dans la ville pour sa parenté avec un autre Labarre, qui tenait à Grenoble l'auberge des *Trois-Dauphins* et qui avait servi dans les guides. Lors du débarquement de l'empereur, beaucoup de bruits avaient couru dans le pays sur cette auberge des *Trois-Dauphins*. On contait que le général Bertrand, déguisé en charretier, y avait fait de fréquents voyages au mois de janvier, et qu'il y avait distribué des croix d'honneur à des soldats et des poignées de napoléons à des bourgeois. La réalité est que l'empereur, entré dans Grenoble, avait refusé de s'installer à l'hôtel de la préfecture; il avait remercié le maire en disant : *Je vais chez un brave homme que je connais*, et il était allé aux *Trois-Dauphins*. Cette gloire du Labarre des *Trois-Dauphins* se reflétait à vingt-cinq lieues de distance jusque sur le Labarre de *la Croix-de-Colbas*. On disait de lui dans la ville : *c'est le cousin de celui de Grenoble*.

L'homme se dirigea vers cette auberge qui était la meilleure du pays. Il entra dans la cuisine, laquelle s'ouvrait de plain-pied sur la rue. Tous les fourneaux étaient allumés; un grand feu flambait gaiement dans la cheminée. L'hôte, qui était en même temps le chef, allait de l'âtre aux casseroles, fort occupé et surveillant un excellent dîner destiné à des rouliers qu'on entendait rire et parler à grand bruit dans une salle voisine. Qui-

conque a voyagé sait que personne ne fait meilleure chère
que les rouliers. Une marmotte grasse, flanquée de
perdrix blanches et de coqs de bruyère, tournait sur
une longue broche devant le feu; sur les fourneaux cui-
saient deux grosses carpes du lac de Lauzet et une truite
du lac d'Alloz.

L'hôte, entendant la porte s'ouvrir et entrer un nouveau venu, dit sans lever les yeux de ses fourneaux :

— Que veut monsieur ?

— Manger et coucher, dit l'homme.

— Rien de plus facile, reprit l'hôte. En ce moment il
tourna la tête, embrassa d'un coup d'œil tout l'ensemble
du voyageur, et ajouta : en payant.

L'homme tira une grosse bourse de cuir de la poche
de sa blouse et répondit :

— J'ai de l'argent.

— En ce cas on est à vous, dit l'hôte.

L'homme remit sa bourse en poche, se déchargea de
son sac, le posa à terre près de la porte, garda son bâton
à la main et alla s'asseoir sur une escabelle basse près du
feu. D. — est dans la montagne. Les soirées d'octobre y
sont froides.

Cependant, tout en allant et venant, l'hôte considérait
le voyageur.

— Dîne-t-on bientôt ? dit l'homme.

— Tout à l'heure, dit l'hôte.

Pendant que le nouveau venu se chauffait le dos
tourné, le digne aubergiste Jacquin Labarre tira un
crayon de sa poche, puis il déchira le coin d'un vieux
journal qui traînait sur une petite table près de la fenêtre.
Sur la marge blanche il écrivit une ligne ou deux, plia
sans cacheter et remit ce chiffon de papier à un enfant qui
paraissait lui servir tout à la fois de marmiton et de laquais.
L'aubergiste dit un mot à l'oreille du marmiton, et l'enfant
partit en courant dans la direction de la mairie.

Le voyageur n'avait rien vu de tout cela.

Il demanda encore une fois :

— Dîne-t-on bientôt ?

— Tout à l'heure, dit l'hôte.

L'enfant revint. Il rapportait le papier. L'hôte le
déplia avec empressement, comme quelqu'un qui attend
une réponse. Il parut lire attentivement, puis hocha la
tête et resta un moment pensif. Enfin il fit un pas vers
le voyageur qui semblait plongé dans des réflexions peu
sereines.

— Monsieur, dit-il, je ne puis vous recevoir.

L'homme se dressa à demi sur son séant.

— Comment ? avez-vous peur que je ne paie pas ? voulez-vous que je paie d'avance ? J'ai de l'argent, vous dis-je.

— Ce n'est pas cela.

— Quoi donc ?

— Vous avez de l'argent...

— Oui, dit l'homme.

— Et moi, dit l'hôte, je n'ai pas de chambre.

L'homme reprit tranquillement :

— Mettez-moi à l'écurie.

— Je ne puis.

— Pourquoi ?

— Les chevaux prennent toute la place.

— Eh bien! repartit l'homme, un coin dans le grenier. Une botte de paille. Nous verrons cela après dîner.

— Je ne puis vous donner à dîner.

Cette déclaration, faite d'un ton mesuré, mais ferme, parut grave à l'étranger. Il se leva.

— Ah bah! mais je meurs de faim, moi. J'ai marché dès le soleil levé. J'ai fait douze lieues. Je paie. Je veux manger.

— Je n'ai rien, dit l'hôte.

L'homme éclata de rire, et se tourna vers la cheminée et les fourneaux : — Rien! et tout cela ?

— Tout cela m'est retenu.

— Par qui ?

— Par ces messieurs les rouliers.

— Combien sont-ils ?

— Douze.

— Il y a là à manger pour vingt.

— Ils ont tout retenu et tout payé d'avance.

L'homme se rassit et dit sans hausser la voix :

— Je suis à l'auberge, j'ai faim et je reste.

L'hôte alors se pencha à son oreille, et lui dit d'un accent qui le fit tressaillir :

— Allez-vous-en.

Le voyageur était courbé en cet instant et poussait quelques braises dans le feu avec le bout ferré de son bâton, il se retourna vivement, et, comme il ouvrait la bouche pour répliquer, l'hôte le regarda fixement et ajouta toujours à voix basse :

— Tenez, assez de paroles comme cela. Voulez-vous que je vous dise votre nom ? Vous vous appelez Jean

Valjean. Maintenant voulez-vous que je vous dise qui vous êtes ? En vous voyant entrer, je me suis douté de quelque chose, j'ai envoyé à la mairie, et voici ce qu'on m'a répondu. Savez-vous lire ?

En parlant ainsi il tendait à l'étranger, tout déplié, le papier qui venait de voyager de l'auberge à la mairie et de la mairie à l'auberge. L'homme y jeta un regard. L'aubergiste reprit après un silence :

— J'ai l'habitude d'être poli avec tout le monde. Allez-vous-en.

L'homme baissa la tête, ramassa le sac qu'il avait déposé à terre, et s'en alla.

Il prit la grande rue. Il marchait devant lui au hasard, rasant de près les maisons comme un homme humilié et triste. Il ne se retourna pas une seule fois. S'il s'était retourné, il aurait vu l'aubergiste de *la Croix-de-Colbas* sur le seuil de sa porte, entouré de tous les voyageurs de son auberge et de tous les passants de la rue, parlant vivement et le désignant du doigt ; et, aux regards de défiance et d'effroi du groupe, il aurait deviné qu'avant peu son arrivée serait l'événement de toute la ville.

Il ne vit rien de tout cela. Les gens accablés ne regardent pas derrière eux. Ils ne savent que trop que le mauvais sort les suit.

Il chemina ainsi quelque temps, marchant toujours, allant à l'aventure par des rues qu'il ne connaissait pas, oubliant la fatigue, comme cela arrive dans la tristesse. Tout à coup il sentit vivement la faim. La nuit approchait. Il regarda autour de lui pour voir s'il ne découvrirait pas quelque gîte.

La belle hôtellerie s'était fermée pour lui ; il cherchait quelque cabaret bien humble, quelque bouge bien pauvre.

Précisément une lumière s'allumait au bout de la rue ; une branche de pin, pendue à une potence en fer, se dessinait sur le ciel blanc du crépuscule. Il y alla.

C'était en effet un cabaret. Le cabaret qui est dans la rue de Chaffaut.

Le voyageur s'arrêta un moment, et regarda par la vitre l'intérieur de la salle basse du cabaret, éclairée par une petite lampe sur une table et par un grand feu dans la cheminée. Quelques hommes y buvaient. L'hôte se chauffait. La flamme faisait bruire une marmite de fer accrochée à une crémaillère.

On entre dans ce cabaret, qui est aussi une espèce d'auberge, par deux portes. L'une donne sur la rue, l'autre s'ouvre sur une petite cour pleine de fumier.

Le voyageur n'osa pas entrer par la porte de la rue. Il se glissa dans la cour, s'arrêta encore, puis leva timidement le loquet et poussa la porte.

— Qui va là ? dit le maître.

— Quelqu'un qui voudrait souper et coucher.

— C'est bon. Ici on soupe et on couche.

Il entra. Tous les gens qui buvaient se retournèrent. La lampe l'éclairait d'un côté, le feu de l'autre. On l'examina quelque temps pendant qu'il défaisait son sac.

L'hôte lui dit :

— Voilà du feu. Le souper cuit dans la marmite. Venez vous chauffer, camarade.

Il alla s'asseoir près de l'âtre. Il allongea devant le feu ses pieds meurtris par la fatigue ; une bonne odeur sortait de la marmite. Tout ce qu'on pouvait distinguer de son visage sous sa casquette baissée prit une vague apparence de bien-être mêlée à cet autre aspect si poignant que donne l'habitude de la souffrance.

C'était d'ailleurs un profil ferme, énergique et triste. Cette physionomie était étrangement composée ; elle commençait par paraître humble et finissait par sembler sévère. L'œil luisait sous les sourcils comme un feu sous une broussaille.

Cependant un des hommes attablés était un poissonnier qui, avant d'entrer au cabaret de la rue de Chaffaut, était allé mettre son cheval à l'écurie, chez Labarre. Le hasard faisait que le matin même il avait rencontré cet étranger de mauvaise mine, cheminant entre Bras d'Asse et... (j'ai oublié le nom. Je crois que c'est Escoublon). Or, en le rencontrant, l'homme, qui paraissait déjà très fatigué, lui avait demandé de le prendre en croupe, à quoi le poissonnier n'avait répondu qu'en doublant le pas. Ce poissonnier faisait partie, une demi-heure auparavant, du groupe qui entourait Jacquin Labarre, et lui-même avait raconté sa désagréable rencontre du matin aux gens de *la Croix-de-Colbas*. Il fit de sa place au cabaretier un signe imperceptible. Le cabaretier vint à lui. Ils échangèrent quelques paroles à voix basse. L'homme était retombé dans ses réflexions.

Le cabaretier revint à la cheminée, posa brusquement sa main sur l'épaule de l'homme, et lui dit :

— Tu vas t'en aller d'ici.

L'étranger se retourna et répondit avec douceur :

— Ah ! vous savez ?...

— Oui.

— On m'a renvoyé de l'autre auberge.

— Et l'on te chasse de celle-ci.

— Où voulez-vous que j'aille ?

— Ailleurs.

L'homme prit son bâton et son sac, et s'en alla.

Comme il sortait, quelques enfants qui l'avaient suivi depuis *la Croix-de-Colbas* et qui semblaient l'attendre, lui jetèrent des pierres. Il revint sur ses pas avec colère et les menaça de son bâton ; les enfants se dispersèrent comme une volée d'oiseaux.

Il passa devant la prison. A la porte pendait une chaîne de fer attachée à une cloche. Il sonna.

Un guichet s'ouvrit.

— Monsieur le guichetier, dit-il en ôtant respectueusement sa casquette, voudriez-vous bien m'ouvrir et me loger pour cette nuit ?

Une voix répondit :

— Une prison n'est pas une auberge. Faites-vous arrêter, on vous ouvrira.

Le guichet se referma.

Il entra dans une petite rue où il y a beaucoup de jardins. Quelques-uns ne sont enclos que de haies, ce qui égaie la rue. Parmi ces jardins et ces haies, il vit une petite maison d'un seul étage dont la fenêtre était éclairée. Il regarda par cette vitre comme il avait fait pour le cabaret. C'était une grande chambre blanchie à la chaux, avec un lit drapé d'indienne imprimée, et un berceau dans un coin, quelques chaises de bois et un fusil à deux coups accroché au mur. Une table était servie au milieu de la chambre. Une lampe de cuivre éclairait la nappe de grosse toile blanche, le broc d'étain luisant comme l'argent et plein de vin et la soupière brune qui fumait. A cette table était assis un homme d'une quarantaine d'années, à la figure joyeuse et ouverte, qui faisait sauter un petit enfant sur ses genoux. Près de lui une femme, toute jeune, allaitait un autre enfant. Le père riait, l'enfant riait, la mère souriait.

L'étranger resta un moment rêveur devant ce spectacle doux et calmant. Que se passait-il en lui ? Lui seul eût pu le dire. Il est probable qu'il pensa que cette maison joyeuse serait hospitalière, et que là où il voyait tant de bonheur, il trouverait peut-être un peu de pitié.

Il frappa au carreau un petit coup très faible.

On n'entendit pas.

Il frappa un second coup.

Il entendit la femme qui disait :

— Mon homme, il me semble qu'on frappe.

— Non, répondit le mari.

Il frappa un troisième coup.

Le mari se leva, prit la lampe et alla à la porte qu'il ouvrit.

C'était un homme de haute taille, demi-paysan, demi-artisan. Il portait un vaste tablier de cuir qui montait jusqu'à son épaule gauche et dans lequel faisaient ventre un marteau, un mouchoir rouge, une poire à poudre, toutes sortes d'objets que la ceinture retenait comme dans une poche. Il renversait la tête en arrière; sa chemise largement ouverte et rabattue montrait son cou de taureau, blanc et nu. Il avait d'épais sourcils, d'énormes favoris noirs, les yeux à fleur de tête, le bas du visage en museau, et sur tout cela cet air d'être chez soi qui est une chose inexprimable.

— Monsieur, dit le voyageur, pardon. En payant, pourriez-vous me donner une assiettée de soupe et un coin pour dormir dans ce hangar qui est là dans le jardin. Dites, pourriez-vous ? en payant ?

— Qui êtes-vous ? demanda le maître du logis.

L'homme répondit :

— J'arrive de Puy-Moisson. J'ai marché toute la journée. J'ai fait douze lieues. Pourriez-vous ? en payant ?

— Je ne refuserais pas, dit le paysan, de loger quelqu'un de bien qui paierait. Mais pourquoi n'allez-vous pas à l'auberge ?

— Il n'y a pas de place.

— Bah! pas possible. Ce n'est pas jour de foire ni de marché. Etes-vous allé chez Labarre ?

— Oui.

— Eh bien ?

Le voyageur répondit avec embarras : — Je ne sais pas, il ne m'a pas reçu.

— Etes-vous allé chez chose, de la rue de Chaffaut ?

L'embarras de l'étranger croissait : il balbutia :

— Il ne m'a pas reçu non plus.

Le visage du paysan prit une expression de défiance, il regarda le nouveau venu de la tête aux pieds, et tout à coup il s'écria avec une sorte de frémissement :

— Est-ce que vous seriez l'homme ?...

Il jeta un nouveau coup d'œil sur l'étranger, fit

trois pas en arrière, posa la lampe sur la table et décrocha son fusil du mur.

Cependant aux paroles du paysan : *est-ce que vous seriez l'homme?...* la femme s'était levée, avait pris ses deux enfants dans ses bras, et s'était réfugiée précipitamment derrière son mari, regardant l'étranger avec épouvante, la gorge nue, les yeux effarés, en murmurant tout bas : *tso-maraude*[1].

Tout cela se fit en moins de temps qu'il ne faut pour se le figurer. Après avoir examiné quelques instants l'homme comme on examine une vipère, le maître du logis revint à la porte et dit :

— Va-t'en!

— Par grâce, reprit l'homme, un verre d'eau.

— Un coup de fusil! dit le paysan.

Puis il referma la porte violemment, et l'homme l'entendit tirer deux gros verroux. Un moment après la fenêtre se ferma au volet, et un bruit de barre de fer qu'on posait parvint au dehors.

La nuit continuait de tomber. Le vent froid des Alpes soufflait. A la lueur du jour expirant, l'étranger aperçut dans un des jardins qui bordent la rue une sorte de hutte qui lui parut maçonnée en mottes de gazon. Il franchit résolument une barrière de bois et se trouva dans le jardin. Il s'approcha de la hutte; elle avait pour porte une étroite ouverture très basse et elle ressemblait à ces constructions que les cantonniers se bâtissent au bord des routes. Il pensa sans doute que c'était en effet le logis d'un cantonnier; il souffrait du froid et de la faim; il s'était résigné à la faim, mais c'était du moins là un abri contre le froid. Ces sortes de logis ne sont habituellement pas occupés la nuit. Il se coucha à plat ventre et se glissa dans la hutte. Il y faisait chaud, et il y trouva un assez bon lit de paille. Il resta un moment étendu sur ce lit, sans pouvoir faire un mouvement tant il était fatigué. Puis comme son sac sur son dos le gênait et que c'était d'ailleurs un oreiller tout trouvé, il se mit à déboucler une des courroies. En ce moment un grondement farouche se fit entendre. Il leva les yeux. La tête d'un dogue énorme se dessinait dans l'ombre à l'ouverture de la hutte.

C'était la niche d'un chien.

Il était lui-même vigoureux et redoutable; il s'arma

---

1. Patois des Alpes françaises. *Chat de maraude.*

de son bâton, il se fit de son sac un bouclier, et sortit
de la niche comme il put, non sans élargir les déchirures
de ses haillons.

Il sortit également du jardin, mais à reculons, obligé,
pour tenir le dogue en respect, d'avoir recours à cette
manœuvre du bâton que les maîtres en ce genre d'escrime
appellent *la rose couverte*.

Quand il eut, non sans peine, repassé la barrière et
qu'il se retrouva dans la rue, seul, sans gîte, sans toit,
sans abri, chassé même de ce lit de paille et de cette
niche misérable, il se laissa tomber plutôt qu'il ne s'assit
sur une pierre, et il paraît qu'un passant qui traver sait
l'entendit s'écrier : — Je ne suis pas même un chien!

Bientôt il se releva et se remit à marcher. Il sortit
de la ville, espérant trouver quelque arbre ou quelque
meule dans les champs, et s'y abriter.

Il chemina ainsi quelque temps, la tête toujours baissée.
Quand il se sentit loin de toute habitation humaine, il
leva les yeux et chercha autour de lui. Il était dans un
champ; il avait devant lui une de ces collines basses
couvertes de chaume coupé ras, qui après la moisson
ressemblent à des têtes tondues.

L'horizon était tout noir; ce n'était pas seulement le
sombre de la nuit; c'était des nuages très bas qui semblaient s'appuyer sur la colline même et qui montaient,
emplissant tout le ciel. Cependant, comme la lune allait
se lever et qu'il flottait encore au zénith un reste de
clarté crépusculaire, ces nuages formaient au haut du
ciel une sorte de voûte blanchâtre d'où tombait sur la
terre une lueur.

La terre était donc plus éclairée que le ciel, ce qui est
un effet particulièrement sinistre, et la colline, d'un
pauvre et chétif contour, se dessinait vague et blafarde
sur l'horizon ténébreux. Tout cet ensemble était hideux,
petit, lugubre et borné. Rien dans le champ ni sur la
colline qu'un arbre difforme qui se tordait en frissonnant
à quelques pas du voyageur.

Cet homme était évidemment très loin d'avoir de ces
délicates habitudes d'intelligence et d'esprit qui font
qu'on est sensible aux aspects mystérieux des choses;
cependant il y avait dans ce ciel, dans cette colline, dans
cette plaine et dans cet arbre, quelque chose de si profondément désolé qu'après un moment d'immobilité et de
rêverie, il rebroussa chemin brusquement. Il y a des
moments où la nature semble hostile.

Il revint sur ses pas. Les portes de D.— étaient fermées. D.— qui a soutenu des sièges dans les guerres de religion, était encore entourée en 1815 de vieilles murailles flanquées de tours carrées qu'on a démolies depuis. Il passa par une brèche et rentra dans la ville.

Il pouvait être huit heures du soir. Comme il ne connaissait pas les rues, il recommença sa promenade à l'aventure.

Il parvint ainsi à la préfecture, puis au séminaire. En passant sur la place de la Cathédrale, il montra le poing à l'église.

Il y a au coin de cette place une imprimerie. C'est là que furent imprimées pour la première fois les proclamations de l'empereur et de la garde impériale à l'armée, apportées de l'île d'Elbe et dictées par Napoléon lui-même.

Epuisé de fatigue et n'espérant plus rien, il se coucha sur le banc de pierre qui est à la porte de cette imprimerie.

Une vieille femme sortait de l'église en ce moment. Elle vit cet homme étendu dans l'ombre.

— Que faites-vous là, mon ami ? dit-elle.

Il répondit durement et avec colère :

— Vous le voyez, bonne femme, je me couche.

La bonne femme, bien digne de ce nom en effet, était madame la marquise de R.

— Sur ce banc ? reprit-elle.

— J'ai eu pendant dix-neuf ans un matelas de bois, dit l'homme, j'ai aujourd'hui un matelas de pierre.

— Vous avez été soldat ?

— Oui, bonne femme. Soldat.

— Pourquoi n'allez-vous pas à l'auberge ?

— Parce que je n'ai pas d'argent.

— Hélas, dit madame de R., je n'ai dans ma bourse que quatre sous.

— Donnez toujours.

L'homme prit les quatre sous. Madame de R. continua :

— Vous ne pouvez vous loger avec si peu dans une auberge. Avez-vous essayé pourtant ? Il est impossible que vous passiez ainsi la nuit. Vous avez sans doute froid et faim. On aurait pu vous loger par charité.

— J'ai frappé à toutes les portes.

— Eh bien ?

— Partout on m'a chassé.

La « bonne femme » toucha le bras de l'homme et lui

montra de l'autre côté de la place une petite maison
basse à côté de l'évêché.

— Vous avez, reprit-elle, frappé à toutes les portes ?

— Oui.

— Avez-vous frappé à celle-là ?

— Non.

— Frappez-y.

II

LA PRUDENCE CONSEILLÉE A LA SAGESSE

Ce soir-là, M. l'évêque de D—, après sa promenade
en ville, était resté assez tard enfermé dans sa chambre.
Il s'occupait d'un grand travail sur les *Devoirs*, lequel
est malheureusement demeuré inachevé. Il dépouillait
soigneusement tout ce que les Pères et les Docteurs ont
dit sur cette grave matière. Son livre était divisé en
deux parties, premièrement les devoirs de tous,
deuxièmement les devoirs de chacun, selon la classe à
laquelle il appartient. Les devoirs de tous sont les grands
devoirs. Il y en a quatre. Saint Matthieu les indique :
devoirs envers Dieu (*Matth.*, VI), devoirs envers soi-
même (*Matth.*, V, 29, 30), devoirs envers le prochain
(*Matth.*, VII, 12), devoirs envers les créatures *(Matth.*,
VI, 20, 25). Pour les autres devoirs, l'évêque les avait
trouvés indiqués et prescrits ailleurs, aux souverains
et aux sujets, dans l'Epître aux Romains ; aux magistrats,
aux épouses, aux mères et aux jeunes hommes, par
saint Pierre ; aux maris, aux pères, aux enfants et aux
serviteurs, dans l'Epître aux Ephésiens ; aux fidèles,
dans l'Epître aux Hébreux ; aux vierges, dans l'Epître
aux Corinthiens. Il faisait laborieusement de toutes ces
prescriptions un ensemble harmonieux qu'il voulait
présenter aux âmes.

Il travaillait encore à huit heures, écrivant assez incom-
modément sur de petits carrés de papier avec un gros
livre ouvert sur ses genoux, quand madame Magloire
entra, selon son habitude, pour prendre l'argenterie
dans le placard près du lit. Un moment après, l'évêque,
sentant que le couvert était mis et que sa sœur l'attendait
peut-être, ferma son livre, se leva de sa table et entra
dans la salle à manger.

La salle à manger était une pièce oblongue à cheminée, avec porte sur la rue (nous l'avons dit), et fenêtre sur le jardin.

Madame Magloire achevait en effet de mettre le couvert.

Tout en vaquant au service, elle causait avec mademoiselle Baptistine.

Une lampe était sur la table; la table était près de la cheminée. Un assez bon feu était allumé.

On peut se figurer facilement ces deux femmes qui avaient toutes deux passé soixante ans : Madame Magloire petite, grosse, vive; mademoiselle Baptistine douce, mince, frêle, un peu plus grande que son frère, vêtue d'une robe de soie puce, couleur à la mode en 1806, qu'elle avait achetée alors à Paris et qui lui durait encore. Pour emprunter des locutions vulgaires qui ont le mérite de dire avec un seul mot une idée qu'une page suffirait à peine à exprimer, madame Magloire avait l'air d'une *paysanne* et mademoiselle Baptistine d'une *dame*. Madame Magloire avait un bonnet blanc à tuyaux, au cou une jeannette d'or, le seul bijou de femme qu'il y eût dans la maison, un fichu très blanc sortant d'une robe de bure noire à manches larges et courtes, un tablier de toile de coton à carreaux rouges et verts, noué à la ceinture d'un ruban vert, avec pièce d'estomac pareille rattachée par deux épingles aux deux coins d'en haut, aux pieds de gros souliers et des bas jaunes comme les femmes de Marseille. La robe de mademoiselle Baptistine était coupée sur les patrons de 1806, taille courte, fourreau étroit, manches à épaulettes, avec pattes et boutons. Elle cachait ses cheveux gris sous une perruque frisée dite *à l'enfant*. Madame Magloire avait l'air intelligent, vif et bon; les deux angles de sa bouche inégalement relevés et la lèvre supérieure plus grosse que la lèvre inférieure, lui donnaient quelque chose de bourru et d'impérieux. Tant que monseigneur se taisait, elle lui parlait résolument avec un mélange de respect et de liberté, mais dès que monseigneur parlait, on a vu cela, elle obéissait passivement comme mademoiselle. Mademoiselle Baptistine ne parlait même pas. Elle se bornait à obéir et à complaire. Même quand elle était jeune, elle n'était pas jolie; elle avait de gros yeux bleus à fleur de tête et le nez long et busqué; mais tout son visage, toute sa personne, nous l'avons dit en commençant, respiraient une ineffable bonté. Elle avait toujours été prédestinée à la mansuétude, mais la foi, la charité, l'espérance, ces trois vertus qui chauffent doucement l'âme, avaient élevé peu à peu cette mansuétude jusqu'à la sainteté. La nature n'en avait fait qu'une brebis, la religion en avait fait un ange. Pauvre sainte fille! Doux souvenir disparu!

Mademoiselle Baptistine a depuis raconté tant de fois ce qui s'était passé à l'évêché cette soirée-là, que plusieurs personnes qui vivent encore s'en rappellent les moindres détails.

Au moment où l'évêque entra, madame Magloire parlait avec quelque vivacité. Elle entretenait *mademoiselle* d'un sujet qui lui était familier et auquel l'évêque était accoutumé. Il s'agissait du loquet de la porte d'entrée.

Il paraît que, tout en allant faire quelques provisions pour le souper, madame Magloire avait entendu dire des choses en divers lieux. On parlait d'un rôdeur de mauvaise mine; qu'un vagabond suspect serait arrivé, qu'il devait être quelque part dans la ville, et qu'il se pourrait qu'il y eût de méchantes rencontres pour ceux qui s'aviseraient de rentrer tard chez eux cette nuit-là. Que la police était bien mal faite du reste, attendu que M. le préfet et M. le maire ne s'aimaient pas, et cherchaient à se nuire en faisant arriver des événements. Que c'était donc aux gens sages à faire la police eux-mêmes et à se bien garder, et qu'il faudrait avoir soin de dûment clore, verrouiller et barricader sa maison, *et de bien fermer ses portes.*

Madame Magloire appuya sur ce dernier mot, mais l'évêque venait de sa chambre où il avait eu assez froid, il s'était assis devant la cheminée, et se chauffait, et puis il pensait à autre chose. Il ne releva pas le mot à effet que madame Magloire venait de laisser tomber. Elle le répéta. Alors, mademoiselle Baptistine, voulant satisfaire à madame Magloire sans déplaire à son frère, se hasarda à dire timidement :

— Mon frère, entendez-vous ce que dit madame Magloire ?

— J'en ai entendu vaguement quelque chose, répondit l'évêque. Puis tournant à demi sa chaise, mettant ses deux mains sur ses genoux, et levant vers la vieille servante son visage cordial et facilement joyeux que le feu éclairait d'en bas :

— Voyons. Qu'y a-t-il? qu'y a-t-il? nous sommes donc dans quelque gros danger ?

Alors madame Magloire recommença toute l'histoire, en l'exagérant quelque peu, sans s'en douter. Il paraîtrait qu'un bohémien, un va-nu-pieds, une espèce de mendiant dangereux serait en ce moment dans la ville. Il s'était présenté pour loger chez Jacquin Labarre qui n'avait pas voulu le recevoir. On l'avait vu arriver par le boulevard Gassendi et rôder dans les rues à la brune. Un homme de sac et de corde avec une figure terrible.

— Vraiment ? dit l'évêque.

Ce consentement à l'interroger encouragea madame Magloire; cela lui semblait indiquer que l'évêque n'était pas loin de s'alarmer; elle poursuivit triomphante :

— Oui, monseigneur. C'est comme cela. Il y aura quelque malheur cette nuit dans la ville. Tout le monde le dit. Avec cela que la police est si mal faite (répétition utile). Vivre dans un pays de montagnes, et n'avoir pas même de lanternes la nuit dans les rues! On sort. Des fours, quoi! Et je dis, monseigneur, et mademoiselle que voilà dit comme moi...

— Moi, interrompit la sœur, je ne dis rien. Ce que mon frère fait est bien fait.

Madame Magloire continua comme s'il n'y avait pas eu de protestation :

— Nous disons que cette maison-ci n'est pas sûre du tout, que, si monseigneur le permet, je vais aller dire à Paulin Musebois, le serrurier, qu'il vienne remettre les anciens verrous de la porte; on les a là, c'est une minute; et je dis qu'il faut des verrous, monseigneur, ne serait-ce que pour cette nuit, car je dis qu'une porte qui s'ouvre du dehors avec un loquet, par le premier passant venu, rien n'est plus terrible; avec cela que monseigneur a l'habitude de toujours dire d'entrer et que d'ailleurs même au milieu de la nuit, ô mon Dieu, on n'a pas besoin d'en demander la permission...

En ce moment on frappa à la porte un coup assez violent.

— Entrez, dit l'évêque.

III

HÉROÏSME DE L'OBÉISSANCE PASSIVE

La porte s'ouvrit.

Elle s'ouvrit vivement, toute grande, comme si quelqu'un la poussait avec énergie et résolution.

Un homme entra.

Cet homme, nous le connaissons déjà. C'est le voyageur que nous avons vu tout à l'heure errer cherchant un gîte.

Il entra, fit un pas et s'arrêta, laissant la porte ouverte derrière lui. Il avait son sac sur l'épaule, son bâton à la main, une expression rude, hardie, fatiguée et violente dans les yeux. Le feu de la cheminée l'éclairait. Il était hideux. C'était une sinistre apparition.

Madame Magloire n'eut pas même la force de jeter un cri. Elle tressaillit, et resta béante.

Mademoiselle Baptistine se retourna, aperçut l'homme qui entrait et se dressa à demi d'effarement, puis ramenant peu à peu sa tête vers la cheminée, elle se mit à regarder son frère et son visage redevint profondément calme et serein.

L'évêque fixait sur l'homme un œil tranquille.

Comme il ouvrait la bouche, sans doute pour demander au nouveau venu ce qu'il désirait, l'homme appuya ses deux mains à la fois sur son bâton, promena ses yeux tour à tour sur le vieillard et les femmes et, sans attendre que l'évêque parlât, dit d'une voix haute :

— Voici. Je m'appelle Jean Valjean. Je suis un galérien. J'ai passé dix-neuf ans au bagne. Je suis libéré depuis quatre jours et en route pour Pontarlier qui est ma destination. Quatre jours que je marche depuis Toulon. Aujourd'hui j'ai fait douze lieues à pied. Ce soir en arrivant dans ce pays, j'ai été dans une auberge, on m'a renvoyé à cause de mon passeport jaune que j'avais montré à la mairie. Il avait fallu. J'ai été à une autre auberge. On m'a dit : va-t'en! Chez l'un, chez l'autre. Personne n'a voulu de moi. J'ai été à la prison, le guichetier ne m'a pas ouvert. J'ai été dans la niche d'un chien. Ce chien m'a mordu et m'a chassé, comme s'il avait été un homme. On aurait dit qu'il savait qui j'étais. Je m'en suis allé dans les champs pour coucher à la belle étoile. Il n'y avait pas d'étoile. J'ai pensé qu'il pleuvrait, et qu'il n'y avait pas de bon Dieu pour empêcher de pleuvoir, et je suis rentré dans la ville pour y trouver le renfoncement d'une porte. Là, dans la place, j'allais me coucher sur une pierre, une bonne femme m'a montré votre maison et m'a dit : frappe là. J'ai frappé. Qu'est-ce que c'est ici ? êtes-vous une auberge ? J'ai de l'argent, ma masse. Cent neuf francs quinze sous que j'ai gagnés au bagne par mon travail en dix-neuf ans. Je paierai. Qu'est-ce que cela me fait ? j'ai de l'argent. Je suis très fatigué, douze lieues à pied, j'ai bien faim. Voulez-vous que je reste ?

— Madame Magloire, dit l'évêque, vous mettrez un couvert de plus.

L'homme fit trois pas et s'approcha de la lampe qui était sur la table : — Tenez, reprit-il, comme s'il n'avait pas bien compris, ce n'est pas ça. Avez-vous entendu ? je suis un galérien. Un forçat. Je viens des galères. — Il tira de sa poche une grande feuille de papier jaune qu'il déplia. — Voilà mon passeport. Jaune, comme vous voyez. Cela sert à me faire chasser de partout où je vais. Voulez-vous lire ? Je sais lire, moi. J'ai appris au bagne. Il y a une école pour ceux qui veulent. Tenez, voilà ce qu'on a mis sur le passeport : « Jean Valjean, forçat « libéré, natif de ... » cela vous est égal... — « est resté dix- « neuf ans au bagne. Cinq ans pour vol avec effraction. « Quatorze ans pour avoir tenté de s'évader quatre fois. « Cet homme est très dangereux. » Voilà. Tout le monde m'a jeté dehors. Voulez-vous me recevoir, vous ? Est-ce une auberge ? voulez-vous me donner à manger et à coucher ? avez-vous une écurie ?

— Madame Magloire, dit l'évêque, vous mettrez des draps blancs au lit de l'alcôve.

Nous avons déjà expliqué de quelle nature était l'obéissance des deux femmes.

Madame Magloire sortit pour exécuter ses ordres.

L'évêque se tourna vers l'homme :

— Monsieur, asseyez-vous et chauffez-vous. Nous allons souper dans un instant, et l'on fera votre lit pendant que vous souperez.

Ici l'homme comprit tout à fait. L'expression de son visage jusqu'alors sombre et dure s'empreignit de stupéfaction, de doute, de joie, et devint extraordinaire. Il se mit à balbutier comme un homme fou :

— Vrai ? quoi ? vous me gardez ? vous ne me chassez pas ? un forçat ! vous m'appelez *monsieur !* vous ne me tutoyez pas ! Va-t'en, chien ! qu'on me dit toujours. Je croyais bien que vous me chasseriez. Aussi j'avais dit tout de suite qui je suis. Oh ! la brave femme qui m'a enseigné ici ! je vais souper ! un lit avec des matelas et des draps ! comme tout le monde ! un lit ! il y a dix-neuf ans que je n'ai couché dans un lit ! vous voulez bien que je ne m'en aille pas. Vous êtes de dignes gens. D'ailleurs j'ai de l'argent. Je paierai bien. Pardon, monsieur l'aubergiste, comment vous appelez-vous ? je paierai tout ce qu'on voudra. Vous êtes un brave homme. Vous êtes aubergiste, n'est-ce pas ?

— Je suis, dit l'évêque, un prêtre qui demeure ici.

— Un prêtre ! reprit l'homme. Oh ! un brave homme de prêtre ! alors vous ne me demandez pas d'argent ? le curé, n'est-ce pas ? le curé de cette grande église ? Tiens ! c'est vrai, que je suis bête ! je n'avais pas vu votre calotte.

Tout en parlant il avait déposé son sac et son bâton dans un coin, avait remis son passeport dans sa poche, et s'était assis. Mademoiselle Baptistine le considérait avec douceur. Il continua.

— Vous êtes humain, monsieur le curé, vous n'avez pas de mépris. C'est bien bon un bon prêtre. Alors vous n'avez pas besoin que je paye ?

— Non, dit l'évêque, gardez votre argent. Combien avez-vous ? ne m'avez-vous pas dit cent neuf francs ?

— Quinze sous, ajouta l'homme.

— Cent neuf francs quinze sous. Et combien de temps avez-vous mis à gagner cela ?

— Dix-neuf ans.

— Dix-neuf ans !

L'évêque soupira profondément.

L'homme poursuivit : — J'ai encore tout mon argent. Depuis quatre jours je n'ai dépensé que vingt-cinq sous que j'ai gagnés en aidant à décharger des voitures à Grasse. Puisque vous êtes abbé, je vais vous dire, nous avions un aumônier au bagne. Et puis un jour j'ai vu un évêque. Monseigneur qu'on appelle. C'était l'évêque de la Majore, à Marseille. C'est le curé qui est sur les curés. Vous savez, pardon, je dis mal cela, mais pour moi, c'est si loin ! — Vous comprenez, nous autres ! —

Il a dit la messe au milieu du bagne, sur un autel, il avait une chose pointue, en or, sur la tête. Au grand jour de midi, cela brillait. Nous étions en rang, des trois côtés, avec les canons, mèche allumée, en face de nous. Nous ne voyions pas bien. Il a parlé, mais il était trop au fond, nous n'entendions pas. Voilà ce que c'est qu'un évêque.

Pendant qu'il parlait, l'évêque était allé pousser la porte qui était restée toute grande ouverte.

Madame Magloire rentra. Elle apportait un couvert qu'elle mit sur la table.

— Madame Magloire, dit l'évêque, mettez ce couvert le plus près possible du feu. — Et se tournant vers son hôte : — Le vent de nuit est dur dans les Alpes. Vous devez avoir froid, monsieur ?

Chaque fois qu'il disait ce mot *monsieur* avec sa voix doucement grave et de si bonne compagnie, le visage de l'homme s'illuminait. *Monsieur* à un forçat, c'est un verre d'eau à un naufragé de la Méduse. L'ignominie a soif de considération.

— Voici, reprit l'évêque, une lampe qui éclaire bien mal.

Madame Magloire comprit, et elle alla chercher sur la cheminée de la chambre à coucher de monseigneur les deux chandeliers d'argent qu'elle posa sur la table tout allumés.

— Monsieur le curé, dit l'homme, vous êtes bon, vous ne me méprisez pas. Vous me recevez chez vous. Vous allumez vos cierges pour moi. Je ne vous ai pourtant pas caché d'où je viens et que je suis un homme malheureux.

L'évêque, assis près de lui, lui toucha doucement la main : — Vous pouviez ne pas me dire qui vous étiez. Ce n'est pas ici ma maison, c'est la maison de Jésus-Christ. Cette porte ne demande pas à celui qui entre s'il a un nom, mais s'il a une douleur. Vous souffrez; vous avez faim et soif; soyez le bienvenu. Et ne me remerciez pas, ne me dites pas que je vous reçois chez moi. Personne n'est ici chez soi, excepté celui qui a besoin d'un asile. Je vous le dis à vous qui passez, vous êtes ici chez vous plus que moi-même. Tout ce qui est ici est à vous. Qu'ai-je besoin de savoir votre nom ? D'ailleurs, avant que vous me le dissiez, vous en avez un que je savais.

L'homme ouvrit des yeux étonnés :

— Vrai ? vous saviez comment je m'appelle.

— Oui, répondit l'évêque, vous vous appelez mon frère.

— Tenez, monsieur le curé! s'écria l'homme, j'avais bien faim en entrant ici, mais vous êtes si bon qu'à présent je ne sais plus ce que j'ai; cela m'a passé.

L'évêque le regarda et lui dit :

— Vous avez bien souffert ?

— Oh! la casaque rouge, le boulet au pied, une planche pour dormir, le chaud, le froid, le travail, la chiourme, les coups de bâton, la double chaîne pour rien, le cachot pour un mot, même malade au lit, la chaîne. Les chiens, les chiens sont plus heureux! dix-neuf ans! j'en ai quarante-six. A présent le passeport jaune. Voilà.

— Oui, reprit l'évêque, vous sortez d'un lieu de tristesse. Ecoutez. Il y aura plus de joie au ciel pour le visage en larmes d'un pécheur repentant que pour la robe blanche de cent justes. Si vous sortez de ce lieu douloureux avec des pensées de haine et de colère contre les hommes, vous êtes digne de pitié; si vous en sortez avec des pensées de bienveillance, de douceur et de paix, vous valez mieux qu'aucun de nous.

Cependant madame Magloire avait servi le souper; une soupe faite avec de l'eau, de l'huile, du pain et du sel, un peu de lard, un morceau de viande de mouton, des figues, un fromage frais et un gros pain de seigle. Elle avait d'elle-même ajouté à l'ordinaire de M. l'évêque une bouteille de vieux vin de Mauves.

Le visage de l'évêque prit tout à coup cette expression de gaîté propre aux natures hospitalières : — A table, dit-il vivement, comme il en avait coutume lorsque quelque étranger soupait avec lui; il fit asseoir l'homme à sa droite. Mademoiselle Baptistine, parfaitement paisible et naturelle, prit place à sa gauche.

L'évêque dit le bénédicité, puis servit lui-même la soupe selon son habitude. L'homme se mit à manger avidement.

Tout à coup l'évêque dit : — Mais il me semble qu'il manque quelque chose sur cette table.

Madame Magloire, en effet, n'avait mis que les trois couverts absolument nécessaires. Or, c'était l'usage de la maison, quand M. l'évêque avait quelqu'un à souper, de disposer sur la nappe les six couverts d'argent, étalage innocent. Ce gracieux semblant de luxe était une sorte d'enfantillage plein de charme dans cette maison douce et sévère qui élevait la pauvreté jusqu'à la dignité.

Madame Magloire comprit l'observation, sortit sans dire un mot, et un moment après les trois couverts réclamés par l'évêque brillaient sur la nappe, symétriquement arrangés devant chacun des trois convives.

IV

DÉTAILS SUR LES FROMAGERIES DE PONTARLIER

Maintenant, pour donner une idée de ce qui se passa à cette table, nous ne saurions mieux faire que de transcrire ici un passage d'une lettre de mademoiselle Baptistine à madame de Boischevron, où la conversation du forçat et de l'évêque est racontée avec une minutie naïve.

. . . .

« ... Cet homme ne faisait aucune attention à per-« sonne. Il mangeait avec une voracité d'affamé. Cepen-« dant après le souper il a dit :

« — Monsieur le curé du bon Dieu, tout ceci est « encore bien trop bon pour moi, mais je dois dire que « les rouliers qui n'ont pas voulu me laisser manger « avec eux font meilleure chère que vous.

« Entre nous, l'observation m'a un peu choquée. Mon « frère a répondu :

« — Ils ont plus de fatigue que moi.

« — Non, a repris cet homme, ils ont plus d'argent. « Vous êtes pauvre, je vois bien. Vous n'êtes peut-être « pas même curé. Etes-vous curé seulement ? Ah! par « exemple, si le bon Dieu était juste, vous devriez bien « être curé.

« — Le bon Dieu est plus que juste, a dit mon frère.

« Un moment après il a ajouté :

« — Monsieur Jean Valjean, c'est à Pontarlier que « vous allez ?

« — Avec itinéraire obligé.

« Je crois bien que c'est comme cela que l'homme a « dit. Puis il a continué :

« — Il faut que je sois en route demain au point du « jour. Il fait dur voyager. Si les nuits sont froides, les « journées sont chaudes.

« — Vous allez là, a repris mon frère, dans un bon
« pays. A la révolution, ma famille a été ruinée, je me
« suis réfugié en Franche-Comté d'abord, et j'y ai vécu
« quelque temps du travail de mes bras. J'avais de la
« bonne volonté. J'ai trouvé à m'y occuper. On n'a qu'à
« choisir. Il y a des papeteries, des tanneries, des dis-
« tilleries, des huileries, des fabriques d'horlogerie en
« grand, des fabriques d'acier, des fabriques de cuivre,
« au moins vingt usines de fer, dont quatre à Lods, à
« Châtillon, à Audincourt et à Beure qui sont très consi-
« dérables...

« Je crois ne pas me tromper et que ce sont bien là les
« noms que mon frère a cités, puis il s'est interrompu
« et m'a adressé la parole :

« — Chère sœur, n'avons-nous pas des parents dans
« ce pays-là ?

« J'ai répondu :

« — Nous en avions, entre autres monsieur de Luce-
« net qui était capitaine des portes à Pontarlier dans
« l'ancien régime.

« — Oui, a repris mon frère, mais en 93, on n'avait
« plus de parents, on n'avait que ses bras. J'ai travaillé.
« Ils ont dans le pays de Pontarlier, où vous allez,
« monsieur Valjean, une industrie toute patriarcale et
« toute charmante, ma sœur. Ce sont leurs fromageries
« qu'ils appellent fruitières.

« Alors mon frère, tout en faisant manger cet
« homme, lui a expliqué très en détail ce que c'était que
« les fruitières de Pontarlier ; — qu'on en distinguait
« deux sortes : — les *grosses granges,* qui sont aux riches
« et où il y a quarante ou cinquante vaches, lesquelles
« produisent sept à huit milliers de fromages par été ;
« les *fruitières d'association,* qui sont aux pauvres ; ce sont
« les paysans de la moyenne montagne qui mettent leurs
« vaches en commun et partagent les produits. — Ils
« prennent à leurs gages un fromager qu'ils appellent le
« *grurin ;* — le grurin reçoit le lait des associés trois fois
« par jour et marque les quantités sur une taille double ;
« — c'est vers la fin d'avril que le travail des fromageries
« commence ; — c'est vers la mi-juin que les fromagers
« conduisent leurs vaches dans la montagne.

« L'homme se ranimait tout en mangeant. Mon frère
« lui faisait boire de ce bon vin de Mauves dont il ne
« boit pas lui-même, parce qu'il dit que c'est du vin
« cher. Mon frère lui disait tous ces détails avec cette

« gaîté aisée que vous lui connaissez, entremêlant ses
« paroles de façons gracieuses pour moi. Il est beaucoup
« revenu sur ce bon état de grurin comme s'il eût sou-
« haité que cet homme comprît, sans le lui conseiller
« directement et durement, que ce serait un asile pour lui.
« Une chose m'a frappée. Cet homme était ce que je vous
« ai dit. Eh bien! mon frère, pendant tout le souper, ni
« de toute la soirée, à l'exception de quelques paroles sur
« Jésus quand il est entré, n'a pas dit un mot qui pût
« rappeler à cet homme qui il était ni apprendre à cet
« homme qui était mon frère. C'était bien une occasion
« en apparence de faire un peu de sermon et d'appuyer
« l'évêque sur le galérien pour laisser la marque du
« passage. Il eût paru peut-être à un autre que c'était
« le cas, ayant ce malheureux sous la main, de lui nourrir
« l'âme en même temps que le corps et de lui faire
« quelque reproche assaisonné de morale et de conseil,
« ou bien un peu de commisération avec exhortation de
« se mieux conduire à l'avenir. Mon frère ne lui a même
« pas demandé de quel pays il était, ni son histoire. Car
« dans son histoire il y a sa faute, et mon frère semblait
« éviter tout ce qui pouvait l'en faire souvenir. C'est au
« point qu'à un certain moment, comme mon frère
« parlait des montagnards de Pontarlier qui ont *un doux*
« *travail près du ciel et qui*, ajoutait-il, *sont heureux parce*
« *qu'ils sont innocents*, il s'est arrêté court, craignant qu'il
« n'y eût dans ce mot qui lui échappait, quelque chose
« qui pût froisser l'homme. A force d'y réfléchir, je crois
« avoir compris ce qui se passait dans le cœur de mon
« frère. Il pensait sans doute que cet homme qui s'appelle
« Jean Valjean n'avait que trop sa misère présente à
« l'esprit, que le mieux était de l'en distraire, et de lui
« faire croire, ne fût-ce qu'un moment, qu'il était une
« personne comme une autre, en étant pour lui tout
« ordinaire. N'est-ce pas là en effet bien entendre la
« charité ? N'y a-t-il pas, bonne madame, quelque chose
« de vraiment évangélique dans cette délicatesse qui
« s'abstient de sermon, de morale et d'allusion, et la
« meilleure pitié, quand un homme a un point doulou-
« reux, n'est-ce pas de n'y pas toucher du tout ? Il m'a
« semblé que ce pouvait être là la pensée intérieure de
« mon frère. Dans tous les cas, ce que je puis dire, c'est
« que, s'il a eu toutes ces idées, il n'en a rien marqué,
« même pour moi; il a été d'un bout à l'autre le même
« homme que tous les soirs, et il a soupé avec ce Jean Val-

« jean du même air et de la même façon qu'il aurait
« soupé avec monsieur Gédéon le Prévost ou avec mon-
« sieur le curé de la paroisse.

« Vers la fin, comme nous étions aux figues, on a
« cogné à la porte. C'était la mère Gerbaud avec son
« petit dans ses bras. Mon frère a baisé l'enfant au front,
« et m'a emprunté quinze sous que j'avais sur moi pour
« les donner à la mère Gerbaud. L'homme pendant ce
« temps-là ne faisait pas grande attention. Il ne parlait
« plus et paraissait très fatigué. La pauvre vieille Gerbaud
« partie, mon frère a dit les grâces, puis il s'est tourné
« vers cet homme, et il lui a dit : vous devez avoir bien
« besoin de votre lit. Madame Magloire a enlevé le cou-
« vert bien vite. J'ai compris qu'il fallait nous retirer
« pour laisser dormir ce voyageur, et nous sommes
« montées toutes les deux. J'ai cependant envoyé
« madame Magloire un instant après porter sur le lit
« de cet homme une peau de chevreuil de la Forêt-Noire
« qui est dans ma chambre. Les nuits sont glaciales, et
« cela tient chaud. C'est dommage que cette peau soit
« vieille; tout le poil s'en va. Mon frère l'a achetée du
« temps qu'il était en Allemagne, à Tottlingen, près des
« sources du Danube, ainsi que le petit couteau à
« manche d'ivoire dont je me sers à table.

« Madame Magloire est remontée presque tout de suite,
« nous nous sommes mises à prier Dieu dans le salon où
« l'on étend le linge, et puis nous sommes rentrées
« chacune dans notre chambre sans nous rien dire. »

V

TRANQUILLITÉ

Après avoir donné le bonsoir à sa sœur, monseigneur Bienvenu prit sur la table un des deux flambeaux
d'argent, remit l'autre à son hôte, et lui dit :

— Monsieur, je vais vous conduire à votre chambre.
L'homme le suivit.

Comme on a pu le remarquer dans ce qui a été dit plus
haut, le logis était distribué de telle sorte que pour passer

dans l'oratoire où était l'alcôve ou pour en sortir, il fallait traverser la chambre à coucher de l'évêque.

Au moment où il traversait cette chambre, madame Magloire serrait l'argenterie dans le placard qui était au chevet du lit. C'était le dernier soin qu'elle prenait chaque soir avant de s'aller coucher.

L'évêque installa son hôte dans l'alcôve. Un lit blanc et frais y était dressé. L'homme posa le flambeau sur une petite table.

— Allons, dit l'évêque, faites une bonne nuit. Demain matin, avant de partir, vous boirez une tasse de lait de nos vaches, tout chaud.

— Merci, monsieur l'abbé, dit l'homme.

A peine eut-il prononcé ces paroles pleines de paix que, tout à coup et sans transition, il eut un mouvement étrange et qui eût glacé d'épouvante les deux saintes filles, si elles en eussent été témoins. Aujourd'hui même il nous est difficile de nous rendre compte de ce qui le poussait en ce moment. Voulait-il donner un avertissement ou jeter une menace ? Obéissait-il simplement à une sorte d'impulsion instinctive et obscure pour lui-même ? Il se tourna brusquement vers le vieillard, croisa les bras, et fixant sur son hôte un regard sauvage, il s'écria d'une voix rauque :

— Ah ça ! décidément ! vous me logez chez vous, près de vous comme cela !

Il s'interrompit et ajouta avec un rire où il y avait quelque chose de monstrueux :

— Avez-vous bien fait toutes vos réflexions ? Qui est-ce qui vous dit que je n'ai pas assassiné ?

L'évêque répondit :

— Cela regarde le bon Dieu.

Puis, gravement et remuant les lèvres comme quelqu'un qui prie ou qui se parle à lui-même, il dressa les deux doigts de sa main droite et bénit l'homme qui ne se courba pas, et sans tourner la tête, et sans regarder derrière lui, il rentra dans sa chambre.

Quand l'alcôve était habitée, un grand rideau de serge tiré de part en part dans l'oratoire cachait l'autel. L'évêque s'agenouilla en passant devant ce rideau et fit une courte prière.

Un moment après, il était dans son jardin, marchant, rêvant, contemplant, l'âme et la pensée tout entières à ces grandes choses mystérieuses que Dieu montre la nuit aux yeux qui restent ouverts.

Quant à l'homme, il était vraiment si fatigué qu'il n'avait même pas profité de ces bons draps blancs. Il avait soufflé sa bougie avec sa narine à la manière des forçats et s'était laissé tomber tout habillé sur le lit, où il s'était tout de suite profondément endormi.

Minuit sonnait comme l'évêque rentrait de son jardin dans son appartement.

Quelques minutes après, tout dormait dans la petite maison.

VI

JEAN VALJEAN

Vers le milieu de la nuit, Jean Valjean se réveilla.

Jean Valjean était d'une pauvre famille de paysans de la Brie. Dans son enfance, il n'avait pas appris à lire. Quand il eut l'âge d'homme, il était émondeur à Faverolles. Sa mère s'appelait Jeanne Mathieu; son père s'appelait Jean Valjean ou Vlajean, sobriquet probablement, et contraction de *voilà Jean*.

Jean Valjean était d'un caractère pensif sans être triste, ce qui est le propre des natures affectueuses. Somme toute, pourtant, c'était quelque chose d'assez endormi et d'assez insignifiant, en apparence du moins, que Jean Valjean. Il avait perdu en très bas âge son père et sa mère. Sa mère était morte d'une fièvre de lait mal soignée. Son père, émondeur comme lui, s'était tué en tombant d'un arbre. Il n'était resté à Jean Valjean qu'une sœur plus âgée que lui, veuve, avec sept enfants, filles et garçons. Cette sœur avait élevé Jean Valjean, et tant qu'elle eut son mari elle logea et nourrit son jeune frère. Le mari mourut. L'aîné des sept enfants avait huit ans, le dernier un an. Jean Valjean venait d'atteindre, lui, sa vingt-cinquième année. Il remplaça le père, et soutint à son tour sa sœur qui l'avait élevé. Cela se fit simplement, comme un devoir, même avec quelque chose de bourru de la part de Jean Valjean. Sa jeunesse se dépensait ainsi dans un travail rude et mal payé. On ne lui avait jamais connu de « bonne amie » dans le pays. Il n'avait pas eu le temps d'être amoureux.

Le soir il rentrait fatigué et mangeait sa soupe, sans dire un mot. Sa sœur, mère Jeanne, pendant qu'il mangeait, lui prenait souvent dans son écuelle le meilleur de son repas, le morceau de viande, la tranche de lard, le cœur de chou, pour le donner à quelqu'un de ses enfants; lui, mangeant toujours, penché sur la table, presque la tête dans sa soupe, ses longs cheveux tombant autour de son écuelle et cachant ses yeux, avait l'air de ne rien voir et laissait faire. Il y avait à Faverolles, pas loin de la chaumière Valjean, de l'autre côté de la ruette, une fermière appelée Marie-Claude; les enfants Valjean, habituellement affamés, allaient quelquefois emprunter au nom de leur mère une pinte de lait à Marie-Claude, qu'ils buvaient derrière une haie ou dans quelque coin d'allée, s'arrachant le pot, et si hâtivement que les petites filles s'en répandaient sur leur tablier et dans leur goulotte; la mère, si elle eût su cette maraude, eût sévèrement corrigé les délinquants. Jean Valjean, brusque et bougon, payait, en arrière de la mère, la pinte de lait à Marie-Claude, et les enfants n'étaient pas punis.

Il gagnait dans la saison de l'émondage dix-huit sous par jour, puis il se louait comme moissonneur, comme manœuvre, comme garçon de ferme-bouvier, comme homme de peine. Il faisait ce qu'il pouvait. Sa sœur travaillait de son côté, mais que faire avec sept petits enfants ? C'était un triste groupe que la misère enveloppa et étreignit peu à peu. Il arriva qu'un hiver fut rude. Jean n'eut pas d'ouvrage. La famille n'eut pas de pain. Pas de pain. A la lettre. Sept enfants.

Un dimanche soir, Maubert Isabeau, boulanger sur la place de l'église, à Faverolles, se disposait à se coucher, lorsqu'il entendit un coup violent dans la devanture grillée et vitrée de sa boutique. Il arriva à temps pour voir un bras passé à travers un trou fait d'un coup de poing dans la grille et dans la vitre. Le bras saisit un pain et l'emporta. Isabeau sortit en hâte; le voleur s'enfuyait à toutes jambes; Isabeau courut après lui et l'arrêta. Le voleur avait jeté le pain, mais il avait encore le bras ensanglanté. C'était Jean Valjean.

Ceci se passait en 1795. Jean Valjean fut traduit devant les tribunaux du temps « pour vol avec effraction la nuit dans une maison habitée ». Il avait un fusil dont il se servait mieux que tireur au monde, il était quelque peu braconnier; ce qui lui nuisit. Il y a contre les braconniers un préjugé légitime. Le braconnier, de même que le contrebandier, côtoie de fort près le brigand. Pourtant, disons-le en passant, il y a encore un abîme entre ces races d'hommes et le hideux assassin des villes. Le braconnier vit dans la forêt; le contrebandier vit dans la montagne ou sur la mer. Les villes font des hommes féroces, parce qu'elles font des hommes corrompus. La montagne, la mer, la forêt, font des hommes sauvages; elles développent le côté farouche, mais souvent sans détruire le côté humain.

Jean Valjean fut déclaré coupable. Les termes du code étaient formels. Il y a dans notre civilisation des heures redoutables; ce sont les moments où la pénalité prononce un naufrage. Quelle minute funèbre que celle où la société s'éloigne et consomme l'irréparable abandon d'un être pensant! Jean Valjean fut condamné à cinq ans de galères.

Le 22 avril 1796, on cria dans Paris la victoire de Montenotte remportée par le général en chef de l'armée d'Italie, que le message du Directoire aux Cinq Cents, du 2 floral an IV, appelle Buona-Parte; ce même jour une grande chaîne fut ferrée à Bicêtre. Jean Valjean fit partie de cette chaîne. Un ancien guichetier de la prison, qui a près de quatre-vingt-dix ans aujourd'hui, se souvient encore parfaitement de ce malheureux qui fut ferré à l'extrémité du quatrième cordon dans l'angle nord de la cour. Il était assis à terre comme tous les autres. Il paraissait ne rien comprendre à sa position, sinon qu'elle était horrible. Il est probable qu'il y démêlait aussi, à travers les vagues idées d'un pauvre homme ignorant de tout, quelque chose d'excessif. Pendant qu'on rivait à grands coups de marteau derrière sa tête le boulon de son carcan, il pleurait, les larmes l'étouffaient, elles l'empêchaient de parler, il parvenait seulement à dire de temps en temps : *J'étais émondeur à Faverolles.* Puis, tout en sanglotant, il élevait sa main droite et l'abaissait graduellement sept fois comme s'il touchait successivement sept têtes inégales, et à ce geste on devinait que la chose quelconque qu'il avait faite, il l'avait faite pour vêtir et nourrir sept petits enfants.

Il partit pour Toulon. Il y arriva après un voyage de vingt-sept jours, sur une charrette, la chaîne au cou. A Toulon, il fut revêtu de la casaque rouge. Tout s'effaça de ce qui avait été sa vie, jusqu'à son nom; il ne fut même plus Jean Valjean; il fut le numéro 24601. Que devint la sœur ? que devinrent les sept enfants ? Qui est-ce qui

s'occupe de cela ? Que devient la poignée de feuilles du
jeune arbre scié par le pied ?

C'est toujours la même histoire. Ces pauvres êtres
vivants, ces créatures de Dieu, sans appui désormais, sans
guide, sans asile, s'en allèrent au hasard, qui sait même ?
chacun de leur côté peut-être, et s'enfoncèrent peu à peu
dans cette froide brume où s'engloutissent les destinées
solitaires, mornes ténèbres où disparaissent successivement tant de têtes infortunées dans la sombre marche du
genre humain. Ils quittèrent le pays. Le clocher de ce qui
avait été leur village les oublia; la borne de ce qui avait
été leur champ les oublia; après quelques années de
séjour au bagne, Jean Valjean lui-même les oublia. Dans
ce cœur où il y avait eu une plaie, il y eut une cicatrice.
Voilà tout. A peine, pendant tout le temps qu'il passa à
Toulon, entendit-il parler une seule fois de sa sœur.
C'était, je crois, vers la fin de la quatrième année de sa
captivité. Je ne sais plus par quelle voie ce renseignement
lui parvint. Quelqu'un, qui les avait connus au pays,
avait vu sa sœur. Elle était à Paris. Elle habitait une pauvre
rue près Saint-Sulpice, la rue du Geindre. Elle n'avait plus
avec elle qu'un enfant, un petit garçon, le dernier. Où
étaient les six autres ? Elle ne le savait peut-être pas elle-
même. Tous les matins elle allait à une imprimerie rue
du Sabot, n° 3, où elle était plieuse et brocheuse. Il
fallait être là à six heures du matin, bien avant le jour,
l'hiver. Dans la maison de l'imprimerie il y avait une
école, elle menait à cette école son petit garçon qui avait
sept ans. Seulement, comme elle entrait à l'imprimerie
à six heures et que l'école n'ouvrait qu'à sept heures, il
fallait que l'enfant attendît dans la cour que l'école
ouvrît, une heure; l'hiver, une heure de nuit, en plein air.
On ne voulait pas que l'enfant entrât dans l'imprimerie,
parce qu'il gênait, disait-on. Les ouvriers voyaient le
matin en passant ce pauvre petit être assis sur le pavé,
tombant de sommeil, et souvent endormi dans l'ombre,
accroupi et plié sur son panier. Quand il pleuvait, une
vieille femme, la portière, en avait pitié; elle le recueillait
dans son bouge où il n'y avait qu'un grabat, un rouet et
deux chaises de bois, et le petit dormait là dans un coin,
se serrant contre le chat pour avoir moins froid. A sept
heures l'école ouvrait, et il y entrait. Voilà ce qu'on
dit à Jean Valjean. On l'en entretint un jour, ce fut un
moment, un éclair, comme une fenêtre brusquement
ouverte sur la destinée de ces êtres qu'il avait aimés,

puis tout se referma; il n'en entendit plus parler, et ce
fut pour jamais. Plus rien n'arriva d'eux à lui; jamais il
ne les revit, jamais il ne les rencontra, et dans la suite de
cette douloureuse histoire, on ne les retrouvera plus.

Vers la fin de cette quatrième année, le tour d'évasion
de Jean Valjean arriva. Ses camarades l'aidèrent comme
cela se fait dans ce triste lieu. Il s'évada. Il erra deux jours
en liberté dans les champs; si c'est être libre que d'être
traqué; de tourner la tête à chaque instant; de tressaillir
au moindre bruit; d'avoir peur de tout, du toit qui fume,
de l'homme qui passe, du chien qui aboie, du cheval qui
galope, de l'heure qui sonne, du jour parce qu'on voit,
de la nuit parce qu'on ne voit pas, de la route, du sentier,
du buisson, du sommeil. Le soir du second jour, il fut
repris. Il n'avait ni mangé ni dormi depuis trente-
six heures. Le tribunal maritime le condamna pour ce
délit à une prolongation de trois ans, ce qui lui fit huit ans.
La sixième année, ce fut encore son tour de s'évader;
il en usa, mais il ne put consommer sa fuite. Il avait
manqué à l'appel. On tira le coup de canon, et à la nuit
les gens de ronde le trouvèrent caché sous la quille d'un
vaisseau en construction; il résista aux gardes-chiourme
qui le saisirent. Evasion et rébellion. Ce fait prévu par le
code spécial fut puni d'une aggravation de cinq ans, dont
deux ans de double chaîne. Treize ans. La dixième année,
son tour revint, il en profita encore. Il ne réussit pas
mieux. Trois ans pour cette nouvelle tentative. Seize ans.
Enfin, ce fut, je crois, pendant la treizième année qu'il
essaya une dernière fois et ne réussit qu'à se faire
reprendre après quatre heures d'absence. Trois ans pour
ces quatre heures. Dix-neuf ans. En octobre 1815 il fut
libéré; il était entré là en 1796 pour avoir cassé un carreau et pris un pain.

Place pour une courte parenthèse. C'est la seconde fois
que, dans ses études sur la question pénale et sur la
damnation par la loi, l'auteur de ce livre rencontre le vol
d'un pain, comme point de départ du désastre d'une
destinée. Claude Gueux avait volé un pain; Jean Valjean
avait volé un pain; une statistique anglaise constate qu'à
Londres quatre vols sur cinq ont pour cause immédiate
la faim.

Jean Valjean était entré au bagne sanglotant et frémissant; il en sortit impassible. Il y était entré désespéré;
il en sortit sombre.

Que s'était-il passé dans cette âme?

VII

Essayons de le dire.

Il faut bien que la société regarde ces choses, puisque c'est elle qui les fait.

C'était, nous l'avons dit, un ignorant; mais ce n'était pas un imbécile. La lumière naturelle était allumée en lui. Le malheur, qui a aussi sa clarté, augmenta le peu de jour qu'il y avait dans cet esprit. Sous le bâton, sous la chaîne, au cachot, à la fatigue, sous l'ardent soleil du bagne, sur le lit de planches des forçats, il se replia en sa conscience et réfléchit.

Il se constitua tribunal.

Il commença par se juger lui-même.

Il reconnut qu'il n'était pas un innocent injustement puni. Il s'avoua qu'il avait commis une action extrême et blâmable; qu'on ne lui eût peut-être pas refusé ce pain, s'il l'avait demandé; que dans tous les cas il eût mieux valu l'attendre, soit de la pitié, soit du travail; que ce n'est pas tout à fait une raison sans réplique de dire : peut-on attendre quand on a faim ? Que d'abord il est très rare qu'on meure littéralement de faim; ensuite que, malheureusement ou heureusement, l'homme est ainsi fait qu'il peut souffrir longtemps et beaucoup, moralement et physiquement, sans mourir; qu'il fallait donc de la patience; que cela eût mieux valu même pour ces pauvres petits enfants; que c'était un acte de folie, à lui, malheureux homme chétif, de prendre violemment au collet la société tout entière et de se figurer qu'on sort de la misère par le vol; que c'était, dans tous les cas, une mauvaise porte pour sortir de la misère que celle par où l'on entre dans l'infamie; enfin qu'il avait eu tort.

Puis il se demanda :

S'il était le seul qui avait eu tort dans sa fatale histoire ? Si d'abord ce n'était pas une chose grave qu'il eût, lui travailleur, manqué de travail, lui laborieux, manqué de pain. Si, ensuite, la faute commise et avouée, le châtiment n'avait pas été féroce et outré. S'il n'y avait

pas plus d'abus de la part de la loi dans la peine qu'il
n'y avait eu d'abus de la part du coupable dans la faute.
S'il n'y avait pas excès de poids dans un des plateaux
de la balance, celui où est l'expiation. Si la surcharge
de la peine n'était point l'effacement du délit, et n'arrivait
pas à ce résultat de retourner la situation, de remplacer
la faute du délinquant par la faute de la répression, de
faire du coupable la victime et du débiteur le créancier,
et de mettre définitivement le droit du côté de celui-là
même qui l'avait violé. Si cette peine, compliquée des
aggravations successives pour les tentatives d'évasion,
ne finissait pas par être une sorte d'attentat du plus fort
sur le plus faible, un crime de la société sur l'individu,
un crime qui recommençait tous les jours, un crime qui
durait dix-neuf ans.

Il se demanda si la société humaine pouvait avoir le
droit de faire également subir à ses membres, dans un
cas son imprévoyance déraisonnable, et dans l'autre cas
sa prévoyance impitoyable; et de saisir à jamais un
pauvre homme entre un défaut et un excès, défaut de
travail, excès de châtiment.

S'il n'était pas exorbitant que la société traitât ainsi
précisément ses membres les plus mal dotés dans la
répartition de biens que fait le hasard, et par conséquent
les plus dignes de ménagements.

Ces questions faites et résolues, il jugea la société et
la condamna.

Il la condamna à sa haine.

Il la fit responsable du sort qu'il subissait, et se dit
qu'il n'hésiterait peut-être pas à lui en demander compte
un jour. Il se déclara à lui-même qu'il n'y avait pas
équilibre entre le dommage qu'il avait causé et le dommage qu'on lui causait; il conclut enfin que son châtiment
n'était pas, à la vérité, une injustice, mais qu'à coup sûr
c'était une iniquité.

La colère peut être folle et absurde; on peut être
irrité à tort; on n'est indigné que lorsqu'on a raison au
fond par quelque côté. Jean Valjean se sentait indigné.

Et puis, la société humaine ne lui avait fait que du mal,
jamais il n'avait vu d'elle que ce visage courroucé, qu'elle
appelle sa Justice et qu'elle montre à ceux qu'elle frappe.
Les hommes ne l'avaient touché que pour le meurtrir.
Tout contact avec eux lui avait été un coup. Jamais,
depuis son enfance, depuis sa mère, depuis sa sœur,
jamais il n'avait rencontré une parole amie et un regard

bienveillant. De souffrance en souffrance il arriva peu à peu à cette conviction que la vie était une guerre; et que dans cette guerre il était le vaincu. Il n'avait d'autre arme que sa haine. Il résolut de l'aiguiser au bagne et de l'emporter en s'en allant.

Il y avait à Toulon une école pour la chiourme tenue par des frères ignorantins où l'on enseignait le plus nécessaire à ceux de ces malheureux qui avaient de la bonne volonté. Il fut du nombre des hommes de bonne volonté. Il alla à l'école à quarante ans, et apprit à lire, à écrire, à compter. Il sentit que fortifier son intelligence, c'était fortifier sa haine. Dans de certains cas, l'instruction et la lumière peuvent servir de rallonge au mal.

Cela est triste à dire : après avoir jugé la société qui avait fait son malheur, il jugea la providence qui avait fait la société, et il la condamna aussi.

Ainsi, pendant ces dix-neuf ans de torture et d'esclavage, cette âme monta et tomba en même temps. Il y entra de la lumière d'un côté et des ténèbres de l'autre.

Jean Valjean n'était pas, on l'a vu, d'une nature mauvaise. Il était encore bon lorsqu'il arriva au bagne. Il y condamna la société et sentit qu'il devenait méchant; il y condamna la providence et sentit qu'il devenait impie.

Ici il est difficile de ne pas méditer un instant.

La nature humaine se transforme-t-elle ainsi de fond en comble et tout à fait ? L'homme créé bon par Dieu peut-il être fait méchant par l'homme ? L'âme peut-elle être refaite tout d'une pièce par la destinée, et devenir mauvaise, la destinée étant mauvaise ? le cœur peut-il devenir difforme et contracter des laideurs et des infirmités incurables sous la pression d'un malheur disproportionné, comme la colonne vertébrale sous une voûte trop basse ? N'y a-t-il pas dans toute âme humaine, n'y avait-il pas dans l'âme de Jean Valjean en particulier, une première étincelle, un élément divin, incorruptible dans ce monde, immortel dans l'autre, que le bien peut développer, attiser, allumer et faire rayonner splendidement, et que le mal ne peut jamais entièrement éteindre ?

Questions graves et obscures, à la dernière desquelles tout physiologiste eût probablement répondu *non*, et sans hésiter, s'il eût vu à Toulon, aux heures de repos qui étaient pour Jean Valjean des heures de rêverie, assis, les bras croisés, sur la barre de quelque cabestan, le bout de sa chaîne enfoncé dans sa poche pour l'empêcher de traîner, ce galérien morne, sérieux, silencieux et pensif, paria des lois qui regardait l'homme avec colère, damné de la civilisation qui regardait le ciel avec sévérité.

Certes, et nous ne voulons pas le dissimuler, le physiologiste observateur eût vu là une misère irrémédiable; il eût plaint peut-être ce malade du fait de la loi, mais il n'eût pas même essayé de traitement; il eût détourné le regard des cavernes qu'il aurait entrevues dans cette âme; et comme Dante de la porte de l'enfer, il eût effacé de cette existence le mot que le doigt de Dieu a pourtant écrit sur le front de tout homme : *Espérance !*

Cet état de son âme que nous avons tenté d'analyser était-il aussi parfaitement clair pour Jean Valjean que nous avons essayé de le rendre pour ceux qui nous lisent ? Jean Valjean voyait-il distinctement après leur formation et avait-il vu distinctement à mesure qu'ils se formaient tous les éléments dont se composait sa misère morale ? Cet homme rude et illettré s'était-il bien nettement rendu compte de la succession d'idées par laquelle il était, degré à degré, monté et descendu jusqu'aux lugubres aspects qui étaient depuis tant d'années déjà l'horizon intérieur de son esprit ? Avait-il bien conscience de tout ce qui s'était passé en lui et de tout ce qui s'y remuait ? C'est ce que nous n'oserions dire; c'est même ce que nous ne croyons pas. Il y avait trop d'ignorance dans Jean Valjean pour que, même après tant de malheur, il n'y restât pas beaucoup de vague. Par moments il ne savait pas même bien au juste ce qu'il éprouvait. Jean Valjean était dans les ténèbres; il souffrait dans les ténèbres; il haïssait dans les ténèbres; on eût pu dire qu'il haïssait devant lui. Il vivait habituellement dans cette ombre, tâtonnant comme un aveugle et comme un rêveur. Seulement, par intervalles, il lui venait tout à coup, de lui-même et du dehors, une secousse de colère, un surcroît de souffrance, un pâle et rapide éclair qui illuminait toute son âme, et faisait brusquement apparaître partout autour de lui, en avant et en arrière, aux lueurs d'une lumière affreuse, les hideux précipices et les sombres perspectives de sa destinée.

L'éclair passé, la nuit retombait, et où était-il ? Il ne le savait plus.

Le propre des peines de cette nature, dans lesquelles domine ce qui est impitoyable, c'est-à-dire ce qui est abrutissant, c'est de transformer peu à peu, par une sorte de transfiguration stupide, un homme en une bête fauve. Quelquefois en une bête féroce. Les tentatives d'évasion de Jean Valjean, successives et obstinées, suffiraient à prouver cet étrange travail fait par la loi sur l'âme humaine. Jean Valjean eût renouvelé ces tentatives, si parfaitement inutiles et folles, autant de fois que l'occasion s'en fût présentée, sans songer un instant au résultat, ni aux expériences déjà faites. Il s'échappait impétueusement comme le loup qui trouve la cage ouverte. L'instinct lui disait : Sauve-toi! Le raisonnement lui eût dit : Reste! Mais devant une tentation si violente, le raisonnement avait disparu; il n'y avait plus que l'instinct. La bête seule agissait. Quand il était repris, les nouvelles sévérités qu'on lui infligeait ne servaient qu'à l'effarer davantage.

Un détail que nous ne devons pas omettre, c'est qu'il était d'une force physique dont n'approchait pas un des habitants du bagne. A la fatigue, pour filer un câble, pour tirer un cabestan, Jean Valjean valait quatre hommes. Il soulevait et soutenait parfois d'énormes poids sur son dos, et remplaçait dans l'occasion cet instrument qu'on appelle *cric* et qu'on appelait jadis *orgueil*, d'où a pris nom, soit dit en passant, la rue Montorgueil près des halles de Paris. Ses camarades l'avaient surnommé Jean-le-Cric. Une fois, comme on réparait le balcon de l'hôtel de ville de Toulon, une des admirables cariatides de Puget qui soutiennent ce balcon se descella et faillit tomber. Jean Valjean, qui se trouvait là, soutint de l'épaule la cariatide et donna le temps aux ouvriers d'arriver.

Sa souplesse dépassait encore sa vigueur. Certains forçats, rêveurs perpétuels d'évasions, finissent par faire de la force et de l'adresse combinées une véritable science. C'est la science des muscles. Toute une statique mystérieuse est quotidiennement pratiquée par les prisonniers, ces éternels envieux des mouches et des oiseaux. Gravir une verticale, et trouver des points d'appui là où l'on voit à peine une saillie, était un jeu pour Jean Valjean. Etant donné un angle de mur, avec la tension de son dos et de ses jarrets, avec ses coudes et ses talons emboîtés dans les aspérités de la pierre, il se hissait comme magiquement à un troisième étage. Quelquefois il montait ainsi jusqu'au toit du bagne.

Il parlait peu. Il ne riait pas. Il fallait quelque émotion extrême pour lui arracher, une ou deux fois l'an, ce lugubre rire du forçat qui est comme un écho du rire du démon. A le voir, il semblait occupé à regarder continuellement quelque chose de terrible.

Il était absorbé en effet.

A travers les perceptions maladives d'une nature incomplète et d'une intelligence accablée, il sentait confusément qu'une chose monstrueuse était sur lui. Dans cette pénombre obscure et blafarde où il rampait, chaque fois qu'il tournait le cou et qu'il essayait d'élever son regard, il voyait, avec une terreur mêlée de rage, s'échafauder, s'étager et monter à perte de vue au-dessus de lui avec des escarpements horribles, une sorte d'entassement effrayant de choses, de lois, de préjugés, d'hommes et de faits, dont les contours lui échappaient, dont la masse l'épouvantait, et qui n'était autre chose que cette prodigieuse pyramide que nous appelons la civilisation. Il distinguait çà et là dans cet ensemble fourmillant et difforme, tantôt près de lui, tantôt loin et sur des plateaux inaccessibles, quelque groupe, quelque détail vivement éclairé, ici l'argousin et son bâton, ici le gendarme et son sabre, là-bas l'archevêque mitré, tout en haut, dans une sorte de soleil, l'empereur couronné et éblouissant. Il lui semblait que ces splendeurs lointaines, loin de dissiper sa nuit, la rendaient plus funèbre et plus noire. Tout cela, lois, préjugés, faits, hommes, choses, allait et venait au-dessus de lui, selon le mouvement compliqué et mystérieux que Dieu imprime à la civilisation, marchant sur lui et l'écrasant avec je ne sais quoi de paisible dans la cruauté et d'inexorable dans l'indifférence. Ames tombées au fond de l'infortune possible, malheureux hommes perdus au plus bas de ces limbes où l'on ne regarde plus, les réprouvés de la loi sentent peser de tout son poids sur leur tête cette société humaine, si formidable pour qui est dehors, si effroyable pour qui est dessous.

Dans cette situation, Jean Valjean songeait, et quelle pouvait être la nature de sa rêverie ?

Si le grain de mil sous la meule avait des pensées, il penserait sans doute ce que pensait Jean Valjean.

Toutes ces choses, réalités pleines de spectres, fantasmagories pleines de réalités, avaient fini par lui créer une sorte d'état intérieur presque inexprimable.

Par moments, au milieu de son travail du bagne, il s'arrêtait. Il se mettait à penser. Sa raison, à la fois plus mûre et plus troublée qu'autrefois, se révoltait. Tout

ce qui lui était arrivé lui paraissait absurde ; tout ce qui
l'entourait lui paraissait impossible. Il se disait : c'est
un rêve. Il regardait l'argousin debout à quelques pas
de lui ; l'argousin lui semblait un fantôme ; tout à coup
le fantôme lui donnait un coup de bâton.

La nature visible existait à peine pour lui. Il serait
presque vrai de dire qu'il n'y avait point pour Jean
Valjean de soleil, ni de beaux jours d'été, ni de ciel
rayonnant, ni de fraîches aubes d'avril. Je ne sais quel
jour de soupirail éclairait habituellement son âme.

Pour résumer, en terminant, ce qui peut être résumé
et traduit en résultats positifs dans tout ce que nous
venons d'indiquer, nous nous bornerons à constater
qu'en dix-neuf ans, Jean Valjean, l'inoffensif émondeur
de Faverolles, le redoutable galérien de Toulon, était
devenu capable, grâce à la manière dont le bagne l'avait
façonné, de deux espèces de mauvaises actions : premièrement, d'une mauvaise action rapide, irréfléchie, pleine
d'étourdissement, toute d'instinct, sorte de représailles
pour le mal souffert ; deuxièmement, d'une mauvaise
action grave, sérieuse, débattue en conscience et méditée
avec les idées fausses que peut donner un pareil malheur.
Ses préméditations passaient par les trois phases successives que les natures d'une certaine trempe peuvent
seules parcourir, raisonnement, volonté, obstination. Il
avait pour mobiles l'indignation habituelle, l'amertume
de l'âme, le profond sentiment des iniquités subies, la
réaction, même contre les bons, les innocents et les justes,
s'il y en a. Le point de départ comme le point d'arrivée
de toutes ses pensées était la haine de la loi humaine ;
cette haine qui, si elle n'est arrêtée dans son développement par quelque incident providentiel, devient, dans
un temps donné, la haine de la société, puis la haine du
genre humain, puis la haine de la création, et se traduit
par un vague et incessant et brutal désir de nuire,
n'importe à qui, à un être vivant quelconque. — Comme
on voit, ce n'était pas sans raison que le passeport
qualifiait Jean Valjean d'*homme très dangereux*.

D'année en année, cette âme s'était desséchée de plus
en plus, lentement, mais fatalement. A cœur sec, œil
sec. A sa sortie du bagne, il y avait dix-neuf ans qu'il
n'avait versé une larme.

VIII

L'ONDE ET L'OMBRE

Un homme à la mer!

Qu'importe! le navire ne s'arrête pas. Le vent souffle, ce sombre navire-là a une route qu'il est forcé de continuer. Il passe.

L'homme disparaît, puis reparaît, il plonge et remonte à la surface, il appelle, il tend les bras, on ne l'entend pas; le navire, frissonnant sous l'ouragan, est tout à sa manœuvre, les matelots et les passagers ne voient même plus l'homme submergé; sa misérable tête n'est qu'un point dans l'énormité des vagues.

Il jette des cris désespérés dans les profondeurs. Quel spectre que cette voile qui s'en va! Il la regarde, il la regarde frénétiquement. Elle s'éloigne, elle blêmit, elle décroît. Il était là tout à l'heure, il était de l'équipage, il allait et venait sur le pont avec les autres, il avait sa part de respiration et de soleil, il était un vivant. Maintenant, que s'est-il donc passé? Il a glissé, il est tombé, c'est fini.

Il est dans l'eau monstrueuse. Il n'a plus sous les pieds que de la fuite et de l'écroulement. Les flots déchirés et déchiquetés par le vent l'environnent hideusement, les roulis de l'abîme l'emportent, tous les haillons de l'eau s'agitent autour de sa tête, une populace de vagues crache sur lui, de confuses ouvertures le dévorent à demi; chaque fois qu'il enfonce, il entrevoit des précipices pleins de nuit; d'affreuses végétations inconnues le saisissent, lui nouent les pieds, le tirent à elles; il sent qu'il devient abîme, il fait partie de l'écume, les flots se le jettent de l'un à l'autre, il boit l'amertume, l'océan lâche s'acharne à le noyer, l'énormité joue avec son agonie. Il semble que toute cette eau soit de la haine.

Il lutte pourtant.

Il essaie de se défendre, il essaie de se soutenir, il fait effort, il nage. Lui, cette pauvre force tout de suite épuisée, il combat l'inépuisable.

Où donc est le navire ? Là-bas. A peine visible dans les pâles ténèbres de l'horizon.

Les rafales soufflent; toutes les écumes l'accablent. Il lève les yeux et ne voit que les lividités des nuages. Il assiste, agonisant, à l'immense démence de la mer. Il est supplicié par cette folie. Il entend des bruits étrangers à l'homme qui semblent venir d'au-delà de la terre et d'on ne sait quel dehors effrayant.

Il y a des oiseaux dans les nuées, de même qu'il y a des anges au-dessus des détresses humaines, mais que peuvent-ils pour lui ? Cela vole, chante et plane, et lui, il râle.

Il se sent enseveli à la fois par ces deux infinis, l'océan et le ciel; l'un est une tombe, l'autre est un linceul.

La nuit descend, voilà des heures qu'il nage, ses forces sont à bout; ce navire, cette chose lointaine où il y avait des hommes, s'est effacé, il est seul dans le formidable gouffre crépusculaire, il enfonce, il se roidit, il se tord, il sent au-dessous de lui les vagues monstres de l'invisible; il appelle.

Il n'y a plus d'hommes. Où est Dieu ?

Il appelle. Quelqu'un! quelqu'un! Il appelle toujours. Rien à l'horizon. Rien au ciel.

Il implore l'étendue, la vague, l'algue, l'écueil; cela est sourd. Il supplie la tempête; la tempête imperturbable n'obéit qu'à l'infini.

Autour de lui l'obscurité, la brume, la solitude, le tumulte orageux et inconscient, le plissement indéfini des eaux farouches. En lui l'horreur et la fatigue. Sous lui la chute. Pas de point d'appui. Il songe aux aventures ténébreuses du cadavre dans l'ombre illimitée. Le froid sans fond le paralyse. Ses mains se crispent et se ferment, et prennent du néant. Vents, nuées, tourbillons, souffles, étoiles inutiles! Que faire ? Le désespéré s'abandonne, qui est las prend le parti de mourir, il se laisse faire, il se laisse aller, il lâche prise, et le voilà qui roule à jamais dans les profondeurs lugubres de l'engloutissement.

O marche implacable des sociétés humaines! Pertes d'hommes et d'âmes chemin faisant! Océan où tombe tout ce que laisse tomber la loi! disparition sinistre du secours! O mort morale!

La mer, c'est l'inexorable nuit sociale où la pénalité jette ses damnés. La mer, c'est l'immense misère.

L'âme, à vau-l'eau dans ce gouffre, peut devenir un cadavre. Qui la ressuscitera ?

IX

NOUVEAUX GRIEFS

Quand vint l'heure de la sortie du bagne, quand Jean
Valjean entendit à son oreille ce mot étrange : *tu es libre !*
le moment fut invraisemblable et inouï, un rayon de vive
lumière, un rayon de la vraie lumière des vivants pénétra
subitement en lui. Mais ce rayon ne tarda point à pâlir.
Jean Valjean avait été ébloui de l'idée de la liberté. Il
avait cru à une vie nouvelle. Il vit bien vite ce que c'était
qu'une liberté à laquelle on donne un passeport jaune.

Et autour de cela bien des amertumes. Il avait calculé
que sa masse, pendant son séjour au bagne, aurait dû
s'élever à cent soixante et onze francs. Il est juste d'ajouter
qu'il avait oublié de faire entrer dans ses calculs, le repos
forcé des dimanches et fêtes qui, pour dix-neuf ans,
entraînait une diminution de vingt-quatre francs environ.
Quoi qu'il en fût, cette masse avait été réduite, par
diverses retenues locales, à la somme de cent neuf
francs quinze sous, qui lui avait été comptée à sa sortie.

Il n'y avait rien compris, et se croyait lésé. Disons le
mot, volé.

Le lendemain de sa libération, à Grasse, il vit devant
la porte d'une distillerie de fleurs d'oranger des hommes
qui déchargeaient des ballots. Il offrit ses services. La
besogne pressait, on les accepta. Il se mit à l'ouvrage. Il
était intelligent, robuste et adroit ; il faisait de son mieux ;
le maître paraissait content. Pendant qu'il travaillait,
un gendarme passa, le remarqua, et lui demanda ses
papiers. Il fallut montrer le passeport jaune. Cela fait,
Jean Valjean reprit son travail. Un peu auparavant, il
avait questionné l'un des ouvriers sur ce qu'ils gagnaient
à cette besogne par jour ; on lui avait répondu : *trente sous*.
Le soir venu, comme il était forcé de repartir le lendemain
matin, il se présenta devant le maître de la distillerie
et le pria de le payer. Le maître ne proféra pas une parole,
et lui remit quinze sous. Il réclama. On lui répondit :

cela est assez bon pour toi. Il insista. Le maître le regarda entre les deux yeux et lui dit : *Gare le bloc*[1].

Là encore il se considéra comme volé.

La société, l'Etat, en lui diminuant sa masse, l'avait volé en grand. Maintenant c'était le tour de l'individu qui le volait en petit.

Libération n'est pas délivrance. On sort du bagne, mais non de la condamnation.

Voilà ce qui lui était arrivé à Grasse. On a vu de quelle façon il avait été accueilli à D—.

X

L'HOMME RÉVEILLÉ

Donc, comme deux heures du matin sonnaient à l'horloge de la cathédrale, Jean Valjean se réveilla.

Ce qui le réveilla, c'est que le lit était trop bon. Il y avait vingt ans bientôt qu'il n'avait couché dans un lit, et, quoiqu'il ne se fût pas déshabillé, la sensation était trop nouvelle pour ne pas troubler son sommeil.

Il avait dormi plus de quatre heures. Sa fatigue était passée. Il était accoutumé à ne pas donner beaucoup d'heures au repos.

Il ouvrit les yeux, et regarda un moment dans l'obscurité autour de lui, puis il les referma pour se rendormir.

Quand beaucoup de sensations diverses ont agité la journée, quand les choses préoccupent l'esprit, on s'endort, mais on ne se rendort pas. Le sommeil vient plus aisément qu'il ne revient. C'est ce qui arriva à Jean Valjean. Il ne put se rendormir, et il se mit à penser.

Il était dans un de ces moments où les idées qu'on a dans l'esprit sont troubles. Il avait une sorte de va-et-vient obscur dans le cerveau. Ses souvenirs anciens et ses souvenirs immédiats y flottaient pêle-mêle et s'y croisaient confusément, perdant leurs formes, se grossissant démesurément, puis disparaissant tout à coup comme dans une eau fangeuse et agitée. Beaucoup de pensées lui venaient,

1. La prison.

mais il y en avait une qui se représentait continuellement
et qui chassait toutes les autres. Cette pensée, nous allons
la dire tout de suite : — Il avait remarqué les six couverts d'argent et la grande cuillère que madame
Magloire avait posés sur la table.

Ces six couverts d'argent l'obsédaient. — Ils étaient
là. — A quelques pas. — A l'instant où il avait traversé
la chambre d'à côté pour venir dans celle où il était, la
vieille servante les mettait dans un petit placard à la tête
du lit. — Il avait bien remarqué ce placard. — A droite,
en entrant par la salle à manger. — Ils étaient massifs. —
Et de vieille argenterie. — Avec la grande cuillère, on en
tirerait au moins deux cents francs. — Le double de ce
qu'il avait gagné en dix-neuf ans. — Il est vrai qu'il eût
gagné davantage si « l'*administration* » ne l'avait pas
« *volé* ».

Son esprit oscilla toute une grande heure dans des
fluctuations auxquelles se mêlait bien quelque lutte.
Trois heures sonnèrent. Il rouvrit les yeux, se dressa
brusquement sur son séant, étendit le bras et tâta son
havresac qu'il avait jeté dans le coin de l'alcôve, puis il
laissa pendre ses jambes et poser ses pieds à terre, et se
trouva, presque sans savoir comment, assis sur son lit.

Il resta un certain temps rêveur dans cette attitude
qui eût eu quelque chose de sinistre pour quelqu'un
qui l'eût aperçu ainsi dans cette ombre, seul éveillé dans
la maison endormie. Tout à coup il se baissa, ôta
ses souliers et les posa doucement sur la natte près
du lit, puis il reprit sa posture de rêverie et redevint
immobile.

Au milieu de cette méditation hideuse, les idées que
nous venons d'indiquer remuaient sans relâche son cerveau, entraient, sortaient, rentraient, faisaient sur lui
une sorte de pesée; et puis il songeait aussi, sans savoir
pourquoi, et avec cette obstination machinale de la
rêverie, à un forçat nommé Brevet qu'il avait connu au
bagne, et dont le pantalon n'était retenu que par une
seule bretelle de coton tricoté. Le dessin en damier de
cette bretelle lui revenait sans cesse à l'esprit.

Il demeurait dans cette situation, et y fût peut-être
resté indéfiniment jusqu'au lever du jour, si l'horloge
n'eût sonné un coup, — le quart ou la demie. Il sembla
que ce coup lui eût dit : allons!

Il se leva debout, hésita encore un moment, et écouta;
tout se taisait dans la maison; alors il marcha droit et à

petits pas vers la fenêtre qu'il entrevoyait. La nuit n'était pas très obscure ; c'était une pleine lune sur laquelle couraient de larges nuées chassées par le vent. Cela faisait au-dehors des alternatives d'ombre et de clarté, des éclipses, puis des éclaircies, et au-dedans une sorte de crépuscule. Ce crépuscule, suffisant pour qu'on pût se guider, intermittent à cause des nuages, ressemblait à l'espèce de lividité qui tombe d'un soupirail de cave devant lequel vont et viennent des passants. Arrivé à la fenêtre, Jean Valjean l'examina. Elle était sans barreaux, donnait sur le jardin et n'était fermée, selon la mode du pays, que d'une petite clavette. Il l'ouvrit, mais comme un air froid et vif entra brusquement dans la chambre, il la referma tout de suite. Il regarda le jardin de ce regard attentif qui étudie plus qu'il ne regarde. Le jardin était enclos d'un mur blanc assez bas, facile à escalader. Au fond, au-delà, il distingua des têtes d'arbres également espacées, ce qui indiquait que ce mur séparait le jardin d'une avenue ou d'une ruelle plantée.

Ce coup d'œil jeté, il fit le mouvement d'un homme déterminé, marcha à son alcôve, prit son havresac, l'ouvrit, le fouilla, en tira quelque chose qu'il posa sur le lit, mit ses souliers dans une de ses poches, referma le tout, chargea le sac sur ses épaules, se couvrit de sa casquette dont il baissa la visière sur ses yeux, chercha son bâton en tâtonnant, et l'alla poser dans l'angle de la fenêtre, puis revint au lit et saisit résolument l'objet qu'il y avait déposé. Cela ressemblait à une barre de fer courte, aiguisée comme un épieu à l'une de ses extrémités.

Il eût été difficile de distinguer dans les ténèbres pour quel emploi avait pu être façonné ce morceau de fer. C'était peut-être un levier ? C'était peut-être une massue ?

Au jour on eût pu reconnaître que ce n'était autre chose qu'un chandelier de mineur. On employait quelquefois alors les forçats à extraire de la roche des hautes collines qui environnent Toulon, et il n'était pas rare qu'ils eussent à leur disposition des outils de mineur. Les chandeliers des mineurs sont en fer massif, terminés à leur extrémité inférieure par une pointe au moyen de laquelle on les enfonce dans le rocher.

Il prit le chandelier dans sa main droite, et retenant son haleine, assourdissant son pas, il se dirigea vers la porte de la chambre voisine, celle de l'évêque, comme on sait. Arrivé à cette porte, il la trouva entrebâillée. L'évêque ne l'avait point fermée.

XI

CE QU'IL FAIT

Jean Valjean écouta. Aucun bruit.

Il poussa la porte.

Il la poussa du bout du doigt, légèrement, avec cette douceur furtive et inquiète d'un chat qui veut entrer.

La porte céda à la pression et fit un mouvement imperceptible et silencieux qui élargit un peu l'ouverture.

Il attendit un moment, puis poussa la porte une seconde fois, plus hardiment.

Elle continua de céder en silence. L'ouverture était assez grande maintenant pour qu'il pût passer. Mais il y avait près de la porte une petite table qui faisait avec elle un angle gênant et qui barrait l'entrée.

Jean Valjean reconnut la difficulté. Il fallait à toute force que l'ouverture fût encore élargie.

Il prit son parti, et poussa une troisième fois la porte, plus énergiquement que les deux premières. Cette fois il y eut un gond mal huilé qui jeta tout à coup dans cette obscurité un cri rauque et prolongé.

Jean Valjean tressaillit. Le bruit de ce gond sonna dans son oreille avec quelque chose d'éclatant et de formidable comme le clairon du jugement dernier.

Dans les grossissements fantastiques de la première minute, il se figura presque que ce gond venait de s'animer et de prendre tout à coup une vie terrible, et qu'il aboyait comme un chien pour avertir tout le monde et réveiller les gens endormis.

Il s'arrêta, frissonnant, éperdu, et retomba de la pointe du pied sur le talon. Il entendit ses artères battre dans ses tempes comme deux marteaux de forge, et il lui semblait que son souffle sortait de sa poitrine avec le bruit du vent qui sort d'une caverne. Il lui paraissait impossible que l'horrible clameur de ce gond irrité n'eût pas ébranlé toute la maison comme une secousse de tremblement de terre; la porte, poussée par lui, avait pris l'alarme et avait appelé; le vieillard allait se lever, les deux vieilles femmes allaient crier, on viendrait à l'aide; avant un quart d'heure, la ville serait en rumeur et la gendarmerie sur pied. Un moment il se crut perdu.

Il demeura où il était, pétrifié comme la statue de sel, n'osant faire un mouvement. Quelques minutes s'écoulèrent. La porte s'était ouverte toute grande. Il se hasarda à regarder dans la chambre. Rien n'y avait bougé. Il prêta l'oreille. Rien ne remuait dans la maison. Le bruit du gond rouillé n'avait éveillé personne.

Ce premier danger était passé, mais il y avait encore en lui un affreux tumulte. Il ne recula pas pourtant. Même quand il s'était cru perdu, il n'avait pas reculé. Il ne songea plus qu'à finir vite. Il fit un pas et entra dans la chambre.

Cette chambre était dans un calme parfait. On y distinguait çà et là des formes confuses et vagues qui, au jour, étaient des papiers épars sur une table, des in-folio ouverts, des volumes empilés sur un tabouret, un fauteuil chargé de vêtements, un prie-Dieu, et qui à cette heure n'étaient plus que des coins ténébreux et des places blanchâtres. Jean Valjean avança avec précaution en évitant de se heurter aux meubles. Il entendait au fond de la chambre la respiration égale et tranquille de l'évêque endormi.

Il s'arrêta tout à coup. Il était près du lit. Il y était arrivé plus tôt qu'il n'aurait cru.

La nature mêle quelquefois ses effets et ses spectacles à nos actions avec une espèce d'à-propos sombre et intelligent, comme si elle voulait nous faire réfléchir. Depuis près d'une demi-heure un grand nuage couvrait le ciel. Au moment où Jean Valjean s'arrêta en face du lit, ce nuage se déchira, comme s'il l'eût fait exprès, et un rayon de lune, traversant la longue fenêtre, vint éclairer subitement le visage pâle de l'évêque. Il dormait paisiblement. Il était presque vêtu dans son lit, à cause des nuits froides des Basses-Alpes, d'un vêtement de laine brune qui lui couvrait les bras jusqu'aux poignets. Sa tête était renversée sur l'oreiller dans l'attitude abandonnée du repos; il laissait pendre hors du lit sa main ornée de l'anneau pastoral et d'où étaient tombées tant de bonnes œuvres et tant de saintes actions. Toute sa face s'illuminait d'une vague expression de satisfaction, d'espérance et de béatitude. C'était plus qu'un sourire et presque un rayonnement. Il y avait sur son front l'inexprimable réverbération d'une lumière qu'on ne voyait pas. L'âme des justes pendant le sommeil contemple un ciel mystérieux.

Un reflet de ce ciel était sur l'évêque.

C'était en même temps une transparence lumineuse, car ce ciel était au-dedans de lui. Ce ciel, c'était sa conscience.

Au moment où le rayon de lune vint se superposer, pour ainsi dire, à cette clarté intérieure, l'évêque endormi apparut comme dans une gloire. Cela pourtant resta doux et voilé d'un demi-jour ineffable. Cette lune dans le ciel, cette nature assoupie, ce jardin sans un frisson, cette maison si calme, l'heure, le moment, le silence, ajoutaient je ne sais quoi de solennel et d'indicible au vénérable repos de cet homme, et enveloppaient d'une sorte d'auréole majestueuse et sereine ces cheveux blancs et ces yeux fermés, cette figure où tout était espérance et où tout était confiance, cette tête de vieillard et ce sommeil d'enfant.

Il y avait presque de la divinité dans cet homme ainsi auguste à son insu.

Jean Valjean, lui, était dans l'ombre, son chandelier de fer à la main, debout, immobile, effaré de ce vieillard lumineux. Jamais il n'avait rien vu de pareil. Cette confiance l'épouvantait. Le monde moral n'a pas de plus grand spectacle que celui-là : une conscience troublée et inquiète, parvenue au bord d'une mauvaise action, et contemplant le sommeil d'un juste.

Ce sommeil, dans cet isolement, et avec un voisin tel que lui, avait quelque chose de sublime qu'il sentait vaguement, mais impérieusement.

Nul n'eût pu dire ce qui se passait en lui, pas même lui. Pour essayer de s'en rendre compte, il faut rêver ce qu'il y a de plus violent en présence de ce qu'il y a de plus doux. Sur son visage même on n'eût rien pu distinguer avec certitude. C'était une sorte d'étonnement hagard.

Il regardait cela. Voilà tout. Mais quelle était sa pensée ? Il eût été impossible de le deviner. Ce qui était évident, c'est qu'il était ému et bouleversé. Mais de quelle nature était cette émotion ?

Son œil ne se détachait pas du vieillard. La seule chose qui se dégageât clairement de son attitude et de sa physionomie, c'était une étrange indécision. On eût dit qu'il hésitait entre les deux abîmes, celui où l'on se perd et celui où l'on se sauve. Il semblait prêt à briser ce crâne ou à baiser cette main.

Au bout de quelques instants, son bras gauche se leva lentement vers son front, et il ôta sa casquette, puis son bras retomba avec la même lenteur, et Jean Valjean rentra dans sa contemplation, sa casquette dans la main gauche, sa massue dans la main droite, ses cheveux hérissés sur sa tête farouche.

L'évêque continuait de dormir dans une paix profonde sous ce regard effrayant.

Un reflet de lune faisait confusément visible au-dessus de la cheminée le crucifix qui semblait leur ouvrir les bras à tous les deux, avec une bénédiction pour l'un et un pardon pour l'autre.

Tout à coup Jean Valjean remit sa casquette sur son front, puis marcha rapidement, le long du lit, sans regarder l'évêque, droit au placard qu'il entrevoyait près du chevet; il leva le chandelier de fer comme pour forcer la serrure; la clef y était; il l'ouvrit; la première chose qui lui apparut fut le panier d'argenterie; il le prit, traversa la chambre à grands pas sans précaution et sans s'occuper du bruit, gagna la porte, rentra dans l'oratoire, ouvrit la fenêtre, saisit son bâton, enjamba l'appui du rez-de-chaussée, mit l'argenterie dans son sac, jeta le panier, franchit le jardin, sauta par-dessus le mur comme un tigre, et s'enfuit.

XII

L'ÉVÊQUE TRAVAILLE

Le lendemain, au soleil levant, monseigneur Bienvenu se promenait dans son jardin. Madame Magloire accourut vers lui toute bouleversée.

— Monseigneur, monseigneur, cria-t-elle, votre grandeur sait-elle où est le panier d'argenterie ?

— Oui, dit l'évêque.

— Jésus-Dieu soit béni! reprit-elle. Je ne savais ce qu'il était devenu.

L'évêque venait de ramasser le panier dans une plate-bande. Il le présenta à madame Magloire.

— Le voilà.

— Eh bien? dit-elle. Rien dedans! et l'argenterie?

— Ah! repartit l'évêque. C'est donc l'argenterie qui vous occupe? Je ne sais où elle est.

— Grand bon Dieu! elle est volée! c'est l'homme d'hier soir qui l'a volée!

En un clin d'œil, avec toute sa vivacité de vieille alerte, madame Magloire courut à l'oratoire, entra dans l'alcôve et revint vers l'évêque. L'évêque venait de se baisser et considérait en soupirant un plant de cochléaria des Guillons que le panier avait brisé, en tombant à travers la plate-bande. Il se redressa au cri de madame Magloire.

— Monseigneur, l'homme est parti! l'argenterie est volée!

Tout en poussant cette exclamation, ses yeux tombaient sur un angle du jardin où l'on voyait des traces d'escalade. Le chevron du mur avait été arraché.

— Tenez! c'est par là qu'il s'en est allé. Il a sauté dans la ruelle Cochefilet! Ah! l'abomination! Il nous a volé notre argenterie!

L'évêque resta un moment silencieux, puis leva son œil sérieux, et dit à madame Magloire avec douceur :

— Et d'abord, cette argenterie était-elle à nous?

Madame Magloire resta interdite. Il y eut encore un silence, puis l'évêque continua :

— Madame Magloire, je détenais à tort et depuis longtemps cette argenterie. Elle était aux pauvres. Qui était-ce que cet homme? Un pauvre évidemment.

— Hélas Jésus! repartit madame Magloire. Ce n'est pas pour moi ni pour mademoiselle. Cela nous est bien égal. Mais c'est pour monseigneur. Dans quoi monseigneur va-t-il manger maintenant?

L'évêque la regarda d'un air étonné :

— Ah ça! est-ce qu'il n'y a pas des couverts d'étain?

Madame Magloire haussa les épaules.

— L'étain a une odeur.

— Alors, des couverts de fer.

Madame Magloire fit une grimace expressive.

— Le fer a un goût.

— Eh bien, dit l'évêque, des couverts de bois.

Quelques instants après, il déjeunait à cette même table où Jean Valjean s'était assis la veille. Tout en déjeunant, monseigneur Bienvenu faisait gaiement remarquer à sa sœur qui ne disait rien et à madame Magloire qui grommelait sourdement, qu'il n'est nullement besoin d'une cuillère ni d'une fourchette, même en bois, pour tremper un morceau de pain dans une tasse de lait.

— Aussi a-t-on idée! disait madame Magloire toute seule en allant et venant, recevoir un homme comme cela! et le loger à côté de soi! et quel bonheur encore qu'il n'ait fait que voler! Ah, mon Dieu! cela fait frémir quand on songe!

Comme le frère et la sœur allaient se lever de table, on frappa à la porte.

— Entrez, dit l'évêque.

La porte s'ouvrit. Un groupe étrange et violent apparut sur le seuil. Trois hommes en tenaient un quatrième au collet. Les trois hommes étaient des gendarmes; l'autre était Jean Valjean.

Un brigadier de gendarmerie, qui semblait conduire le groupe, était près de la porte. Il entra et s'avança vers l'évêque en faisant le salut militaire.

— Monseigneur, dit-il...

A ce mot, Jean Valjean qui était morne et semblait abattu, releva la tête d'un air stupéfait.

— Monseigneur! murmura-t-il. Ce n'est donc pas le curé...

— Silence, dit un gendarme. C'est monseigneur l'évêque.

Cependant monseigneur Bienvenu s'était approché aussi vivement que son grand âge le lui permettait.

— Ah! vous voilà! s'écria-t-il en regardant Jean Valjean. Je suis aise de vous voir. Eh bien, mais! je vous avais donné les chandeliers aussi, qui sont en argent comme le reste et dont vous pourrez bien avoir deux cents francs. Pourquoi ne les avez-vous pas emportés avec vos couverts?

Jean Valjean ouvrit les yeux et regarda le vénérable évêque avec une expression qu'aucune langue humaine ne pourrait rendre.

— Monseigneur, dit le brigadier de gendarmerie, ce que cet homme disait était donc vrai? Nous l'avons rencontré. Il allait comme quelqu'un qui s'en va. Nous l'avons arrêté pour voir. Il avait cette argenterie...

— Et il vous a dit, interrompit l'évêque en souriant, qu'elle lui avait été donnée par un vieux bonhomme de prêtre chez lequel il avait passé la nuit? je vois la chose. Et vous l'avez ramené ici? c'est une méprise.

— Comme cela, reprit le brigadier, nous pouvons le laisser aller?

— Sans doute, répondit l'évêque.

Les gendarmes lâchèrent Jean Valjean qui recula.

— Est-ce que c'est vrai qu'on me laisse ? dit-il d'une voix presque inarticulée et comme s'il parlait dans le sommeil.

— Oui, on te laisse, tu n'entends donc pas ? dit un gendarme.

— Mon ami, reprit l'évêque, avant de vous en aller, voici vos chandeliers. Prenez-les.

Il alla à la cheminée, prit les deux flambeaux d'argent et les apporta à Jean Valjean. Les deux femmes le regardaient faire sans un mot, sans un geste, sans un regard qui pût déranger l'évêque.

Jean Valjean tremblait de tous ses membres. Il prit les deux chandeliers machinalement et d'un air égaré.

— Maintenant, dit l'évêque, allez en paix. — A propos, quand vous reviendrez, mon ami, il est inutile de passer par le jardin. Vous pourrez toujours entrer et sortir par la porte de la rue. Elle n'est fermée qu'au loquet jour et nuit.

Puis se tournant vers la gendarmerie :

— Messieurs, vous pouvez vous retirer.

Les gendarmes s'éloignèrent.

Jean Valjean était comme un homme qui va s'évanouir.

L'évêque s'approcha de lui, et lui dit à voix basse :

— N'oubliez pas, n'oubliez jamais que vous m'avez promis d'employer cet argent à devenir honnête homme.

Jean Valjean, qui n'avait aucun souvenir d'avoir rien promis, resta interdit. L'évêque avait appuyé sur ces paroles en les prononçant. Il reprit avec solennité :

— Jean Valjean, mon frère, vous n'appartenez plus au mal, mais au bien. C'est votre âme que je vous achète ; je la retire aux pensées noires et à l'esprit de perdition, et je la donne à Dieu.

XIII

PETIT-GERVAIS

Jean Valjean sortit de la ville comme s'il s'échappait. Il se mit à marcher en toute hâte dans les champs, prenant les chemins et les sentiers qui se présentaient, sans s'apercevoir qu'il revenait à chaque instant sur ses pas. Il erra ainsi toute la matinée, n'ayant pas mangé et n'ayant pas faim. Il était en proie à une foule de sensations nouvelles. Il se sentait une sorte de colère; il ne savait contre qui. Il n'eût pu dire s'il était touché ou humilié. Il lui venait par moments un attendrissement étrange qu'il combattait et auquel il opposait l'endurcissement de ses vingt dernières années. Cet état le fatiguait. Il voyait avec inquiétude s'ébranler au-dedans de lui l'espèce de calme affreux que l'injustice de son malheur lui avait donné. Il se demandait qu'est-ce qui remplacerait cela. Parfois il eût vraiment mieux aimé être en prison avec les gendarmes, et que les choses ne se fussent point passées ainsi; cela l'eût moins agité. Bien que la saison fût assez avancée, il y avait encore çà et là dans les haies quelques fleurs tardives dont l'odeur, qu'il traversait en marchant, lui rappelait des souvenirs d'enfance. Ces souvenirs lui étaient presque insupportables, tant il y avait longtemps qu'ils ne lui étaient apparus.

Des pensées inexprimables s'amoncelèrent ainsi en lui toute la journée.

Comme le soleil déclinait au couchant, allongeant sur le sol l'ombre du moindre caillou, Jean Valjean était assis derrière un buisson dans une grande plaine rousse absolument déserte. Il n'y avait à l'horizon que les Alpes. Pas même le clocher d'un village lointain. Jean Valjean pouvait être à trois lieues de D—. Un sentier qui coupait la plaine passait à quelques pas du buisson.

Au milieu de cette méditation qui n'eût pas peu contribué à rendre ses haillons effrayants pour quelqu'un qui l'eût rencontré, il entendit un bruit joyeux.

Il tourna la tête, et vit venir par le sentier un petit savoyard d'une dizaine d'années qui chantait, sa vielle au flanc et sa boîte à marmotte sur le dos.

Un de ces doux et gais enfants qui vont de pays en pays, laissant voir leurs genoux par les trous de leur pantalon.

Tout en chantant l'enfant interrompait de temps en temps sa marche et jouait aux osselets avec quelques pièces de monnaie qu'il avait dans sa main, toute sa fortune probablement. Parmi cette monnaie, il y avait une pièce de quarante sous.

L'enfant s'arrêta à côté du buisson sans voir Jean Valjean et fit sauter sa poignée de sous que jusque-là il avait reçue avec assez d'adresse tout entière sur le dos de sa main.

Cette fois la pièce de quarante sous lui échappa, et vint rouler vers la broussaille jusqu'à Jean Valjean.

Jean Valjean posa le pied dessus.

Cependant l'enfant avait suivi sa pièce du regard, et l'avait vu.

Il ne s'étonna point et marcha droit à l'homme.

C'était un lieu absolument solitaire. Aussi loin que le regard pouvait s'étendre, il n'y avait personne dans la plaine ni dans le sentier. On n'entendait que les petits cris faibles d'une nuée d'oiseaux de passage qui traversaient le ciel à une hauteur immense. L'enfant tournait le dos au soleil qui lui mettait des fils d'or dans les cheveux et qui empourprait d'une lueur sanglante la face sauvage de Jean Valjean.

— Monsieur, dit le petit savoyard, avec cette confiance de l'enfance qui se compose d'ignorance et d'innocence, — ma pièce ?

— Comment t'appelles-tu ? dit Jean Valjean.

— Petit-Gervais, monsieur.

— Va-t'en, dit Jean Valjean.

— Monsieur, reprit l'enfant, rendez-moi ma pièce.

Jean Valjean baissa la tête et ne répondit pas.

L'enfant recommença :

— Ma pièce, monsieur!

L'œil de Jean Valjean resta fixé à terre.

— Ma pièce! cria l'enfant, ma pièce blanche! mon argent!

Il semblait que Jean Valjean n'entendît point. L'enfant le prit au collet de sa blouse et le secoua. Et en même temps il faisait effort pour déranger le gros soulier ferré posé sur son trésor.

— Je veux ma pièce! ma pièce de quarante sous!

L'enfant pleurait. La tête de Jean Valjean se releva. Il était toujours assis. Ses yeux étaient troubles. Il considéra l'enfant avec une sorte d'étonnement, puis il étendit la main vers son bâton et cria d'une voix terrible :

— Qui est là ?

— Moi, monsieur, répondit l'enfant. Petit-Gervais! moi! moi! rendez-moi mes quarante sous, s'il vous plaît! ôtez votre pied, monsieur, s'il vous plaît! Puis irrité, quoique tout petit, et devenant presque menaçant : — Ah çà, ôterez-vous votre pied ? Otez donc votre pied, voyons!

— Ah! c'est encore toi! répondit Jean Valjean, et se dressant brusquement tout debout, le pied toujours sur la pièce d'argent, il ajouta : — Veux-tu bien te sauver !

L'enfant effaré le regarda, puis commença à trembler de la tête aux pieds et, après quelques secondes de stupeur, se mit à s'enfuir en courant de toutes ses forces sans oser tourner le cou ni jeter un cri.

Cependant à une certaine distance, l'essoufflement le força de s'arrêter, et Jean Valjean, à travers sa rêverie, l'entendit qui sanglotait.

Au bout de quelques instants l'enfant avait disparu.

Le soleil s'était couché.

L'ombre se faisait autour de Jean Valjean. Il n'avait pas mangé de la journée; il est probable qu'il avait la fièvre.

Il était resté debout, et n'avait pas changé d'attitude depuis que l'enfant s'était enfui. Son souffle soulevait sa poitrine à des intervalles longs et inégaux. Son regard, arrêté à dix ou douze pas devant lui, semblait étudier avec une attention profonde la forme d'un vieux tesson de faïence bleue tombée dans l'herbe. Tout à coup il tressaillit; il venait de sentir le froid du soir.

Il raffermit sa casquette sur son front, chercha machinalement à croiser et à boutonner sa blouse, fit un pas et se baissa pour reprendre à terre son bâton.

En ce moment il aperçut la pièce de quarante sous que son pied avait à demi enfoncée dans la terre et qui brillait parmi les cailloux. Ce fut comme une commotion galvanique. — Qu'est-ce que c'est que ça ? dit-il entre ses dents. Il recula de trois pas, puis s'arrêta, sans pouvoir détacher son regard de ce point que son pied avait foulé l'instant d'auparavant, comme si cette chose qui luisait là dans l'obscurité eût été un œil ouvert fixé sur lui.

Au bout de quelques minutes, il s'élança convulsivement vers la pièce d'argent, la saisit et, se redressant, se mit à regarder au loin dans la plaine, jetant à la fois ses yeux vers tous les points de l'horizon, debout et frissonnant comme une bête fauve effarée qui cherche un asile.

Il ne vit rien. La nuit tombait, la plaine était froide et vague, de grandes brumes violettes montaient dans la clarté crépusculaire.

Il dit : Ah! et se mit à marcher rapidement dans une certaine direction, du côté où l'enfant avait disparu. Après une trentaine de pas, il s'arrêta, regarda et ne vit rien.

Alors il cria de toute sa force :

— Petit-Gervais! Petit-Gervais!

Il se tut et attendit.

Rien ne répondit.

La campagne était déserte et morne. Il était environné de l'étendue. Il n'y avait rien autour de lui qu'une ombre où se perdait son regard et un silence où sa voix se perdait. Une bise glaciale soufflait, et donnait aux choses autour de lui une sorte de vie lugubre. Des arbrisseaux secouaient leurs petits bras maigres avec une furie incroyable. On eût dit qu'ils menaçaient et poursuivaient quelqu'un.

Il recommença à marcher, puis il se mit à courir, et de temps en temps il s'arrêtait, et criait dans cette solitude, avec une voix qui était ce qu'on pouvait entendre de plus formidable et de plus désolé : Petit-Gervais! Petit-Gervais!

Certes, si l'enfant l'eût entendu, il eût eu peur et se fût bien gardé de se montrer. Mais l'enfant était sans doute déjà bien loin.

Il rencontra un prêtre qui était à cheval. Il alla à lui et lui dit :

— Monsieur le curé, avez-vous vu passer un enfant ?

— Non, dit le prêtre.

— Un nommé Petit-Gervais ?

— Je n'ai vu personne.

Il tira deux pièces de cinq francs de sa sacoche et les remit au prêtre.

— Monsieur le curé, voici pour vos pauvres. Monsieur le curé, c'est un petit d'environ dix ans qui a une marmotte, je crois, et une vielle. Il allait. Un de ces savoyards, vous savez ?

— Je ne l'ai point vu.

— Petit-Gervais ? il n'est point des villages d'ici ? Pouvez-vous me dire ?

— Si c'est comme vous dites, mon ami, c'est un petit enfant étranger. Cela passe dans le pays. On ne les connaît pas.

Jean Valjean prit violemment deux autres écus de cinq francs qu'il donna au prêtre.

— Pour vos pauvres, dit-il.

Puis il ajouta avec égarement :

— Monsieur l'abbé, faites-moi arrêter. Je suis un voleur.

Le prêtre piqua des deux et s'enfuit très effrayé.

Jean Valjean se mit à courir dans la direction qu'il avait d'abord prise.

Il fit de la sorte un assez long chemin, regardant, appelant et criant, mais il ne rencontra plus personne. Deux ou trois fois il courut dans la plaine vers quelque chose qui lui faisait l'effet d'un être couché ou accroupi; ce n'était que des broussailles ou des roches à fleur de terre. Enfin, à un endroit où trois sentiers se croisaient, il s'arrêta. La lune s'était levée. Il promena sa vue au loin et appela une dernière fois : Petit-Gervais! Petit-Gervais! Petit-Gervais! Son cri s'éteignit dans la brume, sans même éveiller un écho. Il murmura encore : Petit-Gervais! mais d'une voix faible et presque inarticulée. Ce fut là son dernier effort; ses jarrets fléchirent brusquement sous lui comme si une puissance invisible l'accablait tout à coup du poids de sa mauvaise conscience; il tomba épuisé sur une grosse pierre, les poings dans ses cheveux et le visage dans ses genoux, et il cria : Je suis un misérable!

Alors son cœur creva et il se mit à pleurer. C'était la première fois qu'il pleurait depuis dix-neuf ans.

Quand Jean Valjean était sorti de chez l'évêque, on l'a vu, il était hors de tout ce qui avait été sa pensée jusque-là. Il ne pouvait se rendre compte de ce qui se passait en lui. Il se roidissait contre l'action angélique et contre les douces paroles du vieillard. « Vous m'avez promis de « devenir honnête homme. Je vous achète votre âme. « Je la retire à l'esprit de perversité et je la donne au « bon Dieu. » Cela lui revenait sans cesse. Il opposait à cette indulgence céleste l'orgueil, qui est en nous comme la forteresse du mal. Il sentait indistinctement que le pardon de ce prêtre était le plus grand assaut et la plus formidable attaque dont il eût encore été ébranlé; que son endurcissement serait définitif s'il résistait à cette clémence; que, s'il cédait, il faudrait renoncer à cette haine dont les actions des autres hommes avaient rempli son âme pendant tant d'années, et qui lui plaisait; que cette fois il fallait vaincre ou être vaincu, et que la lutte, une lutte colossale et définitive, était engagée entre sa méchanceté à lui et la bonté de cet homme.

En présence de toutes ces lueurs, il allait comme un homme ivre. Pendant qu'il marchait ainsi, les yeux hagards, avait-il une perception distincte de ce qui pourrait résulter pour lui de son aventure à D—? Entendait-il tous ces bourdonnements mystérieux qui avertissent ou importunent l'esprit à de certains moments

de la vie ? Une voix lui disait-elle à l'oreille qu'il venait
de traverser l'heure solennelle de sa destinée, qu'il n'y
avait plus de milieu pour lui, que si désormais il n'était
pas le meilleur des hommes, il en serait le pire, qu'il
fallait pour ainsi dire que maintenant il montât plus haut
que l'évêque ou retombât plus bas que le galérien ; que,
s'il voulait devenir bon, il fallait qu'il devînt ange ;
que, s'il voulait rester méchant, il fallait qu'il devînt
monstre.

Ici encore il faut se faire ces questions que nous nous
sommes déjà faites ailleurs : recueillait-il confusément
quelque ombre de tout ceci dans sa pensée ? Certes, le
malheur, nous l'avons dit, fait l'éducation de l'intelligence ; cependant il est douteux que Jean Valjean fût en
état de démêler tout ce que nous indiquons ici. Si ces
idées lui arrivaient, il les entrevoyait plutôt qu'il ne les
voyait, et elles ne réussissaient qu'à le jeter dans un
trouble inexprimable et presque douloureux. Au sortir
de cette chose difforme et noire qu'on appelle le bagne,
l'évêque lui avait fait mal à l'âme comme une clarté trop
vive lui eût fait mal aux yeux en sortant des ténèbres.
La vie future, la vie possible qui s'offrait désormais à
lui, toute pure et toute rayonnante, le remplissait de
frémissements et d'anxiétés. Il ne savait vraiment plus
où il en était. Comme une chouette qui verrait brusquement se lever le soleil, le forçat avait été ébloui et
comme aveuglé par la vertu.

Ce qui était certain, ce dont il ne se doutait pas, c'est
qu'il n'était déjà plus le même homme, c'est que tout
était changé en lui, c'est qu'il n'était plus en son pouvoir
de faire que l'évêque ne lui eût pas parlé et ne l'eût pas
touché.

Dans cette situation d'esprit, il avait rencontré Petit-
Gervais et lui avait volé ses quarante sous. Pourquoi ?
Il n'eût assurément pu l'expliquer ; était-ce un dernier
effet et comme un suprême effort des mauvaises pensées
qu'il avait apportées du bagne, un reste d'impulsion, un
résultat de ce qu'on appelle en statique *la force acquise* ?
C'était cela, et c'était aussi peut-être moins encore que
cela. Disons-le simplement, ce n'était pas lui qui avait
volé, ce n'était pas l'homme, c'était la bête qui, par
habitude et par instinct, avait stupidement posé le pied
sur cet argent, pendant que l'intelligence se débattait au
milieu de tant d'obsessions inouïes et nouvelles. Quand
l'intelligence se réveilla et vit cette action de la brute,

Jean Valjean recula avec angoisse et poussa un cri d'épouvante.

C'est que, phénomène étrange et qui n'était possible que dans la situation où il était, en volant cet argent à cet enfant, il avait fait une chose dont il n'était déjà plus capable.

Quoi qu'il en soit, cette dernière mauvaise action eut sur lui un effet décisif; elle traversa brusquement ce chaos qu'il avait dans l'intelligence et le dissipa, mit d'un côté les épaisseurs obscures et de l'autre la lumière, et agit sur son âme, dans l'état où elle se trouvait, comme de certains réactifs chimiques agissent sur un mélange trouble en précipitant un élément et en clarifiant l'autre.

Tout d'abord, avant même de s'examiner et de réfléchir, éperdu, comme quelqu'un qui cherche à se sauver, il tâcha de retrouver l'enfant pour lui rendre son argent, puis, quand il reconnut que cela était inutile et impossible, il s'arrêta désespéré. Au moment où il s'écria : Je suis un misérable! il venait de s'apercevoir tel qu'il était, et il était déjà à ce point séparé de lui-même qu'il lui semblait qu'il n'était plus qu'un fantôme, et qu'il avait là devant lui, en chair et en os, le bâton à la main, la blouse sur les reins, son sac rempli d'objets volés sur le dos, avec son visage résolu et morne, avec sa pensée pleine de projets abominables, le hideux galérien Jean Valjean.

L'excès du malheur, nous l'avons remarqué, l'avait fait en quelque sorte visionnaire. Ceci fut donc comme une vision. Il vit véritablement ce Jean Valjean, cette face sinistre, devant lui. Il fut presque au moment de se demander qui était cet homme, et il en eut horreur.

Son cerveau était dans un de ces moments violents et pourtant affreusement calmes où la rêverie est si profonde qu'elle absorbe la réalité. On ne voit plus les objets qu'on a devant soi, et l'on voit comme en dehors de soi les figures qu'on a dans l'esprit.

Il se contempla donc, pour ainsi dire, face à face, et en même temps, à travers cette hallucination, il voyait, dans une profondeur mystérieuse, une sorte de lumière qu'il prit d'abord pour un flambeau. En regardant avec plus d'attention cette lumière qui apparaissait à sa conscience, il reconnut qu'elle avait la forme humaine, et que ce flambeau était l'évêque.

Sa conscience considéra tour à tour ces deux hommes ainsi placés devant elle, l'évêque et Jean Valjean. Il n'avait pas fallu moins que le premier pour détremper le second. Par un de ces effets singuliers qui sont propres à ces sortes d'extases, à mesure que sa rêverie se prolongeait, l'évêque grandissait et resplendissait à ses yeux, Jean Valjean s'amoindrissait et s'effaçait. A un certain moment il ne fut plus qu'une ombre. Tout à coup il disparut. L'évêque seul était resté.

Il remplissait toute l'âme de ce misérable d'un rayonnement magnifique.

Jean Valjean pleura longtemps. Il pleura à chaudes larmes, il pleura à sanglots, avec plus de faiblesse qu'une femme, avec plus d'effroi qu'un enfant.

Pendant qu'il pleurait, le jour se faisait de plus en plus dans son cerveau, un jour extraordinaire, un jour ravissant et terrible à la fois. Sa vie passée, sa première faute, sa longue expiation, son abrutissement extérieur, son endurcissement intérieur, sa mise en liberté réjouie par tant de plans de vengeance, ce qui lui était arrivé chez l'évêque, la dernière chose qu'il avait faite, ce vol de quarante sous à un enfant, crime d'autant plus lâche et d'autant plus monstrueux qu'il venait après le pardon de l'évêque, tout cela lui revint et lui apparut, clairement, mais dans une clarté qu'il n'avait jamais vue jusque-là. Il regarda sa vie, et elle lui parut horrible; son âme, et elle lui parut affreuse. Cependant un jour doux était sur cette vie et sur cette âme. Il lui semblait qu'il voyait Satan à la lumière du paradis.

Combien d'heures pleura-t-il ainsi ? que fit-il après avoir pleuré ? où alla-t-il ? on ne l'a jamais su. Il paraît seulement avéré que, dans cette même nuit, le voiturier qui faisait à cette époque le service de Grenoble et qui arrivait à D. — vers trois heures du matin, vit en traversant la rue de l'évêché un homme dans l'attitude de la prière, à genoux sur le pavé, dans l'ombre, devant la porte de monseigneur Bienvenu.

LIVRE TROISIÈME

I

L'ANNÉE 1817

1817 est l'année que Louis XVIII, avec un certain aplomb royal qui ne manquait pas de fierté, qualifiait la vingt-deuxième de son règne. C'est l'année où M. Bruguière de Sorsum était célèbre. Toutes les boutiques des perruquiers, espérant la poudre et le retour de l'oiseau royal, étaient badigeonnées d'azur et fleurdelysées. C'était le temps candide où le comte Lynch siégeait tous les dimanches comme marguillier au banc d'œuvre de Saint-Germain-des-Prés en habit de pair de France, avec son cordon rouge et son long nez, et cette majesté de profil particulière à un homme qui a fait une action d'éclat. L'action d'éclat commise par M. Lynch était ceci : avoir, étant maire de Bordeaux, le 12 mars 1814, donné la ville un peu trop tôt à M. le duc d'Angoulême. De là sa pairie. En 1817, la mode engloutissait les petits garçons de quatre à six ans sous de vastes casquettes en cuir maroquiné à oreillons assez ressemblantes à des mitres d'Esquimaux. L'armée française était vêtue de blanc, à l'autrichienne; les régiments s'appelaient légions; au lieu de chiffres ils portaient les noms des départements. Napoléon était à Sainte-Hélène, et, comme l'Angleterre lui refusait du drap vert, il faisait retourner ses vieux habits. En 1817, Pellegrini chantait, mademoiselle Bigottini dansait; Potier régnait; Odry n'existait pas encore. Madame Saqui succédait à Forioso. Il y avait encore des Prussiens en France. M. Delalot était un personnage. La légitimité venait de s'affirmer en coupant le poing, puis la tête, à Pleignier, à Carbonneau et à Tolleron. Le prince de Talleyrand, grand chambellan, et l'abbé Louis, ministre désigné des finances, se regardaient en riant du rire de deux augures; tous deux avaient célébré, le 14 juillet 1790, la messe de la fédération au

Champ-de-Mars; Talleyrand l'avait dite comme évêque, Louis l'avait servie comme diacre. En 1817, dans les contre-allées de ce même Champ-de-Mars, on apercevait de gros cylindres de bois, gisant sous la pluie, pourrissant dans l'herbe, peints en bleu avec des traces d'aigles et d'abeilles dédorées. C'étaient les colonnes qui, deux ans auparavant, avaient soutenu l'estrade de l'empereur au Champ-de-Mai. Elles étaient noircies çà et là de la brûlure du bivouac des Autrichiens baraqués près du Gros-Caillou. Deux ou trois de ces colonnes avaient disparu dans les feux de ces bivouacs et avaient chauffé les larges mains des kaiserlicks. Le Champ-de-Mai avait eu cela de remarquable qu'il avait été tenu au mois de juin et au Champ-de-Mars. En cette année 1817, deux choses étaient populaires : le Voltaire-Touquet et la tabatière à la Charte. L'émotion parisienne la plus récente était le crime de Dautun qui avait jeté la tête de son frère dans le bassin du Marché-aux-Fleurs. On commençait à s'inquiéter au ministère de la marine d'être sans nouvelles de cette fatale frégate de *la Méduse* qui devait couvrir de honte Chaumareix et de gloire Géricault. Le colonel Selves allait en Egypte pour y devenir Soliman-Pacha. Le palais des Thermes, rue de La Harpe, servait de boutique à un tonnelier. On voyait encore sur la plate-forme de la tour octogone de l'hôtel de Cluny la petite logette en planches qui avait servi d'observatoire à Messier, astronome de la marine sous Louis XVI. La duchesse de Duras lisait à trois ou quatre amis, dans son boudoir meublé d'X en satin bleu-ciel, *Ourika* inédite. On grattait les N au Louvre. Le pont d'Austerlitz abdiquait et s'intitulait pont du Jardin du Roi, double énigme qui déguisait à la fois le pont d'Austerlitz et le jardin des Plantes. Louis XVIII, préoccupé, tout en annotant du coin de l'ongle Horace, des héros qui se font empereurs et des sabotiers qui se font dauphins, avait deux soucis, Napoléon et Mathurin Bruneau. L'académie française donnait pour sujet de prix : *le bonheur que procure l'étude*. M. Bellart était éloquent officiellement. On voyait germer à son ombre ce futur avocat-général de Broë, promis aux sarcasmes de Paul-Louis Courier. Il y avait un faux Chateaubriand appelé Marchangy, en attendant qu'il y eût un faux Marchangy appelé d'Arlincourt. *Claire d'Albe* et *Malek-Adel* étaient des chefs-d'œuvre; madame Cottin était déclarée le premier écrivain de l'époque. L'Institut laissait rayer de sa liste l'académicien Napoléon Bonaparte. Une ordonnance royale érigeait Angoulême en école de marine, car, le duc d'Angoulême étant grand-amiral, il était évident que la ville d'Angoulême avait de droit toutes les qualités d'un port de mer, sans quoi le principe monarchique eût été entamé. On agitait en conseil des ministres la question de savoir si l'on devait tolérer les vignettes représentant des voltiges, qui assaisonnaient les affiches de Franconi et qui attroupaient les polissons des rues. M. Paër, auteur de *l'Agnese*, bonhomme à la face carrée qui avait une verrue sur la joue, dirigeait les petits concerts intimes de la marquise de Sassenaye, rue de la Ville-l'évêque. Toutes les jeunes filles chantaient *l'Ermite de Saint-Avelle*, paroles d'Edmond Géraud. *Le Nain jaune* se transformait en *Miroir*. Le café Lemblin tenait pour l'empereur contre le café Valois qui tenait pour les Bourbons. On venait de marier à une princesse de Sicile M. le duc de Berry, déjà regardé du fond de l'ombre par Louvel. Il y avait un an que madame de Staël était morte. Les gardes du corps sifflaient mademoiselle Mars. Les grands journaux étaient tout petits. Le format était restreint, mais la liberté était grande. *Le Constitutionnel* était constitutionnel. *La Minerve* appelait Chateaubriand *Chateaubriant*. Ce *t* faisait beaucoup rire les bourgeois aux dépens du grand écrivain. Dans des journaux vendus, des journalistes prostitués insultaient les proscrits de 1815; David n'avait plus de talent, Arnault n'avait plus d'esprit, Carnot n'avait plus de probité; Soult n'avait gagné aucune bataille; il est vrai que Napoléon n'avait plus de génie. Personne n'ignore qu'il est assez rare que les lettres adressées par la poste à un exilé lui parviennent, les polices se faisant un religieux devoir de les intercepter. Le fait n'est point nouveau; Descartes banni s'en plaignait. Or, David ayant, dans un journal belge, montré quelque humeur de ne pas recevoir les lettres qu'on lui écrivait, ceci paraissait plaisant aux feuilles royalistes qui bafouaient à cette occasion le proscrit. Dire : *les régicides*, ou dire : *les votants*, dire : *les ennemis*, ou dire : *les alliés*, dire : *Napoléon* ou dire : *Buonaparte*, cela séparait deux hommes plus qu'un abîme. Tous les gens de bon sens convenaient que l'ère des révolutions était à jamais fermée par le roi Louis XVIII, surnommé « l'immortel auteur de la Charte ». Au terre-plein du Pont-Neuf, on sculptait le mot : *Redivivus*, sur le piédestal qui attendait la statue de Henri IV. M. Piet ébauchait, rue Thérèse, n° 4, son conciliabule pour consolider la monarchie. Les chefs de la droite disaient dans les conjonctures graves : « il faut écrire à Bacot ». MM. Canuel, O'Mahony et de Chappedelaine esquissaient, un peu approuvés de Monsieur, ce qui devait être plus tard « la Conspiration du Bord de l'eau ». L'Epingle Noire complotait de son côté. Delaverderie s'abouchait avec Trogoff. M. Decazes, esprit dans une certaine mesure libéral, dominait. Chateaubriand, debout tous les matins devant sa fenêtre du n° 27 de la rue Saint-Dominique, en pantalon à pieds et en pantoufles, ses cheveux gris coiffés d'un madras, les yeux fixés sur un miroir, une trousse complète de chirurgien dentiste ouverte devant lui, se curait les dents, qu'il avait charmantes, tout en dictant *la Monarchie selon la Charte* à M. Pilorge, son secrétaire. La critique faisant autorité préférait Lafon à Talma. M. de Féletz signait A.; M. Hoffmann signait Z. Charles Nodier écrivait *Thérèse Aubert*. Le divorce était aboli. Les lycées s'appelaient collèges. Les collégiens, ornés au collet d'une fleur de lys d'or, s'y gourmaient à propos du roi de Rome. La contre-police du château dénonçait à son altesse royale Madame, le portrait, partout exposé, de M. le duc d'Orléans, lequel avait meilleure mine en uniforme de colonel-général des hussards que M. le duc de Berry en uniforme de colonel-général des dragons; grave inconvénient. La ville de Paris faisait redorer à ses frais le dôme des Invalides. Les hommes sérieux se demandaient ce que ferait, dans telle ou telle occasion, M. de Trinquelague; M. Clausel de Montals se séparait, sur divers points, de M. Clausel de Coussergues; M. de Salaberry n'était pas content. Le comédien Picard, qui était de l'Académie dont le comédien Molière n'avait pu être, faisait jouer *les deux Philibert* à l'Odéon, sur le fronton duquel l'arrachement des lettres laissait encore lire distinctement : THÉÂTRE DE L'IMPÉRATRICE. On prenait parti pour ou contre Cugnet de Montarlot. Fabvier était factieux; Bavoux était révolutionnaire. Le libraire Pélicier publiait une édition de Voltaire, sous ce titre : *Œuvres de Voltaire*, de l'Académie française. « Cela fait venir les acheteurs », disait cet éditeur naïf. L'opinion générale était que M. Charles Loyson serait le génie du siècle; l'envie commençait à le mordre, signe de gloire; et l'on faisait sur lui ce vers :

Même quand Loyson vole, on sent qu'il a des pattes.

Le cardinal Fesch refusant de se démettre, M. de Pins,

archevêque d'Amasie, administrait le diocèse de Lyon. La querelle de la vallée des Dappes commençait entre la Suisse et la France par un mémoire du capitaine Dufour, depuis général. Saint-Simon, ignoré, échafaudait son rêve sublime. Il y avait à l'académie des sciences un Fourier célèbre que la postérité a oublié et dans je ne sais quel grenier un Fourier obscur dont l'avenir se souviendra. Lord Byron commençait à poindre; une note d'un poème de Millevoye l'annonçait à la France en ces termes : *un certain lord Baron*. David d'Angers s'essayait à pétrir le marbre. L'abbé Caron parlait avec éloge, en petit comité de séminaristes dans le cul-de-sac des Feuillantines, d'un prêtre inconnu nommé Félicité Robert qui a été plus tard Lamennais. Une chose qui fumait et clapotait sur la Seine avec le bruit d'un chien qui nage, allait et venait sous les fenêtres des Tuileries du pont Royal au pont Louis XV; c'était une mécanique bonne à pas grand-chose, une espèce de joujou, une rêverie d'inventeur songe-creux, une utopie : un bateau à vapeur. Les parisiens regardaient cette inutilité avec indifférence. M. de Vaublanc, réformateur de l'Institut par coup d'Etat, ordonnance et fournée, auteur distingué de plusieurs académiciens, après en avoir fait, ne pouvait parvenir à l'être. Le faubourg St-Germain et le pavillon Marsan souhaitaient pour préfet de police M. Delavau, à cause de sa dévotion. Dupuytren et Récamier se prenaient de querelle à l'amphithéâtre de l'école de médecine et se menaçaient du poing à propos de la divinité de Jésus-Christ. Cuvier, un œil sur la Genèse et l'autre sur la nature, s'efforçait de plaire à la réaction bigote en mettant les fossiles d'accord avec les textes et en faisant flatter Moïse par les mastodontes. M. François de Neufchâteau, louable cultivateur de la mémoire de Parmentier, faisait mille efforts pour que *pomme de terre* fût prononcé *parmentière*, et n'y réussissait point. L'abbé Grégoire, ancien évêque, ancien conventionnel, ancien sénateur, était passé dans la polémique royaliste à l'état « d'infâme Grégoire ». Cette locution que nous venons d'employer : *passer à l'état de*, était dénoncée comme néologisme par M. Royer-Collard. On pouvait distinguer encore à sa blancheur, sous la troisième arche du pont d'Iéna, la pierre neuve avec laquelle, deux ans auparavant, on avait bouché le trou de mine pratiqué par Blücher pour faire sauter le pont. La justice appelait à sa barre un homme qui, en voyant entrer le comte d'Artois à Notre-

Dame, avait dit tout haut : *Sapristi ! je regrette le temps
où je voyais Bonaparte et Talma entrer bras dessus bras
dessous au Bal-Sauvage.* Propos séditieux. Six mois
de prison.

Des traîtres se montraient déboutonnés ; des hommes
qui avaient passé à l'ennemi la veille d'une bataille, ne
cachaient rien de la récompense et marchaient impudi-
quement en plein soleil dans le cynisme des richesses et
des dignités ; des déserteurs de Ligny et des Quatre-Bras,
dans le débraillé de leur turpitude payée, étalaient leur
dévouement monarchique tout nu ; oubliant ce qui est
écrit en Angleterre sur la muraille intérieure des water-
closets publics : *Please adjust your dress before leaving.*

Voilà, pêle-mêle, ce qui surnage confusément de
l'année 1817, oubliée aujourd'hui. L'histoire néglige
presque toutes ces particularités, et ne peut faire autrement ; l'infini l'envahirait. Pourtant ces détails, qu'on
appelle à tort petits, — il n'y a ni petits faits dans l'humanité, ni petites feuilles dans la végétation, — sont utiles.
C'est de la physionomie des années que se compose la
figure des siècles.

En cette année 1817, quatre jeunes Parisiens firent
« une bonne farce ».

II

DOUBLE QUATUOR

Ces Parisiens étaient l'un de Toulouse, l'autre de
Limoges, le troisième de Cahors et le quatrième de
Montauban ; mais ils étaient étudiants, et qui dit étudiant
dit parisien ; étudier à Paris, c'est naître à Paris.

Ces jeunes gens étaient insignifiants ; tout le monde a
vu ces figures-là ; quatre échantillons du premier venu ;
ni bons ni mauvais, ni savants ni ignorants, ni des génies
ni des imbéciles ; beaux de ce charmant avril qu'on
appelle vingt ans. C'étaient quatre Oscars quelconques ;
car à cette époque les Arthurs n'existaient pas encore.
Brûlez pour lui les parfums d'Arabie, s'écriait
la romance, *Oscar s'avance, Oscar, je vais le voir !* On
sortait d'Ossian ; l'élégance était scandinave et calédo-

nienne, le genre anglais pur ne devait prévaloir que plus tard, et le premier des Arthurs, Wellington, venait à peine de gagner la bataille de Waterloo.

Ces Oscars s'appelaient l'un Félix Tholomyès, de Toulouse; l'autre Listolier, de Cahors; l'autre Fameuil, de Limoges; le dernier Blachevelle, de Montauban. Naturellement chacun avait sa maîtresse. Blachevelle aimait Favourite, ainsi nommée parce qu'elle était allée en Angleterre; Listolier adorait Dahlia, qui avait pris pour nom de guerre un nom de fleur; Fameuil idolâtrait Zéphine, abrégé de Joséphine; Tholomyès avait Fantine, dite la Blonde, à cause de ses beaux cheveux couleur de soleil.

Favourite, Dahlia, Zéphine et Fantine étaient quatre ravissantes filles parfumées et radieuses, encore un peu ouvrières, n'ayant pas tout à fait quitté leur aiguille, dérangées par les amourettes, mais ayant sur leur visage un reste de la sérénité du travail et dans l'âme cette fleur d'honnêteté qui dans la femme survit à la première chute. Il y avait une des quatre qu'on appelait la jeune, parce qu'elle était la cadette; et une qu'on appelait la vieille; la vieille avait vingt-trois ans. Pour ne rien céler, les trois premières étaient plus expérimentées, plus insouciantes et plus envolées dans le bruit de la vie que Fantine la Blonde, qui en était à sa première illusion.

Dahlia, Zéphine, et surtout Favourite, n'en auraient pu dire autant. Il y avait déjà plus d'un épisode à leur roman à peine commencé, et l'amoureux qui s'appelait Adolphe au premier chapitre, se trouvait être Alphonse au second et Gustave au troisième. Pauvreté et coquetterie sont deux conseillères fatales; l'une gronde, l'autre flatte; et les belles filles du peuple les ont toutes les deux qui leur parlent bas à l'oreille, chacune de leur côté. Ces âmes mal gardées écoutent. De là les chutes qu'elles font et les pierres qu'on leur jette. On les accable avec la splendeur de tout ce qui est immaculé et inaccessible. Hélas! si la Jungfrau avait faim?

Favourite, ayant été en Angleterre, avait pour admiratrices Zéphine et Dahlia. Elle avait eu de très bonne heure un chez soi. Son père était un vieux professeur de mathématiques brutal et qui gasconnait; point marié, courant le cachet malgré l'âge. Ce professeur, étant jeune, avait vu un jour la robe d'une femme de chambre s'accrocher à un garde-cendre; il était tombé amoureux de cet accident. Il en était résulté Favourite. Elle rencontrait de

temps en temps son père qui la saluait. Un matin, une
vieille femme à l'air béguin était entrée chez elle et lui
avait dit : — Vous ne me connaissez pas, mademoiselle ?
— Non. — Je suis ta mère. — Puis la vieille avait ouvert
le buffet, bu et mangé, fait apporter un matelas qu'elle
avait, et s'était installée. Cette mère, grognon et dévote,
ne parlait jamais à Favourite, restait des heures sans
souffler mot, déjeunait, dînait et soupait comme quatre,
et descendait faire salon chez le portier où elle disait du
mal de sa fille.

Ce qui avait entraîné Dahlia vers Listolier, vers d'autres
peut-être, vers l'oisiveté, c'était d'avoir de trop jolis
ongles roses. Comment faire travailler ces ongles-là ? Qui
veut rester vertueuse ne doit pas avoir pitié de ses mains.

Quant à Zéphine, elle avait conquis Fameuil par sa
petite manière mutine et caressante de dire : Oui, monsieur.

Les jeunes gens étant camarades, les jeunes filles étaient
amies. Ces amours-là sont toujours doublés de ces
amitiés-là.

Sage et philosophe, c'est deux ; et ce qui le prouve,
c'est que, toutes réserves faites sur ces petits ménages
irréguliers, Favourite, Zéphine et Dahlia étaient des filles
philosophes, et Fantine une fille sage.

Sage ! dira-t-on, et Tholomyès ? Salomon répondrait
que l'amour fait partie de la sagesse. Nous nous bornons
à dire que l'amour de Fantine était un premier amour,
un amour unique, un amour fidèle.

Elle était la seule des quatre qui ne fût tutoyée que par
un seul.

Fantine était un de ces êtres comme il en éclot, pour
ainsi dire, au fond du peuple. Sortie des plus insondables
épaisseurs de l'ombre sociale, elle avait au front le signe
de l'anonyme et de l'inconnu. Elle était née à M. — sur
M. —. De quels parents ? Qui pourrait le dire ? On ne lui
avait jamais connu ni père ni mère. Elle se nommait
Fantine. Pourquoi Fantine ? On ne lui avait jamais connu
d'autre nom. A l'époque de sa naissance, le directoire
existait encore. Point de nom de famille, elle n'avait pas
de famille ; point de nom de baptême, l'église n'était plus
là. Elle s'appela comme il plut au premier passant qui
la rencontra toute petite, allant pieds nus dans la rue.
Elle reçut un nom comme elle recevait l'eau des nuées
sur son front quand il pleuvait. On l'appela la petite
Fantine. Personne n'en savait davantage. Cette créature

humaine était venue dans la vie comme cela. A dix ans, Fantine quitta la ville et s'alla mettre en service chez des fermiers des environs. A quinze ans, elle vint à Paris « chercher fortune ». Fantine était belle et resta pure le plus longtemps qu'elle put. C'était une jolie blonde avec de belles dents. Elle avait de l'or et des perles pour dot; mais son or était sur sa tête et ses perles étaient dans sa bouche.

Elle travailla pour vivre; puis, toujours pour vivre, car le cœur a sa faim aussi, elle aima.

Elle aima Tholomyès.

Amourette pour lui, passion pour elle. Les rues du quartier latin, qu'emplit le fourmillement des étudiants et des grisettes, virent le commencement de ce songe. Fantine, dans ces dédales de la colline du Panthéon, où tant d'aventures se nouent et se dénouent, avait fui longtemps Tholomyès, mais de façon à le rencontrer toujours. Il y a une manière d'éviter qui ressemble à chercher. Bref, l'églogue eut lieu.

Blachevelle, Listolier et Fameuil formaient une sorte de groupe dont Tholomyès était la tête. C'était lui qui avait l'esprit.

Tholomyès était l'antique étudiant vieux; il était riche; il avait quatre mille francs de rente; quatre mille francs de rente, splendide scandale sur la montagne Sainte-Geneviève. Tholomyès était un viveur de trente ans, mal conservé. Il était ridé et édenté; et il ébauchait une calvitie dont il disait lui-même sans tristesse : *crâne à trente ans, genou à quarante*. Il digérait médiocrement, et il lui était venu un larmoiement à un œil. Mais à mesure que sa jeunesse s'éteignait, il allumait sa gaieté; il remplaçait ses dents par des lazzis, ses cheveux par la joie, la santé par l'ironie, et son œil qui pleurait riait sans cesse. Il était délabré, mais tout en fleurs. Sa jeunesse, pliant bagage bien avant l'âge, battait en retraite en bon ordre, éclatait de rire, et l'on n'y voyait que du feu. Il avait eu une pièce refusée au Vaudeville. Il faisait çà et là des vers quelconques. En outre, il doutait supérieurement de toute chose, grande force aux yeux des faibles. Donc, étant ironique et chauve, il était le chef. *Iron* est un mot anglais qui veut dire fer. Serait-ce de là que viendrait ironie ?

Un jour Tholomyès prit à part les trois autres, fit un geste d'oracle et leur dit :

— Il y a bientôt un an que Fantine, Dahlia, Zéphine

et Favourite nous demandent de leur faire une surprise.
Nous la leur avons promise solennellement. Elles nous
en parlent toujours, à moi surtout. De même qu'à Naples,
les vieilles femmes crient à saint Janvier : *Faccia gialluta,
fa o miracolo,* face jaunâtre, fais ton miracle! nos belles
me disent sans cesse : Tholomyès, quand accoucheras-tu
de ta surprise ? En même temps nos parents nous écrivent.
Scie des deux côtés. Le moment me semble venu. Causons.

Sur ce, Tholomyès baissa la voix, et articula mysté-
rieusement quelque chose de si gai qu'un vaste et enthousiaste ricanement sortit des quatre bouches à la fois et
que Blachevelle s'écria : « Ça, c'est une idée! »

Un estaminet plein de fumée se présenta, ils y entrèrent
et le reste de leur conférence se perdit dans l'ombre.

Le résultat de ces ténèbres fut une éblouissante partie
de plaisir qui eut lieu le dimanche suivant, les quatre
jeunes gens invitant les quatre jeunes filles.

III

QUATRE A QUATRE

Ce qu'était une partie de campagne d'étudiants et de
grisettes, il y a quarante-cinq ans, on se le représente
malaisément aujourd'hui. Paris n'a plus les mêmes environs; la figure de ce qu'on pourrait appeler la vie circum-
parisienne a complètement changé depuis un demi-
siècle; où il y avait le coucou, il y a le wagon; où il y avait
la patache, il y a le bateau à vapeur; on dit aujourd'hui
Fécamp comme alors on disait Saint-Cloud. Le Paris
de 1862 est une ville qui a la France pour banlieue.

Les quatre couples accomplirent consciencieusement
toutes les folies champêtres possibles alors. On entrait
dans les vacances, et c'était une chaude et claire journée
d'été. La veille, Favourite, la seule qui sût écrire, avait
écrit ceci à Tholomyès au nom des quatre : « C'est un
bonne heure de sortir de bonheur. » C'est pourquoi ils
se levèrent à cinq heures du matin. Puis ils allèrent à
Saint-Cloud par le coche, regardèrent la cascade à sec,
et s'écrièrent : cela doit être bien beau, quand il y a de

l'eau! déjeunèrent à la *Tête-Noire*, où Castaing n'avait
pas encore passé, se payèrent une partie de bagues au
quinconce du grand bassin, montèrent à la lanterne de
Diogène, jouèrent des macarons à la roulette du pont de
Sèvres, cueillirent des bouquets à Puteaux, achetèrent
des mirlitons à Neuilly, mangèrent partout des chaussons
de pommes, furent parfaitement heureux.

Les jeunes filles bruissaient et bavardaient comme des
fauvettes échappées. C'était un délire. Elles donnaient
par moments de petites tapes aux jeunes gens. Ivresse
matinale de la vie! Adorables années! L'aile des libellules
frissonne. Oh! qui que vous soyez, vous souvenez-vous?
Avez-vous marché dans les broussailles, en écartant les
branches à cause de la tête charmante qui vient derrière
vous? Avez-vous glissé en riant sur quelque talus mouillé
par la pluie avec une femme aimée qui vous retient par la
main et qui s'écrie : Ah! mes brodequins tout neufs!
dans quel état ils sont!

Disons tout de suite que cette joyeuse contrariété, une
ondée, manqua à cette compagnie de belle humeur,
quoique Favourite eût dit en partant, avec un accent
magistral et maternel : *Les limaces se promènent dans les
sentiers. Signe de pluie, mes enfants.*

Toutes quatre étaient follement jolies. Un bon vieux
poète classique, alors en renom, un bonhomme qui avait
une Eléonore, M. le chevalier de Labouïsse, errant ce
jour-là sous les marronniers de Saint-Cloud, les vit passer
vers dix heures du matin et s'écria : *Il y en a une de trop*,
songeant aux Grâces. Favourite, l'amie de Blachevelle,
celle de vingt-trois ans, la vieille, courait en avant sous
les grandes branches vertes, sautait les fossés, enjambait
éperdument les buissons et présidait cette gaieté avec une
verve de jeune faunesse. Zéphine et Dahlia, que le hasard
avait faites belles de façon qu'elles se faisaient valoir en
se rapprochant et se complétaient, ne se quittaient point,
par instinct de coquetterie plus encore que par amitié,
et, appuyées l'une à l'autre, prenaient des poses anglaises;
les premiers *Keapsakes* venaient de paraître, la mélancolie pointait pour les femmes comme, plus tard, le byro-
nisme pour les hommes, et les cheveux du sexe tendre
commençaient à s'éplorer. Zéphine et Dahlia étaient
coiffées en rouleaux. Listolier et Fameuil, engagés dans
une discussion sur leurs professeurs, expliquaient à Fantine la différence qu'il y avait entre M. Delvincourt et
M. Blondeau.

Blachevelle semblait avoir été créé expressément pour porter sur son bras le dimanche le châle ternaux boiteux de Favourite.

Tholomyès suivait, dominant le groupe. Il était très gai, mais on sentait en lui le gouvernement; il y avait de la dictature dans sa jovialité; son ornement principal était un pantalon jambes-d'éléphant, en nankin, avec sous-pieds de tresse de cuivre; il avait un puissant rotin de deux cents francs à la main, et, comme il se permettait tout, une chose étrange appelée cigare, à la bouche. Rien n'étant sacré pour lui, il fumait.

— Ce Tholomyès est étonnant, disaient les autres avec vénération. Quels pantalons! quelle énergie!

Quant à Fantine, c'était la joie. Ses dents splendides avaient évidemment reçu de Dieu une fonction, le rire. Elle portait à sa main plus volontiers que sur sa tête son petit chapeau de paille cousue, aux longues brides blanches. Ses épais cheveux blonds, enclins à flotter et facilement dénoués et qu'il fallait rattacher sans cesse, semblaient faits pour la fuite de Galatée sous les saules. Ses lèvres roses babillaient avec enchantement. Les coins de sa bouche, voluptueusement relevés comme aux mascarons antiques d'Erigone, avaient l'air d'encourager les audaces; mais ses longs cils pleins d'ombre s'abaissaient discrètement sur le brouhaha du bas du visage comme pour mettre le holà. Toute sa toilette avait on ne sait quoi de chantant et de flambant. Elle avait une robe de barège mauve, de petits souliers cothurnes mordorés dont les rubans traçaient des X sur son fin bas blanc à jour, et cette espèce de spencer en mousseline, invention marseillaise, dont le nom, canezou, corruption du mot *quinze août* prononcé à la Cannebière, signifie beau temps, chaleur et midi. Les trois autres, moins timides, nous l'avons dit, étaient décolletées tout net, ce qui, l'été, sous des chapeaux couverts de fleurs, a beaucoup de grâce et d'agacerie; mais à côté de ces ajustements hardis, le canezou de la blonde Fantine, avec ses transparences, ses indiscrétions et ses réticences, cachant et montrant à la fois, semblait une trouvaille provoquante de la décence, et la fameuse cour d'amour, présidée par la vicomtesse de Cette aux yeux vert de mer, eût peut-être donné le prix de la coquetterie à ce canezou qui concourait pour la chasteté. Le plus naïf est quelquefois le plus savant. Cela arrive.

Eclatante de face, délicate de profil, les yeux d'un bleu

profond, les paupières grasses, les pieds cambrés et petits, les poignets et les chevilles admirablement emboîtés, la peau blanche laissant voir çà et là les arborescences azurées des veines, la joue puérile et fraîche, le cou robuste des Junons éginétiques, la nuque forte et souple, les épaules modelées comme par Coustou, ayant au centre une voluptueuse fossette visible à travers la mousseline; une gaieté glacée de rêverie; sculpturale et exquise; telle était Fantine; et l'on devinait sous ces chiffons et ces rubans une statue, et dans cette statue une âme.

Fantine était belle, sans trop le savoir. Les rares songeurs, prêtres mystérieux du beau, qui confrontent silencieusement toute chose à la perfection, eussent entrevu en cette petite ouvrière, à travers la transparence de la grâce parisienne, l'antique euphonie sacrée. Cette fille de l'ombre avait de la race. Elle était belle sous les deux espèces, qui sont le style et le rythme. Le style est la forme de l'idéal; le rythme en est le mouvement.

Nous avons dit que Fantine était la joie; Fantine était aussi la pudeur.

Pour un observateur qui l'eût étudiée attentivement, ce qui se dégageait d'elle à travers toute cette ivresse de l'âge, de la saison et de l'amourette, c'était une invincible expression de retenue et de modestie. Elle restait un peu étonnée. Ce chaste étonnement-là est la nuance qui sépare Psyché de Vénus. Fantine avait les longs doigts blancs et fins de la vestale qui remue les cendres du feu sacré avec une épingle d'or. Quoiqu'elle n'eût rien refusé, on ne le verra que trop, à Tholomyès, son visage, au repos, était souverainement virginal; une sorte de dignité sérieuse et presque austère l'envahissait soudainement à de certaines heures, et rien n'était singulier et troublant comme de voir la gaieté s'y éteindre si vite et le recueillement y succéder sans transition à l'épanouissement. Cette gravité subite, parfois sévèrement accentuée, ressemblait au dédain d'une déesse. Son front, son nez et son menton offraient cet équilibre de ligne, très distinct de l'équilibre de proportion, et d'où résulte l'harmonie du visage; dans l'intervalle si caractéristique qui sépare la base du nez de la lèvre supérieure, elle avait ce pli imperceptible et charmant, signe mystérieux de la chasteté qui rendit Barberousse amoureux d'une Diane trouvée dans les fouilles d'Icône.

L'amour est une faute; soit. Fantine était l'innocence surnageant sur la faute.

IV

THOLOMYÈS EST SI JOYEUX QU'IL CHANTE
UNE CHANSON ESPAGNOLE

Cette journée-là était d'un bout à l'autre faite d'aurore.
Toute la nature semblait avoir congé, et rire. Les par-
terres de Saint-Cloud embaumaient; le souffle de la
Seine remuait vaguement les feuilles; les branches ges-
ticulaient dans le vent; les abeilles mettaient les jasmins
au pillage; toute une bohème de papillons s'abattait dans
les achillées, les trèfles et les folles avoines; il y avait dans
l'auguste parc du roi de France un tas de vagabonds, les
oiseaux.

Les quatre joyeux couples, mêlés au soleil, aux champs,
aux fleurs, aux arbres, resplendissaient.

Et, dans cette communauté de paradis, parlant, chantant, courant, dansant, chassant aux papillons, cueillant
des liserons, mouillant leurs bas à jour roses dans les
hautes herbes, fraîches, folles, point méchantes, toutes
recevaient un peu çà et là les baisers de tous, excepté
Fantine enfermée dans sa vague résistance rêveuse et
farouche, et qui aimait. — Toi, lui disait Favourite, tu
as toujours l'air chose.

Ce sont là les joies. Ces passages de couples heureux
sont un appel profond à la vie et à la nature, et font
sortir de tout la caresse et la lumière. Il y avait une
fois une fée qui fit les prairies et les arbres exprès pour les
amoureux. De là cette éternelle école buissonnière des
amants qui recommence sans cesse et qui durera tant
qu'il y aura des buissons et des écoliers. De là la popularité
du printemps parmi les penseurs. Le patricien et le
gagne-petit, le duc et pair et le robin, les gens de la
cour et les gens de la ville, comme on parlait autrefois,
tous sont sujets de cette fête. On rit, on se cherche, il y a
dans l'air une clarté d'apothéose, quelle transfiguration
que d'aimer! Les clercs de notaire sont des dieux. Et les
petits cris, les poursuites dans l'herbe, les tailles prises
au vol, ces jargons qui sont des mélodies, ces adorations

qui éclatent dans la façon de dire une syllabe, ces cerises
arrachées d'une bouche à l'autre, tout cela flamboie et
passe dans des gloires célestes. Les belles filles font un
doux gaspillage d'elles-mêmes. On croit que cela ne
finira jamais. Les philosophes, les poètes, les peintres
regardent ces extases et ne savent qu'en faire, tant cela
les éblouit. Le départ pour Cythère! s'écrie Watteau;
Lancret, le peintre de la roture, contemple ses bourgeois
envolés dans le bleu; Diderot tend les bras à toutes ces
amourettes, et d'Urfé y mêle des druides.

Après le déjeuner les quatre couples étaient allés
voir, dans ce qu'on appelait alors le carré du roi, une
plante nouvellement arrivée de l'Inde, dont le nom nous
échappe en ce moment, et qui à cette époque attirait
tout Paris à Saint-Cloud : c'était un bizarre et charmant
arbrisseau haut sur tige, dont les innombrables branches
fines comme des fils, ébouriffées, sans feuilles, étaient
couvertes d'un million de petites rosettes blanches;
ce qui faisait que l'arbuste avait l'air d'une chevelure pouilleuse de fleurs. Il y avait toujours foule à
l'admirer.

L'arbuste vu, Tholomyès s'était écrié : J'offre des
ânes! et, prix fait avec un ânier, ils étaient revenus par
Vanvres et Issy. A Issy, incident. Le parc, Bien National
possédé à cette époque par le munitionnaire Bourguin,
était d'aventure tout grand ouvert. Ils avaient franchi
la grille, visité l'anachorète mannequin dans sa grotte,
essayé les petits effets mystérieux du fameux cabinet
des miroirs, lascif traquenard digne d'un satyre devenu
millionnaire ou de Turcaret métamorphosé en Priape.
Ils avaient robustement secoué le grand filet balançoire
attaché aux deux châtaigniers célébrés par l'abbé de
Bernis. Tout en y balançant ces belles l'une après l'autre,
ce qui faisait, parmi les rires universels, des plis de jupe
envolée où Greuze eût trouvé son compte, le toulousain
Tholomyès, quelque peu espagnol, Toulouse est cousine
de Tolosa, chantait, sur une mélopée mélancolique, la
vieille chanson *gallega* probablement inspirée par quelque
belle fille lancée à toute volée sur une corde entre deux
arbres :

> Soy de Badajoz.
> Amor me llama.
> Toda mi alma
> Es en mis ojos
> Porque enseñas
> A tus piernas.

Fantine seule refusa de se balancer.

— Je n'aime pas qu'on ait du genre comme ça, murmura assez aigrement Favourite.

Les ânes quittés, joie nouvelle; on passa la Seine en bateau, et de Passy, à pied, ils gagnèrent la barrière de l'Etoile. Ils étaient, on s'en souvient, debout depuis cinq heures du matin; mais, bah! *il n'y a pas de lassitude le dimanche*, disait Favourite; *le dimanche, la fatigue ne travaille pas.* Vers trois heures les quatre couples, effarés de bonheur, dégringolaient aux montagnes russes, édifice singulier qui occupait alors les hauteurs Beaujon et dont on apercevait la ligne serpentante au-dessus des arbres des Champs-Elysées.

De temps en temps Favourite s'écriait :

— Et la surprise ? je demande la surprise.

— Patience, répondait Tholomyès.

V

CHEZ BOMBARDA

Les montagnes russes épuisées, on avait songé au dîner; et le radieux huitain, enfin un peu las, s'était échoué au cabaret Bombarda, succursale qu'avait établie aux Champs-Elysées ce fameux restaurateur Bombarda, dont on voyait alors l'enseigne rue de Rivoli à côté du passage Delorme.

Une chambre grande, mais laide, avec alcôve et lit au fond (vu la plénitude du cabaret le dimanche, il avait fallu accepter ce gîte); deux fenêtres d'où l'on pouvait contempler, à travers les ormes, le quai et la rivière; un magnifique rayon d'août effleurant les fenêtres; deux tables; sur l'une une triomphante montagne de bouquets mêlés à des chapeaux d'hommes et de femmes; à l'autre les quatre couples attablés autour d'un joyeux encombrement de plats, d'assiettes, de verres et de bouteilles; des cruchons de bière mêlés à des flacons de vin; peu d'ordre sur la table, quelque désordre dessous;

> Ils faisaient sous la table
> Un bruit, un trique-trac de pieds épouvantable,

dit Molière.

Voilà où en était vers quatre heures et demie du soir
la bergerade commencée à cinq heures du matin. Le
soleil déclinait, l'appétit s'éteignait.

Les Champs-Elysées, pleins de soleil et de foule,
n'étaient que lumière et poussière, deux choses dont se
compose la gloire. Les chevaux de Marly, ces marbres
hennissants, se cabraient dans un nuage d'or. Les
carrosses allaient et venaient. Un escadron de magnifiques gardes du corps, clairon en tête, descendait
l'avenue de Neuilly; le drapeau blanc, vaguement rose
au soleil couchant, flottait sur le dôme des Tuileries.
La place de la Concorde, redevenue alors place Louis XV,
regorgeait de promeneurs contents. Beaucoup portaient
la fleur de lys d'argent suspendue au ruban blanc moiré
qui, en 1817, n'avait pas encore tout à fait disparu des
boutonnières. Çà et là, au milieu des passants faisant
cercle et applaudissant, des rondes de petites filles jetaient
au vent une bourrée bourbonienne alors célèbre, destinée
à foudroyer les cent jours, et qui avait pour ritournelle :

> Rendez-nous notre père de Gand,
> Rendez-nous notre père.

Des tas de faubouriens endimanchés, parfois même
fleurdelysés comme les bourgeois, épars dans le grand
carré et dans le carré Marigny, jouaient aux bagues et
tournaient sur les chevaux de bois; d'autres buvaient;
quelques-uns, apprentis imprimeurs, avaient des bonnets
de papier; on entendait leurs rires. Tout était radieux.
C'était un temps de paix incontestable et de profonde
sécurité royaliste; c'était l'époque où un rapport intime
et spécial du préfet de police Anglès au roi sur les faubourgs de Paris se terminait par ces lignes : « Tout bien
« considéré, Sire, il n'y a rien à craindre de ces gens-là.
« Ils sont insouciants et indolents comme des chats. Le
« bas peuple des provinces est remuant, celui de Paris
« ne l'est pas. Ce sont tous petits hommes. Sire, il en
« faudrait deux bout à bout pour faire un de vos grena-
« diers. Il n'y a point de crainte du côté de la populace
« de la capitale. Il est remarquable que la taille a encore
« décru dans cette population depuis cinquante ans; et
« le peuple des faubourgs de Paris est plus petit qu'avant
« la Révolution. Il n'est pas dangereux. En somme,
« c'est de la canaille, bonne. »

Qu'un chat puisse se changer en lion, les préfets de
police ne le croient pas possible; cela est pourtant, et

c'est là le miracle du peuple de Paris. Le chat d'ailleurs, si méprisé du comte Anglès, avait l'estime des républiques antiques ; il incarnait à leurs yeux la liberté, et, comme pour servir de pendant à la Minerve aptère du Pirée, il y avait sur la place publique de Corinthe le colosse de bronze d'un chat. La police naïve de la restauration voyait trop « en beau » le peuple de Paris. Ce n'est point, autant qu'on le croit, de la « canaille bonne ». Le Parisien est au Français ce que l'Athénien est au Grec ; personne ne dort mieux que lui, personne n'est plus franchement frivole et paresseux que lui, personne mieux que lui n'a l'air d'oublier ; qu'on ne s'y fie pas pourtant ; il est propre à toute sorte de nonchalance, mais quand il y a de la gloire au bout, il est admirable à toute espèce de furie. Donnez-lui une pique, il fera le 10 août ; donnez-lui un fusil, vous aurez Austerlitz. Il est le point d'appui de Napoléon et la ressource de Danton. S'agit-il de la patrie ? il s'enrôle ; s'agit-il de la liberté ? il dépave. Gare ! ses cheveux pleins de colère sont épiques ; sa blouse se drape en chlamyde. Prenez garde. De la première rue Grénetat venue, il fera des fourches caudines. Si l'heure sonne, ce faubourien va grandir, ce petit homme va se lever, et il regardera d'une façon terrible, et son souffle deviendra tempête, et il sortira de cette pauvre poitrine grêle assez de vent pour déranger les plis des Alpes. C'est grâce au faubourien de Paris, que la révolution, mêlée aux armées, conquiert l'Europe. Il chante, c'est sa joie. Proportionnez sa chanson à sa nature, et vous verrez ! Tant qu'il n'a pour refrain que la Carmagnole, il ne renverse que Louis XVI ; faites-lui chanter la Marseillaise, il délivrera le monde.

Cette note écrite en marge du rapport Anglès, nous revenons à nos quatre couples. Le dîner, comme nous l'avons dit, s'achevait.

VI

CHAPITRE OÙ L'ON S'ADORE

Propos de table et propos d'amour ; les uns sont aussi insaisissables que les autres ; les propos d'amour sont des nuées, les propos de table sont des fumées.

Fameuil et Dahlia fredonnaient; Tholomyès buvait, Zéphine riait, Fantine souriait. Listolier soufflait dans une trompette de bois achetée à Saint-Cloud. Favourite regardait tendrement Blachevelle et disait :

— Blachevelle, je t'adore.

Ceci amena une question de Blachevelle :

— Qu'est-ce que tu ferais, Favourite, si je cessais de t'aimer ?

— Moi! s'écria Favourite. Ah! ne dis pas cela, même pour rire! Si tu cessais de m'aimer, je te sauterais après, je te grifferais, je te grafignerais, je te jetterais de l'eau, je te ferais arrêter.

Blachevelle sourit avec la fatuité voluptueuse d'un homme chatouillé à l'amour-propre. Favourite reprit :

— Oui, je crierais à la garde! Ah! je me gênerais par exemple! Canaille!

Blachevelle, extasié, se renversa sur sa chaise et ferma orgueilleusement les deux yeux.

Dahlia, tout en mangeant, dit bas à Favourite dans le brouhaha :

— Tu l'idolâtres donc bien, ton Blachevelle ?

— Moi, je le déteste, répondit Favourite du même ton en ressaisissant sa fourchette. Il est avare. J'aime le petit d'en face de chez moi. Il est très bien, ce jeune homme-là, le connais-tu ? On voit qu'il a le genre d'être acteur. J'aime les acteurs. Sitôt qu'il rentre, sa mère dit : — Ah! mon Dieu! ma tranquillité est perdue. Le voilà qui va crier. Mais, mon ami, tu me casses la tête! — Parce qu'il va dans la maison, dans des greniers à rats, dans des trous noirs, si haut qu'il peut monter, — et chanter, et déclamer, est-ce que je sais, moi ? qu'on l'entend d'en bas! Il gagne déjà vingt sous par jour chez un avoué à écrire de la chicane. Il est fils d'un ancien chantre de Saint-Jacques du Haut-Pas. Ah! il est très bien. Il m'idolâtre tant qu'un jour qu'il me voyait faire de la pâte pour des crêpes, il m'a dit : *mamselle, faites des beignets de vos gants et je les mangerai.* Il n'y a que les artistes pour dire des choses comme ça. Ah! il est très bien. Je suis en train d'être insensée de ce petit-là. C'est égal, je dis à Blachevelle que je l'adore. Comme je mens! Hein ? comme je mens!

Favourite fit une pause, et continua :

— Dahlia, vois-tu, je suis triste. Il n'a fait que pleuvoir tout l'été, le vent m'agace, le vent ne décolère pas, Blachevelle est très pingre, c'est à peine s'il y a des petits

pois au marché, on ne sait que manger, j'ai le spleen,
comme disent les Anglais, le beurre est si cher! et puis,
vois, c'est une horreur, nous dînons dans un endroit
où il y a un lit, ça me dégoûte de la vie.

VII

SAGESSE DE THOLOMYÈS

Cependant, tandis que quelques-uns chantaient, les
autres causaient tumultueusement, et tous ensemble;
ce n'était plus que du bruit. Tholomyès intervint.

— Ne parlons point au hasard ni trop vite, s'écria-t-il.
Méditons si nous voulons être éblouissants. Trop d'improvisation vide bêtement l'esprit. Bière qui coule
n'amasse point de mousse. Messieurs, pas de hâte.
Mêlons la majesté à la ripaille; mangeons avec recueillement; festinons lentement. Ne nous pressons pas. Voyez
le printemps; s'il se dépêche, il est flambé, c'est-à-dire
gelé. L'excès de zèle perd les pêchers et les abricotiers.
L'excès de zèle tue la grâce et la joie des bons dîners.
Pas de zèle, messieurs! Grimod de la Reynière est de
l'avis de Talleyrand.

Une sourde rébellion gronda dans le groupe.

— Tholomyès, laisse-nous tranquilles, dit Blachevelle.

— A bas le tyran! dit Fameuil.

— Bombarda, Bombance et Bamboche! cria Listolier.

— Le dimanche existe, reprit Fameuil.

— Nous sommes sobres, ajouta Listolier.

— Tholomyès, fit Blachevelle, contemple mon calme.

— Tu en es le marquis, répondit Tholomyès. —
Ce médiocre jeu de mots fit l'effet d'une pierre dans une
mare. Le marquis de Montcalm était un royaliste alors
célèbre. Toutes les grenouilles se turent.

— Amis, s'écria Tholomyès de l'accent d'un homme
qui ressaisit l'empire, remettez-vous. Il ne faut pas que
trop de stupeur accueille ce calembour tombé du ciel.
Tout ce qui tombe de la sorte n'est pas nécessairement
digne d'enthousiasme et de respect. Le calembour est la
fiente de l'esprit qui vole. Le lazzi tombe n'importe où;

et l'esprit, après la ponte d'une bêtise, s'enfonce dans l'azur. Une tache blanchâtre qui s'aplatit sur le rocher n'empêche pas le condor de planer. Loin de moi l'insulte au calembour! Je l'honore dans la proportion de ses mérites; rien de plus. Tout ce qu'il y a de plus auguste, de plus sublime et de plus charmant dans l'humanité, et peut-être hors de l'humanité, a fait des jeux de mots. Jésus-Christ a fait un calembour sur saint Pierre, Moïse sur Isaac, Eschyle sur Polynice, Cléopâtre sur Octave. Et notez que ce calembour de Cléopâtre a précédé la bataille d'Actium, et que, sans lui, personne ne se souviendrait de la ville de Toryne, nom grec qui signifie cuillère-à-pot. Cela concédé, je reviens à mon exhortation. Mes frères, je le répète, pas de zèle, pas de tohubohu, pas d'excès, même en pointes, gayetés, liesses et jeux de mots. Ecoutez-moi, j'ai la prudence d'Amphiaraüs et la calvitie de César. Il faut une limite même au rébus. *Est modus in rebus.* Il faut une limite, même aux dîners. Vous aimez les chaussons aux pommes, mesdames, n'en abusez pas. Il faut, même en chaussons, du bon sens et de l'art. La gloutonnerie châtie le glouton. Gula punit Gulax. L'indigestion est chargée par le bon Dieu de faire de la morale aux estomacs. Et, retenez ceci : chacune de nos passions, même l'amour, a un estomac qu'il ne faut pas trop remplir. En toute chose il faut écrire à temps le mot *finis*, il faut se contenir, quand cela devient urgent, tirer le verrou sur son appétit, mettre au violon sa fantaisie et se mener soi-même au poste. Le sage est celui qui sait à un moment donné opérer sa propre arrestation. Ayez quelque confiance en moi. Parce que j'ai fait un peu mon droit, à ce que disent mes examens, parce que je sais la différence qu'il y a entre la question mue et la question pendante, parce que j'ai soutenu une thèse en latin sur la manière dont on donnait la torture à Rome au temps où Munatius Demens était questeur du Parricide, parce que je vais être docteur, à ce qu'il paraît, il ne s'ensuit pas de toute nécessité que je sois un imbécile. Je vous recommande la modération dans vos désirs. Vrai comme je m'appelle Félix Tholomyès, je parle bien. Heureux celui qui, lorsque l'heure a sonné, prend un parti héroïque, et abdique comme Sylla ou Origène!

Favourite écoutait avec une attention profonde :

— Félix! dit-elle, quel joli mot! J'aime ce nom-là. C'est en latin. Ça veut dire Prosper.

Tholomyès poursuivit :

— Quirites, gentlemen, caballeros, mes amis! voulez-vous ne sentir aucun aiguillon et vous passer de lit nuptial et braver l'amour ? Rien de plus simple. Voici la recette : la limonade, l'exercice outré, le travail forcé, éreintez-vous, traînez des blocs, ne dormez pas, veillez; gorgez-vous de boissons nitreuses et de tisanes de nymphæas, savourez des émulsions de pavots et d'agnus-castus, assaisonnez-moi cela d'une diète sévère, crevez de faim, et joignez-y les bains froids, les ceintures d'herbes, l'application d'une plaque de plomb, les lotions avec la liqueur de Saturne et les fomentations avec l'oxycrat.

— J'aime mieux une femme, dit Listolier.

— La femme! reprit Tholomyès, méfiez-vous-en. Malheur à celui qui se livre au cœur changeant de la femme! La femme est perfide et tortueuse. Elle déteste le serpent par jalousie de métier. Le serpent, c'est la boutique en face.

— Tholomyès, cria Blachevelle, tu es ivre.

— Pardieu! dit Tholomyès.

— Alors sois gai, reprit Blachevelle.

— J'y consens, répondit Tholomyès.

Et, remplissant son verre, il se leva :

— Gloire au vin! *Nunc te, Bacche, canam!* Pardon, mesdemoiselles, c'est de l'espagnol. Et la preuve, señoras, la voici : tel peuple, telle futaille. L'arrobe de Castille contient seize litres, le cantaro d'Alicante douze, l'almude des Canaries vingt-cinq, le cuartin des Baléares vingt-six, la botte du czar Pierre trente. Vive ce czar qui était grand, et vive sa botte qui était plus grande encore! Mesdames, un conseil d'ami : trompez-vous de voisin, si bon vous semble. Le propre de l'amour, c'est d'errer. L'amourette n'est pas faite pour s'accroupir et s'abrutir comme une servante anglaise qui a le calus du scrobage aux genoux. Elle n'est pas faite pour cela, elle erre gaiement, la douce amourette! On a dit : l'erreur est humaine; moi je dis : l'erreur est amoureuse. Mesdames, je vous idolâtre toutes. O Zéphine, ô Joséphine, figure plus que chiffonnée, vous seriez charmante, si vous n'étiez de travers. Vous avez l'air d'un joli visage sur lequel, par mégarde, on s'est assis. Quant à Favourite, ô nymphes et muses! un jour que Blachevelle passait le ruisseau de la rue Guérin-Boisseau, il vit une belle fille aux bas blancs et bien tirés qui montrait ses jambes. Ce prologue lui plut, et Blachevelle aima. Celle qu'il aima était Favourite.

O Favourite, tu as des lèvres ioniennes. Il y avait un peintre grec, appelé Euphorion, qu'on avait surnommé le peintre des lèvres. Ce Grec seul eût été digne de peindre ta bouche. Ecoute! avant toi, il n'y avait pas de créature digne de ce nom. Tu es faite pour recevoir la pomme comme Vénus ou pour la manger comme Eve. La beauté commence à toi. Je viens de parler d'Eve, c'est toi qui l'as créée. Tu mérites le brevet d'invention de la jolie femme. O Favourite, je cesse de vous tutoyer, parce que je passe de la poésie à la prose. Vous parliez de mon nom tout à l'heure. Cela m'a attendri; mais, qui que nous soyons, méfions-nous des noms. Ils peuvent se tromper. Je me nomme Félix et ne suis pas heureux. Les mots sont des menteurs. N'acceptons pas aveuglément les indications qu'ils nous donnent. Ce serait une erreur d'écrire à Liège pour avoir des bouchons et à Pau pour avoir des gants. Miss Dahlia, à votre place, je m'appellerais Rosa. Il faut que la fleur sente bon et que la femme ait de l'esprit. Je ne dis rien de Fantine, c'est une songeuse, une rêveuse, une pensive, une sensitive; c'est un fantôme ayant la forme d'une nymphe et la pudeur d'une nonne, qui se fourvoie dans la vie de grisette, mais qui se réfugie dans les illusions, et qui chante, et qui prie, et qui regarde l'azur sans trop savoir ce qu'elle voit ni ce qu'elle fait, et qui, les yeux au ciel, erre dans un jardin où il y a plus d'oiseaux qu'il n'en existe! O Fantine, sache ceci : moi Tholomyès, je suis une illusion; mais elle ne m'entend même pas, la blonde fille des chimères! Du reste, tout en elle est fraîcheur, suavité, jeunesse, douce clarté matinale. O Fantine, fille digne de vous appeler Marguerite ou Perle, vous êtes une femme du plus bel orient. Mesdames, un deuxième conseil : ne vous mariez point; le mariage est une greffe; cela prend bien ou mal; fuyez ce risque. Mais, bah! qu'est-ce que je chante là? Je perds mes paroles. Les filles sont incurables sur l'épousaille; et tout ce que nous pouvons dire, nous autres sages, n'empêchera point les giletières et les piqueuses de bottines de rêver des maris enrichis de diamants. Enfin, soit; mais, belles, retenez ceci : vous mangez trop de sucre. Vous n'avez qu'un tort, ô femmes, c'est de grignoter du sucre. O sexe rongeur, tes jolies petites dents blanches adorent le sucre. Or, écoutez bien : le sucre est un sel. Tout sel est desséchant. Le sucre est le plus desséchant de tous les sels. Il pompe à travers les veines les liquides du sang; de là la coagulation, puis la solidification du sang; de là les tubercules dans le poumon; de là la mort. Et c'est pourquoi le diabète confine à la phtisie. Donc ne croquez pas de sucre et vous vivrez! Je me tourne vers les hommes : messieurs, faites des conquêtes. Pillez-vous les uns aux autres sans remords vos bien-aimées. Chassez-croisez. En amour, il n'y a pas d'amis. Partout où il y a une jolie femme, l'hostilité est ouverte. Pas de quartier, guerre à outrance! Une jolie femme est un *casus belli ;* une jolie femme est un flagrant délit. Toutes les invasions de l'histoire sont déterminées par des cotillons. La femme est le droit de l'homme. Romulus a enlevé les Sabines, Guillaume a enlevé les Saxonnes, César a enlevé les Romaines. L'homme qui n'est pas aimé plane comme un vautour sur les amantes d'autrui; et quant à moi, à tous ces infortunés qui sont veufs, je jette la proclamation sublime de Bonaparte à l'armée d'Italie : « Soldats, vous manquez de tout. L'ennemi en a. »

Tholomyès s'interrompit.

— Souffle, Tholomyès, dit Blachevelle.

En même temps, Blachevelle, appuyé de Listolier et de Fameuil, entonna sur un air de complainte une de ces chansons d'atelier composées des premiers mots venus, rimées richement et pas du tout, vides de sens comme le geste de l'arbre et le bruit du vent, qui naissent de la vapeur des pipes et se dissipent et s'envolent avec elle. Voici par quel couplet le groupe donna la réplique à la harangue de Tholomyès :

> Les pères dindons donnèrent
> De l'argent à un agent
> Pour que mons Clermont-Tonnerre
> Fût fait pape à la Saint-Jean;
> Mais Clermont ne put pas être
> Fait pape, n'étant pas prêtre;
> Alors leur agent rageant
> Leur rapporta leur argent.

Ceci n'était pas fait pour calmer l'improvisation de Tholomyès; il vida son verre, le remplit, et recommença.

— A bas la sagesse! oubliez tout ce que j'ai dit. Ne soyons ni prudes, ni prudents, ni prud'hommes. Je porte un toast à l'allégresse; soyons allègres! Complétons notre cours de droit par la folie et la nourriture. Indigestion et digeste. Que Justinien soit le mâle et que Ripaille soit la femelle! Joie dans les profondeurs! Vis, ô

création! Le monde est un gros diamant. Je suis heureux.
Les oiseaux sont étonnants. Quelle fête partout! Le
rossignol est un Elleviou gratis. Eté, je te salue. O Luxembourg! ô Géorgiques de la rue Madame et de l'Allée de
l'Observatoire! ô pioupoux rêveurs! ô toutes ces bonnes
charmantes qui, tout en gardant des enfants, s'amusent
à en ébaucher! Les pampas de l'Amérique me plairaient,
si je n'avais les arcades de l'Odéon. Mon âme s'envole
dans les forêts vierges et dans les savanes. Tout est beau.
Les mouches bourdonnent dans les rayons. Le soleil
a éternué le colibri. Embrasse-moi, Fantine!

Il se trompa, et embrassa Favourite.

VIII

MORT D'UN CHEVAL

— On dîne mieux chez Edon que chez Bombarda,
s'écria Zéphine.

— Je préfère Bombarda à Edon, déclara Blachevelle.
Il a plus de luxe. C'est plus asiatique. Voyez la salle
d'en bas. Il y a des glaces sur les murs.

— J'en aime mieux dans mon assiette, dit Favourite.

Blachevelle insista :

— Regardez les couteaux. Les manches sont en argent
chez Bombarda, et en os chez Edon. Or, l'argent est plus
précieux que l'os.

— Excepté pour ceux qui ont un menton d'argent,
observa Tholomyès.

Il regardait en cet instant-là le dôme des Invalides,
visible des fenêtres de Bombarda.

Il y eut une pause.

— Tholomyès, cria Fameuil, tout à l'heure, Listolier
et moi, nous avions une discussion.

— Une discussion est bonne, répondit Tholomyès, une
querelle vaut mieux.

— Nous disputions philosophie.

— Soit.

— Lequel préfères-tu de Descartes ou de Spinoza?

— Désaugiers, dit Tholomyès.

Cet arrêt rendu, il but et reprit :

— Je consens à vivre. Tout n'est pas fini sur la terre, puisqu'on peut encore déraisonner. J'en rends grâces aux dieux immortels. On ment, mais on rit. On affirme, mais on doute. L'inattendu jaillit du syllogisme. C'est beau. Il est encore ici-bas des humains qui savent joyeusement ouvrir et fermer la boîte à surprises du paradoxe. Ceci, mesdames, que vous buvez d'un air tranquille, est du vin de Madère, sachez-le, du cru de Coural das Freiras qui est à trois cent dix-sept toises au-dessus du niveau de la mer ! Attention en buvant ! trois cent dix-sept toises ! et monsieur Bombarda, le magnifique restaurateur, vous donne ces trois cent dix-sept toises pour quatre francs cinquante centimes !

Fameuil interrompit de nouveau :

— Tholomyès, tes opinions font loi. Quel est ton auteur favori ?

— Ber...

— Quin ?

— Non. Choux.

Et Tholomyès poursuivit :

— Honneur à Bombarda ! il égalerait Munophis d'Elephanta s'il pouvait me cueillir une almée, et Thygélion de Chéronée s'il pouvait m'apporter une hétaïre ! car, ô mesdames, il y avait des Bombarda en Grèce et en Egypte. C'est Apulée qui nous l'apprend. Hélas ! toujours les mêmes choses et rien de nouveau. Plus rien d'inédit dans la création du créateur ! *Nil sub sole novum*, dit Salomon ; *amor omnibus idem*, dit Virgile ; et Carabine monte avec Carabin dans la galiote de St-Cloud, comme Aspasie s'embarquait avec Périclès sur la flotte de Samos. Un dernier mot. Savez-vous ce que c'était qu'Aspasie, mesdames ? Quoiqu'elle vécût dans un temps où les femmes n'avaient pas encore d'âme, c'était une âme ; une âme d'une nuance rose et pourpre, plus embrasée que le feu, plus fraîche que l'aurore. Aspasie était une créature en qui se touchaient les deux extrêmes de la femme ; c'était la prostituée déesse. Socrate, plus Manon Lescaut. Aspasie fut créée pour le cas où il faudrait une catin à Prométhée.

Tholomyès, lancé, se serait difficilement arrêté, si un cheval ne se fût abattu sur le quai en cet instant-là même. Du choc, la charrette et l'orateur restèrent courts. C'était une jument beauceronne, vieille et maigre et digne de l'équarrisseur, qui traînait une charrette fort lourde.

Parvenue devant Bombarda, la bête, épuisée et accablée, avait refusé d'aller plus loin. Cet incident avait fait de la foule. A peine le charretier, jurant et indigné, avait-il eu le temps de prononcer avec l'énergie convenable le mot sacramentel : *mâtin !* appuyé d'un implacable coup de fouet, que la haridelle était tombée pour ne plus se relever. Au brouhaha des passants, les gais auditeurs de Tholomyès tournèrent la tête, et Tholomyès en profita pour clore son allocution par cette strophe mélancolique :

> Elle était de ce monde où coucous et carrosses
> Ont le même destin,
> Et, rosse, elle a vécu ce que vivent les rosses,
> L'espace d'un : mâtin !

— Pauvre cheval, soupira Fantine.

Et Dahlia s'écria :

— Voilà Fantine qui va se mettre à plaindre les chevaux ? Peut-on être fichue bête comme ça !

En ce moment, Favourite, croisant les bras et renversant sa tête en arrière, regarda résolument Tholomyès et dit :

— Ah çà ! et la surprise ?

— Justement. L'instant est arrivé, répondit Tholomyès. Messieurs, l'heure de surprendre ces dames a sonné. Mesdames, attendez-nous un moment.

— Cela commence par un baiser, dit Blachevelle.

— Sur le front, ajouta Tholomyès.

Chacun déposa gravement un baiser sur le front de sa maîtresse ; puis ils se dirigèrent vers la porte tous les quatre à la file, en mettant leur doigt sur la bouche.

Favourite battit des mains à leur sortie.

— C'est déjà amusant, dit-elle.

— Ne soyez pas trop longtemps, murmura Fantine. Nous vous attendons.

IX

FIN JOYEUSE DE LA JOIE

Les jeunes filles, restées seules, s'accoudèrent deux à deux sur l'appui des fenêtres, jasant, penchant leur tête et se parlant d'une croisée à l'autre.

Elles virent les jeunes gens sortir du cabaret Bombarda bras dessus bras dessous ; ils se retournèrent, leur

firent des signes en riant, et disparurent dans cette pou-
dreuse cohue du dimanche qui envahit hebdomadaire-
ment les Champs-Elysées.

— Ne soyez pas longtemps! cria Fantine.

— Que vont-ils nous rapporter ? dit Zéphine.

— Pour sûr ce sera joli, dit Dahlia.

— Moi, reprit Favourite, je veux que ce soit en or.

Elles furent bientôt distraites par le mouvement du
bord de l'eau qu'elles distinguaient dans les branches des
grands arbres et qui les divertissait fort. C'était l'heure
du départ des malles-postes et des diligences. Presque
toutes les messageries du midi et de l'ouest passaient
alors par les Champs-Elysées. La plupart suivaient le
quai et sortaient par la barrière de Passy. De minute en
minute, quelque grosse voiture peinte en jaune et en
noir, pesamment chargée, bruyamment attelée, difforme à
force de malles, de bâches et de valises, pleine de têtes
tout de suite disparues, broyant la chaussée, changeant
tous les pavés en briquets, se ruait à travers la foule avec
toutes les étincelles d'une forge, de la poussière pour
fumée, et un air de furie. Ce vacarme réjouissait les
jeunes filles. Favourite s'exclamait :

— Quel tapage! on dirait des tas de chaînes qui s'envolent.

Il arriva une fois qu'une de ces voitures qu'on distinguait difficilement dans l'épaisseur des ormes, s'arrêta
un moment, puis repartit au galop. Cela étonna Fantine.

— C'est particulier! dit-elle. Je croyais que la diligence ne s'arrêtait jamais.

Favourite haussa les épaules :

— Cette Fantine est surprenante. Je viens la voir par
curiosité. Elle s'éblouit des choses les plus simples. Une
supposition : je suis un voyageur, je dis à la diligence :
je vais en avant, vous me prendrez sur le quai en passant.
La diligence passe, me voit, s'arrête, et me prend. Cela
se fait tous les jours. Tu ne connais pas la vie, ma chère.

Un certain temps s'écoula ainsi. Tout à coup Favourite
eut le mouvement de quelqu'un qui se réveille.

— Eh bien, fit-elle, et la surprise ?

— A propos, oui, reprit Dahlia, la fameuse surprise ?

— Ils sont bien longtemps! dit Fantine.

Comme Fantine achevait ce soupir, le garçon qui avait
servi le dîner, entra. Il tenait à la main quelque chose qui
ressemblait à une lettre.

— Qu'est-ce que cela ? demanda Favourite.

Le garçon répondit :

— C'est un papier que ces messieurs ont laissé pour ces dames.

— Pourquoi ne l'avoir pas apporté tout de suite ?

— Parce que ces messieurs, reprit le garçon, ont commandé de ne le remettre à ces dames qu'au bout d'une heure.

Favourite arracha le papier des mains du garçon. C'était une lettre en effet.

— Tiens ! dit-elle. Il n'y a pas d'adresse. Mais voici ce qui est écrit dessus :

CECI EST LA SURPRISE.

Elle décacheta vivement la lettre, l'ouvrit et lut (elle savait lire) :

« O nos amantes !

« Sachez que nous avons des parents. Des parents,
« vous ne connaissez pas beaucoup ça. Ça s'appelle des
« pères et mères dans le code civil, puéril et honnête. Or,
« ces parents gémissent, ces vieillards nous réclament,
« ces bons hommes et ces bonnes femmes nous appellent
« enfants prodigues, ils souhaitent nos retours, et nous
« offrent de tuer des veaux. Nous leur obéissons, étant
« vertueux. A l'heure où vous lirez ceci, cinq chevaux fou-
« gueux nous rapporteront à nos papas et à nos mamans.
« Nous fichons le camp, comme dit Bossuet. Nous par-
« tons, nous sommes partis. Nous fuyons dans les bras
« de Lafitte et sur les ailes de Caillard. La diligence de
« Toulouse nous arrache à l'abîme, et l'abîme c'est vous,
« ô nos belles petites ! Nous rentrons dans la société, dans
« le devoir et dans l'ordre, au grand trot, à raison de
« trois lieues à l'heure. Il importe à la patrie que nous
« soyons, comme tout le monde, préfets, pères de famille,
« gardes champêtres et conseillers d'Etat. Vénérez-nous.
« Nous nous sacrifions. Pleurez-nous rapidement et rem-
« placez-nous vite. Si cette lettre vous déchire, rendez-le-
« lui. Adieu.

« Pendant près de deux ans, nous vous avons rendues
« heureuses. Ne nous en gardez pas rancune.

« Signé : BLACHEVELLE.
« FAMEUIL.
« LISTOLIER.
« FÉLIX THOLOMYÈS.

« POST-SCRIPTUM. Le dîner est payé. »

Les quatre jeunes filles se regardèrent.

Favourite rompit la première le silence.

— Eh bien! s'écria-t-elle, c'est tout de même une bonne farce.

— C'est très drôle, dit Zéphine.

— Ce doit être Blachevelle qui a eu cette idée-là, reprit Favourite. Ça me rend amoureuse de lui. Sitôt parti, sitôt aimé. Voilà l'histoire.

— Non, dit Dahlia, c'est une idée de Tholomyès. Ça se reconnaît.

— En ce cas, repartit Favourite, mort à Blachevelle et vive Tholomyès!

— Vive Tholomyès! crièrent Dahlia et Zéphine.

Et elles éclatèrent de rire.

Fantine rit comme les autres.

Une heure après, quand elle fut rentrée dans sa chambre, elle pleura. C'était, nous l'avons dit, son premier amour; elle s'était donnée à ce Tholomyès comme à un mari, et la pauvre fille avait un enfant.

LIVRE QUATRIÈME

CONFIER, C'EST QUELQUEFOIS LIVRER

I

UNE MÈRE QUI EN RENCONTRE UNE AUTRE

Il y avait, dans le premier quart de ce siècle, à Montfermeil, près Paris, une façon de gargote qui n'existe plus aujourd'hui. Cette gargote était tenue par des gens appelés Thénardier, mari et femme. Elle était située dans la ruelle du Boulanger. On voyait au-dessus de la porte une planche clouée à plat sur le mur. Sur cette planche était peint quelque chose qui ressemblait à un homme portant sur son dos un autre homme, lequel avait de grosses épaulettes de général dorées avec de larges étoiles argentées ; des taches rouges figuraient du sang ; le reste du tableau était de la fumée et représentait probablement une bataille. Au bas on lisait cette inscription : AU SERGENT DE WATERLOO.

Rien n'est plus ordinaire qu'un tombereau ou une charrette à la porte d'une auberge. Cependant le véhicule ou, pour mieux dire, le fragment de véhicule qui encombrait la rue devant la gargote du Sergent de Waterloo, un soir du printemps de 1818, eût certainement attiré par sa masse l'attention d'un peintre qui eût passé là.

C'était l'avant-train d'un de ces fardiers, usités dans les pays de forêts, et qui servent à charrier des madriers et des troncs d'arbre. Cet avant-train se composait d'un massif essieu de fer à pivot où s'emboîtait un lourd timon et que supportaient deux roues démesurées. Tout cet ensemble était trapu, écrasant et difforme. On eût dit l'affût d'un canon géant. Les ornières avaient donné aux roues, aux jantes, aux moyeux, à l'essieu et au timon, une couche de vase, hideux badigeonnage jaunâtre assez semblable à celui dont on orne volontiers les cathédrales. Le bois disparaissait sous la boue et le fer sous la rouille. Sous l'essieu pendait en draperie une grosse chaîne digne de Goliath forçat. Cette chaîne faisait songer, non aux

poutres qu'elle avait fonction de transporter, mais aux
mastodontes et aux mammons qu'elle eût pu atteler;
elle avait un air de bagne, mais de bagne cyclopéen
et surhumain, et elle semblait détachée de quelque
monstre. Homère y eût lié Polyphème et Shakspeare Cali-
ban.

Pourquoi cet avant-train de fardier était-il à cette place
dans la rue ? D'abord, pour encombrer la rue; ensuite
pour achever de se rouiller. Il y a dans le vieil ordre
social une foule d'institutions qu'on trouve de la sorte
sur son passage en plein air et qui n'ont pas pour être là
d'autres raisons.

Le centre de la chaîne pendait sous l'essieu assez près
de terre, et sur la courbure, comme sur la corde d'une
balançoire, étaient assises et groupées, ce soir-là, dans un
entrelacement exquis, deux petites filles, l'une d'environ
deux ans et demi, l'autre de dix-huit mois, la plus petite
dans les bras de la plus grande. Un mouchoir savamment
noué les empêchait de tomber. Une mère avait vu cette
effroyable chaîne, et avait dit : Tiens! voilà un joujou
pour mes enfants.

Les deux enfants, du reste gracieusement attifées, et
avec quelque recherche, rayonnaient; on eût dit
deux roses dans de la ferraille; leurs yeux étaient un
triomphe, leurs fraîches joues riaient; l'une était châtaine,
l'autre était brune; leurs naïfs visages étaient deux étonnements ravis; un buisson fleuri qui était près de là
envoyait aux passants des parfums qui semblaient venir
d'elles; celle de dix-huit mois montrait son gentil ventre
nu avec cette chaste indécence de la petitesse. Au-dessus
et autour de ces deux têtes délicates, pétries dans le bonheur et trempées dans la lumière, le gigantesque avant-
train, noir de rouille, presque terrible, tout enchevêtré de
courbes et d'angles farouches, s'arrondissait comme un
porche de caverne. A quelques pas, accroupie sur le
seuil de l'auberge, la mère, femme d'un aspect peu ave-
nant du reste, mais touchante en ce moment-là, balançait
les deux enfants au moyen d'une longue ficelle, les cou-
vant des yeux de peur d'accident avec cette expression
animale et céleste propre à la maternité; à chaque va-et-
vient, les hideux anneaux jetaient un bruit strident qui
ressemblait à un cri de colère, les petites filles s'exta-
siaient, le soleil couchant se mêlait à cette joie, et rien
n'était charmant comme ce caprice du hasard qui avait
fait d'une chaîne de titans une escarpolette de chérubins.

Tout en berçant ses deux petites, la mère chantonnait d'une voix fausse une romance alors célèbre :

> Il le faut, disait un guerrier.

Sa chanson et la contemplation de ses filles l'empêchaient d'entendre et de voir ce qui se passait dans la rue.

Cependant quelqu'un s'était approché d'elle, comme elle commençait le premier couplet de la romance, et tout à coup elle entendit une voix qui disait très près de son oreille :

— Vous avez là deux jolis enfants, madame.

> — A la belle et tendre Imogine,

répondit la mère, continuant sa romance, puis elle tourna la tête.

Une femme était devant elle, à quelques pas. Cette femme, elle aussi, avait un enfant, qu'elle portait dans ses bras.

Elle portait en outre un assez gros sac de nuit qui semblait fort lourd.

L'enfant de cette femme était un des plus divins êtres qu'on pût voir. C'était une fille de deux à trois ans. Elle eût pu joûter avec les deux autres petites pour la coquetterie de l'ajustement; elle avait un bavolet de linge fin, des rubans à sa brassière et de la valenciennes à son bonnet. Le pli de sa jupe relevée laissait voir sa cuisse blanche, potelée et ferme. Elle était admirablement rose et bien portante. La belle petite donnait envie de mordre dans les pommes de ses joues. On ne pouvait rien dire de ses yeux, sinon qu'ils devaient être très grands et qu'ils avaient des cils magnifiques. Elle dormait.

Elle dormait de ce sommeil d'absolue confiance propre à son âge. Les bras des mères sont faits de tendresse; les enfants y dorment profondément.

Quant à la mère, l'aspect en était pauvre et triste. Elle avait la mise d'une ouvrière qui tend à redevenir paysanne. Elle était jeune. Etait-elle belle ? peut-être; mais avec cette mise il n'y paraissait pas. Ses cheveux, d'où s'échappait une mèche blonde, semblaient fort épais, mais disparaissaient sévèrement sous une coiffe de béguine, laide, serrée, étroite, et nouée au menton. Le rire montre les belles dents quand on en a; mais elle ne riait point. Ses yeux ne semblaient pas être secs depuis très longtemps. Elle était pâle; elle avait l'air très lasse et un peu malade;

elle regardait sa fille endormie dans ses bras avec cet air
particulier d'une mère qui a nourri son enfant. Un large
mouchoir bleu comme ceux où se mouchent les invalides,
plié en fichu, masquait lourdement sa taille. Elle avait les
mains hâlées et toutes piquées de taches de rousseur,
l'index durci et déchiqueté par l'aiguille, une mante
brune de laine bourrue, une robe de toile et de gros
souliers. C'était Fantine.

C'était Fantine. Difficile à reconnaître. Pourtant, à
l'examiner attentivement, elle avait toujours sa beauté.
Un pli triste, qui ressemblait à un commencement
d'ironie, ridait sa joue droite. Quant à sa toilette, cette
aérienne toilette de mousseline et de rubans qui semblait
faite avec de la gaieté, de la folie et de la musique, pleine
de grelots et parfumée de lilas, elle s'était évanouie
comme ces beaux givres éclatants qu'on prend pour des
diamants au soleil; ils fondent et laissent la branche
toute noire.

Dix mois s'étaient écoulés depuis « la bonne farce ».

Que s'était-il passé pendant ces dix mois ? on le devine.

Après l'abandon, la gêne. Fantine avait tout de suite
perdu de vue Favourite, Zéphine et Dahlia; le lien, brisé
du côté des hommes, s'était défait du côté des femmes; on
les eût bien étonnées, quinze jours après, si on leur eût
dit qu'elles étaient amies; cela n'avait plus de raison d'être.
Fantine était restée seule. Le père de son enfant parti, —
hélas! ces ruptures-là sont irrévocables, — elle se trouva
absolument isolée, avec l'habitude du travail de moins et
le goût du plaisir de plus. Entraînée par sa liaison avec
Tholomyès à dédaigner le petit métier qu'elle savait,
elle avait négligé ses débouchés; ils s'étaient fermés.
Nulle ressource. Fantine savait à peine lire et ne savait
pas écrire; on lui avait seulement appris dans son enfance
à signer son nom; elle avait fait écrire par un écrivain
public une lettre à Tholomyès, puis une seconde, puis
une troisième. Tholomyès n'avait répondu à aucune. Un
jour, Fantine entendit des commères dire en regardant
sa fille : — Est-ce qu'on prend ces enfants-là au sérieux ?
on hausse les épaules de ces enfants-là! — Alors elle
songea à Tholomyès qui haussait les épaules de son
enfant et qui ne prenait pas cet être innocent au sérieux;
et son cœur devint sombre à l'endroit de cet homme.
Quel parti prendre pourtant ? elle ne savait plus à qui
s'adresser. Elle avait commis une faute; mais le fond de
sa nature, on s'en souvient, était pudeur et vertu. Elle

sentit vaguement qu'elle était à la veille de tomber dans la détresse et de glisser dans le pire. Il fallait du courage, elle en eut, et se roidit. L'idée lui vint de retourner dans sa ville natale, à M. — sur M. —. Là quelqu'un peut-être la connaîtrait et lui donnerait du travail; oui; mais il faudrait cacher sa faute. Et elle entrevoyait confusément la nécessité possible d'une séparation plus douloureuse encore que la première. Son cœur se serra, mais elle prit sa résolution. Fantine, on le verra, avait la farouche bravoure de la vie. Elle avait déjà vaillamment renoncé à la parure, et s'était vêtue de toile, et avait mis toute sa soie, tous ses chiffons, tous ses rubans et toutes ses dentelles sur sa fille, seule vanité qui lui restât, et sainte celle-là. Elle vendit tout ce qu'elle avait, ce qui lui produisit deux cents francs; ses petites dettes payées, elle n'eut plus que quatre-vingts francs environ. A vingt-deux ans, par une belle matinée de printemps, elle quittait Paris, emportant son enfant sur son dos. Quelqu'un qui les eût vues passer toutes les deux eût eu pitié. Cette femme n'avait au monde que cet enfant et cet enfant n'avait au monde que cette femme. Fantine avait nourri sa fille; cela lui avait fatigué la poitrine et elle toussait un peu.

Nous n'aurons plus occasion de parler de M. Félix Tholomyès. Bornons-nous à dire que, vingt ans plus tard, sous le roi Louis-Philippe, c'était un gros avoué de province, influent et riche, électeur sage et juré très sévère; toujours homme de plaisir.

Vers le milieu du jour, après avoir, pour se reposer, cheminé de temps en temps, moyennant trois ou quatre sous par lieue, dans ce qu'on appelait alors les Petites Voitures des Environs de Paris, Fantine se trouvait à Montfermeil dans la ruelle du Boulanger.

Comme elle passait devant l'auberge Thénardier, les deux petites filles, enchantées sur leur escarpolette monstre, avaient été pour elle une sorte d'éblouissement, et elle s'était arrêtée devant cette vision de joie.

Il y a des charmes. Ces deux petites filles en furent un pour cette mère.

Elle les considérait, tout émue. La présence des anges est une annonce de paradis. Elle crut voir au-dessus de cette auberge le mystérieux ICI de la Providence. Ces deux petites étaient évidemment heureuses! Elle les regardait, elle les admirait, tellement attendrie qu'au moment où la mère reprenait haleine entre deux vers de

sa chanson, elle ne put s'empêcher de lui dire ce mot
qu'on vient de lire :

— Vous avez là deux jolis enfants, madame.

Les créatures les plus féroces sont désarmées par la
caresse à leurs petits.

La mère leva la tête et remercia, et fit asseoir la passante
sur le banc de la porte, elle-même étant sur le seuil. Les
deux femmes causèrent.

— Je m'appelle madame Thénardier, dit la mère des
deux petites. Nous tenons cette auberge.

Puis, toujours à sa romance, elle reprit entre ses dents :

> Il le faut, je suis chevalier,
> Et je pars pour la Palestine.

Cette madame Thénardier était une femme rousse,
charnue, anguleuse ; le type femme-à-soldat dans toute
sa disgrâce. Et, chose bizarre, avec un air penché qu'elle
devait à des lectures romanesques. C'était une minau-
dière hommasse. De vieux romans qui se sont éraillés
sur des imaginations de gargotières, ont de ces effets-là.
Elle était jeune encore ; elle avait à peine trente ans.
Si cette femme, qui était accroupie, se fût tenue droite,
peut-être sa haute taille et sa carrure de colosse ambulant,
propre aux foires, eussent-elles dès l'abord effarouché
la voyageuse, troublé sa confiance, et fait évanouir ce
que nous avons à raconter. Une personne qui est assise
au lieu d'être debout, les destinées tiennent à cela.

La voyageuse raconta son histoire, un peu modifiée.

Qu'elle était ouvrière ; que son mari était mort ; que
le travail lui manquait à Paris, et qu'elle allait en chercher
ailleurs ; dans son pays ; qu'elle avait quitté Paris le matin
même, à pied ; que, comme elle portait son enfant, se
sentant fatiguée, et ayant rencontré la voiture de Villemomble, elle y était montée ; que de Villemomble elle
était venue à Montfermeil à pied ; que la petite avait un
peu marché, mais pas beaucoup, c'est si jeune, et qu'il
avait fallu la prendre et que le bijou s'était endormi.

Et sur ce mot elle donna à sa fille un baiser passionné
qui la réveilla. L'enfant ouvrit les yeux, de grands yeux
bleus comme ceux de sa mère, et regarda quoi ? Rien,
tout, avec cet air sérieux et quelquefois sévère des petits
enfants, qui est un mystère de leur lumineuse innocence
devant nos crépuscules de vertus. On dirait qu'ils se
sentent anges et qu'ils nous savent hommes. Puis l'enfant
se mit à rire, et, quoique la mère la retînt, glissa à terre

avec l'indomptable énergie d'un petit être qui veut courir. Tout à coup elle aperçut les deux autres sur leur balançoire, s'arrêta court, et tira la langue, signe d'admiration.

La mère Thénardier détacha ses filles, les fit descendre de l'escarpolette, et dit :

— Amusez-vous toutes les trois.

Ces âges-là s'apprivoisent vite ; et au bout d'une minute, les petites Thénardier jouaient avec la nouvelle venue à faire des trous dans la terre, plaisir immense.

Cette nouvelle venue était très gaie ; la bonté de la mère est écrite dans la gaieté du marmot ; elle avait pris un brin de bois qui lui servait de pelle et elle creusait énergiquement une fosse bonne pour une mouche. Ce que fait le fossoyeur devient riant, fait par l'enfant.

Les deux femmes continuaient de causer.

— Comment s'appelle votre mioche ?

— Cosette.

Cosette, lisez Euphrasie. La petite se nommait Euphrasie. Mais d'Euphrasie la mère avait fait Cosette, par ce doux et gracieux instinct des mères et du peuple qui change Josefa en Pepita et Françoise en Sillette. C'est là un genre de dérivés qui dérange et déconcerte toute la science des étymologistes. Nous avons connu une grand-mère qui avait réussi à faire de Théodore, Gnon.

— Quel âge a-t-elle ?

— Elle va sur trois ans.

— C'est comme mon aînée.

Cependant les trois petites filles étaient groupées dans une posture d'anxiété profonde et de béatitude ; un événement avait lieu ; un gros ver venait de sortir de terre ; et elles avaient peur ; et elles étaient en extase.

Leurs fronts radieux se touchaient ; on eût dit trois têtes dans une auréole.

— Les enfants, s'écria la mère Thénardier, comme ça se connaît tout de suite ! les voilà qu'on jurerait trois sœurs !

Ce mot fut l'étincelle qu'attendait probablement l'autre mère. Elle saisit la main de la Thénardier, la regarda fixement et lui dit :

— Voulez-vous me garder mon enfant ?

La Thénardier eut un de ces mouvements surpris qui ne sont ni le consentement ni le refus.

La mère de Cosette poursuivit :

— Voyez-vous, je ne peux pas emmener ma fille au

pays. L'ouvrage ne le permet pas. Avec un enfant, on ne trouve pas à se placer. Ils sont si ridicules dans ce pays-là. C'est le bon Dieu qui m'a fait passer devant votre auberge. Quand j'ai vu vos petites si jolies et si propres et si contentes, cela m'a bouleversée. J'ai dit : voilà une bonne mère. C'est ça ; ça fera trois sœurs. Et puis, je ne serai pas longtemps à revenir. Voulez-vous me garder mon enfant ?

— Il faudrait voir, dit la Thénardier.

— Je donnerais six francs par mois.

Ici une voix d'homme cria du fond de la gargote :

— Pas à moins de sept francs. Et six mois payés d'avance.

— Six fois sept quarante-deux, dit la Thénardier.

— Je les donnerai, dit la mère.

— Et quinze francs en dehors pour les premiers frais, ajouta la voix d'homme.

— Total cinquante-sept francs, dit la madame Thénardier. Et à travers ces chiffres, elle chantonnait vaguement :

> Il le faut, disait un guerrier.

— Je les donnerai, dit la mère, j'ai quatre-vingts francs. Il me restera de quoi aller au pays. En allant à pied. Je gagnerai de l'argent là-bas, et dès que j'en aurai un peu, je reviendrai chercher l'amour.

La voix d'homme reprit :

— La petite a un trousseau ?

— C'est mon mari, dit la Thénardier.

— Sans doute elle a un trousseau, le pauvre trésor. J'ai bien vu que c'était votre mari. Et un beau trousseau encore ! un trousseau insensé, tout par douzaines ; et des robes de soie comme une dame. Il est là dans mon sac de nuit.

— Il faudra le donner, repartit la voix d'homme.

— Je crois bien que je le donnerai ! dit la mère. Ce serait cela qui serait drôle si je laissais ma fille toute nue !

La face du maître apparut.

— C'est bon, dit-il.

Le marché fut conclu. La mère passa la nuit à l'auberge, donna son argent et laissa son enfant, renoua son sac de nuit dégonflé du trousseau et léger désormais, et partit le lendemain matin, comptant revenir bientôt. On arrange tranquillement ces départs-là ; mais ce sont des désespoirs.

Une voisine des Thénardier rencontra cette mère comme elle s'en allait, et s'en revint en disant :

— Je viens de voir une femme qui pleure dans la rue, que c'est un déchirement.

Quand la mère de Cosette fut partie, l'homme dit à la femme :

— Cela va me payer mon effet de cent dix francs qui échoit demain. Il me manquait cinquante francs. Sais-tu que j'aurais eu l'huissier et un protêt ? Tu as fait là une bonne souricière avec tes petites.

— Sans m'en douter, dit la femme.

II

PREMIÈRE ESQUISSE DE DEUX FIGURES LOUCHES

La souris prise était bien chétive ; mais le chat se réjouit même d'une souris maigre.

Qu'était-ce que les Thénardier ?

Disons-en un mot dès à présent. Nous compléterons le croquis plus tard.

Ces êtres appartenaient à cette classe bâtarde composée de gens grossiers parvenus et de gens intelligents déchus, qui est entre la classe dite moyenne et la classe dite inférieure, et qui combine quelques-uns des défauts de la seconde avec presque tous les vices de la première, sans avoir le généreux élan de l'ouvrier ni l'ordre honnête du bourgeois.

C'étaient de ces natures naines qui, si quelque feu sombre les chauffe par hasard, deviennent facilement monstrueuses. Il y avait dans la femme le fond d'une brute et dans l'homme l'étoffe d'un gueux. Tous deux étaient au plus haut degré susceptibles de l'espèce de hideux progrès qui se fait dans le sens du mal. Il existe des âmes écrevisses reculant continuellement vers les ténèbres, rétrogradant dans la vie plutôt qu'elles n'y avancent, employant l'expérience à augmenter leur difformité, empirant sans cesse et s'empreignant de plus en plus d'une noirceur croissante. Cet homme et cette femme étaient de ces âmes-là.

Le Thénardier particulièrement était gênant pour le physionomiste. On n'a qu'à regarder certains hommes pour s'en défier, car on les sent ténébreux à leurs deux extrémités. Ils sont inquiets derrière eux et menaçants devant eux. Il y a en eux de l'inconnu. On ne peut pas plus répondre de ce qu'ils ont fait que de ce qu'ils feront. L'ombre qu'ils ont dans le regard les dénonce. Rien qu'en les entendant dire un mot ou qu'en les voyant faire un geste, on entrevoit de sombres secrets dans leur passé et de sombres mystères dans leur avenir.

Ce Thénardier, s'il fallait l'en croire, avait été soldat; sergent, disait-il; il avait fait probablement la campagne de 1815, et s'était même comporté assez bravement, à ce qu'il paraît. Nous verrons plus tard ce qu'il en était. L'enseigne de son cabaret était une allusion à l'un de ses faits d'armes. Il l'avait peinte lui-même, car il savait faire un peu de tout; mal.

C'était l'époque où l'antique roman classique qui, après avoir été *Clélie*, n'était plus que *Lodoïska*, toujours noble, mais de plus en plus vulgaire, tombé de mademoiselle de Scudéry à madame Bournon-Malarme et madame de Lafayette à madame Barthélemy-Hadot, incendiait l'âme aimante des portières de Paris et ravageait même un peu la banlieue. Madame Thénardier était juste assez intelligente pour lire ces espèces de livres. Elle s'en nourrissait. Elle y noyait ce qu'elle avait de cervelle; cela lui avait donné, tant qu'elle avait été très jeune, et même un peu plus tard, une sorte d'attitude pensive près de son mari, coquin d'une certaine profondeur, ruffian lettré à la grammaire près, grossier et fin en même temps, mais, en fait de sentimentalisme, lisant Pigault-Lebrun, et pour « tout ce qui touche le sexe », comme il disait dans son jargon, butor correct et sans mélange. Sa femme avait quelques douze ou quinze ans de moins que lui. Plus tard, quand les cheveux romanesquement pleureurs commencèrent à grisonner, quand la Mégère se dégagea de la Paméla, la Thénardier ne fut plus qu'une grosse méchante femme ayant savouré des romans bêtes. Or on ne lit pas impunément des niaiseries. Il en résulta que sa fille aînée se nomma Eponine; quant à la cadette, la pauvre petite faillit se nommer Gulnare; elle dut à je ne sais quelle heureuse diversion faite par un roman de Ducray-Duminil, de ne s'appeler qu'Azelma.

Au reste, pour le dire en passant, tout n'est pas ridicule

et superficiel dans cette curieuse époque à laquelle nous faisons ici allusion, et qu'on pourrait appeler l'anarchie des noms de baptême. À côté de l'élément romanesque, que nous venons d'indiquer, il y a le symptôme social. Il n'est pas rare aujourd'hui que le garçon bouvier se nomme Arthur, Alfred ou Alphonse, et que le vicomte — s'il y a encore des vicomtes — se nomme Thomas, Pierre ou Jacques. Ce déplacement qui met le nom « élégant » sur le plébéien et le nom campagnard sur l'aristocrate, n'est autre chose qu'un remous d'égalité. L'irrésistible pénétration du souffle nouveau est là comme en tout. Sous cette discordance apparente, il y a une chose grande et profonde, la Révolution française.

III

L'ALOUETTE

Il ne suffit pas d'être méchant pour prospérer. La gargote allait mal.

Grâce aux cinquante-sept francs de la voyageuse, Thénardier avait pu éviter un protêt et faire honneur à sa signature. Le mois suivant ils eurent encore besoin d'argent; la femme porta à Paris et engagea au mont de piété le trousseau de Cosette pour une somme de soixante francs. Dès que cette somme fut dépensée, les Thénardier s'accoutumèrent à ne plus voir dans la petite fille qu'un enfant qu'ils avaient chez eux par charité, et la traitèrent en conséquence. Comme elle n'avait plus de trousseau, on l'habilla des vieilles jupes et des vieilles chemises des petites Thénardier, c'est-à-dire de haillons. On la nourrit des restes de tout le monde, un peu mieux que le chien et un plus mal que le chat. Le chien et le chat étaient du reste ses commensaux habituels; Cosette mangeait avec eux sous la table dans une écuelle de bois pareille à la leur.

La mère qui s'était fixée, comme on le verra plus tard, à M.— sur M —, écrivait ou, pour mieux dire, faisait écrire tous les mois afin d'avoir des nouvelles de son enfant. Les Thénardier répondaient invariablement : Cosette est à merveille.

Les six premiers mois révolus, la mère envoya sept francs pour le septième mois, et continua assez exactement ses envois de mois en mois. L'année n'était pas finie que le Thénardier dit : — Une belle grâce qu'elle nous fait là! que veut-elle que nous fassions avec ses sept francs! — et il écrivit pour exiger douze francs. La mère, à laquelle ils persuadaient que son enfant était heureuse « et venait bien », se soumit et envoya les douze francs.

Certaines natures ne peuvent aimer d'un côté sans haïr de l'autre. La mère Thénardier aimait passionnément ses deux filles à elle, ce qui fit qu'elle détesta l'étrangère. Il est triste de songer que l'amour d'une mère peut avoir de vilains aspects. Si peu de place que Cosette tînt chez elle, il lui semblait que cela était pris aux siens, et que cette petite diminuait l'air que ses filles respiraient. Cette femme, comme beaucoup de femmes de sa sorte, avait une somme de caresses et une somme de coups et d'injures à dépenser chaque jour. Si elle n'avait pas eu Cosette, il est certain que ses filles, tout idolâtrées qu'elles étaient, auraient tout reçu; mais l'étrangère leur rendit le service de détourner les coups sur elle. Ses filles n'eurent que les caresses. Cosette ne faisait pas un mouvement qui ne fît pleuvoir sur sa tête une grêle de châtiments violents et immérités. Doux être faible qui ne devait rien comprendre à ce monde ni à Dieu, sans cesse punie, grondée, rudoyée, battue et voyant à côté d'elle deux petites créatures comme elle, qui vivaient dans un rayon d'aurore!

La Thénardier étant méchante pour Cosette, Eponine et Azelma furent méchantes. Les enfants, à cet âge, ne sont que des exemplaires de la mère. Le format est plus petit, voilà tout.

Une année s'écoula, puis une autre.

On disait dans le village :

— Ces Thénardier sont de braves gens. Ils ne sont pas riches, et ils élèvent un pauvre enfant qu'on leur a abandonné chez eux!

On croyait Cosette oubliée par sa mère.

Cependant le Thénardier ayant appris par on ne sait quelles voies obscures que l'enfant était probablement bâtard et que la mère ne pouvait l'avouer, exigea quinze francs par mois, disant que « la créature » grandissait et « mangeait », et menaçant de la renvoyer. « Qu'elle « ne m'embête pas! s'écriait-il, je lui bombarde son « mioche tout au milieu de ses cachotteries. Il me faut

« de l'augmentation. » La mère paya les quinze francs.

D'année en année, l'enfant grandit, et sa misère aussi.

Tant que Cosette fut toute petite, elle fut le souffre-douleur des deux autres enfants; dès qu'elle se mit à se développer un peu, c'est-à-dire avant même qu'elle eût cinq ans, elle devint la servante de la maison.

Cinq ans, dira-t-on, c'est invraisemblable. Hélas, c'est vrai. La souffrance sociale commence à tout âge. N'avons-nous pas vu, récemment, le procès d'un nommé Dumollard, orphelin devenu bandit, qui, dès l'âge de cinq ans, disent les documents officiels, étant seul au monde « travaillait pour vivre, et volait ».

On fit faire à Cosette les commissions, balayer les chambres, la cour, la rue, laver la vaisselle, porter même des fardeaux. Les Thénardier se crurent d'autant plus autorisés à agir ainsi que la mère qui était toujours à M.— sur M— commença à mal payer. Quelques mois restèrent en souffrance.

Si cette mère fût revenue à Montfermeil au bout de ces trois années, elle n'eût point reconnu son enfant. Cosette, si jolie et si fraîche à son arrivée dans cette maison, était maintenant maigre et blême. Elle avait je ne sais quelle allure inquiète. Sournoise! disaient les Thénardier.

L'injustice l'avait faite hargneuse et la misère l'avait rendue laide. Il ne lui restait plus que ses beaux yeux qui faisaient peine, parce que, grands comme ils étaient, il semblait qu'on y vît une plus grande quantité de tristesse.

C'était une chose navrante de voir l'hiver ce pauvre enfant, qui n'avait pas encore six ans, grelottant sous de vieilles loques de toile trouées, balayer la rue avant le jour avec un énorme balai dans ses petites mains rouges et une larme dans ses grands yeux.

Dans le pays on l'appelait l'Alouette. Le peuple, qui aime les figures, s'était plu à nommer de ce nom ce petit être pas plus gros qu'un oiseau, tremblant, effarouché et frissonnant, éveillé le premier chaque matin dans la maison et dans le village, toujours dans la rue ou dans les champs avant l'aube.

Seulement la pauvre alouette ne chantait jamais.

LIVRE CINQUIÈME

LA DESCENTE

I

HISTOIRE D'UN PROGRÈS DANS LES VERROTERIES NOIRES

Cette mère cependant qui, au dire des gens de Montfermeil, semblait avoir abandonné son enfant, que devenait-elle ? où était-elle ? que faisait-elle ?

Après avoir laissé sa petite Cosette aux Thénardier, elle avait continué son chemin et était arrivée à M.— sur M—.

C'était, on se le rappelle, en 1818.

Fantine avait quitté sa province depuis une dizaine d'années. M.— sur M— avait changé d'aspect. Tandis que Fantine descendait lentement de misère en misère, sa ville natale avait prospéré.

Depuis deux ans environ, il s'y était accompli un de ces faits industriels qui sont les grands événements des petits pays.

Ce détail importe, et nous croyons utile de le développer; nous dirions presque, de le souligner.

De temps immémorial, M.— sur M— avait pour industrie spéciale l'imitation des jais anglais et des verroteries noires d'Allemagne. Cette industrie avait toujours végété, à cause de la cherté des matières premières qui réagissait sur la main-d'œuvre. Au moment où Fantine revint à M.— sur M—, une transformation inouïe s'était opérée dans cette production des « articles noirs ». Vers la fin de 1815, un homme, un inconnu, était venu s'établir dans la ville et avait eu l'idée de substituer, dans cette fabrication, la gomme-laque à la résine et, pour les bracelets en particulier, les coulants en tôle simplement rapprochée aux coulants en tôle soudée.

Ce tout petit changement en effet avait prodigieusement réduit le prix de la matière première, ce qui avait permis, premièrement, d'élever le prix de la main-d'œuvre, bienfait pour le pays, deuxièmement d'améliorer la fabrication, avantage pour le consommateur, troisièment de vendre à meilleur marché tout en triplant le bénéfice, profit pour le manufacturier.

Ainsi pour une idée trois résultats.

En moins de trois ans, l'auteur de ce procédé était devenu riche, ce qui est bien, et avait tout fait riche autour de lui, ce qui est mieux. Il était étranger au département. De son origine, on ne savait rien; de ses commencements, peu de chose.

On contait qu'il était venu dans la ville avec fort peu d'argent, quelques centaines de francs tout au plus.

C'est de ce mince capital, mis au service d'une idée ingénieuse, fécondé par l'ordre et par la pensée, qu'il avait tiré sa fortune et la fortune de tout ce pays.

A son arrivée à M.— sur M—, il n'avait que les vêtements, la tournure et le langage d'un ouvrier.

Il paraît que, le jour même où il faisait obscurément son entrée dans la petite ville de M.— sur M—, à la tombée d'un soir de décembre, le sac au dos et le bâton d'épine à la main, un gros incendie venait d'éclater à la maison commune. Cet homme s'était jeté dans le feu, et avait sauvé, au péril de sa vie, deux enfants qui se trouvaient être ceux du capitaine de gendarmerie; ce qui fait qu'on n'avait pas songé à lui demander son passeport. Depuis lors, on avait su son nom. Il s'appelait *le père Madeleine*.

II

MADELEINE

C'était un homme d'environ cinquante ans, qui avait l'air préoccupé et qui était bon. Voilà tout ce qu'on en pouvait dire.

Grâce aux progrès rapides de cette industrie qu'il avait si admirablement remaniée, M.— sur M— était devenu un centre d'affaires considérable. L'Espagne, qui consomme beaucoup de jais noir, y commandait chaque année des achats immenses. M.— sur M—, pour ce commerce, faisait presque concurrence à Londres et à Berlin. Les bénéfices du père Madeleine étaient tels que, dès la deuxième année, il avait pu bâtir une grande fabrique dans laquelle il y avait deux vastes ateliers, l'un pour les hommes, l'autre pour les femmes. Quiconque avait faim pouvait s'y présenter, et était sûr de trouver là de l'emploi et du pain. Le père Madeleine demandait aux hommes de la bonne volonté, aux femmes, des mœurs pures, à tous de la probité. Il avait divisé les ateliers, afin de séparer les sexes et que les filles et les femmes pussent rester sages. Sur ce point, il était inflexible. C'était le seul où il fût en quelque sorte intolérant. Il était d'autant plus fondé à cette sévérité que, M.— sur M— étant une ville de garnison, les occasions de corruption abondaient. Du reste sa venue avait été un bienfait, et sa présence était une providence. Avant l'arrivée du père Madeleine, tout languissait dans le pays ; maintenant tout y vivait de la vie saine du travail. Une forte circulation échauffait tout et pénétrait partout. Le chômage et la misère étaient inconnus. Il n'y avait pas de poche si obscure où il n'y eût un peu d'argent, pas de logis si pauvre où il n'y eût un peu de joie.

Le père Madeleine employait tout le monde. Il n'exigeait qu'une chose : Soyez honnête homme ! Soyez honnête fille !

Comme nous l'avons dit, au milieu de cette activité dont il était la cause et le pivot, le père Madeleine faisait sa fortune, mais, chose assez singulière dans un simple homme de commerce, il ne paraissait point que ce fût là son principal souci. Il semblait qu'il songeât beaucoup aux autres et peu à lui. En 1820, on lui connaissait une somme de six cent trente mille francs placée à son nom chez Laffitte ; mais avant de se réserver ces six cent trente mille francs, il avait dépensé plus d'un million pour la ville et pour les pauvres.

L'hôpital était mal doté ; il y avait fondé dix lits. M.— sur M.— est divisé en ville haute et ville basse. La ville basse qu'il habitait n'avait qu'une école, méchante masure qui tombait en ruine ; il en avait construit deux, une pour les filles, l'autre pour les garçons. Il allouait de ses deniers aux deux instituteurs une indemnité double de leur maigre traitement officiel, et un jour, à quelqu'un qui s'en étonnait, il dit : « Les deux premiers « fonctionnaires de l'Etat, c'est la nourrice et le maître « d'école. » Il avait créé à ses frais une salle d'asile, chose alors presque inconnue en France, et une caisse de secours pour les ouvriers vieux et infirmes. Sa manufacture étant

un centre, un nouveau quartier où il y avait bon nombre
de familles indigentes avait rapidement surgi autour de
lui ; il y avait établi une pharmacie gratuite.

Dans les premiers temps, quand on le vit commencer,
les bonnes âmes dirent : c'est un gaillard qui veut s'enrichir. Quand on le vit enrichir le pays avant de s'enrichir
lui-même, les mêmes bonnes âmes dirent : c'est un ambitieux. Cela semblait d'autant plus probable que cet
homme était religieux, et même pratiquait dans une
certaine mesure, chose fort bien vue à cette époque. Il
allait régulièrement entendre une basse messe tous les
dimanches. Le député local, qui flairait partout des
concurrences, ne tarda pas à s'inquiéter de cette religion.
Ce député, qui avait été membre du corps législatif de
l'empire, partageait les idées religieuses d'un père de
l'Oratorie connu sous le nom de Fouché, duc d'Otrante,
dont il avait été la créature et l'ami. A huis clos il riait de
Dieu doucement. Mais quand il vit le riche manufacturier Madeleine aller à la basse messe de sept heures, il
entrevit un candidat possible et résolut de le dépasser ; il
prit un confesseur jésuite et alla à la grand-messe et à
vêpres. L'ambition en ce temps-là était, dans l'acception
directe du mot, une course au clocher. Les pauvres pro-
fitèrent de cette terreur comme le bon Dieu, car l'honorable député fonda aussi deux lits à l'hôpital ; ce qui
fit douze.

Cependant en 1819 le bruit se répandit un matin dans
la ville que, sur la présentation de M. le préfet et en considération des services rendus au pays, le père Madeleine
allait être nommé par le roi, maire de M.— sur M—.
Ceux qui avaient déclaré ce nouveau venu « un ambitieux », saisirent avec transport cette occasion que tous les
hommes souhaitent, de s'écrier : Là! qu'est-ce que nous
avions dit ? Tout M.— sur M — fut en rumeur. Le bruit
était fondé. Quelques jours après, la nomination parut
dans le Moniteur. Le lendemain, le père Madeleine refusa.

Dans cette même année 1819, les produits du nouveau procédé inventé par Madeleine figurèrent à l'expo-
sition de l'industrie ; sur le rapport du jury, le roi nomma
l'inventeur chevalier de la légion d'honneur. Nouvelle
rumeur dans la petite ville. Eh bien! c'est la croix qu'il
voulait ! Le père Madeleine refusa la croix.

Décidément cet homme était une énigme. Les bonnes
âmes se tirèrent d'affaire en disant : Après tout, c'est une
espèce d'aventurier.

On l'a vu, le pays lui devait beaucoup, les pauvres lui devaient tout; il était si utile qu'il avait bien fallu qu'on finît par l'honorer, et il était si doux qu'il avait bien fallu qu'on finît par l'aimer; ses ouvriers en particulier l'adoraient, et il portait cette adoration avec une sorte de gravité mélancolique. Quand il fut constaté riche, « les personnes de la société » le saluèrent, et on l'appela dans la ville : monsieur Madeleine; — ses ouvriers et les enfants continuèrent de l'appeler *le père Madeleine*, et c'était la chose qui le faisait le mieux sourire. A mesure qu'il montait, les invitations pleuvaient sur lui. « La société » le réclamait. Les petits salons guindés de M.— sur M— qui, bien entendu, se fussent dans les premiers temps fermés à l'artisan, s'ouvrirent à deux battants au millionnaire. On lui fit mille avances. Il refusa.

Cette fois encore les bonnes âmes ne furent point empêchées. — C'est un homme ignorant et de basse éducation. On ne sait d'où cela sort. Il ne saurait pas se tenir dans le monde. Il n'est pas du tout prouvé qu'il sache lire.

Quand on l'avait vu gagner de l'argent, on avait dit : c'est un marchand. Quand on l'avait vu semer son argent, on avait dit : c'est un ambitieux. Quand on l'avait vu repousser les honneurs, on avait dit : c'est un aventurier. Quand on le vit repousser le monde, on dit : c'est une brute.

En 1820, cinq ans après son arrivée à M.— sur M—, les services qu'il avait rendus au pays étaient si éclatants, le vœu de toute la contrée fut tellement unanime que le roi le nomma de nouveau maire de la ville. Il refusa encore, mais le préfet résista à son refus, tous les notables vinrent le prier, le peuple en pleine rue le suppliait, l'insistance fut si vive qu'il finit par accepter. On remarqua que ce qui parut surtout le déterminer, ce fut l'apostrophe presque irritée d'une vieille femme du peuple qui lui cria du seuil de sa porte avec humeur : *un bon maire, c'est utile. Est-ce qu'on recule devant du bien qu'on peut faire ?*

Ce fut là la troisième phase de son ascension. Le père Madeleine était devenu monsieur Madeleine; monsieur Madeleine devint monsieur le maire.

III

SOMMES DÉPOSÉES CHEZ LAFFITTE

Du reste, il était demeuré aussi simple que le premier jour. Il avait les cheveux gris, l'œil sérieux, le teint hâlé d'un ouvrier, le visage pensif d'un philosophe. Il portait habituellement un chapeau à bords larges et une longue redingote de gros drap, boutonnée jusqu'au menton. Il remplissait ses fonctions de maire, mais hors de là, il vivait solitaire. Il parlait à peu de monde. Il se dérobait aux politesses, saluait de côté, s'esquivait vite, souriait pour se dispenser de causer, donnait pour se dispenser de sourire. Les femmes disaient de lui : quel bon ours! Son plaisir était de se promener dans les champs.

Il prenait ses repas toujours seul, avec un livre ouvert devant lui où il lisait. Il avait une petite bibliothèque bien faite. Il aimait les livres; les livres sont des amis froids et sûrs. A mesure que le loisir lui venait avec la fortune, il semblait qu'il en profitât pour cultiver son esprit. Depuis qu'il était à M.— sur M—, on remarquait que d'année en année son langage devenait plus poli, plus choisi et plus doux.

Il emportait volontiers un fusil dans ses promenades, mais il s'en servait rarement. Quand cela lui arrivait par aventure, il avait un tir infaillible qui effrayait. Jamais il ne tuait un animal inoffensif. Jamais il ne tirait un petit oiseau.

Quoiqu'il ne fût plus jeune, on contait qu'il était d'une force prodigieuse. Il offrait un coup de main à qui en avait besoin, relevait un cheval, poussait à une roue embourbée, arrêtait par les cornes un taureau échappé. Il avait toujours ses poches pleines de monnaie en sortant et vides en rentrant. Quand il passait dans un village, les marmots déguenillés couraient joyeusement après lui et l'entouraient comme une nuée de moucherons.

On croyait deviner qu'il avait dû vivre jadis de la vie des champs, car il avait toutes sortes de secrets utiles qu'il enseignait aux paysans. Il leur apprenait à détruire

la teigne des blés en aspergeant le grenier et en inondant
les fentes du plancher d'une dissolution de sel commun,
et à chasser les charançons en suspendant partout, aux
murs et aux toits, dans les herbages et dans les maisons,
de l'orviot en fleur. Il avait des « recettes » pour extirper
d'un champ la luzette, la nielle, la vesce, la gaverolle, la
queue de renard, toutes les herbes parasites qui mangent
le blé. Il défendait une lapinière contre les rats rien
qu'avec l'odeur d'un petit cochon de Barbarie qu'il
y mettait.

Un jour il voyait des gens du pays très occupés à
arracher des orties ; il regarda ce tas de plantes déracinées
et déjà desséchées, et dit : — c'est mort. Cela serait pourtant bon si l'on savait s'en servir. Quand l'ortie est jeune,
la feuille est un légume excellent ; quand elle vieillit, elle
a des filaments et des fibres comme le chanvre et le
lin. La toile d'ortie vaut la toile de chanvre. Hachée,
l'ortie est bonne pour la volaille ; broyée, elle est bonne
pour les bêtes à cornes. La graine de l'ortie mêlée au
fourrage donne du luisant au poil des animaux ; la racine
mêlée au sel produit une belle couleur jaune. C'est du
reste un excellent foin qu'on peut faucher deux fois. Et
que faut-il à l'ortie ? Peu de terre, nul soin, nulle culture.
Seulement la graine tombe à mesure qu'elle mûrit, et est
difficile à récolter. Voilà tout. Avec quelque peine qu'on
prendrait, l'ortie serait utile ; on la néglige, elle devient
nuisible. Alors on la tue. Que d'hommes ressemblent à
l'ortie ! — Il ajouta après un silence : mes amis, retenez
ceci, il n'y a ni mauvaises herbes ni mauvais hommes. Il
n'y a que de mauvais cultivateurs.

Les enfants l'aimaient encore, parce qu'il savait faire
de charmants petits ouvrages avec de la paille et des noix
de coco.

Quand il voyait la porte d'une église tendue de noir, il
entrait ; il recherchait un enterrement comme d'autres
recherchent un baptême. Le veuvage et le malheur
d'autrui l'attiraient à cause de sa grande douceur ; il se
mêlait aux amis en deuil, aux familles vêtues de noir, aux
prêtres gémissant autour d'un cercueil. Il semblait donner
volontiers pour texte à ses pensées ces psalmodies
funèbres pleines de la vision d'un autre monde. L'œil au
ciel, il écoutait, avec une sorte d'aspiration vers tous les
mystères de l'infini, ces voix tristes qui chantent sur le
bord de l'abîme obscur de la mort.

Il faisait une foule de bonnes actions, en se cachant

comme on se cache pour les mauvaises. Il pénétrait à la
dérobée, le soir, dans les maisons ; il montait furtivement
des escaliers. Un pauvre diable, en rentrant dans son
galetas, trouvait que sa porte avait été ouverte, quelquefois même forcée, dans son absence. Le pauvre homme
se récriait : quelque malfaiteur est venu ! Il entrait, et la
première chose qu'il voyait, c'était une pièce d'or oubliée
sur un meuble. « Le malfaiteur » qui était venu, c'était
le père Madeleine.

Il était affable et triste. Le peuple disait : voilà un
homme riche qui n'a pas l'air fier. Voilà un homme
heureux qui n'a pas l'air content.

Quelques-uns prétendaient que c'était un personnage
mystérieux et affirmaient qu'on n'entrait jamais dans sa
chambre, laquelle était une vraie cellule d'anachorète
meublée de sabliers ailés et enjolivée de tibias en croix
et de têtes de mort. Cela se disait beaucoup, si bien que
quelques jeunes femmes élégantes et malignes de M.—
sur M— vinrent chez lui un jour, et lui demandèrent :
— Monsieur le maire, montrez-nous donc votre chambre.
On dit que c'est une grotte. — Il sourit, et les introduisit
sur-le-champ dans cette « grotte ». Elles furent bien
punies de leur curiosité. C'était une chambre garnie tout
bonnement de meubles d'acajou assez laids comme tous
les meubles de ce genre et tapissée de papier à douze sous.
Elles n'y purent rien remarquer que deux flambeaux de
forme vieillie qui étaient sur la cheminée et qui avaient
l'air d'être en argent, « car ils étaient contrôlés ». Observation pleine de l'esprit des petites villes.

On n'en continua pas moins de dire que personne ne
pénétrait dans cette chambre et que c'était une caverne
d'ermite, un rêvoir, un trou, un tombeau.

On se chuchotait aussi qu'il avait des sommes
« immenses » déposées chez Laffitte, avec cette particularité qu'elles étaient toujours à sa disposition immédiate, de telle sorte, ajoutait-on, que M. Madeleine
pourrait arriver un matin chez Laffitte, signer un reçu et
emporter ses deux ou trois millions en dix minutes. Dans
la réalité ces « deux ou trois millions » se réduisaient, nous
l'avons dit, à six cent trente ou quarante mille francs.

IV

M. MADELEINE EN DEUIL

Au commencement de 1821, les journaux annoncèrent la mort de M. Myriel, évêque de D—, « surnommé *monseigneur Bienvenu* », et trépassé en odeur de sainteté à l'âge de quatre-vingt-deux ans.

L'évêque de D—, pour ajouter ici un détail que les journaux omirent, était, quand il mourut, depuis plusieurs années aveugle, et content d'être aveugle, sa sœur étant près de lui.

Disons-le en passant, être aveugle et être aimé, c'est en effet sur cette terre où rien n'est complet, une des formes les plus étrangement exquises du bonheur. Avoir continuellement à ses côtés une femme, une fille, une sœur, un être charmant, qui est là parce que vous avez besoin d'elle et parce qu'elle ne peut se passer de vous, se savoir indispensable à qui nous est nécessaire, pouvoir incessamment mesurer son affection à la quantité de présence qu'elle nous donne, et se dire : puisqu'elle me consacre tout son temps, c'est que j'ai tout son cœur ; voir la pensée à défaut de la figure, constater la fidélité d'un être dans l'éclipse du monde, percevoir le frôlement d'une robe comme un bruit d'ailes, l'entendre aller et venir, sortir, rentrer, parler, chanter, et songer qu'on est le centre de ces pas, de cette parole, de ce chant ; manifester à chaque minute sa propre attraction, se sentir d'autant plus puissant qu'on est plus infirme, devenir dans l'obscurité, et par l'obscurité, l'astre autour duquel gravite cet ange, peu de félicités égalent celle-là. Le suprême bonheur de la vie, c'est la conviction qu'on est aimé ; aimé pour soi-même, disons mieux, aimé malgré soi-même ; cette conviction, l'aveugle l'a. Dans cette détresse, être servi, c'est être caressé. Lui manque-t-il quelque chose ? Non. Ce n'est point perdre la lumière qu'avoir l'amour. Et quel amour ! un amour entièrement fait de vertu. Il n'y a point de cécité où il y a certitude. L'âme à tâtons cherche l'âme, et la trouve. Et cette

âme trouvée et prouvée est une femme. Une main vous
soutient, c'est la sienne; une bouche effleure votre front,
c'est sa bouche; vous entendez une respiration tout près
de vous, c'est elle. Tout avoir d'elle, depuis son culte
jusqu'à sa pitié, n'être jamais quitté, avoir cette douce
faiblesse qui vous secourt, s'appuyer sur ce roseau
inébranlable, toucher de ses mains la Providence et
pouvoir la prendre dans ses bras; Dieu palpable, quel
ravissement! Le cœur, cette céleste fleur obscure, entre
dans un épanouissement mystérieux. On ne donnerait
pas cette ombre pour toute la clarté! L'âme ange est là,
sans cesse là; si elle s'éloigne, c'est pour revenir; elle
s'efface comme le rêve et reparaît comme la réalité. On
sent de la chaleur qui approche, la voilà. On déborde
de sérénité, de gaieté et d'extase; on est un rayonnement
dans la nuit. Et mille petits soins. Des riens qui sont
énormes dans ce vide. Les plus ineffables accents de la
voix féminine employés à vous bercer, et suppléant
pour vous à l'univers évanoui. On est caressé avec de
l'âme. On ne voit rien, mais on se sent adoré. C'est un
paradis de ténèbres.

C'est de ce paradis que monseigneur Bienvenu était
passé à l'autre.

L'annonce de sa mort fut reproduite par le journal
local de M.— sur M—. Monsieur Madeleine parut le
lendemain tout en noir avec un crêpe à son chapeau.

On remarqua dans la ville ce deuil, et l'on jasa. Cela
parut une lueur sur l'origine de M. Madeleine. On en
conclut qu'il avait quelque alliance avec le vénérable
évêque. *Il drape pour l'évêque de D—*, dirent les salons;
cela rehaussa fort M. Madeleine, et lui donna subitement
et d'emblée une certaine considération dans le monde
noble de M.— sur M—. Le microscopique faubourg
Saint-Germain de l'endroit songea à faire cesser la
quarantaine de M. Madeleine, parent probable d'un
évêque. M. Madeleine s'aperçut de l'avancement qu'il
obtenait à plus de révérences des vieilles femmes et à
plus de sourires des jeunes. Un soir, une doyenne de ce
petit grand monde-là, curieuse par droit d'ancienneté,
se hasarda à lui demander : — Monsieur le maire est
sans doute cousin du feu évêque de D— ?

Il dit : Non, madame.

— Mais, reprit la douairière, vous en portez le deuil ?

Il répondit : c'est que dans ma jeunesse j'ai été
laquais dans sa famille.

Une remarque qu'on faisait encore, c'est que, chaque
fois qu'il passait dans la ville un jeune savoyard courant
le pays et cherchant des cheminées à ramoner, M. le
Maire le faisait appeler, lui demandait son nom, et lui
donnait de l'argent. Les petits savoyards se le disaient,
et il en passait beaucoup.

V

VAGUES ÉCLAIRS A L'HORIZON

Peu à peu, et avec le temps, toutes les oppositions
étaient tombées. Il y avait eu d'abord contre M. Madeleine, sorte de loi que subissent toujours ceux qui
s'élèvent, des noirceurs et des calomnies, puis ce ne fut
plus que des méchancetés, puis ce ne fut plus que des
malices, puis cela s'évanouit tout à fait; le respect devint
complet, unanime, cordial, et il arriva un moment,
vers 1821, où ce mot : monsieur le maire, fut prononcé
à M.— sur M— presque du même accent que ce mot :
monseigneur l'évêque, était prononcé à D— en 1815.
On venait de dix lieues à la ronde consulter M. Madeleine. Il terminait les différends, il empêchait les procès,
il réconciliait les ennemis. Chacun le prenait pour juge
de son bon droit. Il semblait qu'il eût pour âme le livre
de la loi naturelle. Ce fut comme une contagion de
vénération qui, en six ou sept ans et de proche en proche,
gagna tout le pays.

Un seul homme, dans la ville et dans l'arrondissement,
se déroba absolument à cette contagion, et, quoi que
fît le père Madeleine, y demeura rebelle, comme si une
sorte d'instinct, incorruptible et imperturbable, l'éveillait
et l'inquiétait. Il semblerait en effet qu'il existe dans
certains hommes un véritable instinct bestial, pur et
intègre comme tout instinct, qui crée les antipathies
et les sympathies, qui sépare fatalement une nature
d'une autre nature, qui n'hésite pas, qui ne se trouble,
ne se tait et ne se dément jamais, clair dans son obscurité,
infaillible, impérieux, réfractaire à tous les conseils de
l'intelligence et à tous les dissolvants de la raison, et

qui, de quelque façon que les destinées soient faites,
avertit secrètement l'homme-chien de la présence de
l'homme-chat, et l'homme-renard de la présence de
l'homme-lion.

Souvent, quand M. Madeleine passait dans une rue,
calme, affectueux, entouré des bénédictions de tous, il
arrivait qu'un homme de haute taille vêtu d'une redingote gris de fer, armé d'une grosse canne et coiffé d'un
chapeau rabattu, se retournait brusquement derrière lui,
et le suivait des yeux jusqu'à ce qu'il eût disparu, croisant les bras, secouant lentement la tête, et haussant sa
lèvre supérieure avec sa lèvre inférieure jusqu'à son nez,
sorte de grimace significative qui pourrait se traduire
par : — Mais qu'est-ce que c'est que cet homme-là ? —
Pour sûr je l'ai vu quelque part. — En tout cas, je ne
suis toujours pas sa dupe.

Ce personnage, grave d'une gravité presque menaçante,
était de ceux qui, même rapidement entrevus, préoccupent l'observateur.

Il se nommait Javert, et il était de la police.

Il remplissait à M.— sur M— les fonctions pénibles,
mais utiles, d'inspecteur. Il n'avait pas vu les commencements de Madeleine. Javert devait le poste qu'il occupait
à la protection de M. Chabouillet, le secrétaire du ministre
d'Etat comte Anglès, alors préfet de police à Paris.
Quand Javert était arrivé à M.— sur M—, la fortune du
grand manufacturier était déjà faite, et le père Madeleine
était devenu monsieur Madeleine.

Certains officiers de police ont une physionomie à
part et qui se complique d'un air de bassesse mêlé à
un air d'autorité. Javert avait cette physionomie, moins
la bassesse.

Dans notre conviction, si les âmes étaient visibles
aux yeux, on verrait distinctement cette chose étrange
que chacun des individus de l'espèce humaine corres-
pond à quelqu'une des espèces de la création animale;
et l'on pourrait reconnaître aisément cette vérité à
peine entrevue par le penseur, que, depuis l'huître
jusqu'à l'aigle, depuis le porc jusqu'au tigre, tous les
animaux sont dans l'homme et que chacun d'eux est
dans un homme. Quelquefois même plusieurs d'entre
eux à la fois.

Les animaux ne sont autre chose que les figures de
nos vertus et de nos vices, errantes devant nos yeux,
les fantômes visibles de nos âmes. Dieu nous les montre

pour nous faire réfléchir. Seulement, comme les animaux
ne sont que des ombres, Dieu ne les a point faits éducables
dans le sens complet du mot; à quoi bon? au contraire,
nos âmes étant des réalités et ayant une fin qui leur est
propre, Dieu leur a donné l'intelligence, c'est-à-dire
l'éducation possible. L'éducation sociale bien faite peut
toujours tirer d'une âme, quelle qu'elle soit, l'utilité
qu'elle contient.

Ceci soit dit, bien entendu, au point de vue restreint
de la vie terrestre apparente, et sans préjuger la question
profonde de la personnalité antérieure ou ultérieure des
êtres qui ne sont pas l'homme. Le moi visible n'autorise
en aucune façon le penseur à nier le moi latent. Cette
réserve faite, passons.

Maintenant, si l'on admet un moment avec nous que
dans tout homme il y a une des espèces animales de la
création, il nous sera facile de dire ce que c'était que
l'officier de paix Javert.

Les paysans asturiens sont convaincus que dans toute
portée de louve il y a un chien, lequel est tué par la mère,
sans quoi en grandissant il dévorerait les autres petits.

Donnez une face humaine à ce chien fils d'une louve,
et ce sera Javert.

Javert était né dans une prison d'une tireuse de cartes
dont le mari était aux galères. En grandissant il pensa
qu'il était en dehors de la société et désespéra d'y rentrer
jamais. Il remarqua que la société maintient irrémissible-
ment en dehors d'elle deux classes d'hommes, ceux qui
l'attaquent et ceux qui la gardent; il n'avait le choix
qu'entre ces deux classes; en même temps il se sentait je
ne sais quel fond de rigidité, de régularité et de probité,
compliqué d'une inexprimable haine pour cette race de
bohèmes dont il était. Il entra dans la police. Il y réussit.
A quarante ans il était inspecteur.

Il avait dans sa jeunesse été employé dans les chiourmes
du midi.

Avant d'aller plus loin, entendons-nous sur ce mot
face humaine que nous appliquions tout à l'heure à
Javert.

La face humaine de Javert consistait en un nez camard,
avec deux profondes narines vers lesquelles montaient
sur ses deux joues d'énormes favoris. On se sentait mal
à l'aise la première fois qu'on voyait ces deux forêts et
ces deux cavernes. Quand Javert riait, ce qui était rare
et terrible, ses lèvres minces s'écartaient, et laissaient

voir, non seulement ses dents, mais ses gencives, et il se faisait autour de son nez un plissement épaté et sauvage comme sur un mufle de bête fauve. Javert sérieux était un dogue; lorsqu'il riait, c'était un tigre. Du reste, peu de crâne, beaucoup de mâchoire; les cheveux cachant le front et tombant sur les sourcils, entre les deux yeux un froncement central permanent comme une étoile de colère, le regard obscur, la bouche pincée et redoutable, l'air du commandement féroce.

Cet homme était composé de deux sentiments très simples et relativement très bons, mais qu'il faisait presque mauvais à force de les exagérer; le respect de l'autorité, la haine de la rébellion; et à ses yeux le vol, le meurtre, tous les crimes, n'étaient que des formes de la rébellion. Il enveloppait dans une sorte de foi aveugle et profonde tout ce qui a une fonction dans l'Etat, depuis le premier ministre jusqu'au garde-champêtre. Il couvrait de mépris, d'aversion et de dégoût tout ce qui avait franchi une fois le seuil légal du mal. Il était absolu et n'admettait pas d'exceptions. D'une part il disait : — Le fonctionnaire ne peut se tromper; le magistrat n'a jamais tort. — D'autre part il disait : — Ceux-ci sont irrémédiablement perdus. Rien de bon n'en peut sortir. — Il partageait pleinement l'opinion de ces esprits extrêmes qui attribuent à la loi humaine je ne sais quel pouvoir de faire, ou si l'on veut, de constater des démons, et qui mettent un Styx au bas de la société. Il était stoïque, sérieux, austère; rêveur triste; humble et hautain comme les fanatiques. Son regard était une vrille, cela était froid et cela perçait. Toute sa vie tenait dans ces deux mots : veiller et surveiller. Il avait introduit la ligne droite dans ce qu'il y a de plus tortueux au monde; il avait la conscience de son utilité, la religion de ses fonctions, et il était espion comme on est prêtre. Malheur à qui tombait sous sa main! Il eût arrêté son père s'évadant du bagne et dénoncé sa mère en rupture de ban. Et il l'eût fait avec cette sorte de satisfaction intérieure que donne la vertu. Avec cela une vie de privations, l'isolement, l'abnégation, la chasteté, jamais une distraction. C'était le devoir implacable, la police, comprise comme les Spartiates comprenaient Sparte, un guet impitoyable, une honnêteté farouche, un mouchard marmoréen, Brutus dans Vidocq.

Toute la personne de Javert exprimait l'homme qui épie et qui se dérobe. L'école mystique de Joseph de

Maistre, laquelle à cette époque assaisonnait de haute cosmogonie ce qu'on appelait les journaux ultras, n'eût pas manqué de dire que Javert était un symbole. On ne voyait pas son front qui disparaissait sous son chapeau, on ne voyait pas ses yeux qui se perdaient sous ses sourcils, on ne voyait pas son menton qui plongeait dans sa cravate, on ne voyait pas ses mains qui rentraient dans ses manches, on ne voyait pas sa canne qu'il portait sous sa redingote. Mais l'occasion venue, on voyait tout à coup sortir de toute cette ombre, comme d'une embuscade, un front anguleux et étroit, un regard funeste, un menton menaçant, des mains énormes et un gourdin monstrueux.

A ses moments de loisir, qui étaient peu fréquents, tout en haïssant les livres, il lisait; ce qui fait qu'il n'était pas complètement illettré. Cela se reconnaissait à quelque emphase dans la parole.

Il n'avait aucun vice, nous l'avons dit. Quand il était content de lui, il s'accordait une prise de tabac. Il tenait à l'humanité par là.

On comprendra sans peine que Javert était l'effroi de toute cette classe que la statistique annuelle du ministère de la justice désigne sous la rubrique : *Gens sans aveu*. Le nom de Javert prononcé les mettait en déroute; la face de Javert apparaissant les pétrifiait.

Tel était cet homme formidable.

Javert était comme un œil toujours fixé sur M. Madeleine. Œil plein de soupçon et de conjectures. M. Madeleine avait fini par s'en apercevoir, mais il sembla que cela fût insignifiant pour lui. Il ne fit pas même une question à Javert, il ne le cherchait ni ne l'évitait, il portait, sans paraître y faire attention, ce regard gênant et presque pesant. Il traitait Javert comme tout le monde, avec aisance et bonté.

A quelques paroles échappées à Javert, on devinait qu'il avait recherché secrètement, avec cette curiosité qui tient à la race et où il entre autant d'instinct que de volonté, toutes les traces antérieures que le père Madeleine avait pu laisser ailleurs. Il paraissait savoir, et il disait parfois à mots couverts, que quelqu'un avait pris certaines informations dans un certain pays sur une certaine famille disparue. Une fois il lui arriva de dire, en parlant à lui-même : — Je crois que je le tiens! — Puis il resta trois jours pensif sans prononcer une parole. Il paraît que le fil qu'il croyait tenir s'était rompu.

Du reste, et ceci est le correctif nécessaire à ce que le sens de certains mots pourrait présenter de trop absolu, il ne peut y avoir rien de vraiment infaillible dans une créature humaine, et le propre de l'instinct est précisément de pouvoir être troublé, dépisté et dérouté. Sans quoi il serait supérieur à l'intelligence, et la bête se trouverait avoir une meilleure lumière que l'homme.

Javert était évidemment quelque peu déconcerté par le complet naturel et la tranquillité de M. Madeleine.

Un jour pourtant son étrange manière parut faire impression sur M. Madeleine. Voici à quelle occasion.

VI

LE PÈRE FAUCHELEVENT

M. Madeleine passait un matin dans une ruelle non pavée de M.— sur M—; il entendit du bruit et vit un groupe à quelque distance. Il y alla. Un vieux homme, nommé le père Fauchelevent, venait de tomber sous sa charrette dont le cheval s'était abattu.

Ce Fauchelevent était un des rares ennemis qu'eût encore M. Madeleine à cette époque. Lorsque Madeleine était arrivé dans le pays, Fauchelevent, ancien tabellion et paysan presque lettré, avait un commerce qui commençait à aller mal. Fauchelevent avait vu ce simple ouvrier qui s'enrichissait, tandis que lui, maître, se ruinait. Cela l'avait rempli de jalousie, et il avait fait ce qu'il avait pu en toute occasion pour nuire à Madeleine. Puis la faillite était venue, et, vieux, n'ayant plus à lui qu'une charrette et un cheval, sans famille et sans enfants du reste, pour vivre il s'était fait charretier.

Le cheval avait les deux cuisses cassées et ne pouvait se relever. Le vieillard était engagé entre les roues. La chute avait été tellement malheureuse que toute la voiture pesait sur sa poitrine. La charrette était assez lourdement chargée. Le père Fauchelevent poussait des râles lamentables. On avait essayé de le tirer, mais en vain. Un effort désordonné, une aide maladroite, une secousse à faux pouvaient l'achever. Il était impossible de le dégager autrement qu'en soulevant la voiture par-dessous. Javert, qui était survenu au moment de l'accident, avait envoyé chercher un cric.

M. Madeleine arriva. On s'écarta avec respect.

— A l'aide! criait le vieux Fauchelevent. Qui est-ce qui est bon enfant pour sauver le vieux?

M. Madeleine se tourna vers les assistants:

— A-t-on un cric?

— On en est allé quérir un, répondit un paysan.

— Dans combien de temps l'aura-t-on?

— On est allé au plus près, au lieu Flachot, où il y a un maréchal; mais c'est égal, il faudra bien un bon quart d'heure.

— Un quart d'heure! s'écria Madeleine.

Il avait plu la veille, le sol était détrempé, la charrette s'enfonçait dans la terre à chaque instant et comprimait de plus en plus la poitrine du vieux charretier. Il était évident qu'avant cinq minutes il aurait les côtes brisées.

— Il est impossible d'attendre un quart d'heure, dit Madeleine aux paysans qui regardaient.

— Il faut bien!

— Mais il ne sera plus temps! Vous ne voyez donc pas que la charrette s'enfonce?

— Dame!

— Ecoutez, reprit Madeleine, il y a encore assez de place sous la voiture pour qu'un homme s'y glisse et la soulève avec son dos. Rien qu'une demi-minute, et l'on tirera le pauvre homme. Y a-t-il quelqu'un qui ait des reins et du cœur? Cinq louis d'or à gagner!

Personne ne bougea dans le groupe.

— Dix louis, dit Madeleine.

Les assistants baissaient les yeux. Un d'eux murmura:

— Il faudrait être diablement fort. Et puis on risque de se faire écraser!

— Allons! recommença Madeleine, vingt louis!

Même silence.

— Ce n'est pas la bonne volonté qui leur manque, dit une voix.

M. Madeleine se retourna, et reconnut Javert. Il ne l'avait pas aperçu en arrivant.

Javert continua.

— C'est la force. Il faudrait être un terrible homme pour faire la chose de lever une voiture comme cela sur son dos.

Puis, regardant fixement M. Madeleine, il poursuivit en appuyant sur chacun des mots qu'il prononçait :

— Monsieur Madeleine, je n'ai jamais connu qu'un seul homme capable de faire ce que vous demandez là.

Madeleine tressaillit.

Javert ajouta avec un air d'indifférence, mais sans quitter des yeux Madeleine :

— C'était un forçat.

— Ah ! dit Madeleine.

— Du bagne de Toulon.

Madeleine devint pâle.

Cependant la charrette continuait à s'enfoncer lentement. Le père Fauchelevent râlait et hurlait :

— J'étouffe ! Ça me brise les côtes ! un cric ! quelque chose ! ah !

Madeleine regarda autour de lui :

— Il n'y a donc personne qui veuille gagner vingt louis et sauver la vie à ce pauvre vieux ?

Aucun des assistants ne remua. Javert reprit :

— Je n'ai jamais connu qu'un homme qui pût remplacer un cric, c'était ce forçat.

— Ah ! voilà que ça m'écrase ! cria le vieillard.

Madeleine leva la tête, rencontra l'œil de faucon de Javert toujours attaché sur lui, regarda les paysans immobiles, et sourit tristement. Puis, sans dire une parole, il tomba à genoux, et avant même que la foule eût eu le temps de jeter un cri, il était sous la voiture.

Il y eut un affreux moment d'attente et de silence.

On vit Madeleine presque à plat ventre sous ce poids effrayant essayer deux fois en vain de rapprocher ses coudes de ses genoux. On lui cria : — Père Madeleine ! retirez-vous de là ! — Le vieux Fauchelevent lui-même lui dit : — Monsieur Madeleine ! allez-vous-en ! C'est qu'il faut que je meure, voyez-vous ! laissez-moi ! Vous allez vous faire écraser aussi ! — Madeleine ne répondit pas.

Les assistants haletaient. Les roues avaient continué de s'enfoncer, et il était déjà devenu presque impossible que Madeleine sortît de dessous la voiture.

Tout à coup on vit l'énorme masse s'ébranler, la charrette se soulevait lentement, les roues sortaient à demi de l'ornière. On entendit une voix étouffée qui criait : dépêchez-vous ! aidez ! C'était Madeleine qui venait de faire un dernier effort.

Ils se précipitèrent. Le dévouement d'un seul avait donné de la force et du courage à tous. La charrette fut

enlevée par vingt bras. Le vieux Fauchelevent était
sauvé.

Madeleine se releva. Il était blême, quoique ruisselant
de sueur. Ses habits étaient déchirés et couverts de boue.
Tous pleuraient, le vieillard lui baisait les genoux et
l'appelait le bon Dieu. Lui, il avait sur le visage je ne sais
quelle expression de souffrance heureuse et céleste, et
il fixait son œil tranquille sur Javert qui le regardait
toujours.

VII

FAUCHELEVENT DEVIENT JARDINIER A PARIS

Fauchelevent s'était démis la rotule dans sa chute.
Le père Madeleine le fit transporter dans une infirmerie
qu'il avait établie pour ses ouvriers dans le bâtiment
même de sa fabrique et qui était desservie par deux sœurs
de charité. Le lendemain matin, le vieillard trouva un
billet de mille francs sur sa table de nuit, avec ce mot
de la main du père Madeleine : *Je vous achète votre
charrette et votre cheval*. La charrette était brisée et le
cheval était mort. Fauchelevent guérit, mais son genou
resta ankylosé. M. Madeleine, par les recommandations
des sœurs et de son curé, fit placer le bonhomme comme
jardinier dans un couvent de femmes du quartier Saint-
Antoine à Paris.

Quelque temps après, M. Madeleine fut nommé maire.
La première fois que Javert vit M. Madeleine revêtu
de l'écharpe qui lui donnait toute autorité sur la ville,
il éprouva cette sorte de frémissement qu'éprouverait
un dogue qui flairerait un loup sous les habits de son
maître. A partir de ce moment, il l'évita le plus qu'il put.
Quand les besoins du service l'exigeaient impérieusement
et qu'il ne pouvait faire autrement que de se trouver
avec M. le maire, il lui parlait avec un respect profond.

Cette prospérité créée à M.— sur M— par le père
Madeleine, avait, outre les signes visibles que nous
avons indiqués, un autre symptôme qui, pour n'être
pas visible, n'était pas moins significatif. Ceci ne trompe
jamais. Quand la population souffre, quand le travail

manque, quand le commerce est nul, le contribuable résiste à l'impôt par pénurie, épuise et dépasse les délais, et l'Etat dépense beaucoup d'argent en frais de contrainte et de rentrée. Quand le travail abonde, quand le pays est heureux et riche, l'impôt se paie aisément et coûte peu à l'Etat. On peut dire que la misère et la richesse publique ont un thermomètre infaillible, les frais de perception de l'impôt. En sept ans, les frais de perception de l'impôt s'étaient réduits des trois quarts dans l'arrondissement de M.— sur M—, ce qui faisait fréquemment citer cet arrondissement entre tous par M. de Villèle, alors ministre des finances.

Telle était la situation du pays, lorsque Fantine y revint. Personne ne se souvenait plus d'elle. Heureusement la porte de la fabrique de M. Madeleine était comme un visage ami. Elle s'y présenta, et fut admise dans l'atelier des femmes. Le métier était tout nouveau pour Fantine, elle n'y pouvait être bien adroite, elle ne tirait donc de sa journée de travail que peu de chose; mais enfin cela suffisait, le problème était résolu; elle gagnait sa vie.

VIII

MADAME VICTURNIEN DÉPENSE TRENTE FRANCS POUR LA MORALE

Quand Fantine vit qu'elle vivait, elle eut un moment de joie. Vivre honnêtement de son travail, quelle grâce du ciel! Le goût du travail lui revint vraiment. Elle acheta un miroir, se réjouit d'y regarder sa jeunesse, ses beaux cheveux et ses belles dents, oublia beaucoup de choses, ne songea plus qu'à sa Cosette et à l'avenir possible, et fut presque heureuse. Elle loua une petite chambre et la meubla à crédit sur son travail futur; reste de ses habitudes de désordre.

Ne pouvant pas dire qu'elle était mariée, elle s'était bien gardée, comme nous l'avons déjà fait entrevoir, de parler de sa petite fille.

En ces commencements, on l'a vu, elle payait exactement les Thénardier. Comme elle ne savait que signer, elle était obligée de leur écrire par un écrivain public.

Elle écrivait souvent, cela fut remarqué. On commença à dire tout bas dans l'atelier des femmes que Fantine « écrivait des lettres » et que « elle avait des allures ».

Il n'y a rien de tel pour épier les actions des gens que ceux qu'elles ne regardent pas. — Pourquoi ce monsieur ne vient-il jamais qu'à la brune ? pourquoi monsieur un tel n'accroche-t-il jamais sa clef au clou le jeudi ? pourquoi prend-il toujours les petites rues ? pourquoi madame descend-elle toujours de son fiacre avant d'arriver à la maison ? pourquoi envoie-t-elle acheter un cahier de papier à lettres, quand elle en a « plein sa papeterie » ? etc., etc. — Il existe des êtres qui, pour connaître le mot de ces énigmes, lesquelles leur sont du reste parfaitement indifférentes, dépensent plus d'argent, prodiguent plus de temps, se donnent plus de peine qu'il n'en faudrait pour dix bonnes actions ; et cela gratuitement, pour le plaisir, sans être payé de la curiosité autrement que par la curiosité. Ils suivront celui-ci ou celle-là des jours entiers, feront faction des heures à des coins de rue, sous des portes d'allées, la nuit, par le froid et par la pluie, corrompront des commissionnaires, griseront des cochers de fiacre et des laquais, achèteront une femme de chambre, feront acquisition d'un portier. Pourquoi ? pour rien. Pur acharnement de voir, de savoir et de pénétrer. Pure démangeaison de dire. Et souvent ces secrets connus, ces mystères publiés, ces énigmes éclairées du grand jour, entraînent des catastrophes, des duels, des faillites, des familles ruinées, des existences brisées, à la grande joie de ceux qui ont « tout découvert » sans intérêt et par pur instinct. Chose triste.

Certaines personnes sont méchantes uniquement par besoin de parler. Leur conversation, causerie dans le salon, bavardage dans l'antichambre, est comme ces cheminées qui usent vite le bois ; il leur faut beaucoup de combustible ; et le combustible, c'est le prochain.

On observa donc Fantine.

Avec cela, plus d'une était jalouse de ses cheveux blonds et de ses dents blanches.

On constata que dans l'atelier, au milieu des autres, elle se détournait souvent pour essuyer une larme. C'était les moments où elle songeait à son enfant ; peut-être aussi à l'homme qu'elle avait aimé.

C'est un douloureux labeur que la rupture des sombres attaches du passé.

On constata qu'elle écrivait, au moins deux fois par mois, toujours à la même adresse, et qu'elle affranchissait la lettre. On parvint à se procurer l'adresse : *Monsieur, Monsieur Thénardier, aubergiste, à Montfermeil*. On fit jaser au cabaret l'écrivain public, vieux bonhomme qui ne pouvait pas emplir son estomac de vin rouge sans vider sa poche aux secrets. Bref, on sut que Fantine avait un enfant. « Ce devait être une espèce de fille. » Il se trouva une commère qui fit le voyage de Montfermeil, parla aux Thénardier, et dit à son retour : pour mes trente-cinq francs, j'en ai eu le cœur net. J'ai vu l'enfant !

La commère qui fit cela était une gorgone appelée madame Victurnien, gardienne et portière de la vertu de tout le monde. Madame Victurnien avait cinquante-six ans, et doublait le masque de la laideur du masque de la vieillesse. Voix chevrotante, esprit capricant. Cette vieille femme avait été jeune, chose étonnante. Dans sa jeunesse, en plein 93, elle avait épousé un moine échappé du cloître en bonnet rouge et passé des Bernardins aux Jacobins. Elle était sèche, rêche, revêche, pointue, épineuse, presque venimeuse ; tout en se souvenant de son moine dont elle était veuve, et qui l'avait fort domptée et pliée. C'était une ortie où l'on voyait le froissement du froc. A la restauration, elle s'était faite bigote, et si énergiquement que les prêtres lui avaient pardonné son moine. Elle avait un petit bien qu'elle léguait bruyamment à une communauté religieuse. Elle était fort bien vue à l'évêché d'Arras. Cette madame Victurnien donc alla à Montfermeil et revint en disant : j'ai vu l'enfant.

Tout cela prit du temps ; Fantine était depuis plus d'un an à la fabrique, lorsqu'un matin la surveillante de l'atelier lui remit, de la part de M. le Maire, cinquante francs en lui disant qu'elle ne faisait plus partie de l'atelier et en l'engageant, de la part de M. le Maire, à quitter le pays.

C'était précisément dans ce même mois que les Thénardier, après avoir demandé douze francs au lieu de six, venaient d'exiger quinze francs au lieu de douze.

Fantine fut atterrée. Elle ne pouvait s'en aller du pays, elle devait son loyer et ses meubles. Cinquante francs ne suffisaient pas pour acquitter cette dette. Elle balbutia quelques mots suppliants. La surveillante lui signifia qu'elle eût à sortir sur-le-champ de l'atelier. Fantine n'était du reste qu'une ouvrière médiocre. Accablée de honte plus encore que de désespoir, elle quitta l'atelier

et rentra dans sa chambre. Sa faute était donc maintenant connue de tous!

Elle ne se sentit plus la force de dire un mot. On lui
conseilla de voir M. le Maire; elle n'osa pas. Le maire lui
donnait cinquante francs, parce qu'il était bon, et la
chassait, parce qu'il était juste. Elle plia sous cet arrêt.

IX

SUCCÈS DE MADAME VICTURNIEN

La veuve du moine fut donc bonne à quelque chose.

Du reste, M. Madeleine n'avait rien su de tout cela. Ce
sont là de ces combinaisons d'événements dont la vie est
pleine. M. Madeleine avait pour habitude de n'entrer
presque jamais dans l'atelier des femmes.

Il avait mis à la tête de cet atelier une vieille fille, que
le curé lui avait donnée, et il avait toute confiance dans
cette surveillante, personne vraiment respectable, ferme,
équitable, intègre, remplie de la charité qui consiste à
donner, mais n'ayant pas au même degré la charité qui
consiste à comprendre et à pardonner. M. Madeleine
s'en remettait de tout sur elle. Les meilleurs hommes
sont souvent forcés de déléguer leur autorité. C'est dans
cette pleine puissance et avec la conviction qu'elle
faisait bien, que la surveillante avait instruit le procès,
jugé, condamné et exécuté Fantine.

Quant aux cinquante francs, elle les avait donnés sur
une somme que M. Madeleine lui confiait pour aumônes
et secours aux ouvrières et dont elle ne rendait pas
compte.

Fantine s'offrit comme servante dans le pays; elle
alla d'une maison à l'autre. Personne ne voulut d'elle.
Elle n'avait pu quitter la ville. Le marchand fripier
auquel elle devait ses meubles, quels meubles! lui avait
dit : si vous vous en allez, je vous fais arrêter comme
voleuse. Le propriétaire auquel elle devait son loyer, lui
avait dit : vous êtes jeune et jolie, vous pouvez payer.
Elle partagea les cinquante francs entre le propriétaire et
le fripier, rendit au marchand les trois quarts de son

mobilier, ne garda que le nécessaire, et se trouva sans travail, sans état, n'ayant plus que son lit, et devant encore environ cent francs.

Elle se mit à coudre de grosses chemises pour les soldats de la garnison, et gagnait douze sous par jour. Sa fille lui en coûtait dix. C'est en ce moment qu'elle commença à mal payer les Thénardier.

Cependant une vieille femme qui lui allumait sa chandelle quand elle rentrait le soir, lui enseigna l'art de vivre dans la misère. Derrière vivre de peu, il y a vivre de rien. Ce sont deux chambres; la première est obscure, la seconde est noire.

Fantine apprit comment on se passe tout à fait de feu en hiver, comment on renonce à un oiseau qui vous mange un liard de millet tous les deux jours, comment on fait de son jupon sa couverture et de sa couverture son jupon, comment on ménage sa chandelle en prenant son repas à la lumière de la fenêtre d'en face. On ne sait pas tout ce que certains êtres faibles, qui ont vieilli dans le dénuement et l'honnêteté, savent tirer d'un sou. Cela finit par être un talent. Fantine acquit ce sublime talent et reprit un peu de courage.

A cette époque, elle disait à une voisine : — Bah! je me dis : en ne dormant que cinq heures et en travaillant tout le reste à mes coutures, je parviendrai bien toujours à gagner à peu près du pain. Et puis, quand on est triste, on mange moins. Eh bien! des souffrances, des inquiétudes, un peu de pain d'un côté, des chagrins de l'autre, tout cela me nourrira.

Dans cette détresse, avoir sa petite fille eût été un étrange bonheur. Elle songea à la faire venir. Mais quoi! lui faire partager son dénuement! et puis, elle devait aux Thénardier! Comment s'acquitter? et le voyage! comment le payer?

La vieille qui lui avait donné ce qu'on pourrait appeler des leçons de vie indigente, était une sainte fille nommée Marguerite, dévote de la bonne dévotion, pauvre, et charitable pour les pauvres et même pour les riches, sachant tout juste assez écrire pour signer *Margeritte*, et croyant en Dieu, ce qui est la science.

Il y a beaucoup de ces vertus-là en bas; un jour elles seront en haut. Cette vie a un lendemain.

Dans les premiers temps, Fantine avait été si honteuse qu'elle n'avait pas osé sortir.

Quand elle était dans la rue, elle devinait qu'on se

retournait derrière elle et qu'on la montrait du doigt;
tout le monde la regardait et personne ne la saluait; le
mépris âcre et froid des passants lui pénétrait dans la
chair et dans l'âme comme une bise.

Dans les petites villes, il semble qu'une malheureuse
soit nue sous le sarcasme et la curiosité de tous. A Paris,
du moins, personne ne vous connaît, et cette obscurité est
un vêtement. Oh! comme elle eût souhaité venir à Paris!
impossible.

Il fallut bien s'accoutumer à la déconsidération, comme
elle s'était accoutumée à l'indigence. Peu à peu elle en
prit son parti. Après deux ou trois mois, elle secoua la
honte et se mit à sortir comme si de rien n'était. Cela
m'est bien égal, dit-elle.

Elle alla et vint, la tête haute, avec un sourire amer, et
sentit qu'elle devenait effrontée.

Madame Victurnien quelquefois la voyait passer de sa
fenêtre, remarquait la détresse de « cette créature », grâce
à elle « remise à sa place », et se félicitait. Les méchants
ont un bonheur noir.

L'excès du travail fatiguait Fantine, et la petite toux
sèche qu'elle avait, augmenta. Elle disait quelquefois à
sa voisine Marguerite : — Tâtez donc comme mes mains
sont chaudes.

Cependant le matin, quand elle peignait avec un vieux
peigne cassé ses beaux cheveux qui ruisselaient comme
de la soie floche, elle avait une minute de coquetterie
heureuse.

X

SUITE DU SUCCÈS

Elle avait été congédiée vers la fin de l'hiver; l'été se
passa, mais l'hiver revint. Jours courts, moins de travail.
L'hiver, point de chaleur, point de lumière, point de
midi, le soir touche au matin, brouillard, crépuscule, la
fenêtre est grise, on n'y voit pas clair. Le ciel est un soupirail. Toute la journée est une cave. Le soleil a l'air d'un
pauvre. L'affreuse saison! L'hiver change en pierre l'eau

du ciel et le cœur de l'homme. Ses créanciers la harcelaient.

Fantine gagnait trop peu. Ses dettes avaient grossi. Les Thénardier, mal payés, lui écrivaient à chaque instant des lettres dont le contenu la désolait et dont le port la ruinait. Un jour ils lui écrivirent que sa petite Cosette était toute nue par le froid qu'il faisait, qu'elle avait besoin d'une jupe de laine, et qu'il fallait au moins que la mère envoyât dix francs pour cela. Elle reçut la lettre, et la froissa dans ses mains tout le jour. Le soir elle entra chez un barbier qui habitait le coin de la rue, et défit son peigne. Ses admirables cheveux blonds lui tombèrent jusqu'aux reins.

— Les beaux cheveux! s'écria le barbier.

— Combien m'en donneriez-vous ? dit-elle.

— Dix francs.

— Coupez-les.

Elle acheta une jupe de tricot et l'envoya aux Thénardier.

Cette jupe fit les Thénardier furieux. C'était de l'argent qu'ils voulaient. Ils donnèrent la jupe à Eponine. La pauvre Alouette continua de frissonner.

Fantine pensa : — Mon enfant n'a plus froid. Je l'ai habillée de mes cheveux. — Elle mettait de petits bonnets ronds qui cachaient sa tête tondue et avec lesquels elle était encore jolie.

Un travail ténébreux se faisait dans le cœur de Fantine.

Quand elle vit qu'elle ne pouvait plus se coiffer, elle commença à tout prendre en haine autour d'elle. Elle avait longtemps partagé la vénération de tous pour le père Madeleine; cependant, à force de se répéter que c'était lui qui l'avait chassée, et qu'il était la cause de son malheur, elle en vint à le haïr lui aussi, lui surtout. Quand elle passait devant la fabrique aux heures où les ouvriers sont sur la porte, elle affectait de rire et de chanter.

Une vieille ouvrière qui la vit une fois chanter et rire de cette façon dit : — Voilà une fille qui finira mal.

Elle prit un amant, le premier venu, un homme qu'elle n'aimait pas, par bravade, avec la rage dans le cœur. C'était un misérable, une espèce de musicien mendiant, un oisif gueux, qui la battait, et qui la quitta comme elle l'avait pris, avec dégoût.

Elle adorait son enfant.

Plus elle descendait, plus tout devenait sombre autour d'elle, plus ce doux petit ange rayonnait dans le fond de

son âme. Elle disait : — Quand je serai riche, j'aurai ma
Cosette avec moi ; et elle riait. La toux ne la quittait pas,
et elle avait des sueurs dans le dos.

Un jour elle reçut des Thénardier une lettre ainsi
conçue : « Cosette est malade d'une maladie qui est dans
« le pays. Une fièvre miliaire, qu'ils appellent. Il faut
« des drogues chères. Cela nous ruine et nous ne pouvons
« plus payer. Si vous ne nous envoyez pas quarante francs
« avant huit jours, la petite est morte. »

Elle se mit à rire aux éclats, et elle dit à sa vieille voisine : — Ah ! ils sont bons ! quarante francs ! que ça ! ça
fait deux napoléons ? Où veulent-ils que je les prenne ?
Sont-ils bêtes, ces paysans !

Cependant elle alla dans l'escalier près d'une lucarne
et relut la lettre.

Puis elle descendit l'escalier et sortit en courant et en
sautant, riant toujours.

Quelqu'un qui la rencontra lui dit : — Qu'est-ce que
vous avez donc à être si gaie ?

Elle répondit : — C'est une bonne bêtise que viennent
de m'écrire des gens de la campagne. Ils me demandent
quarante francs. Paysans, va !

Comme elle passait sur la place, elle vit beaucoup de
monde qui entourait une voiture de forme bizarre, sur
l'impériale de laquelle pérorait tout debout un homme
vêtu de rouge. C'était un bateleur dentiste en tournée,
qui offrait au public des râteliers complets, des opiats,
des poudres et des élixirs.

Fantine se mêla au groupe et se mit à rire comme les
autres de cette harangue où il y avait de l'argot pour la
canaille et du jargon pour les gens comme il faut. L'arra-
cheur de dents vit cette belle fille qui riait, et s'écria
tout à coup : — Vous avez de jolies dents, la fille qui
riez là. Si vous voulez me vendre vos deux palettes, je
vous donne de chaque une napoléon d'or.

— Qu'est-ce que c'est que ça, mes palettes ? demanda
Fantine.

— Les palettes, reprit le professeur dentiste, c'est les
dents de devant, les deux d'en haut.

— Quelle horreur ! s'écria Fantine.

— Deux napoléons ! grommela une vieille édentée qui
était là. Qu'en voilà une qui est heureuse !

Fantine s'enfuit et se boucha les oreilles pour ne pas
entendre la voix enrouée de l'homme qui lui criait : —
Réfléchissez, la belle ! deux napoléons, ça peut servir. Si

le cœur vous en dit, venez ce soir à l'auberge du *Tillac d'argent*, vous m'y trouverez.

Fantine rentra, elle était furieuse et conta la chose à sa bonne voisine Marguerite : — Comprenez-vous cela ? ne voilà-t-il pas un abominable homme ? comment laisse-t-on des gens comme cela aller dans le pays ! m'arracher mes deux dents de devant ! mais je serais horrible ! les cheveux repoussent, mais les dents ! Ah ! le monstre d'homme ! j'aimerais mieux me jeter d'un cinquième la tête la première sur le pavé ! Il m'a dit qu'il serait ce soir au *Tillac d'argent*.

— Et qu'est-ce qu'il offrait ? demanda Marguerite.

— Deux napoléons.

— Cela fait quarante francs.

— Oui, dit Fantine, cela fait quarante francs.

Elle resta pensive, et se mit à son ouvrage. Au bout d'un quart d'heure, elle quitta sa couture et alla relire la lettre des Thénardier sur l'escalier.

En rentrant, elle dit à Marguerite qui travaillait près d'elle :

— Qu'est-ce que c'est donc que cela ? une fièvre miliaire ? Savez-vous ?

— Oui, répondit la vieille fille, c'est une maladie.

— Ça a donc besoin de beaucoup de drogues ?

— Oh ! des drogues terribles.

— Où ça vous prend-il ?

— C'est une maladie qu'on a comme ça.

— Cela attaque donc les enfants ?

— Surtout les enfants.

— Est-ce qu'on en meurt ?

— Très bien, dit Marguerite.

Fantine sortit et alla encore une fois relire la lettre sur l'escalier.

Le soir elle descendit, et on la vit qui se dirigeait du côté de la rue de Paris où sont les auberges.

Le lendemain matin, comme Marguerite entrait dans la chambre de Fantine avant le jour, car elles travaillaient toujours ensemble et de cette façon n'allumaient qu'une chandelle pour deux, elle trouva Fantine assise sur son lit, pâle, glacée. Elle ne s'était pas couchée. Son bonnet était tombé sur ses genoux. La chandelle avait brûlé toute la nuit et était presque entièrement consumée.

Marguerite s'arrêta sur le seuil, pétrifiée de cet énorme désordre, et s'écria :

— Seigneur! la chandelle qui est toute brûlée! il s'est passé des événements.

Puis elle regarda Fantine qui tournait vers elle sa tête sans cheveux.

Fantine depuis la veille avait vieilli de dix ans.

— Jésus! fit Marguerite, qu'est-ce que vous avez, Fantine?

— Je n'ai rien, répondit Fantine. Au contraire. Mon enfant ne mourra pas de cette affreuse maladie, faute de secours. Je suis contente.

En parlant ainsi, elle montrait à la vieille fille deux napoléons qui brillaient sur la table.

— Ah, Jésus Dieu! dit Marguerite. Mais c'est une fortune? où avez-vous eu ces louis d'or?

— Je les ai eus, répondit Fantine.

En même temps elle sourit. La chandelle éclairait son visage. C'était un sourire sanglant. Une salive rougeâtre lui souillait le coin des lèvres, et elle avait un trou noir dans la bouche.

Les deux dents étaient arrachées.

Elle envoya les quarante francs à Montfermeil.

Du reste c'était une ruse des Thénardier pour avoir de l'argent. Cosette n'était pas malade.

Fantine jeta son miroir par la fenêtre. Depuis longtemps elle avait quitté sa cellule du second pour une mansarde fermée d'un loquet sous le toit; un de ces galetas dont le plafond fait angle avec le plancher et vous heurte à chaque instant la tête. Le pauvre ne peut aller au fond de sa chambre comme au fond de sa destinée qu'en se courbant de plus en plus. Elle n'avait plus de lit, il lui restait une loque qu'elle appelait sa couverture, un matelas à terre et une chaise dépaillée. Un petit rosier qu'elle avait s'était desséché dans un coin, oublié. Dans l'autre coin, il y avait un pot à beurre à mettre l'eau, qui gelait l'hiver, et où les différents niveaux de l'eau restaient longtemps marqués par des cercles de glace. Elle avait perdu la honte, elle perdit la coquetterie. Dernier signe. Elle sortait avec des bonnets sales. Soit faute de temps, soit indifférence, elle ne raccommodait plus son linge. A mesure que les talons s'usaient, elle tirait ses bas dans ses souliers. Cela se voyait à de certains plis perpendiculaires. Elle rapiéçait son corset, vieux et usé, avec des morceaux de calicot qui se déchiraient au moindre mouvement. Les gens auxquels elle devait, lui faisaient « des scènes », et ne lui laissaient aucun repos. Elle les trouvait dans la rue, elle les retrouvait dans son escalier. Elle passait des nuits à pleurer et à songer. Elle avait les yeux très brillants, et elle sentait une douleur fixe dans l'épaule vers le haut de l'omoplate gauche. Elle toussait beaucoup. Elle haïssait profondément le père Madeleine, et ne se plaignait pas. Elle cousait dix-sept heures par jour; mais un entrepreneur du travail des prisons qui faisait travailler les prisonnières au rabais, fit tout à coup baisser les prix, ce qui réduisit la journée des ouvrières libres à neuf sous. Dix-sept heures de travail, et neuf sous par jour! Ses créanciers étaient plus impitoyables que jamais. Le fripier, qui avait repris presque tous les meubles, lui disait sans cesse : quand me paieras-tu, coquine ? Que voulait-on d'elle, bon Dieu! Elle se sentait traquée et il se développait en elle quelque chose de la bête farouche. Vers le même temps, le Thénardier lui écrivit que décidément il avait attendu avec beaucoup trop de bonté, et qu'il lui fallait cent francs, tout de suite, sinon, qu'il mettrait à la porte la petite Cosette, toute convalescente de sa grande maladie, par le froid, par les chemins, et qu'elle deviendrait ce qu'elle pourrait, et qu'elle crèverait, si elle voulait. — Cent francs, songea Fantine. Mais où y a-t-il un état à gagner cent sous par jour ?

— Allons! dit-elle, vendons le reste.

L'infortunée se fit fille publique.

XI

CHRISTUS NOS LIBERAVIT

Qu'est-ce que c'est que cette histoire de Fantine ? C'est la société achetant une esclave.

A qui ? A la misère.

A la faim, au froid, à l'isolement, à l'abandon, au dénuement. Marché douloureux. Une âme pour un morceau de pain. La misère offre, la société accepte.

La sainte loi de Jésus-Christ gouverne notre civilisation, mais elle ne la pénètre pas encore; on dit que l'esclavage a disparu de la civilisation européenne. C'est une erreur. Il existe toujours; mais il ne pèse plus que sur la femme, et il s'appelle prostitution.

Il pèse sur la femme, c'est-à-dire sur la grâce, sur la faiblesse, sur la beauté, sur la maternité. Ceci n'est pas une des moindres hontes de l'homme.

Au point de ce douloureux drame où nous sommes arrivés, il ne reste plus rien à Fantine de ce qu'elle a été autrefois. Elle est devenue marbre en devenant boue. Qui la touche a froid. Elle passe, elle vous subit et elle vous ignore; elle est la figure déshonorée et sévère. La vie et l'ordre social lui ont dit leur dernier mot. Il lui est arrivé tout ce qui lui arrivera. Elle a tout ressenti, tout supporté, tout éprouvé, tout souffert, tout perdu, tout pleuré. Elle est résignée de cette résignation qui ressemble à l'indifférence comme la mort ressemble au sommeil. Elle n'évite plus rien. Elle ne craint plus rien. Tombe sur elle toute la nuée et passe sur elle tout l'océan! Que lui importe! c'est une éponge imbibée.

Elle le croit du moins. Mais c'est une erreur de s'imaginer qu'on épuise le sort et qu'on touche le fond de quoi que ce soit.

Hélas! qu'est-ce que toutes ces destinées ainsi poussées pêle-mêle? où vont-elles? pourquoi sont-elles ainsi?

Celui qui sait cela voit toute l'ombre.

Il est seul. Il s'appelle Dieu.

XII

LE DÉSŒUVREMENT DE M. BAMATABOIS

Il y a dans toutes les petites villes, et il y avait à M.— sur M— en particulier, une classe de jeunes gens qui grignotent quinze cents livres de rentes en province du même air dont leurs pareils dévorent à Paris deux cent mille francs par an. Ce sont des êtres de la grande espèce neutre; hongres, parasites, nuls, qui ont un peu de terre, un peu de sottise et un peu d'esprit, qui seraient des rustres dans un salon et se croient des gentilshommes au cabaret, qui disent: mes prés, mes bois, mes paysans, sifflent les actrices du théâtre pour prouver qu'ils sont gens de goût, querellent les officiers de la garnison pour montrer qu'ils sont gens de guerre, chassent, fument, bâillent, boivent, sentent le tabac, jouent au billard, regardent les voyageurs descendre de diligence, vivent au café, dînent à l'auberge, ont un chien qui mange les os sous la table et une maîtresse qui pose les plats dessus, tiennent à un sou, exagèrent les modes, admirent la tragédie, méprisent les femmes, usent leurs vieilles bottes, copient Londres à travers Paris et Paris à travers Pont-à-Mousson, vieillissent hébétés, ne travaillent pas, ne servent à rien et ne nuisent pas à grand-chose.

M. Félix Tholomyès resté dans sa province et n'ayant jamais vu Paris, serait un de ces hommes-là.

S'ils étaient plus riches, on dirait : ce sont des élégants ; s'ils étaient plus pauvres, on dirait : ce sont des fainéants. Ce sont tout simplement des désœuvrés. Parmi ces désœuvrés, il y a des ennuyeux, des ennuyés, des rêvasseurs, et quelques drôles.

Dans ce temps-là, un élégant se composait d'un grand col, d'une grande cravate, d'une montre à breloques, de trois gilets superposés de couleurs différentes, le bleu et le rouge en dedans, d'un habit couleur olive à taille courte, à queue de morue, à double rangée de boutons d'argent serrés les uns contre les autres et montant jusque sur l'épaule, et d'un pantalon olive plus clair, orné sur les deux coutures d'un nombre de côtes indéterminé, mais toujours impair, variant de une à onze, limite qui n'était jamais franchie. Ajoutez à cela des souliers-bottes avec de petits fers au talon, un chapeau à haute forme et à bords étroits, des cheveux en touffe, une énorme canne, et une conversation rehaussée des calembours de Potier. Sur le tout, des éperons et des moustaches. A cette époque, des moustaches voulaient dire bourgeois et des éperons voulaient dire piéton.

L'élégant de province portait les éperons plus longs et les moustaches plus farouches.

C'était le temps de la lutte des républiques de l'Amérique méridionale contre le roi d'Espagne, de Bolivar contre Morillo. Les chapeaux à petits bords étaient royalistes et se nommaient des morillos ; les libéraux portaient des chapeaux à larges bords qui s'appelaient des bolivars.

Huit ou dix mois donc après ce qui a été raconté dans les pages précédentes, vers les premiers jours de janvier 1823, un soir qu'il avait neigé, un de ces élégants, un de ces désœuvrés, un « bien pensant », car il avait un morillo, de plus chaudement enveloppé d'un de ces grands manteaux qui complétaient dans les temps froids le costume à la mode, se divertissait à harceler une créature qui rôdait en robe de bal et toute décolletée avec des fleurs sur la tête devant la vitre du café des officiers. Cet élégant fumait, car c'était décidément la mode.

Chaque fois que cette femme passait devant lui, il lui jetait, avec une bouffée de la fumée de son cigare, quelque apostrophe qu'il croyait spirituelle et gaie, comme : — Que tu es laide! — Veux-tu te cacher! — Tu n'as pas de dents! etc., etc., — ce monsieur s'appelait monsieur Bamatabois. La femme, triste spectre paré qui allait et venait sur la neige, ne lui répondait pas, ne le regardait même pas, et n'en accomplissait pas moins en silence et avec une régularité sombre sa promenade qui la ramenait de cinq minutes en cinq minutes sous le sarcasme, comme le soldat condamné qui revient sous les verges. Ce peu d'effet piqua sans doute l'oisif qui, profitant d'un moment où elle se retournait, s'avança derrière elle à pas de loup et, en étouffant son rire, se baissa, prit sur le pavé une poignée de neige et la lui plongea brusquement dans le dos entre ses deux épaules nues. La fille poussa un rugissement, se tourna, bondit comme une panthère, et se rua sur l'homme, lui enfonçant ses ongles dans le visage, avec les plus effroyables paroles qui puissent tomber du corps de garde dans le ruisseau. Ces injures, vomies d'une voix enrouée par l'eau-de-vie, sortaient hideusement d'une bouche à laquelle manquaient en effet les deux dents de devant. C'était la Fantine.

Au bruit que cela fit, les officiers sortirent en foule du café, les passants s'amassèrent, et il se forma un grand cercle riant, huant et applaudissant, autour de ce tourbillon composé de deux êtres où l'on avait peine à reconnaître un homme et une femme, l'homme se débattant, son chapeau à terre, la femme frappant des pieds et des poings, décoiffée, hurlant, sans dents et sans cheveux, livide de colère, horrible.

Tout à coup un homme de haute taille sortit vivement de la foule, saisit la femme à son corsage de satin couvert de boue, et lui dit : suis-moi!

La femme leva la tête; sa voix furieuse s'éteignit subitement. Ses yeux étaient vitreux, de livide elle était devenue pâle, et elle tremblait d'un tremblement de terreur. Elle avait reconnu Javert.

L'élégant avait profité de l'incident pour s'esquiver.

XIII

SOLUTION DE QUELQUES QUESTIONS DE POLICE
MUNICIPALE

Javert écarta les assistants, rompit le cercle, et se mit à marcher à grands pas vers le bureau de police qui est à l'extrémité de la place, traînant après lui la misérable. Elle se laissait faire machinalement. Ni lui, ni elle ne disaient un mot. La nuée des spectateurs, au paroxysme de la joie, suivait avec des quolibets. La suprême misère, occasion d'obscénités.

Arrivé au bureau de police qui était une salle basse chauffée par un poêle et gardée par un poste, avec une porte vitrée et grillée sur la rue, Javert ouvrit la porte, entra avec la Fantine et referma la porte derrière lui, au grand désappointement des curieux qui se haussèrent sur la pointe du pied et allongèrent le cou devant la vitre trouble du corps de garde, cherchant à voir. La curiosité est une gourmandise. Voir c'est dévorer.

En entrant, la Fantine alla tomber dans un coin, immobile et muette, accroupie comme une chienne qui a peur.

Le sergent du poste apporta une chandelle allumée sur une table. Javert s'assit, tira de sa poche une feuille de papier timbré et se mit à écrire.

Ces classes de femmes sont entièrement remises par nos lois à la discrétion de la police. Elle en fait ce qu'elle veut, les punit comme bon lui semble, et confisque à son gré ces deux tristes choses qu'elles appellent leur industrie et leur liberté. Javert était impassible; son visage ne trahissait aucune émotion. Pourtant il était gravement et profondément préoccupé. C'était un de ces moments où il exerçait sans contrôle, mais avec tous les scrupules d'une conscience sévère, son redoutable pouvoir discrétionnaire. En cet instant, il le sentait, son escabeau d'agent de police était un tribunal. Il jugeait. Il jugeait et il condamnait. Il appelait tout ce qu'il pouvait avoir d'idées dans l'esprit autour de la grande chose qu'il faisait. Plus il examinait le fait de cette fille, plus il se sentait révolté. Il était évident qu'il venait de voir commettre un crime. Il venait de voir, là dans la rue, la société représentée par un propriétaire-électeur, insultée et attaquée par une créature en dehors de tout. Une prostituée avait attenté à un bourgeois. Il avait vu cela, lui Javert. Il écrivait en silence.

Quand il eut fini, il signa, plia le papier et dit au sergent du poste, en le lui remettant : — Prenez trois hommes, et menez cette fille au bloc. — Puis se tournant vers la Fantine : — Tu en as pour six mois.

La malheureuse tressaillit.

— Six mois ! six mois de prison ! cria-t-elle. Six mois à gagner sept sous par jour ! mais que deviendra Cosette ! ma fille ! ma fille ! Mais je dois encore plus de cent francs aux Thénardier, monsieur l'inspecteur, savez-vous cela ?

Elle se traîna sur la dalle mouillée par les bottes boueuses de tous ces hommes, sans se lever, joignant les mains, faisant de grands pas avec ses genoux.

— Monsieur Javert, dit-elle, je vous demande grâce. Je vous assure que je n'ai pas eu tort. Si vous aviez vu le commencement, vous auriez vu ! je vous jure le bon Dieu que je n'ai pas eu tort. C'est ce monsieur le bourgeois que je ne connais pas qui m'a mis de la neige dans le dos. Est-ce qu'on a le droit de nous mettre de la neige dans le dos quand nous passons comme cela tranquillement sans faire de mal à personne ? Cela m'a saisie. Je suis un peu malade, voyez-vous ! et puis il y avait déjà un peu de temps qu'il me disait des raisons. Tu es laide ! tu n'as pas de dents ! je le sais bien que je n'ai plus mes dents. Je ne faisais rien, moi ; je disais : c'est un monsieur qui s'amuse. J'étais honnête avec lui, je ne lui parlais pas. C'est à cet instant-là qu'il m'a mis de la neige. Monsieur Javert, mon bon monsieur l'inspecteur ! est-ce qu'il n'y a personne là qui ait vu pour vous dire que c'est bien vrai ? J'ai peut-être eu tort de me fâcher. Vous savez, dans le premier moment, on n'est pas maître. On a des vivacités. Et puis, quelque chose de si froid qu'on vous met dans le dos à l'heure que vous ne vous y attendez pas. J'ai eu tort d'abîmer le chapeau de ce monsieur. Pourquoi s'est-il en allé ? je lui demanderais pardon. Oh ! mon Dieu, cela me serait bien égal de lui demander pardon. Faites-moi grâce pour aujourd'hui cette fois, monsieur Javert. Tenez, vous ne savez pas ça, dans les prisons on ne gagne que sept sous, ce n'est pas la faute du gouvernement, mais on gagne sept sous, et figurez-vous que j'ai cent francs à

payer, ou autrement on me renverra ma petite. O mon
Dieu! je ne peux pas l'avoir avec moi. C'est si vilain ce
que je fais! Ô ma Cosette, ô mon petit ange de la bonne
sainte vierge, qu'est-ce qu'elle deviendra, pauvre loup!
Je vais vous dire, c'est les Thénardier, des aubergistes,
des paysans, ça n'a pas de raisonnement. Il leur faut de
l'argent. Ne me mettez pas en prison! Voyez-vous, c'est
une petite qu'on mettrait à même sur la grande route, va
comme tu pourras, en plein cœur d'hiver, il faut avoir
pitié de cette chose-là, mon bon monsieur Javert. Si c'était
plus grand, ça gagnerait sa vie, mais ça ne peut pas, à ces
âges-là. Je ne suis pas une mauvaise femme au fond. Ce
n'est pas la lâcheté et la gourmandise qui ont fait de moi
ça. J'ai bu de l'eau-de-vie, c'est par misère. Je ne l'aime
pas, mais cela étourdit. Quand j'étais plus heureuse, on
n'aurait eu qu'à regarder dans mes armoires, on aurait
bien vu que je n'étais pas une femme coquette qui a du
désordre. J'avais du linge, beaucoup de linge. Ayez pitié
de moi, monsieur Javert !

Elle parlait ainsi, brisée en deux, secouée par les sanglots, aveuglée par les larmes, la gorge nue, se tordant
les mains, toussant d'une toux sèche et courte, balbu-
tiant tout doucement avec la voix de l'agonie. La grande
douleur est un rayon divin et terrible qui transfigure les
misérables. En ce moment-là, la Fantine était redevenue
belle. A de certains instants, elle s'arrêtait et baisait tendrement la redingote du mouchard. Elle eût attendri un
cœur de granit; mais on n'attendrit pas un cœur de bois.

— Allons! dit Javert, je t'ai écoutée. As-tu bien tout
dit ? Marche à présent! tu as tes six mois! le Père Eternel
en personne n'y pourrait plus rien.

A cette solennelle parole, *le Père Eternel en personne
n'y pourrait plus rien*, elle comprit que l'arrêt était prononcé. Elle s'affaissa sur elle-même en murmurant :

— Grâce!

Javert tourna le dos.

Les soldats la saisirent par le bras.

Depuis quelques minutes, un homme était entré sans
qu'on eût pris garde à lui. Il avait refermé la porte, s'y
était adossé, et avait entendu les prières désespérées de
la Fantine.

Au moment où les soldats mirent la main sur la malheureuse qui ne voulait pas se lever, il fit un pas, sortit
de l'ombre et dit :

— Un instant, s'il vous plaît!

Javert leva les yeux et reconnut M. Madeleine. Il ôta son chapeau, et saluant avec une sorte de gaucherie fâchée :

— Pardon, monsieur le maire...

Ce mot : monsieur le maire, fit sur la Fantine un effet étrange. Elle se dressa debout tout d'une pièce comme un spectre qui sort de terre, repoussa les soldats des deux bras, marcha droit à M. Madeleine avant qu'on eût pu la retenir, et le regardant fixement, l'air égaré, elle s'écria :

— Ah ! c'est donc toi qui es monsieur le maire !

Puis elle éclata de rire et lui cracha au visage.

M. Madeleine s'essuya le visage et dit :

— Inspecteur Javert, mettez cette femme en liberté.

Javert se sentit au moment de devenir fou. Il éprouvait en cet instant, coup sur coup, et presque mêlées ensemble, les plus violentes émotions qu'il eût ressenties de sa vie. Voir une fille publique cracher au visage d'un maire, cela était une chose si monstrueuse que, dans ses suppositions les plus effroyables, il eût regardé comme un sacrilège de la croire possible. D'un autre côté, dans le fond de sa pensée, il faisait confusément un rapprochement hideux entre ce qu'était cette femme et ce que pouvait être ce maire, et alors il entrevoyait avec horreur je ne sais quoi de tout simple dans ce prodigieux attentat. Mais quand il vit ce maire, ce magistrat, s'essuyer tranquillement le visage et dire : *mettez cette femme en liberté,* il eut comme un éblouissement de stupeur ; la pensée et la parole lui manquèrent également ; la somme de l'étonnement possible était dépassée pour lui. Il resta muet.

Ce mot n'avait pas porté un coup moins étrange à la Fantine. Elle leva son bras nu et se cramponna à la clef du poêle comme une personne qui chancelle. Cependant elle regardait tout autour d'elle et elle se mit à parler à voix basse, comme si elle se parlait à elle-même.

— En liberté ! qu'on me laisse aller ! que je n'aille pas en prison six mois ? Qu'est-ce qui a dit cela ? Il n'est pas possible qu'on ait dit cela. J'ai mal entendu. Ça ne peut pas être ce monstre de maire ! Est-ce que c'est vous, mon bon monsieur Javert, qui avez dit qu'on me mette en liberté ? Oh ! voyez-vous ! je vais vous dire et vous me laisserez aller. Ce monstre de maire, ce vieux gredin de maire, c'est lui qui est cause de tout. Figurez-vous, monsieur Javert, qu'il m'a chassée ! à cause d'un tas de gueuses qui tiennent des propos dans l'atelier. Si ce n'est pas là une horreur ! Renvoyer une pauvre fille qui fait honnêtement son ouvrage! alors je n'ai plus gagné assez, et tout le malheur est venu. D'abord il y a une amélioration que ces messieurs de la police devraient bien faire, ce serait d'empêcher les entrepreneurs des prisons de faire du tort aux pauvres gens. Je vais vous expliquer cela, voyez-vous. Vous gagnez douze sous dans les chemises, cela tombe à neuf sous, il n'y a plus moyen de vivre. Il faut donc devenir ce qu'on peut. Moi, j'avais ma petite Cosette, j'ai bien été forcée de devenir une mauvaise femme. Vous comprenez à présent que c'est ce gueux de maire qui a fait tout le mal. Après cela, j'ai piétiné le chapeau de ce monsieur bourgeois devant le café des officiers. Mais lui, il m'avait perdu toute ma robe avec de la neige. Nous autres, nous n'avons qu'une robe de soie, pour le soir. Voyez-vous, je n'ai jamais fait de mal exprès, vrai, monsieur Javert, et je vois partout des femmes bien plus méchantes que moi qui sont bien plus heureuses. O monsieur Javert, c'est vous qui avez dit qu'on me mette dehors, n'est-ce pas? Prenez des informations, parlez à mon propriétaire, maintenant je paie mon terme, on vous dira bien que je suis honnête. Ah! mon Dieu, je vous demande pardon, j'ai touché, sans faire attention, à la clef du poêle, et cela fait fumer.

M. Madeleine l'écoutait avec une attention profonde. Pendant qu'elle parlait, il avait fouillé dans son gilet, en avait tiré sa bourse et l'avait ouverte. Elle était vide. Il l'avait remise dans sa poche. Il dit à la Fantine :

— Combien avez-vous dit que vous deviez?

La Fantine, qui ne regardait que Javert, se retourna de son côté :

— Est-ce que je te parle à toi?

Puis s'adressant aux soldats :

— Dites donc, vous autres, avez-vous vu comme je te vous lui ai craché à la figure? Ah! vieux scélérat de maire, tu viens ici pour me faire peur, mais je n'ai pas peur de toi. J'ai peur de monsieur Javert. J'ai peur de mon bon monsieur Javert!

En parlant ainsi, elle se retourna vers l'inspecteur :

— Avec ça, voyez-vous, monsieur l'inspecteur, il faut être juste. Je comprends que vous êtes juste, monsieur l'inspecteur, au fait, c'est tout simple, un homme qui joue à mettre un peu de neige dans le dos d'une femme, ça les faisait rire, les officiers, il faut bien qu'on se divertisse à quelque chose, nous autres nous sommes là pour qu'on s'amuse, quoi! Et puis, vous, vous venez, vous êtes bien forcé de mettre l'ordre, vous emmenez la femme qui a tort, mais en y réfléchissant, comme vous êtes bon, vous dites qu'on me mette en liberté, c'est pour la petite, parce que six mois en prison cela m'empêcherait de nourrir mon enfant. Seulement n'y reviens plus, coquine! Oh! je n'y reviendrai plus, monsieur Javert! on me fera tout ce qu'on voudra maintenant, je ne bougerai plus. Seulement, aujourd'hui, voyez-vous, j'ai crié parce que cela m'a fait mal, je ne m'attendais pas du tout à cette neige de ce monsieur, et puis, je vous ai dit, je ne me porte pas très bien, je tousse, j'ai là dans l'estomac comme une boule qui me brûle, que le médecin me dit : soignez-vous. Tenez, tâtez, donnez votre main, n'ayez pas peur, c'est ici.

Elle ne pleurait plus, sa voix était caressante, elle appuyait sur sa gorge blanche et délicate la grosse main rude de Javert, et elle le regardait en souriant.

Tout à coup elle rajusta vivement le désordre de ses vêtements, fit retomber les plis de sa robe qui en se traînant s'était relevée presque à la hauteur du genou, et marcha vers la porte en disant à demi-voix aux soldats avec un signe de tête amical :

— Les enfants, monsieur l'inspecteur a dit qu'on me lâche, je m'en vas.

Elle mit la main sur le loquet. Un pas de plus, elle était dans la rue.

Javert jusqu'à cet instant était resté debout, immobile, l'œil fixé à terre, posé de travers au milieu de cette scène comme une statue dérangée qui attend qu'on la mette quelque part.

Le bruit que fit le loquet le réveilla. Il releva la tête avec une expression d'autorité souveraine, expression toujours d'autant plus effrayante que le pouvoir se trouve placé plus bas, féroce chez la bête fauve, atroce chez l'homme de rien.

— Sergent, cria-t-il, vous ne voyez pas que cette drôlesse s'en va! Qui est-ce qui vous a dit de la laisser aller ?

— Moi, dit Madeleine.

La Fantine à la voix de Javert avait tremblé et lâché le loquet comme un voleur pris lâche l'objet volé. A la voix de Madeleine, elle se retourna, et à partir de ce moment, sans qu'elle prononçât un mot, sans qu'elle osât même laisser sortir son souffle librement, son regard alla tour à tour de Madeleine à Javert et de Javert à Madeleine, selon que c'était l'un ou l'autre qui parlait.

Il était évident qu'il fallait que Javert eût été, comme on dit, « jeté hors des gonds » pour qu'il se fût permis d'apostropher le sergent comme il l'avait fait, après l'invitation du maire de mettre Fantine en liberté. En était-il venu à oublier la présence de monsieur le maire ? Avait-il fini par se déclarer à lui-même qu'il était impossible qu' « une autorité » eût donné un pareil ordre, et que bien certainement monsieur le maire avait dû dire sans le vouloir une chose pour une autre ? Ou bien, devant les énormités dont il était témoin depuis deux heures, se disait-il qu'il fallait revenir aux suprêmes résolutions, qu'il était nécessaire que le petit se fît grand, que le mouchard se transformât en magistrat, que l'homme de police devînt homme de justice, et qu'en cette extrémité prodigieuse l'ordre, la loi, la morale, le gouvernement, la société tout entière, se personnifiaient en lui Javert ?

Quoi qu'il en soit, quand M. Madeleine eut dit ce *moi* qu'on vient d'entendre, on vit l'inspecteur de police Javert se tourner vers monsieur le maire, pâle, froid, les lèvres bleues, le regard désespéré, tout le corps agité d'un tremblement imperceptible, et, chose inouïe, lui dire, l'œil baissé, mais la voix ferme :

— Monsieur le maire, cela ne se peut pas.

— Comment ? dit M. Madeleine.

— Cette malheureuse a insulté un bourgeois.

— Inspecteur Javert, repartit M. Madeleine avec un accent conciliant et calme, écoutez. Vous êtes un honnête homme, et je ne fais nulle difficulté de m'expliquer avec vous. Voici le vrai. Je passais sur la place comme vous emmeniez cette femme, il y avait encore des groupes, je me suis informé, j'ai tout su, c'est le bourgeois qui a eu tort et qui, en bonne police, eût dû être arrêté.

Javert reprit :

— Cette misérable vient d'insulter monsieur le maire.

— Ceci me regarde, dit M. Madeleine. Mon injure est à moi peut-être. J'en puis faire ce que je veux.

— Je demande pardon à monsieur le maire. Son injure n'est pas à lui, elle est à la justice.

— Inspecteur Javert, répliqua M. Madeleine, la première justice, c'est la conscience. J'ai entendu cette femme. Je sais ce que je fais.

— Et moi, monsieur le maire, je ne sais pas ce que je vois.

— Alors contentez-vous d'obéir.

— J'obéis à mon devoir. Mon devoir veut que cette femme fasse six mois de prison.

M. Madeleine répondit avec douceur :

— Ecoutez bien ceci. Elle n'en fera pas un jour.

A cette parole décisive, Javert osa regarder le maire fixement, et lui dit, mais avec un son de voix toujours profondément respectueux :

— Je suis au désespoir de résister à monsieur le maire, c'est la première fois de ma vie, mais il daignera me permettre de lui faire observer que je suis dans les limites de mes attributions. Je reste, puisque monsieur le maire le veut, dans le fait du bourgeois. J'étais là. C'est cette fille qui s'est jetée sur monsieur Bamatabois qui est électeur et propriétaire de cette belle maison à balcon qui fait le coin de l'esplanade, à trois étages et toute en pierre de taille. Enfin, il y a des choses dans ce monde! Quoi qu'il en soit, monsieur le maire, cela, c'est un fait de police de la rue qui me regarde, et je retiens la femme Fantine.

Alors M. Madeleine croisa les bras et dit avec une voix sévère que personne dans la ville n'avait encore entendue :

— Le fait dont vous parlez est un fait de police municipale. Aux termes des articles neuf, onze, quinze et soixante-six du code d'instruction criminelle, j'en suis juge. J'ordonne que cette femme soit mise en liberté.

Javert voulut tenter un dernier effort.

— Mais, monsieur le maire...

— Je vous rappelle, à vous, l'article quatre-vingt-un de la loi du 13 décembre 1799 sur la détention arbitraire.

— Monsieur le maire, permettez...

— Plus un mot.

— Pourtant...

— Sortez, dit M. Madeleine.

Javert reçut le coup, debout, de face, et en pleine poitrine comme un soldat russe. Il salua jusqu'à terre monsieur le maire et sortit.

Fantine se rangea de la porte et le regarda avec stupeur passer devant elle.

Cependant elle aussi était en proie à un bouleversement étrange. Elle venait de se voir en quelque sorte disputée par deux puissances opposées. Elle avait vu lutter devant ses yeux deux hommes tenant dans leurs mains sa liberté, sa vie, son âme, son enfant; l'un de ces hommes la tirait du côté de l'ombre, l'autre la ramenait vers la lumière. Dans cette lutte, entrevue à travers les grossissements de l'épouvante, ces deux hommes lui étaient apparus comme

deux géants; l'un parlait comme son démon, l'autre
parlait comme son bon ange. L'ange avait vaincu le
démon, et, chose qui la faisait frissonner de la tête aux
pieds, cet ange, ce libérateur, c'était précisément l'homme
qu'elle abhorrait, ce maire qu'elle avait si longtemps
considéré comme l'auteur de tous ses maux, ce Madeleine!
et au moment même où elle venait de l'insulter d'une
façon hideuse, il la sauvait! S'était-elle donc trompée?
Devait-elle donc changer toute son âme?... Elle ne savait,
elle tremblait. Elle écoutait éperdue, elle regardait
effarée, et à chaque parole que disait M. Madeleine, elle
sentait fondre et s'écrouler en elle les affreuses ténèbres
de la haine et naître dans son cœur je ne sais quoi
de réchauffant et d'ineffable qui était de la joie, de la
confiance et de l'amour.

Quand Javert fut sorti, M. Madeleine se tourna vers
elle, et lui dit avec une voix lente, ayant peine à parler
comme un homme sérieux qui ne veut pas pleurer:

— Je vous ai entendue. Je ne savais rien de ce que
vous avez dit. Je crois que c'est vrai, et je sens que c'est
vrai. J'ignorais même que vous eussiez quitté mes ateliers.
Pourquoi ne vous êtes-vous pas adressée à moi? Mais
voici: Je paierai vos dettes, je ferai venir votre enfant, ou
vous irez la rejoindre. Vous vivrez ici, à Paris, où vous
voudrez. Je me charge de votre enfant et de vous. Vous
ne travaillerez plus, si vous voulez. Je vous donnerai
tout l'argent qu'il vous faudra. Vous redeviendrez honnête
en redevenant heureuse. Et même, écoutez, je vous le
déclare dès à présent, si tout est comme vous le dites, et
je n'en doute pas, vous n'avez jamais cessé d'être vertueuse et sainte devant Dieu. Oh! pauvre femme!

C'en était plus que la pauvre Fantine n'en pouvait supporter. Avoir Cosette! sortir de cette vie infâme! vivre
libre, riche, heureuse, honnête, avec Cosette! voir brusquement s'épanouir au milieu de sa misère toutes ces
réalités du paradis! Elle regarda comme hébétée cet
homme qui lui parlait, et ne put que jeter deux ou
trois sanglots: Oh! oh! oh! Ses jarrets plièrent, elle se
mit à genoux devant M. Madeleine, et, avant qu'il eût
pu l'en empêcher, il sentit qu'elle lui prenait la main et
que ses lèvres s'y posaient.

Puis elle s'évanouit.

LIVRE SIXIÈME

I

COMMENCEMENT DU REPOS

M. Madeleine fit transporter la Fantine à cette infirmerie qu'il avait dans sa propre maison. Il la confia aux
sœurs qui la mirent au lit. Une fièvre ardente était survenue. Elle passa une partie de la nuit à délirer et à
parler haut. Cependant elle finit par s'endormir.

Le lendemain vers midi Fantine se réveilla, elle
entendit une respiration tout près de son lit, elle écarta
son rideau et vit M. Madeleine debout qui regardait
quelque chose au-dessus de sa tête. Ce regard était plein
de pitié et d'angoisse et suppliait. Elle en suivit la direction et vit qu'il s'adressait à un crucifix cloué au mur.

M. Madeleine était désormais transfiguré aux yeux de
Fantine. Il lui paraissait enveloppé de lumière. Il était
absorbé dans une sorte de prière. Elle le considéra longtemps sans oser l'interrompre. Enfin elle lui dit timidement :

— Que faites-vous donc là ?

M. Madeleine était à cette place depuis une heure. Il
attendait que Fantine se réveillât. Il lui prit la main, lui
tâta le pouls, et répondit :

— Comment êtes-vous ?

— Bien, j'ai dormi, dit-elle, je crois que je vais mieux.
Ce ne sera rien.

Lui reprit, répondant à la question qu'elle lui avait
adressée d'abord, comme s'il ne faisait que de l'entendre :

— Je priais le martyr qui est là-haut.

Et il ajouta dans sa pensée : — Pour la martyre qui est
ici-bas.

M. Madeleine avait passé la nuit et la matinée à s'informer. Il savait tout maintenant. Il connaissait dans tous
ses poignants détails l'histoire de Fantine. Il continua :

— Vous avez bien souffert, pauvre mère. Oh! ne vous

plaignez pas, vous avez à présent la dot des élus. C'est de cette façon que les hommes font des anges. Ce n'est point leur faute ; ils ne savent pas s'y prendre autrement. Voyez-vous, cet enfer dont vous sortez est la première forme du ciel. Il fallait commencer par là.

Il soupira profondément. Elle cependant lui souriait avec ce sublime sourire auquel il manquait deux dents.

Javert dans cette même nuit avait écrit une lettre. Il remit lui-même cette lettre le lendemain matin au bureau de poste de M.— sur M—. Elle était pour Paris et la suscription portait : *à monsieur Chabouillet, secrétaire de monsieur le préfet de police*. Comme l'affaire du corps de garde s'était ébruitée, la directrice du bureau de poste et quelques autres personnes qui virent la lettre avant le départ et qui reconnurent l'écriture de Javert sur l'adresse pensèrent que c'était sa démission qu'il envoyait.

M. Madeleine se hâta d'écrire aux Thénardier. Fantine leur devait cent vingt francs. Il leur envoya trois cents francs, en leur disant de se payer sur cette somme et d'amener tout de suite l'enfant à M.— sur M — où sa mère malade la réclamait.

Ceci éblouit le Thénardier. — Diable ! dit-il à sa femme, ne lâchons pas l'enfant. Voilà que cette mauviette va devenir une vache à lait. Je devine. Quelque jocrisse se sera amouraché de la mère.

Il riposta par un mémoire de cinq cents et quelques francs fort bien fait. Dans ce mémoire figuraient pour plus de trois cents francs deux notes incontestables, l'une d'un médecin, l'autre d'un apothicaire, lesquels avaient soigné et médicamenté dans deux longues maladies Eponine et Azelma. Cosette, nous l'avons dit, n'avait pas été malade. Ce fut l'affaire d'une toute petite substitution de noms. Thénardier mit au bas du mémoire : *reçu à-compte trois cents francs*.

M. Madeleine envoya tout de suite trois cents autres francs et écrivit : dépêchez-vous d'amener Cosette.

— Christi ! dit le Thénardier, ne lâchons pas l'enfant.

Cependant Fantine ne se rétablissait point. Elle était toujours à l'infirmerie.

Les sœurs n'avaient d'abord reçu et soigné « cette fille » qu'avec répugnance. Qui a vu les bas-reliefs de Reims se souvient du gonflement de la lèvre inférieure des vierges sages regardant les vierges folles. Cet antique mépris des vestales pour les ambubaïes est un des plus profonds instincts de la dignité féminine ; les sœurs l'avaient éprouvé, avec le redoublement qu'ajoute la religion. Mais en peu de jours, Fantine les avait désarmées. Elle avait toutes sortes de paroles humbles et douces, et la mère qui était en elle attendrissait. Un jour les sœurs l'entendirent qui disait à travers la fièvre : — J'ai été une pécheresse, mais quand j'aurai mon enfant près de moi, cela voudra dire que Dieu m'a pardonné. Pendant que j'étais dans le mal, je n'aurais pas voulu avoir ma Cosette avec moi, je n'aurais pas pu supporter ses yeux étonnés et tristes. C'était pour elle pourtant que je faisais le mal, et c'est ce qui fait que Dieu me pardonne. Je sentirai la bénédiction du bon Dieu quand Cosette sera ici. Je la regarderai, cela me fera du bien de voir cette innocente. Elle ne sait rien du tout. C'est un ange, voyez-vous, mes sœurs. A cet âge-là, les ailes, ça n'est pas encore tombé.

M. Madeleine l'allait voir deux fois par jour, et chaque fois elle lui demandait :

— Verrai-je bientôt ma Cosette ?

Il lui répondait :

— Peut-être demain matin. D'un moment à l'autre elle arrivera, je l'attends.

Et le visage pâle de la mère rayonnait.

— Oh! disait-elle, comme je vais être heureuse!

Nous venons de dire qu'elle ne se rétablissait pas. Au contraire, son état semblait s'aggraver de semaine en semaine. Cette poignée de neige appliquée à nu sur la peau entre les deux omoplates avait déterminé une suppression subite de transpiration à la suite de laquelle la maladie qu'elle couvait depuis plusieurs années finit par se déclarer violemment. On commençait alors à suivre pour l'étude et le traitement des maladies de poitrine les belles indications de Laënnec. Le médecin ausculta la Fantine et hocha la tête.

M. Madeleine dit au médecin :

— Eh bien ?

— N'a-t-elle pas un enfant qu'elle désire voir ? dit le médecin.

— Oui.

— Eh bien, hâtez-vous de le faire venir.

M. Madeleine eut un tressaillement.

Fantine lui demanda :

— Qu'a dit le médecin ?

M. Madeleine s'efforça de sourire.

— Il a dit de faire venir bien vite votre enfant. Que cela vous rendra la santé.

— Oh! reprit-elle, il a raison! mais qu'est-ce qu'ils ont donc ces Thénardier à me garder ma Cosette! Oh! elle va venir. Voici enfin que je vois le bonheur tout près de moi!

Le Thénardier cependant ne « lâchait pas l'enfant » et donnait cent mauvaises raisons. Cosette était un peu souffrante pour se mettre en route l'hiver. Et puis il y avait un reste de petites dettes criardes dans le pays dont il rassemblait les factures, etc., etc.

— J'enverrai quelqu'un chercher Cosette! dit le père Madeleine. S'il le faut, j'irai moi-même.

Il écrivit sous la dictée de Fantine cette lettre qu'il lui fit signer :

« Monsieur Thénardier,

« Vous remettrez Cosette à la personne.
« On vous paiera toutes les petites choses.
« J'ai l'honneur de vous saluer avec considération,

« FANTINE. »

Sur ces entrefaites, il survint un grave incident. Nous avons beau tailler de notre mieux le bloc mystérieux dont notre vie est faite, la veine noire de la destinée y reparaît toujours.

II

COMMENT JEAN PEUT DEVENIR CHAMP

Un matin, M. Madeleine était dans son cabinet, occupé à régler d'avance quelques affaires pressantes de la mairie, pour le cas où il se déciderait à ce voyage de Montfermeil, lorsqu'on vint lui dire que l'inspecteur de police Javert demandait à lui parler. En entendant prononcer ce nom, M. Madeleine ne put se défendre d'une impression désagréable. Depuis l'aventure du bureau de police, Javert l'avait plus que jamais évité, et M. Madeleine ne l'avait point revu.

— Faites entrer, dit-il.

Javert entra.

M. Madeleine était resté assis près de la cheminée, une plume à la main, l'œil sur un dossier qu'il feuilletait et qu'il annotait et qui contenait des procès-verbaux de contraventions à la police de la voirie. Il ne se dérangea point pour Javert. Il ne pouvait s'empêcher de songer à la pauvre Fantine, et il lui convenait d'être glacial.

Javert salua respectueusement M. le maire qui lui tournait le dos. M. le maire ne le regarda pas et continua d'annoter son dossier.

Javert fit deux ou trois pas dans le cabinet, et s'arrêta sans rompre le silence.

Un physionomiste qui eût été familier avec la nature de Javert, qui eût étudié depuis longtemps ce sauvage au service de la civilisation, ce composé bizarre du romain, du spartiate, du moine et du caporal, cet espion incapable d'un mensonge, ce mouchard vierge, un physionomiste qui eût su sa secrète et ancienne aversion pour M. Madeleine, son conflit avec le maire au sujet de la Fantine, et qui eût considéré Javert en ce moment, se fût dit : que s'est-il passé ? Il était évident, pour qui eût connu cette conscience droite, claire, sincère, probe, austère et féroce, que Javert sortait de quelque grand événement intérieur. Javert n'avait rien dans l'âme qu'il ne l'eût aussi sur le visage. Il était, comme les gens violents, sujet aux revirements brusques. Jamais sa physionomie n'avait été plus étrange et plus inattendue. En entrant, il s'était incliné devant M. Madeleine avec un regard où il n'y avait ni rancune, ni colère, ni défiance, il s'était arrêté à quelques pas derrière le fauteuil du maire; et maintenant il se tenait là, debout, dans une attitude presque disciplinaire, avec la rudesse naïve et froide d'un homme qui n'a jamais été doux et qui a toujours été patient; il attendait, sans dire un mot, sans faire un mouvement, dans une humilité vraie et dans une résignation tranquille, qu'il plût à monsieur le maire de se retourner, calme, sérieux, le chapeau à la main, les yeux baissés, avec une expression qui tenait le milieu entre le soldat devant son officier et le coupable devant son juge. Tous les sentiments comme tous les souvenirs qu'on eût pu lui supposer avaient disparu. Il n'y avait plus rien sur ce visage impénétrable et simple comme le granit, qu'une morne tristesse. Toute sa personne respirait l'abaissement et la fermeté, et je ne sais quel accablement courageux.

Enfin M. le maire posa sa plume et se tourna à demi :

— Eh bien ! qu'est-ce ? qu'y a-t-il, Javert ?

Javert demeura un instant silencieux comme s'il se recueillait, puis éleva la voix avec une sorte de solennité triste qui n'excluait pourtant pas la simplicité.

— Il y a, monsieur le maire, qu'un acte coupable a été commis.

— Quel acte ?

— Un agent inférieur de l'autorité a manqué de respect à un magistrat de la façon la plus grave. Je viens, comme c'est mon devoir, porter le fait à votre connaissance.

— Quel est cet agent ? demanda M. Madeleine.

— Moi, dit Javert.

— Vous ?

— Moi.

— Et quel est le magistrat qui aurait à se plaindre de l'agent ?

— Vous, monsieur le maire.

M. Madeleine se dressa sur son fauteuil. Javert poursuivit, l'air sévère et les yeux toujours baissés.

— Monsieur le maire, je viens vous prier de vouloir bien provoquer près de l'autorité ma destitution.

M. Madeleine stupéfait ouvrit la bouche. Javert l'interrompit.

— Vous direz, j'aurais pu donner ma démission, mais cela ne suffit pas. Donner sa démission, c'est honorable. J'ai failli, je dois être puni. Il faut que je sois chassé.

Et après une pause, il ajouta :

— Monsieur le maire, vous avez été sévère pour moi l'autre jour injustement. Soyez-le aujourd'hui justement.

— Ah ça ! pourquoi ? s'écria M. Madeleine. Quel est ce galimatias ? qu'est-ce que cela veut dire ? où y a-t-il un acte coupable commis contre moi par vous ? qu'est-ce que vous m'avez fait ? quels torts avez-vous envers moi ? vous vous accusez, vous voulez être remplacé...

— Chassé, dit Javert.

— Chassé, soit. C'est fort bien. Je ne comprends pas.

— Vous allez comprendre, monsieur le maire.

Javert soupira du fond de sa poitrine et reprit toujours froidement et tristement :

— Monsieur le maire, il y a six semaines, à la suite de cette scène pour cette fille, j'étais furieux, je vous ai dénoncé.

— Dénoncé !

— A la préfecture de police de Paris.

M. Madeleine, qui ne riait pas beaucoup plus souvent que Javert, se mit à rire :

— Comme maire ayant empiété sur la police ?

— Comme ancien forçat.

Le maire devint livide.

Javert, qui n'avait pas levé les yeux, continua :

— Je le croyais. Depuis longtemps j'avais des idées. Une ressemblance, des renseignements que vous avez fait prendre à Faverolles, votre force des reins, l'aventure du vieux Fauchelevent, votre adresse au tir, votre jambe qui traîne un peu, est-ce que je sais, moi ? des bêtises ! mais enfin je vous prenais pour un nommé Jean Valjean.

— Un nommé ?... Comment dites-vous ce nom-là ?

— Jean Valjean. C'est un forçat que j'avais vu il y a vingt ans quand j'étais adjudant-garde-chiourme à Toulon. En sortant du bagne, ce Jean Valjean avait, à ce qu'il paraît, volé chez un évêque, puis il avait commis un autre vol à main armée dans un chemin public sur un petit savoyard. Depuis huit ans il s'était dérobé, on ne sait comment, et on le cherchait. Moi je m'étais figuré... — Enfin j'ai fait cette chose ! La colère m'a décidé, je vous ai dénoncé à la préfecture.

M. Madeleine, qui avait ressaisi le dossier depuis quelques instants, reprit avec un accent de parfaite indifférence :

— Et que vous a-t-on répondu ?

— Que j'étais fou.

— Eh bien ?

— Eh bien, on avait raison.

— C'est heureux que vous le reconnaissiez !

— Il faut bien, puisque le véritable Jean Valjean est trouvé.

La feuille que tenait M. Madeleine lui échappa des mains, il leva la tête, regarda fixement Javert et dit avec un accent inexprimable :

— Ah !

Javert poursuivit :

— Voilà ce que c'est, monsieur le maire. Il paraît qu'il y avait dans le pays, du côté d'Ailly-le-Haut-Clocher, une espèce de bonhomme qu'on appelait le père Champmathieu. C'était très misérable. On n'y faisait pas attention. Ces gens-là, on ne sait pas de quoi cela vit. Dernièrement, cet automne, le père Champmathieu a été arrêté pour vol de pommes à cidre, commis chez... — Enfin n'importe! il y a eu vol, mur escaladé, branches de l'arbre cassées. On a arrêté mon Champmathieu. Il avait encore la branche de pommier à la main. On coffre le drôle. Jusqu'ici ce n'est pas beaucoup plus qu'une affaire correctionnelle. Mais voici qui est de la providence. La geôle étant en mauvais état, monsieur le juge d'instruction trouve à propos de faire transférer Champmathieu à Arras où est la prison départementale. Dans cette prison d'Arras, il y a un ancien forçat nommé Brevet qui est détenu pour je ne sais quoi et qu'on a fait guichetier de chambrée parce qu'il se conduit bien. Monsieur le maire, Champmathieu n'est pas plus tôt débarqué que voilà Brevet qui s'écrie : Eh, mais! je connais cet homme-là. C'est un fagot [1]. Regardez-moi donc, bonhomme! Vous êtes Jean Valjean! — Jean Valjean! qui ça Jean Valjean ? Le Champmathieu joue l'étonné. — Ne fais donc pas le sinvre, dit Brevet. Tu es Jean Valjean! Tu as été au bagne de Toulon. Il y a vingt ans. Nous y étions ensemble. — Le Champmathieu nie. Parbleu! Vous comprenez. On approfondit. On me fouille cette aventure-là. Voici ce qu'on trouve : ce Champmathieu, il y a une trentaine d'années, a été ouvrier émondeur d'arbres dans plusieurs pays, notamment à Faverolles. Là on perd sa trace. Longtemps après on le revoit en Auvergne, puis à Paris où il dit avoir été charron et avoir eu une fille blanchisseuse, mais cela n'est pas prouvé, enfin dans ce pays-ci. Or avant d'aller au bagne pour vol qualifié, qu'était Jean Valjean ? émondeur. Où ? à Faverolles. Autre fait. Ce Valjean s'appelait de son nom de baptême Jean et sa mère se nommait de son nom de famille Mathieu. Quoi de plus naturel que de penser qu'en sortant du bagne il aura pris le nom de sa mère pour se cacher et se sera fait appeler Jean Mathieu ? Il va en Auvergne. De *Jean* la prononciation du pays fait *chan*, on l'appelle Chan Mathieu. Notre homme se laisse faire et le voilà transformé en Champmathieu. Vous me suivez, n'est-ce pas ? On s'informe à Faverolles. La famille de Jean Valjean n'y est plus. On ne sait plus où elle est. Vous savez, dans ces classes-là, il y a souvent de ces évanouissements d'une famille. On cherche, on ne trouve plus rien. Ces gens-là, quand ce n'est pas de la boue, c'est de la poussière. Et puis, comme le commencement

---

1. *Fagot*, ancien forçat.

de ces histoires date de trente ans, il n'y a plus personne à Faverolles qui ait connu Jean Valjean. On s'informe à Toulon. Avec Brevet, il n'y a plus que deux forçats, qui aient vu Jean Valjean. Ce sont les condamnés à vie Cochepaille et Chenildieu. On les extrait du bagne et on les fait venir. On les confronte au prétendu Champmathieu. Ils n'hésitent pas. Pour eux comme pour Brevet, c'est Jean Valjean. Même âge, il a cinquante-quatre ans, même taille, même air, même homme enfin, c'est lui. C'est en ce moment-là même que j'envoyais ma dénonciation à la préfecture de Paris. On me répond que je perds l'esprit et que Jean Valjean est à Arras au pouvoir de la justice. Vous concevez si cela m'étonne, moi qui croyais tenir ici ce même Jean Valjean! J'écris à monsieur le juge d'instruction. Il me fait venir, on m'amène le Champmathieu...

— Eh bien ? interrompit M. Madeleine.

Javert répondit avec son visage incorruptible et triste :

— Monsieur le maire, la vérité est la vérité. J'en suis fâché, mais c'est cet homme-là qui est Jean Valjean. Moi aussi je l'ai reconnu.

M. Madeleine reprit d'une voix très basse :

— Vous êtes sûr ?

Javert se mit à rire de ce rire douloureux qui échappe à une conviction profonde :

— Oh, sûr!

Il demeura un moment pensif, prenant machinalement des pincées de poudre de bois dans la sébile à sécher l'encre qui était sur la table, et il ajouta :

— Et même, maintenant que je vois le vrai Jean Valjean, je ne comprends pas comment j'ai pu croire autre chose. Je vous demande pardon, monsieur le maire.

En adressant cette parole suppliante et grave à celui qui, six semaines auparavant, l'avait humilié en plein corps de garde et lui avait dit : Sortez! Javert, cet homme hautain, était à son insu plein de simplicité et de dignité. M. Madeleine ne répondit à sa prière que par cette question brusque :

— Et que dit cet homme ?

— Ah, dame! monsieur le maire, l'affaire est mauvaise. Si c'est Jean Valjean, il y a récidive. Enjamber un mur, casser une branche, chiper des pommes, pour un enfant, c'est une polissonnerie; pour un homme, c'est un délit; pour un forçat, c'est un crime. Escalade et vol, tout y est. Ce n'est plus la police correctionnelle, c'est la cour d'assises. Ce n'est plus quelques jours de prison,

ce sont les galères à perpétuité. Et puis, il y a l'affaire
du petit savoyard que j'espère bien qui reviendra.
Diable! il y a de quoi se débattre, n'est-ce pas? Oui,
pour un autre que Jean Valjean. Mais Jean Valjean
est un sournois. C'est encore là que je le reconnais.
Un autre sentirait que cela chauffe; il se démènerait,
il crierait, la bouilloire chante devant le feu, il ne voudrait
pas être Jean Valjean, et cætera. Lui, il n'a pas l'air de
comprendre, il dit : Je suis Champmathieu, je ne sors
pas de là! Il a l'air étonné, il fait la brute, c'est bien
mieux. Oh! le drôle est habile! mais c'est égal, les
preuves sont là. Il est reconnu par quatre personnes;
le vieux coquin sera condamné. C'est porté aux assises
à Arras. Je vais y aller pour témoigner. Je suis cité.

M. Madeleine s'était remis à son bureau, avait ressaisi
son dossier, et le feuilletait tranquillement, lisant et
écrivant tour à tour comme un homme affairé. Il se
tourna vers Javert :

— Assez, Javert. Au fait, tous ces détails m'intéressent
fort peu. Nous perdons notre temps, et nous avons des
affaires pressées. Javert, vous allez vous rendre sur-le-
champ chez la bonne femme Buseaupied qui vend des
herbes là-bas au coin de la rue Saint-Saulve. Vous lui
direz de déposer sa plainte contre le charretier Pierre
Chesnelong. Cet homme est un brutal qui a failli écraser
cette femme et son enfant. Il faut qu'il soit puni. Vous
irez ensuite chez M. Charcellay, rue Montre-de-Cham-
pigny. Il se plaint qu'il y a une gouttière de la maison
voisine qui verse l'eau de la pluie chez lui, et qui affouille
les fondations de sa maison. Après vous constaterez
des contraventions de police qu'on me signale rue
Guibourg chez la veuve Doris, et rue du Garraud-
Blanc chez madame Renée le Bossé, et vous dresserez
procès-verbal. Mais je vous donne là beaucoup de
besogne. N'allez-vous pas être absent? ne m'avez-vous
pas dit que vous alliez à Arras pour cette affaire dans
huit ou dix jours?...

— Plus tôt que cela, monsieur le maire.

— Quel jour donc?

— Mais je croyais avoir dit à monsieur le maire que
cela se jugeait demain et que je partais par la diligence
cette nuit.

M. Madeleine fit un mouvement imperceptible.

— Et combien de temps durera l'affaire?

— Un jour tout au plus. L'arrêt sera prononcé au

plus tard demain dans la nuit. Mais je n'attendrai pas
l'arrêt qui ne peut manquer; sitôt ma déposition faite,
je reviendrai ici.

— C'est bon, dit M. Madeleine.

Et il congédia Javert d'un signe de main.

Javert ne s'en alla pas.

— Pardon, monsieur le maire, dit-il...

— Qu'est-ce encore ? demanda M. Madeleine.

— Monsieur le maire, il me reste une chose à vous
rappeler.

— Laquelle ?

— C'est que je dois être destitué.

M. Madeleine se leva.

— Javert, vous êtes un homme d'honneur, et je vous
estime. Vous vous exagérez votre faute. Ceci d'ailleurs
est encore une offense qui me concerne. Javert, vous
êtes digne de monter et non de descendre. J'entends
que vous gardiez votre place.

Javert regarda M. Madeleine avec sa prunelle candide
au fond de laquelle il semblait qu'on vît cette conscience
peu éclairée, mais rigide et chaste, et il dit d'une voix
tranquille :

— Monsieur le maire, je ne puis vous accorder cela.

— Je vous répète, répliqua M. Madeleine, que la
chose me regarde.

Mais Javert, attentif à sa seule pensée, continua :

— Quant à exagérer, je n'exagère point. Voici comment je raisonne. Je vous ai soupçonné injustement.
Cela, ce n'est rien. C'est notre droit à nous autres de
soupçonner, quoiqu'il y ait pourtant abus à soupçonner
au-dessus de soi. Mais, sans preuves, dans un accès de
colère, dans le but de me venger, je vous ai dénoncé
comme forçat, vous, un homme respectable, un maire,
un magistrat! ceci est grave, très grave. J'ai offensé
l'autorité dans votre personne, moi agent de l'autorité!
Si l'un de mes subordonnés avait fait ce que j'ai fait,
je l'aurais déclaré indigne du service et chassé. Eh bien ?
— Tenez, monsieur le maire, encore un mot. J'ai souvent
été sévère dans ma vie. Pour les autres. C'était juste.
Je faisais bien. Maintenant si je n'étais pas sévère pour
moi, tout ce que j'ai fait de juste deviendrait injuste.
Est-ce que je dois m'épargner plus que les autres ? Non.
Quoi, je n'aurais été bon qu'à châtier autrui et pas moi!
mais je serais un misérable! mais ceux qui disent : ce
gueux de Javert! auraient raison! Monsieur le maire,

je ne souhaite pas que vous me traitiez avec bonté,
votre bonté m'a fait faire assez de mauvais sang quand
elle était pour les autres, je n'en veux pas pour moi.
La bonté qui consiste à donner raison à la fille publique
contre le bourgeois, à l'agent de police contre le maire,
à celui qui est en bas contre celui qui est en haut, c'est
ce que j'appelle de la mauvaise bonté. C'est avec cette
bonté-là que la société se désorganise. Mon Dieu!
c'est bien facile d'être bon, le malaisé c'est d'être juste.
Allez! si vous aviez été ce que je croyais, je n'aurais pas
été bon pour vous, moi! vous auriez vu! Monsieur le
maire, je dois me traiter comme je traiterais tout autre.
Quand je réprimais des malfaiteurs, quand je sévissais
sur des gredins, je me suis souvent dit à moi-même:
toi, si tu bronches, si jamais je te prends en faute, sois
tranquille! — J'ai bronché, je me prends en faute,
tant pis! Allons, renvoyé, cassé, chassé! c'est bon. J'ai
des bras, je travaillerai à la terre, cela m'est égal. Monsieur
le maire, le bien du service veut un exemple. Je demande
simplement la destitution de l'inspecteur Javert.

Tout cela était prononcé d'un accent humble, fier,
désespéré et convaincu, qui donnait je ne sais quelle
grandeur bizarre à cet étrange honnête homme.

— Nous verrons, fit M. Madeleine.

Et il lui tendit la main.

Javert recula, et dit d'un ton farouche:

— Pardon, monsieur le maire, mais cela ne doit pas
être. Un maire ne donne pas la main à un mouchard.

Il ajouta entre ses dents:

— Mouchard, oui; du moment où j'ai mésusé de la
police, je ne suis plus qu'un mouchard.

Puis il salua profondément, et se dirigea vers la porte.

Là il se retourna, et les yeux toujours baissés:

— Monsieur le maire, dit-il, je continuerai le service
jusqu'à ce que je sois remplacé.

Il sortit. M. Madeleine resta rêveur, écoutant ce pas
ferme et assuré qui s'éloignait sur le pavé du corridor.

LIVRE SEPTIÈME

L'AFFAIRE CHAMPMATHIEU

I

LA SŒUR SIMPLICE

Les incidents qu'on va lire n'ont pas tous été connus à M.— sur M —. Mais le peu qui en a percé a laissé en cette ville un tel souvenir, que ce serait une grave lacune dans ce livre, si nous ne les racontions dans leurs moindres détails.

Dans ces détails, le lecteur rencontrera deux ou trois circonstances invraisemblables que nous maintenons par respect pour la vérité.

Dans l'après-midi qui suivit la visite de Javert, M. Madeleine alla voir la Fantine comme d'habitude.

Avant de pénétrer près de Fantine, il fit demander la sœur Simplice.

Les deux religieuses qui faisaient le service de l'infirmerie, dames lazaristes comme toutes les sœurs de charité, s'appelaient sœur Perpétue et sœur Simplice.

La sœur Perpétue était la première villageoise venue, grossièrement sœur de charité, entrée chez Dieu comme on entre en place. Elle était religieuse comme on est cuisinière. Ce type n'est point très rare. Les ordres monastiques acceptent volontiers cette lourde poterie paysanne, aisément façonnée en capucin ou en ursuline. Ces rusticités s'utilisent pour les grosses besognes de la dévotion. La transition d'un bouvier à un carme n'a rien de heurté; l'un devient l'autre sans grand travail; le fond commun d'ignorance du village et du cloître est une préparation toute faite, et met tout de suite le campagnard de plain-pied avec le moine. Un peu d'ampleur au sarrau, et voilà un froc. La sœur Perpétue était une forte religieuse, de Marines près Pontoise, patoisant, psalmodiant, bougonnant, sucrant la tisane selon le bigotisme ou l'hypocrisie du grabataire, brusquant les malades, bourrue avec les mourants, leur jetant presque Dieu au visage, lapidant l'agonie avec des prières en colère, hardie, honnête et rougeaude.

La sœur Simplice était blanche d'une blancheur de cire. Près de sœur Perpétue, c'était le cierge à côté de la chandelle. Vincent de Paul a divinement fixé la figure de la sœur de charité dans ces admirables paroles où il mêle tant de liberté à tant de servitude : « Elles « n'auront pour monastère que la maison des malades, « pour cellule qu'une chambre de louage, pour chapelle « que l'église de leur paroisse, pour cloître que les rues « de la ville ou les salles des hôpitaux, pour clôture que « l'obéissance, pour grille que la crainte de Dieu, pour « voile que la modestie. » Cet idéal était vivant dans la sœur Simplice. Personne n'eût pu dire l'âge de la sœur Simplice; elle n'avait jamais été jeune, et semblait ne devoir jamais être vieille. C'était une personne, — nous n'osons dire une femme, — douce, austère, de bonne compagnie, froide, et qui n'avait jamais menti. Elle était si douce qu'elle paraissait fragile; plus solide d'ailleurs que le granit. Elle touchait aux malheureux avec de charmants doigts fins et purs. Il y avait, pour ainsi dire, du silence dans sa parole; elle parlait juste le nécessaire, et elle avait un son de voix qui eût tout à la fois édifié un confessionnal et enchanté un salon. Cette délicatesse s'accommodait de la robe de bure, trouvant à ce rude contact un rappel continuel du ciel et de Dieu. Insistons sur un détail. N'avoir jamais menti, n'avoir jamais dit, pour un intérêt quelconque, même indifféremment, une chose qui ne fût la vérité, la sainte vérité, c'était le trait distinctif de la sœur Simplice; c'était l'accent de sa vertu. Elle était presque célèbre dans la congrégation pour cette véracité imperturbable. L'abbé Sicard parle de la sœur Simplice dans une lettre au sourd-muet Massieu. Si sincères et si purs que nous soyions, nous avons tous sur notre candeur la fêlure du petit mensonge innocent. Elle point. Petit mensonge, mensonge innocent, est-ce que cela existe ? Mentir, c'est l'absolu du mal. Peu mentir n'est pas possible; celui qui ment, ment tout le mensonge; mentir c'est la face même du démon; Satan a deux noms, il s'appelle Satan et il s'appelle Mensonge. Voilà ce qu'elle pensait. Et comme elle pensait, elle pratiquait. Il en résultait cette blancheur dont nous avons parlé, blancheur qui couvrait de son rayonnement même ses lèvres et ses yeux. Son sourire était blanc, son regard était blanc.

Il n'y avait pas une toile d'araignée, pas un grain de poussière à la vitre de cette conscience. En entrant dans l'obédience de saint Vincent de Paul, elle avait pris le nom de Simplice par choix spécial. Simplice de Sicile, on le sait, est cette sainte qui aima mieux se laisser arracher les deux seins que de répondre, étant née à Syracuse, qu'elle était née à Ségeste, mensonge qui la sauvait. Cette patronne convenait à cette âme.

La sœur Simplice, en entrant dans l'ordre, avait deux défauts dont elle s'était peu à peu corrigée; elle avait eu le goût des friandises et elle avait aimé à recevoir des lettres. Elle ne lisait jamais qu'un livre de prières en gros caractères et en latin. Elle ne comprenait pas le latin, mais elle comprenait le livre.

La pieuse fille avait pris en affection Fantine, y sentant probablement de la vertu latente, et s'était dévouée à la soigner presque exclusivement.

M. Madeleine emmena à part la sœur Simplice et lui recommanda Fantine avec un accent singulier dont la sœur se souvint plus tard.

En quittant la sœur, il s'approcha de Fantine.

Fantine attendait chaque jour l'apparition de M. Madeleine comme on attend un rayon de chaleur et de joie. Elle disait aux sœurs : — Je ne vis que lorsque monsieur le maire est là.

Elle avait ce jour-là beaucoup de fièvre. Dès qu'elle vit M. Madeleine, elle lui demanda :

— Et Cosette ?

Il répondit en souriant :

— Bientôt.

M. Madeleine fut avec Fantine comme à l'ordinaire. Seulement il resta une heure au lieu d'une demi-heure, au grand contentement de Fantine. Il fit mille instances à tout le monde pour que rien ne manquât à la malade. On remarqua qu'il y eut un moment où son visage devint très sombre. Mais cela s'expliqua quand on sut que le médecin s'était penché à son oreille et lui avait dit :

— Elle baisse beaucoup.

Puis il rentra à la mairie, et le garçon de bureau le vit examiner avec attention une carte routière de France qui était suspendue dans son cabinet. Il écrivit quelques chiffres au crayon sur un papier.

II

PERSPICACITÉ DE MAÎTRE SCAUFFLAIRE

De la mairie il se rendit au bout de la ville chez un flamand, maître Scaufflaer, francisé Scaufflaire, qui louait des chevaux et des « cabriolets à volonté ».

Pour aller chez ce Scaufflaire, le plus court était de prendre une rue peu fréquentée où était le presbytère de la paroisse que M. Madeleine habitait. Le curé était, disait-on, un homme digne et respectable et de bon conseil. A l'instant où M. Madeleine arriva devant le presbytère, il n'y avait dans la rue qu'un passant, et ce passant remarqua ceci : M. le maire, après avoir dépassé la maison curiale, s'arrêta, demeura immobile, puis revint sur ses pas et rebroussa chemin jusqu'à la porte du presbytère, qui était une porte bâtarde avec marteau de fer. Il mit vivement la main au marteau, et le souleva ; puis il s'arrêta de nouveau et resta court, et comme pensif, et, après quelques secondes, au lieu de laisser brusquement retomber le marteau, il le reposa doucement, et reprit son chemin avec une sorte de hâte qu'il n'avait pas auparavant.

M. Madeleine trouva maître Scaufflaire chez lui occupé à repiquer un harnais.

— Maître Scaufflaire, demanda-t-il, avez-vous un bon cheval ?

— Monsieur le maire, dit le flamand, tous mes chevaux sont bons. Qu'entendez-vous par un bon cheval ?

— J'entends un cheval qui puisse faire vingt lieues en un jour.

— Diable ! fit le flamand, vingt lieues !

— Oui.

— Attelé à un cabriolet ?

— Oui.

— Et combien de temps se reposera-t-il après la course ?

— Il faut qu'il puisse au besoin repartir le lendemain.

— Pour refaire le même trajet ?

— Oui.

— Diable! diable! et c'est vingt lieues?

M. Madeleine tira de sa poche le papier où il avait crayonné des chiffres. Il les montra au flamand. C'était les chiffres 5, 6, 8½.

— Vous voyez, dit-il. Total, dix-neuf et demi, autant dire vingt lieues.

— Monsieur le maire, reprit le flamand, j'ai votre affaire. Mon petit cheval blanc, vous avez dû le voir passer quelquefois, c'est une petite bête du Bas-Boulonnais. C'est plein de feu. On a voulu d'abord en faire un cheval de selle. Bah! il ruait, il flanquait tout le monde par terre. On le croyait vicieux, on ne savait qu'en faire. Je l'ai acheté. Je l'ai mis au cabriolet. Monsieur, c'est cela qu'il voulait; il est doux comme une fille, il va le vent. Ah! par exemple, il ne faudrait pas lui monter sur le dos. Ce n'est pas son idée d'être cheval de selle. Chacun a son ambition. Tirer, oui; porter, non; il faut croire qu'il s'est dit ça.

— Et il fera la course?

— Vos vingt lieues, toujours grand trot, et en moins de huit heures. Mais voici à quelles conditions.

— Dites.

— Premièrement, vous le ferez souffler une heure à moitié chemin; il mangera, et on sera là pendant qu'il mangera pour empêcher le garçon de l'auberge de lui voler son avoine; car j'ai remarqué que dans les auberges l'avoine est plus souvent bue par les garçons d'écurie que mangée par les chevaux.

— On sera là.

— Deuxièmement... est-ce pour monsieur le maire, ce cabriolet?

— Oui.

— Monsieur le maire sait conduire!

— Oui.

— Eh bien, monsieur le maire voyagera seul et sans bagage afin de ne point charger le cheval.

— Convenu.

— Mais monsieur le maire, n'ayant personne avec lui, sera obligé de prendre la peine de surveiller lui-même l'avoine.

— C'est dit.

— Il me faudra trente francs par jour. Les jours de repos payés. Pas un liard de moins et la nourriture de la bête à la charge de monsieur le maire.

M. Madeleine tira trois napoléons de sa bourse et les mit sur la table.

— Voilà deux jours d'avance.

— Quatrièmement, pour une course pareille, un cabriolet serait trop lourd et fatiguerait le cheval. Il faudrait que monsieur le maire consentît à voyager dans un petit tilbury que j'ai.

— J'y consens.

— C'est léger, mais c'est découvert.

— Cela m'est égal.

— Monsieur le maire a-t-il réfléchi que nous sommes en hiver ?...

M. Madeleine ne répondit pas; le flamand reprit :

— Qu'il fait très froid ?

M. Madeleine garda le silence.

Maître Scaufflaire continua :

— Qu'il peut pleuvoir ?

M. Madeleine leva la tête et dit :

— Le tilbury et le cheval seront devant ma porte demain à quatre heures et demie du matin.

— C'est entendu, monsieur le maire, répondit Scaufflaire, puis grattant avec l'ongle de son pouce une tache qui était dans le bois de la table, il reprit de cet air insouciant que les flamands savent si bien mêler à leur finesse : — Mais voilà que j'y songe à présent! monsieur le maire ne me dit pas où il va. Où est-ce que va monsieur le maire ?

Il ne songeait pas à autre chose depuis le commencement de la conversation, mais il ne savait pourquoi il n'avait pas osé faire cette question.

— Votre cheval a-t-il de bonnes jambes de devant ? dit M. Madeleine.

— Oui, monsieur le maire. Vous le soutiendrez un peu dans les descentes. Y a-t-il beaucoup de descentes d'ici où vous allez ?

— N'oubliez pas d'être à ma porte à quatre heures et demie du matin très précises, répondit M. Madeleine, et il sortit.

Le flamand resta « tout bête », comme il disait lui-même quelque temps après.

M. le maire était sorti depuis deux ou trois minutes, lorsque la porte se rouvrit; c'était M. le maire.

Il avait toujours le même air impassible et préoccupé.

— Monsieur Scaufflaire, dit-il, à quelle somme

estimez-vous le cheval et le tilbury que vous me louerez, l'un portant l'autre ?

— L'un traînant l'autre, monsieur le maire, dit le flamand avec un gros rire.

— Soit. Eh bien ?

— Est-ce que monsieur le maire veut me les acheter ?

— Non, mais à tout événement, je veux vous les garantir. A mon retour vous me rendrez la somme. A combien estimez-vous cabriolet et cheval ?

— A cinq cents francs, monsieur le maire.

— Les voici.

M. Madeleine posa un billet de banque sur la table, puis sortit et cette fois ne rentra plus.

Maître Scaufflaire regretta affreusement de n'avoir point dit mille francs. Du reste le cheval et le tilbury, en bloc, valaient cent écus.

Le flamand appela sa femme, et lui conta la chose. Où diable monsieur le maire peut-il aller ? Ils tinrent conseil. — Il va à Paris, dit la femme. — Je ne crois pas, dit le mari. M. Madeleine avait oublié sur la cheminée le papier où il avait tracé des chiffres. Le flamand le prit et l'étudia. — Cinq, six, huit et demie ? cela doit marquer des relais de poste. Il se tourna vers sa femme : — J'ai trouvé. — Comment ? — Il y a cinq lieues d'ici à Hesdin, six de Hesdin à Saint-Pol, huit et demie de Saint-Pol à Arras. Il va à Arras.

Cependant M. Madeleine était rentré chez lui. Pour revenir de chez maître Scaufflaire, il avait pris le plus long, comme si la porte du presbytère avait été pour lui une tentation, et qu'il eût voulu l'éviter. Il était monté dans sa chambre et s'y était enfermé, ce qui n'avait rien que de simple, car il se couchait volontiers de bonne heure. Pourtant la concierge de la fabrique, qui était en même temps l'unique servante de M. Madeleine, observa que sa lumière s'éteignit à huit heures et demie, et elle le dit au caissier qui rentrait, en ajoutant :

— Est-ce que monsieur le maire est malade ? je lui ai trouvé l'air un peu singulier.

Ce caissier habitait une chambre située précisément au-dessous de la chambre de M. Madeleine. Il ne prit point garde aux paroles de la portière, se coucha et s'endormit. Vers minuit, il se réveilla brusquement ; il avait entendu à travers son sommeil un bruit au-dessus de sa tête. Il écouta. C'était un pas qui allait et venait, comme si l'on marchait dans la chambre en haut. Il écouta plus attentivement, et reconnut le pas de M. Madeleine. Cela lui parut étrange; habituellement aucun bruit ne se faisait dans la chambre de M. Madeleine avant l'heure de son lever. Un moment après, le caissier entendit quelque chose qui ressemblait à une armoire qu'on ouvre et qu'on referme. Puis on dérangea un meuble, il y eut un silence, et le pas recommença. Le caissier se dressa sur son séant, s'éveilla tout à fait, regarda, et à travers les vitres de sa croisée aperçut sur le mur d'en face la réverbération rougeâtre d'une fenêtre éclairée. A la direction des rayons, ce ne pouvait être que la fenêtre de la chambre de M. Madeleine. La réverbération tremblait comme si elle venait plutôt d'un feu allumé que d'une lumière. L'ombre des châssis vitrés ne s'y dessinait pas, ce qui indiquait que la fenêtre était toute grande ouverte. Par le froid qu'il faisait, cette fenêtre ouverte était surprenante. Le caissier se rendormit. Une heure ou deux heures après, il se réveilla encore. Le même pas, lent et régulier, allait et venait toujours au-dessus de sa tête.

La réverbération se dessinait toujours sur le mur, mais elle était maintenant pâle et paisible comme le reflet d'une lampe ou d'une bougie. La fenêtre était toujours ouverte.

Voici ce qui se passait dans la chambre de M. Madeleine.

III

UNE TEMPÊTE SOUS UN CRÂNE

Le lecteur a sans doute deviné que M. Madeleine n'est autre que Jean Valjean.

Nous avons déjà regardé dans les profondeurs de cette conscience; le moment est venu d'y regarder encore. Nous ne le faisons pas sans émotion et sans tremblement. Il n'existe rien de plus terrifiant que cette sorte de contemplation. L'œil de l'esprit ne peut trouver nulle part plus d'éblouissements ni plus de ténèbres que dans l'homme; il ne peut se fixer sur aucune chose qui soit plus redoutable, plus compliquée, plus mystérieuse et plus infinie. Il y a un spectacle plus grand que la mer, c'est le ciel; il y a un spectacle plus grand que le ciel, c'est l'intérieur de l'âme.

Faire le poème de la conscience humaine, ne fût-ce qu'à propos d'un seul homme, ne fût-ce qu'à propos du plus infime des hommes, ce serait fondre toutes les épopées dans une épopée supérieure et définitive. La conscience, c'est le chaos des chimères, des convoitises et des tentatives, la fournaise des rêves, l'antre des idées dont on a honte; c'est le pandémonium des sophismes, c'est le champ de bataille des passions. A de certaines heures, pénétrez à travers la face livide d'un être humain qui réfléchit et regardez derrière, regardez dans cette âme, regardez dans cette obscurité. Il y a là, sous le silence extérieur, des combats de géants comme dans Homère, des mêlées de dragons et d'hydres et des nuées de fantômes comme dans Milton, des spirales visionnaires comme chez Dante. Chose sombre que cet infini que tout homme porte en soi et auquel il mesure avec désespoir les volontés de son cerveau et les actions de sa vie!

Alighieri rencontra un jour une sinistre porte devant laquelle il hésita. En voici une aussi devant nous, au seuil de laquelle nous hésitons. Entrons pourtant.

Nous n'avons que peu de chose à ajouter à ce que le lecteur connaît déjà de ce qui était arrivé à Jean Valjean depuis l'aventure de Petit-Gervais. A partir de ce moment, on l'a vu, il fut un autre homme. Ce que l'évêque avait voulu faire de lui, il l'exécuta. Ce fut plus qu'une transformation, ce fut une transfiguration.

Il réussit à disparaître, vendit l'argenterie de l'évêque, ne gardant que les flambeaux, comme souvenir, se glissa de ville en ville, traversa la France, vint à M.— sur M—, eut l'idée que nous avons dite, accomplit ce que nous avons raconté, parvint à se faire insaisissable et inaccessible, et désormais, établi à M.— sur M—, heureux de sentir sa conscience attristée par son passé et la première moitié de son existence démentie par la dernière, il vécut paisible, rassuré et espérant, n'ayant plus que deux pensées : cacher son nom, et sanctifier sa vie; échapper aux hommes et revenir à Dieu.

Ces deux pensées étaient si étroitement mêlées dans son esprit qu'elles n'en formaient qu'une seule; elles étaient toutes deux également absorbantes et impérieuses, et dominaient ses moindres actions. D'ordinaire elles étaient d'accord pour régler la conduite de sa vie ; elles le tournaient vers l'ombre ; elles le faisaient bienveillant et simple ; elles lui conseillaient les mêmes choses. Quelquefois cependant il y avait conflit entre elles. Dans ce cas-là, on s'en souvient, l'homme que tout le pays de M.— sur M.— appelait M. Madeleine, ne balançait pas à sacrifier la première à la seconde, sa sécurité à sa vertu. Ainsi, en dépit de toute réserve et de toute prudence, il avait gardé les chandeliers de l'évêque, porté son deuil, appelé et interrogé tous les petits savoyards qui passaient, pris les renseignements sur les familles de Faverolles, et sauvé la vie au vieux Fauchelevent, malgré les inquiétantes insinuations de Javert. Il semblait, nous l'avons déjà remarqué, qu'il pensât, à l'exemple de tous ceux qui ont été sages, saints et justes, que son premier devoir n'était pas envers lui.

Toutefois, il faut le dire, jamais rien de pareil ne s'était encore présenté.

Jamais les deux idées qui gouvernaient le malheureux homme dont nous racontons les souffrances n'avaient engagé une lutte si sérieuse. Il le comprit confusément, mais profondément, dès les premières paroles que prononça Javert, en entrant dans son cabinet. Au moment où fut si étrangement articulé ce nom qu'il avait enseveli sous tant d'épaisseurs, il fut saisi de stupeur et comme enivré par la sinistre bizarrerie de sa destinée, et à travers cette stupeur, il eut ce tressaillement qui précède les grandes secousses ; il se courba comme un chêne à l'approche d'un orage, comme un soldat à l'approche d'un assaut. Il sentit venir sur sa tête des ombres pleines de foudres et d'éclairs. Tout en écoutant Javert il eut une première pensée d'aller, de courir, de se dénoncer, de tirer ce Champmathieu de prison et de s'y mettre ; cela fut douloureux et poignant comme une incision dans la chair vive, puis cela passa, et il se dit : Voyons ! voyons ! — Il réprima ce premier mouvement généreux et recula devant l'héroïsme.

Sans doute il serait beau qu'après les saintes paroles de l'évêque, après tant d'années de repentir et d'abnégation, au milieu d'une pénitence admirablement commencée, cet homme, même en présence d'une si terrible conjoncture, n'eût pas bronché un instant et eût continué de marcher du même pas vers ce précipice ouvert au fond duquel était le ciel ; cela serait beau, mais cela ne fut pas ainsi. Il faut bien que nous rendions compte des choses qui s'accomplissaient dans cette âme, et nous ne pouvons dire que ce qui y était. Ce qui l'emporta tout d'abord, ce fut l'instinct de la conservation; il rallia en hâte ses idées, étouffa ses émotions, considéra la présence de Javert, ce grand péril, ajourna toute résolution avec la fermeté de l'épouvante, s'étourdit sur ce qu'il y avait à faire, et reprit son calme comme un lutteur ramasse son bouclier.

Le reste de la journée il fut dans cet état, un tourbillon au-dedans, une tranquillité profonde au-dehors; il ne prit que ce qu'on pourrait appeler « les mesures conservatoires ». Tout était encore confus et se heurtait dans son cerveau; le trouble y était tel qu'il ne voyait distinctement la forme d'aucune idée; et lui-même n'aurait pu rien dire de lui-même, si ce n'est qu'il venait de recevoir un grand coup. Il se rendit comme d'habitude près du lit de douleur de Fantine et prolongea sa visite, par un instinct de bonté, se disant qu'il fallait agir ainsi et la bien recommander aux sœurs pour le cas où il arriverait qu'il eût à s'absenter. Il sentit vaguement qu'il faudrait peut-être aller à Arras; et, sans être le moins du monde décidé à ce voyage, il se dit qu'à l'abri de tout soupçon comme il l'était, il n'y avait point d'inconvénient à être témoin de ce qui se passerait, et il retint le tilbury de Scaufflaire, afin d'être préparé à tout événement.

Il dîna avec assez d'appétit.

Rentré dans sa chambre, il se recueillit.

Il examina la situation et la trouva inouïe; tellement inouïe qu'au milieu de sa rêverie, par je ne sais quelle impulsion d'anxiété presque inexplicable, il se leva de sa chaise et ferma sa porte au verrou. Il craignait qu'il n'entrât encore quelque chose. Il se barricadait contre le possible.

Un moment après il souffla sa lumière. Elle le gênait. Il lui semblait qu'on pouvait le voir.

Qui, on ?

Hélas! ce qu'il voulait mettre à la porte était entré; ce qu'il voulait aveugler, le regardait. Sa conscience.

Sa conscience, c'est-à-dire Dieu.

Pourtant, dans le premier moment, il se fit illusion; il eut un sentiment de sûreté et de solitude; le verrou tiré, il se crut imprenable; la chandelle éteinte, il se sentit invisible. Alors il prit possession de lui-même; il posa ses coudes sur la table, appuya la tête sur sa main, et se mit à songer dans les ténèbres.

— Où en suis-je ? — Est-ce que je ne rêve pas ? — Que m'a-t-on dit ? — Est-il bien vrai que j'aie vu ce Javert et qu'il m'ait parlé ainsi ? — Que peut être ce Champmathieu ? — Il me ressemble donc ? — Est-ce possible ? — Quand je pense qu'hier j'étais si tranquille et si loin de me douter de rien! — Qu'est-ce que je faisais donc hier à pareille heure ? — Qu'y a-t-il dans cet incident ? — Comment se dénouera-t-il ? — Que faire ?

Voilà dans quelle tourmente il était. Son cerveau avait perdu la force de retenir ses idées, elles passaient comme des ondes, et il prenait son front dans ses deux mains pour les arrêter.

De ce tumulte qui bouleversait sa volonté et sa raison, et dont il cherchait à tirer une évidence et une résolution, rien ne se dégageait que l'angoisse.

Sa tête était brûlante. Il alla à la fenêtre et l'ouvrit toute grande. Il n'y avait pas d'étoiles au ciel. Il revint s'asseoir près de la table.

La première heure s'écoula ainsi.

Peu à peu cependant des linéaments vagues commencèrent à se former et à se fixer dans sa méditation, et il put entrevoir avec la précision de la réalité, non l'ensemble de la situation, mais quelques détails.

Il commença par reconnaître que si extraordinaire et si critique que fût cette situation, il en était tout à fait le maître.

Sa stupeur ne fit que s'en accroître.

Indépendamment du but sévère et religieux que se proposaient ses actions, tout ce qu'il avait fait jusqu'à ce jour n'était autre chose qu'un trou qu'il creusait pour y enfouir son nom. Ce qu'il avait toujours le plus redouté, dans ses heures de repli sur lui-même, dans ses nuits d'insomnie, c'était d'entendre jamais prononcer ce nom; il se disait que ce serait là pour lui la fin de tout; que le jour où ce nom reparaîtrait, il ferait évanouir autour de lui sa vie nouvelle, et, qui sait même peut-être ? au-dedans de lui sa nouvelle âme. Il frémissait de la seule pensée que c'était possible. Certes, si quelqu'un lui eût dit en ces moments-là qu'une heure viendrait où ce nom retentirait à son oreille, où ce hideux mot, Jean Valjean, sortirait tout à coup de la nuit et se dresserait devant lui, où cette lumière formidable faite pour dissiper le mystère dont il s'enveloppait, resplendirait subitement sur sa tête; et que ce nom ne le menacerait pas, que cette lumière ne produirait qu'une obscurité plus épaisse, que ce voile déchiré accroîtrait le mystère, que ce tremblement de terre consoliderait son édifice, que ce prodigieux incident n'aurait d'autre résultat, si bon lui semblait, à lui, que de rendre son existence à la fois plus claire et plus impénétrable, et que, de sa confrontation avec le fantôme de Jean Valjean, le bon et digne bourgeois monsieur Madeleine sortirait plus honoré, plus paisible et plus respecté que jamais, — si quelqu'un lui eût dit cela, il eût hoché la tête et regardé ces paroles comme insensées. Eh bien ! tout cela venait précisément d'arriver, tout cet entassement de l'impossible était un fait, et Dieu avait permis que ces choses folles devinssent des choses réelles !

Sa rêverie continuait de s'éclaircir. Il se rendait de plus en plus compte de sa position.

Il lui semblait qu'il venait de s'éveiller de je ne sais quel sommeil, et qu'il se trouvait glissant sur une pente au milieu de la nuit, debout, frissonnant, reculant en vain, sur le bord extrême d'un abîme. Il entrevoyait distinctement dans l'ombre un inconnu, un étranger, que la destinée prenait pour lui et poussait dans le gouffre à sa place. Il fallait, pour que le gouffre se refermât, que quelqu'un y tombât, lui ou l'autre.

Il n'avait qu'à laisser faire.

La clarté devint complète, et il s'avoua ceci : — Que sa place était vide aux galères, qu'il avait beau faire, qu'elle l'y attendait toujours, que le vol de Petit-Gervais l'y ramenait, que cette place vide l'attendrait et l'attirerait jusqu'à ce qu'il y fût, que cela était inévitable et fatal. — Et puis il se dit : — Qu'en ce moment il avait un remplaçant, qu'il paraissait qu'un nommé Champmathieu avait cette mauvaise chance, et que, quant à lui, présent désormais au bagne dans la personne de ce Champmathieu, présent dans la société sous le nom de M. Madeleine, il n'avait plus rien à redouter, pourvu qu'il n'empêchât pas les hommes de sceller sur la tête de ce Champmathieu cette pierre de l'infamie qui, comme la pierre du sépulcre, tombe une fois et ne se relève jamais.

Tout cela était si violent et si étrange qu'il se fit soudain en lui cette espèce de mouvement indescriptible qu'aucun homme n'éprouve plus de deux ou trois fois dans sa vie, sorte de convulsion de la conscience qui remue tout ce que le cœur a de douteux, qui se compose d'ironie, de joie et de désespoir, et qu'on pourrait appeler un éclat de rire intérieur.

Il ralluma brusquement sa bougie.

— Eh bien, quoi! se dit-il, de quoi est-ce que j'ai peur? qu'est-ce que j'ai à songer comme cela? me voilà sauvé! tout est fini. Je n'avais plus qu'une porte entrouverte par laquelle mon passé pouvait faire irruption dans ma vie; cette porte, la voilà murée! à jamais! Ce Javert qui me trouble depuis si longtemps, ce redoutable instinct qui semblait m'avoir deviné, qui m'avait deviné, pardieu! et qui me suivait partout, cet affreux chien de chasse toujours en arrêt sur moi, le voilà dérouté, occupé ailleurs, absolument dépisté! Il est satisfait désormais, il me laissera tranquille, il tient son Jean Valjean! Qui sait même, il est probable qu'il voudra quitter la ville! Et tout cela s'est fait sans moi! Et je n'y suis pour rien! Ah ça, mais! Qu'est-ce qu'il y a de malheureux dans ceci? Des gens qui me verraient, parole d'honneur! croiraient qu'il m'est arrivé une catastrophe! Après tout, s'il y a du mal pour quelqu'un, ce n'est aucunement de ma faute. C'est la Providence qui a tout fait. C'est qu'elle veut cela apparemment! Ai-je le droit de déranger ce qu'elle arrange? Qu'est-ce que je demande à présent? De quoi est-ce que je vais me mêler? Cela ne me regarde pas. Comment! Je ne suis pas content! Mais qu'est-ce qu'il me faut donc? Le but auquel j'aspire depuis tant d'années, le songe de mes nuits, l'objet de mes prières au ciel, la sécurité, je l'atteins! C'est Dieu qui le veut. Je n'ai rien à faire contre la volonté de Dieu. Et pourquoi Dieu le veut-il? Pour que je continue ce que j'ai commencé, pour que je fasse le bien, pour que je sois un jour un grand et encourageant exemple, pour qu'il soit dit qu'il y a eu enfin un peu de bonheur attaché à cette pénitence que j'ai subie et à cette vertu où je suis revenu! Vraiment je ne comprends pas pourquoi j'ai eu peur tantôt d'entrer chez ce brave curé et de tout lui raconter comme à un confesseur, et de lui demander conseil, c'est évidemment là ce qu'il m'aurait dit. C'est décidé, laissons aller les choses! laissons faire le bon Dieu!

Il se parlait ainsi dans les profondeurs de sa conscience, penché sur ce qu'on pourrait appeler son propre abîme. Il se leva de sa chaise, et se mit à marcher dans la chambre. — Allons, dit-il, n'y pensons plus. Voilà une résolution prise! — Mais il ne sentit aucune joie.

Au contraire.

On n'empêche pas plus la pensée de revenir à une idée que la mer de revenir à un rivage. Pour le matelot, cela s'appelle la marée; pour le coupable, cela s'appelle le remords. Dieu soulève l'âme comme l'océan.

Au bout de peu d'instants, il eut beau faire, il reprit ce sombre dialogue dans lequel c'était lui qui parlait et lui qui écoutait, disant ce qu'il eût voulu taire, écoutant ce qu'il n'eût pas voulu entendre, cédant à cette puissance mystérieuse qui lui disait : pense! comme elle disait il y a deux mille ans à un autre condamné : marche!

Avant d'aller plus loin et pour être pleinement compris, insistons sur une observation nécessaire.

Il est certain qu'on se parle à soi-même; il n'est pas un être pensant qui ne l'ait éprouvé. On peut dire même que le Verbe n'est jamais un plus magnifique mystère que lorsqu'il va, dans l'intérieur d'un homme, de la pensée à la conscience et qu'il retourne de la conscience à la pensée. C'est dans ce sens seulement qu'il faut entendre les mots souvent employés dans ce chapitre, *il dit, il s'écria ;* on se dit, on se parle, on s'écrie en soi-même, sans que le silence extérieur soit rompu. Il y a un grand tumulte; tout parle en nous, excepté la bouche. Les réalités de l'âme, pour n'être point visibles et palpables, n'en sont pas moins des réalités.

Il se demanda donc où il en était. Il s'interrogea sur cette « résolution prise ». Il se confessa à lui-même que tout ce qu'il venait d'arranger dans son esprit était monstrueux, que « laisser aller les choses, laisser faire le bon Dieu », c'était tout simplement horrible. Laisser s'accomplir cette méprise de la destinée et des hommes, ne pas l'empêcher, s'y prêter par son silence, ne rien faire enfin, c'était faire tout! c'était faire le dernier degré de l'indignité hypocrite! c'était un crime bas, lâche, sournois, abject, hideux!

Pour la première fois depuis huit années, le malheureux homme venait de sentir la saveur amère d'une mauvaise pensée et d'une mauvaise action.

Il la recracha avec dégoût.

Il continua de se questionner. Il se demanda sévèrement ce qu'il avait entendu par ceci : « Mon but est atteint! » Il se déclara que sa vie avait un but en effet. Mais quel but? cacher son nom? tromper la police? était-ce pour une chose si petite qu'il avait fait tout ce qu'il avait fait? est-ce qu'il n'avait pas un autre but, qui était le grand, qui était le vrai? Sauver, non sa personne, mais son âme. Redevenir honnête et bon. Etre un juste ! est-ce que ce n'était pas là surtout, là uniquement, ce qu'il avait toujours voulu, ce que l'évêque lui avait ordonné ? — Fermer la porte à son passé ? Mais il ne la fermait pas, grand Dieu ! il la rouvrait en faisant une action infâme ! mais il redevenait un voleur, et le plus odieux des voleurs ! il volait à un autre son existence, sa vie, sa paix, sa place au soleil ! il devenait un assassin ! il tuait, il tuait moralement un misérable homme, il lui infligeait cette affreuse mort vivante, cette mort à ciel ouvert, qu'on appelle le bagne ! au contraire, se livrer, sauver cet homme frappé d'une si lugubre erreur, reprendre son nom, redevenir par devoir le forçat Jean Valjean, c'était là vraiment achever sa résurrection, et fermer à jamais l'enfer d'où il sortait ! y retomber en apparence, c'était en sortir en réalité ! il fallait faire cela ! il n'avait rien fait, s'il ne faisait pas cela ! toute sa vie était inutile, toute sa pénitence était perdue. Il n'y avait plus qu'à dire : à quoi bon ? Il sentait que l'évêque était là, que l'évêque était d'autant plus présent qu'il était mort, que l'évêque le regardait fixement, que désormais le maire Madeleine avec toutes ses vertus lui serait abominable et que le galérien Jean Valjean serait admirable et pur devant lui. Que les hommes voyaient son masque, mais que l'évêque voyait sa face. Que les hommes voyaient sa vie, mais que l'évêque voyait sa conscience. Il fallait donc aller à Arras, délivrer le faux Jean Valjean, dénoncer le véritable ! Hélas ! c'était là le plus grand des sacrifices, la plus poignante des victoires, le dernier pas à franchir ; mais il le fallait. Douloureuse destinée ! il n'entrerait dans la sainteté aux yeux de Dieu que s'il rentrait dans l'infamie aux yeux des hommes !

— Eh bien, dit-il, prenons ce parti ! faisons notre devoir. Sauvons cet homme !

Il prononça ces paroles à haute voix, sans s'apercevoir qu'il parlait tout haut.

Il prit ses livres, les vérifia et les mit en ordre. Il jeta au feu une liasse de créances qu'il avait sur de petits commerçants gênés. Il écrivit une lettre qu'il cacheta et sur l'enveloppe de laquelle on aurait pu lire, s'il y avait eu quelqu'un dans sa chambre en cet instant : *A monsieur Laffitte, banquier, rue d'Artois, à Paris.*

Il tira d'un secrétaire un portefeuille qui contenait quelques billets de banque et le passeport dont il s'était servi cette même année pour aller aux élections.

Qui l'eût vu pendant qu'il accomplissait ces divers actes auxquels se mêlait une méditation si grave, ne se fût pas douté de ce qui se passait en lui. Seulement par moments ses lèvres remuaient; dans d'autres instants il relevait la tête et fixait son regard sur un point quelconque de la muraille, comme s'il y avait précisément là quelque chose qu'il voulait éclaircir ou interroger.

La lettre à M. Laffitte terminée, il la mit dans sa poche ainsi que le portefeuille, et recommença à marcher.

Sa rêverie n'avait point dévié. Il continuait de voir clairement son devoir écrit en lettres lumineuses qui flamboyaient devant ses yeux et se déplaçaient avec son regard : — *Va! nomme-toi! dénonce-toi!* —

Il voyait de même, et comme si elles se fussent mues devant lui avec des formes sensibles, les deux idées qui avaient été jusque-là la double règle de sa vie : cacher son nom, sanctifier son âme. Pour la première fois, elles lui apparaissaient absolument distinctes, et il voyait la différence qui les séparait. Il reconnaissait que l'une de ces idées était nécessairement bonne, tandis que l'autre pouvait devenir mauvaise; que celle-là était le dévouement et que celle-ci était la personnalité; que l'une disait : *le prochain*, et que l'autre disait : *moi ;* que l'une venait de la lumière et que l'autre venait de la nuit.

Elles se combattaient. Il les voyait se combattre. A mesure qu'il songeait, elles avaient grandi devant l'œil de son esprit; elles avaient maintenant des statures colossales; et il lui semblait qu'il voyait lutter au-dedans de lui-même, dans cet infini dont nous parlions tout à l'heure, au milieu des obscurités et des lueurs, une déesse et une géante.

Il était plein d'épouvante, mais il lui semblait que la bonne pensée l'emportait.

Il sentait qu'il touchait à l'autre moment décisif de sa conscience et de sa destinée; que l'évêque avait marqué la première phase de sa vie nouvelle, et que ce Champmathieu en marquait la seconde. Après la grande crise, la grande épreuve.

Cependant la fièvre, un instant apaisée, lui revenait peu à peu. Mille pensées le traversaient, mais elles continuaient de le fortifier dans sa résolution.

Un moment il s'était dit : — qu'il prenait peut-être la chose trop vivement, qu'après tout ce Champmathieu n'était pas intéressant, qu'en somme il avait volé.

Il se répondit : — Si cet homme a en effet volé quelques pommes, c'est un mois de prison. Il y a loin de là aux galères. Et qui sait même ? a-t-il volé ? est-ce prouvé ? le nom de Jean Valjean l'accable et semble dispenser de preuves. Les procureurs du roi n'agissent-ils pas habituellement ainsi ? On le croit voleur, parce qu'on le sait forçat.

Dans un autre instant, cette idée lui vint que, lorsqu'il se serait dénoncé, peut-être on considérerait l'héroïsme de son action, et sa vie honnête depuis sept ans, et ce qu'il avait fait pour le pays, et qu'on lui ferait grâce.

Mais cette supposition s'évanouit bien vite, et il sourit amèrement en songeant que le vol des quarante sous à Petit-Gervais le faisait récidiviste, que cette affaire reparaîtrait certainement et, aux termes précis de la loi, le ferait passible des travaux forcés à perpétuité.

Il se détourna de toute illusion, se détacha de plus en plus de la terre et chercha la consolation et la force ailleurs. Il se dit qu'il fallait faire son devoir ; que peut-être même ne serait-il pas plus malheureux après avoir fait son devoir qu'après l'avoir éludé ; que s'il *laissait faire*, s'il restait à M.— sur M—, sa considération, sa bonne renommée, ses bonnes œuvres, la déférence, la vénération, sa charité, sa richesse, sa popularité, sa vertu, seraient assaisonnées d'un crime, et quel goût auraient toutes ces choses saintes liées à cette chose hideuse ? tandis que s'il accomplissait son sacrifice, au bagne, au poteau, au carcan, au bonnet vert, au travail sans relâche, à la honte sans pitié, il se mêlerait une idée céleste !

Enfin il se dit qu'il y avait nécessité, que sa destinée était ainsi faite, qu'il n'était pas maître de déranger les arrangements d'en haut, que dans tous les cas il fallait choisir : ou la vertu au-dehors et l'abomination au-dedans, ou la sainteté au-dedans et l'infamie au-dehors.

A remuer tant d'idées lugubres, son courage ne défaillait pas, mais son cerveau se fatiguait. Il commençait à penser malgré lui à d'autres choses, à des choses indifférentes.

Ses artères battaient violemment dans ses tempes. Il allait et venait toujours. Minuit sonna d'abord à la paroisse, puis à la maison de ville. Il compta les douze coups aux deux horloges, et il compara le son des deux cloches. Il se rappela à cette occasion que, quelques

jours auparavant, il avait vu chez un marchand de fer-
railles une vieille cloche à vendre sur laquelle ce nom
était écrit : *Antoine Albin de Romainville*.

Il avait froid. Il alluma un peu de feu. Il ne songea pas
à fermer la fenêtre.

Cependant il était retombé dans sa stupeur. Il lui
fallut faire un assez grand effort pour se rappeler à quoi
il songeait avant que minuit sonnât. Il y parvint enfin.

— Ah! oui, se dit-il, j'avais pris la résolution de me
dénoncer.

Et puis tout à coup il pensa à la Fantine.

— Tiens! dit-il, et cette pauvre femme!

Ici une crise nouvelle se déclara.

Fantine, apparaissant brusquement dans sa rêverie, y
fut comme un rayon d'une lumière inattendue. Il lui
sembla que tout changeait d'aspect autour de lui, il
s'écria :

— Ah ça, mais! jusqu'ici je n'ai considéré que moi!
je n'ai eu égard qu'à ma convenance! Il me convient de
me taire ou de me dénoncer, — cacher ma personne ou
sauver mon âme, — être un magistrat méprisable et respecté ou un galérien infâme et vénérable, c'est moi, c'est
toujours moi, ce n'est que moi! Mais, mon Dieu, c'est
de l'égoïsme tout cela! Ce sont des formes diverses de
l'égoïsme, mais c'est de l'égoïsme! Si je songeais un peu
aux autres? La première sainteté est de penser à autrui.
Voyons, examinons! Moi excepté, moi effacé, moi oublié,
qu'arrivera-t-il de tout ceci? — Si je me dénonce? on me
prend, on lâche ce Champmathieu, on me remet aux
galères, c'est bien, et puis? Que se passe-t-il ici? Ah!
ici, il y a un pays, une ville, des fabriques, une industrie,
des ouvriers, des hommes, des femmes, des vieux grands-
pères, des enfants, des pauvres gens! J'ai créé tout cela,
je fais vivre tout cela; partout où il y a une cheminée qui
fume, c'est moi qui ai mis le tison dans le feu et la
viande dans la marmite; j'ai fait l'aisance, la circulation,
le crédit; avant moi il n'y avait rien; j'ai relevé, vivifié,
animé, fécondé, stimulé, enrichi tout le pays; moi de
moins, c'est l'âme de moins. Je m'ôte, tout meurt. — Et
cette femme qui a tant souffert, qui a tant de mérites dans
sa chute, dont j'ai causé sans le vouloir tout le malheur!
Et cette enfant que je voulais aller chercher, que j'ai promis à la mère! Est-ce que je ne dois pas aussi quelque
chose à cette femme, en réparation du mal que je lui ai
fait? Si je disparais, qu'arrive-t-il? La mère meurt.

L'enfant devient ce qu'il peut. Voilà ce qui se passe, si je me dénonce. — Si je ne me dénonce pas ? Voyons, si je ne me dénonce pas ?

Après s'être fait cette question, il s'arrêta; il eut comme un moment d'hésitation et de tremblement; mais ce moment dura peu, et il se répondit avec calme :

— Eh bien, cet homme va aux galères, c'est vrai, mais, que diable! il a volé. J'ai beau me dire qu'il n'a pas volé, il a volé! Moi, je reste ici, je continue. Dans dix ans j'aurai gagné dix millions, je les répands dans le pays, je n'ai rien à moi, qu'est-ce que cela me fait ? Ce n'est pas pour moi ce que je fais! La prospérité de tous va croissant, les industries s'éveillent et s'excitent, les manufactures et les usines se multiplient, les familles, cent familles, mille familles! sont heureuses; la contrée se peuple; il naît des villages où il n'y a que des fermes; il naît des fermes où il n'y a rien; la misère disparaît, et avec la misère disparaissent la débauche, la prostitution, le vol, le meurtre, tous les vices, tous les crimes! Et cette pauvre mère élève son enfant! et voilà tout un pays riche et honnête! Ah ça, j'étais fou, j'étais absurde, qu'est-ce que je parlais donc de me dénoncer ? Il faut faire attention, vraiment, et ne rien précipiter. Quoi! parce qu'il m'aura plu de faire le grand et le généreux! — C'est du mélodrame, après tout! — Parce que je n'aurai songé qu'à moi, qu'à moi seul, quoi! pour sauver d'une punition peut-être un peu exagérée, mais juste au fond, on ne sait qui, un voleur, un drôle évidemment, il faudra que tout un pays périsse! il faudra qu'une pauvre femme crève à l'hôpital! qu'une pauvre petite fille crève sur le pavé! comme des chiens! Ah! mais c'est abominable! Sans même que la mère ait revu son enfant! sans que l'enfant ait presque connu sa mère! et tout ça pour ce vieux gredin de voleur de pommes qui, à coup sûr, a mérité les galères pour autre chose, si ce n'est pour cela! Beaux scrupules qui sauvent un coupable et sacrifient des innocents, qui sauvent un vieux vagabond lequel n'a plus que quelques années à vivre au bout du compte et ne sera guère plus malheureux au bagne que dans sa masure, et qui sacrifient toute une population, mères, femmes, enfants! Cette pauvre petite Cosette qui n'a que moi au monde et qui est sans doute en ce moment toute bleue de froid dans le bouge de ces Thénardier! Voilà encore des canailles, ceux-là! Et je manquerais à mes devoirs envers tous ces pauvres êtres! Et je m'en irais me dénoncer! Et je ferais cette inepte sottise! Mettons tout au pis. Supposons qu'il y ait une mauvaise action pour moi dans ceci et que ma conscience me la reproche un jour; accepter, pour le bien d'autrui, ces reproches qui ne chargent que moi, cette mauvaise action qui ne compromet que mon âme, c'est là qu'est le dévouement, c'est là qu'est la vertu.

Il se leva, il se remit à marcher. Cette fois il lui semblait qu'il était content.

On ne trouve les diamants que dans les ténèbres de la terre; on ne trouve les vérités que dans les profondeurs de la pensée. Il lui semblait qu'après être descendu dans ces profondeurs, après avoir longtemps tâtonné au plus noir de ces ténèbres, il venait enfin de trouver un de ces diamants, une de ces vérités, et qu'il la tenait dans sa main; et il s'éblouissait à la regarder.

— Oui, pensa-t-il, c'est cela! Je suis dans le vrai. J'ai la solution. Il faut finir par s'en tenir à quelque chose. Mon parti est pris. Laissons faire! Ne vacillons plus, ne reculons plus. Ceci est dans l'intérêt de tous, non dans le mien. Je suis Madeleine, je reste Madeleine. Malheur à celui qui est Jean Valjean! Ce n'est plus moi. Je ne connais pas cet homme, je ne sais plus ce que c'est, s'il se trouve que quelqu'un est Jean Valjean à cette heure, qu'il s'arrange! Cela ne me regarde pas. C'est un nom de fatalité qui flotte dans la nuit, s'il s'arrête et s'abat sur une tête, tant pis pour elle!

Il se regarda dans le petit miroir qui était sur sa cheminée et dit :

— Tiens! cela m'a soulagé de prendre une résolution! Je suis tout autre à présent.

Il marcha encore quelques pas, puis il s'arrêta court :

— Allons! dit-il, il ne faut hésiter devant aucune des conséquences de la résolution prise. Il y a encore des fils qui m'attachent à ce Jean Valjean. Il faut les briser! Il y a, dans cette chambre même, des objets qui m'accuseraient, des choses muettes qui seraient des témoins, c'est dit, il faut que tout cela disparaisse.

Il fouilla dans sa poche, en tira sa bourse, l'ouvrit et y prit une petite clef.

Il introduisit cette clef dans une serrure dont on voyait à peine le trou, perdu qu'il était dans les nuances les plus sombres du dessin qui couvrait le papier collé sur le mur. Une cachette s'ouvrit; une espèce de fausse armoire ménagée entre l'angle de la muraille et le manteau de la cheminée. Il n'y avait dans cette cachette que quelques guenilles : un sarrau de toile bleue, un vieux pantalon, un vieux havresac et un gros bâton d'épine ferré aux deux bouts. Ceux qui avaient vu Jean Valjean à l'époque où il traversait D—, en octobre 1815, eussent aisément reconnu toutes les pièces de ce misérable accoutrement.

Il les avait conservées comme il avait conservé les chandeliers d'argent, pour se rappeler toujours son point de départ. Seulement il cachait ceci qui venait du bagne, et il laissait voir les flambeaux qui venaient de l'évêque.

Il jeta un regard furtif vers la porte, comme s'il eût craint qu'elle ne s'ouvrît malgré le verrou qui la fermait ; puis d'un mouvement vif et brusque et d'une seule brassée, sans même donner un coup d'œil à ces choses qu'il avait si religieusement et si périlleusement gardées pendant tant d'années, il prit tout, haillons, bâton, havresac, et jeta tout au feu.

Il referma la fausse armoire, et, redoublant de précautions, désormais inutiles, puisqu'elle était vide, en cacha la porte derrière un gros meuble qu'il y poussa.

Au bout de quelques secondes, la chambre et le mur d'en face furent éclairés d'une grande réverbération rouge et tremblante. Tout brûlait ; le bâton d'épine pétillait et jetait des étincelles jusqu'au milieu de la chambre.

Le havresac, en se consumant avec d'affreux chiffons qu'il contenait, avait mis à nu quelque chose qui brillait dans la cendre. En se penchant, on eût aisément reconnu une pièce d'argent. Sans doute la pièce de quarante sous volée au petit savoyard.

Lui ne regardait pas le feu et marchait, allant et venant toujours du même pas.

Tout à coup ses yeux tombèrent sur les deux flambeaux d'argent que la réverbération faisait reluire vaguement sur la cheminée.

— Tiens ! pensa-t-il ; tout Jean Valjean est encore là-dedans. Il faut aussi détruire cela.

Il prit les deux flambeaux.

Il y avait assez de feu pour qu'on pût les déformer promptement et en faire une sorte de lingot méconnaissable.

Il se pencha sur le foyer et s'y chauffa un instant. Il eut un vrai bien-être. — La bonne chaleur ! dit-il.

Il remua le brasier avec un des deux chandeliers.

Une minute de plus, et ils étaient dans le feu.

En ce moment, il lui sembla qu'il entendait une voix

qui criait au-dedans de lui : — Jean Valjean! Jean
Valjean!

Ses cheveux se dressèrent; il devint comme un homme
qui écoute une chose terrible :

— Oui, c'est cela, achève! disait la voix. Complète ce
que tu fais! détruis ces flambeaux! anéantis ce souvenir!
oublie l'évêque! oublie tout! perds ce Champmathieu,
va! c'est bien. Applaudis-toi! Ainsi, c'est convenu, c'est
résolu, c'est dit, voilà un homme, voilà un vieillard qui
ne sait ce qu'on lui veut, qui n'a rien fait peut-être, un
innocent, dont ton nom fait tout le malheur, sur qui ton
nom pèse comme un crime, qui va être pris pour toi, qui
va être condamné, qui va finir ses jours dans l'abjection et
dans l'horreur! c'est bien. Sois honnête homme, toi.
Reste monsieur le maire, reste honorable et honoré,
enrichis la ville, nourris des indigents, élève des orphelins, vis heureux, vertueux et admiré, et pendant ce
temps-là, pendant que tu seras ici dans la joie et dans la
lumière, il y aura quelqu'un qui aura ta casaque rouge,
qui portera ton nom dans l'ignominie et qui traînera ta
chaîne au bagne! Oui, c'est bien arrangé ainsi! Ah! misérable!

La sueur lui coulait du front. Il attachait sur les flambeaux un œil hagard. Cependant ce qui parlait en lui
n'avait pas fini. La voix continuait :

— Jean Valjean! il y aura autour de toi beaucoup de
voix qui feront un grand bruit, qui parleront bien haut,
et qui te béniront, et une seule que personne n'entendra
et qui te maudira dans les ténèbres. Eh bien! écoute,
infâme! toutes ces bénédictions retomberont avant d'arriver au ciel, et il n'y aura que la malédiction qui montera
jusqu'à Dieu!

Cette voix, d'abord toute faible et qui s'était élevée
du plus obscur de sa conscience, était devenue par degrés
éclatante et formidable, et il l'entendait maintenant à son
oreille. Il lui semblait qu'elle était sortie de lui-même et
qu'elle parlait à présent en dehors de lui. Il crut entendre
les dernières paroles si distinctement qu'il regarda dans
la chambre avec une sorte de terreur.

— Y a-t-il quelqu'un ici? demanda-t-il à haute voix
et tout égaré.

Puis il reprit avec un rire qui ressemblait au rire d'un idiot:

— Que je suis bête! il ne peut y avoir personne.

Il y avait quelqu'un; mais celui qui y était n'était pas
de ceux que l'œil humain peut voir.

Il posa les flambeaux sur la cheminée.

Alors il reprit cette marche monotone et lugubre qui troublait dans ses rêves et réveillait en sursaut l'homme endormi au-dessous de lui.

Cette marche le soulageait et l'enivrait en même temps. Il semble parfois que dans les occasions suprêmes on se remue pour demander conseil à tout ce qu'on peut rencontrer en se déplaçant. Au bout de quelques instants il ne savait plus où il en était.

Il reculait maintenant avec une égale épouvante devant les deux résolutions qu'il avait prises tour à tour. Les deux idées qui le conseillaient lui paraissaient aussi funestes l'une que l'autre. — Quelle fatalité! quelle rencontre que ce Champmathieu pris pour lui! Être précipité justement par le moyen que la Providence paraissait d'abord avoir employé pour l'affermir!

Il y eut un moment où il considéra l'avenir. Se dénoncer, grand Dieu! se livrer! Il envisagea avec un immense désespoir tout ce qu'il faudrait quitter, tout ce qu'il faudrait reprendre. Il faudrait donc dire adieu à cette existence si bonne, si pure, si radieuse, à ce respect de tous, à l'honneur, à la liberté! Il n'irait plus se promener dans les champs, il n'entendrait plus chanter les oiseaux au mois de mai, il ne ferait plus l'aumône aux petits enfants! Il ne sentirait plus la douceur des regards de reconnaissance et d'amour fixés sur lui! Il quitterait cette maison qu'il avait bâtie! cette petite chambre! Tout lui paraissait charmant à cette heure. Il ne lirait plus dans ces livres, il n'écrirait plus sur cette petite table de bois blanc! Sa vieille portière, la seule servante qu'il eût, ne lui monterait plus son café le matin! Grand Dieu! au lieu de cela, la chiourme, le carcan, la veste rouge, la chaîne au pied, la fatigue, le cachot, le lit de camp, toutes ces horreurs connues! A son âge, après avoir été ce qu'il était! Si encore il était jeune! Mais vieux, être tutoyé par le premier venu, être fouillé par le garde-chiourme, recevoir le coup de bâton de l'argousin! Avoir les pieds nus dans des souliers ferrés! Tendre matin et soir sa jambe au marteau du rondier qui visite la manille! Subir la curiosité des étrangers auxquels on dirait : *Celui-là, c'est le fameux Jean Valjean, qui a été maire à M.— sur M — !* Le soir, ruisselant de sueur, accablé de lassitude, le bonnet vert sur les yeux, remonter deux à deux, sous le fouet du sergent, l'escalier-échelle du bagne flottant! Oh! quelle misère! La destinée peut-elle donc être méchante

comme un être intelligent et devenir monstrueuse comme
le cœur humain ?

Et, quoi qu'il fît, il retombait toujours sur ce poignant
dilemme qui était au fond de sa rêverie : — Rester dans
le paradis et y devenir démon! Rentrer dans l'enfer et y
devenir ange!

Que faire, grand Dieu! que faire ?

La tourmente dont il était sorti avec tant de peine se
déchaîna de nouveau en lui. Ses idées recommencèrent
à se mêler. Elles prirent ce je ne sais quoi de stupéfié et de
machinal qui est propre au désespoir. Le nom de Romainville lui revenait sans cesse à l'esprit avec deux vers d'une
chanson qu'il avait entendue autrefois. Il songeait que
Romainville est un petit bois près Paris où les jeunes gens
amoureux vont cueillir des lilas au mois d'avril.

Il chancelait au-dehors comme au-dedans. Il marchait
comme un petit enfant qu'on laisse aller seul.

A de certains moments, luttant contre sa lassitude, il
faisait effort pour ressaisir son intelligence. Il tâchait de
se poser une dernière fois, et définitivement, le problème
sur lequel il était en quelque sorte tombé d'épuisement.
Faut-il se dénoncer ? Faut-il se taire ? — Il ne réussissait
à rien voir de distinct. Les vagues aspects de tous les
raisonnements ébauchés par sa rêverie tremblaient et se
dissipaient l'un après l'autre en fumée. Seulement il
sentait que, à quelque parti qu'il s'arrêtât, nécessairement, et sans qu'il fût possible d'y échapper, quelque
chose de lui allait mourir; qu'il entrait dans un sépulcre
à droite comme à gauche; qu'il accomplissait une agonie,
l'agonie de son bonheur ou l'agonie de sa vertu.

Hélas! toutes ses irrésolutions l'avaient repris. Il
n'était pas plus avancé qu'au commencement.

Ainsi se débattait sous l'angoisse cette malheureuse
âme. Dix-huit cents ans avant cet homme infortuné,
l'être mystérieux, en qui se résument toutes les saintetés
et toutes les souffrances de l'humanité, avait aussi lui,
pendant que les oliviers frémissaient au vent farouche de
l'infini, longtemps écarté de la main l'effrayant calice qui
lui apparaissait ruisselant d'ombre et débordant de
ténèbres dans des profondeurs pleines d'étoiles.

IV

FORMES QUE PREND LA SOUFFRANCE PENDANT LE SOMMEIL

Trois heures du matin venaient de sonner, et il y avait cinq heures qu'il marchait ainsi, presque sans interruption, lorsqu'il se laissa tomber sur sa chaise.

Il s'y endormit et fit un rêve.

Ce rêve, comme la plupart des rêves, ne se rapportait à la situation que par je ne sais quoi de funeste et de poignant, mais il lui fit impression. Ce cauchemar le frappa tellement que plus tard il l'a écrit. C'est un des papiers écrits de sa main qu'il a laissés. Nous croyons devoir transcrire ici cette chose textuellement.

Quel que soit ce rêve, l'histoire de cette nuit serait incomplète si nous l'omettions. C'est la sombre aventure d'une âme malade.

Le voici. Sur l'enveloppe nous trouvons cette ligne écrite : *le rêve que j'ai eu cette nuit-là.*

« J'étais dans une campagne. Une grande campagne
« triste où il n'y avait pas d'herbe. Il ne me semblait pas
« qu'il fît jour ni qu'il fît nuit.

« Je me promenais avec mon frère, le frère de mes
« années d'enfance, ce frère auquel je dois dire que je ne
« pense jamais et dont je ne me souviens presque plus.

« Nous causions, et nous rencontrions des passants.
« Nous parlions d'une voisine que nous avions eue autre-
« fois, et qui, depuis qu'elle demeurait sur la rue,
« travaillait la fenêtre toujours ouverte. Tout en causant,
« nous avions froid à cause de cette fenêtre ouverte.

« Il n'y avait pas d'arbres dans la campagne.

« Nous vîmes un homme qui passa près de nous.
« C'était un homme tout nu couleur de cendre monté
« sur un cheval couleur de terre. L'homme n'avait pas
« de cheveux; on voyait son crâne et des veines sur son
« crâne. Il tenait à la main une baguette qui était souple
« comme un sarment de vigne et lourde comme du fer.
« Ce cavalier passa et ne nous dit rien.

« Mon frère me dit : prenons par le chemin creux.

« Il y avait un chemin creux où l'on ne voyait pas une
« broussaille ni un brin de mousse. Tout était couleur de
« terre, même le ciel. Au bout de quelques pas, on ne
« me répondit plus quand je parlais. Je m'aperçus que
« mon frère n'était plus avec moi.

« J'entrai dans un village que je vis. Je songeai que ce
« devait être là Romainville (pourquoi Romainville ?)[1].

« La première rue où j'entrai était déserte. J'entrai
« dans une seconde rue. Derrière l'angle que faisaient les
« deux rues, il y avait un homme debout contre le mur. Je
« dis à cet homme : quel est ce pays ? Où suis-je ?
« L'homme ne répondit pas. Je vis la porte d'une maison
« ouverte, j'y entrai.

« La première chambre était déserte. J'entrai dans la
« seconde. Derrière la porte de cette chambre, il y avait
« un homme debout contre le mur. Je demandai à cet
« homme : — A qui est cette maison ? Où suis-je ?
« L'homme ne répondit pas. La maison avait un jardin.

« Je sortis de la maison et j'entrai dans le jardin. Le
« jardin était désert. Derrière le premier arbre, je trouvai
« un homme qui se tenait debout. Je dis à cet homme :
« — Quel est ce jardin ? Où suis-je ? L'homme ne
« répondit pas.

« J'errai dans le village, et je m'aperçus que c'était
« une ville. Toutes les rues étaient désertes, toutes les
« portes étaient ouvertes. Aucun être vivant ne passait
« dans les rues, ne marchait dans les chambres ou ne se
« promenait dans les jardins. Mais il y avait derrière
« chaque angle de mur, derrière chaque porte, derrière
« chaque arbre, un homme debout qui se taisait. On n'en
« voyait jamais qu'un à la fois. Ces hommes me regar-
« daient passer.

« Je sortis de la ville et je me mis à marcher dans les
« champs.

« Au bout de quelque temps, je me retournai, et je vis
« une grande foule qui venait derrière moi. Je reconnus
« tous les hommes que j'avais vus dans la ville. Ils
« avaient des têtes étranges. Ils ne semblaient pas se
« hâter, et cependant ils marchaient plus vite que moi.
« Ils ne faisaient aucun bruit en marchant. En un instant,
« cette foule me rejoignit et m'entoura. Les visages de
« ces hommes étaient couleur de terre.

1. Cette parenthèse est de la main de Jean Valjean.

« Alors le premier que j'avais vu et questionné en
« entrant dans la ville, me dit : — Où allez-vous ? Est-ce
« que vous ne savez pas que vous êtes mort depuis long-
« temps ?

« J'ouvris la bouche pour répondre, et je m'aperçus
« qu'il n'y avait personne autour de moi. »

Il se réveilla. Il était glacé. Un vent qui était froid
comme le vent du matin, faisait tourner dans leurs gonds
les châssis de la croisée restée ouverte. Le feu s'était
éteint. La bougie touchait à sa fin. Il était encore nuit
noire.

Il se leva, il alla à la fenêtre. Il n'y avait toujours pas
d'étoiles au ciel.

De sa fenêtre on voyait la cour de la maison et la rue.
Un bruit sec et dur qui résonna tout à coup sur le sol lui
fit baisser les yeux.

Il vit au-dessous de lui deux étoiles rouges dont les
rayons s'allongeaient et se raccourcissaient bizarrement
dans l'ombre.

Comme sa pensée était encore à demi submergée dans
la brume des rêves : — Tiens ! songea-t-il, il n'y en a pas
dans le ciel. Elles sont sur la terre maintenant.

Cependant ce trouble se dissipa, un second bruit
pareil au premier acheva de le réveiller, il regarda, et il
reconnut que ces deux étoiles étaient les lanternes d'une
voiture. A la clarté qu'elles jetaient, il put distinguer la
forme de cette voiture. C'était un tilbury attelé d'un
petit cheval blanc. Le bruit qu'il avait entendu, c'était les
coups de pied du cheval sur le pavé.

— Qu'est-ce que c'est que cette voiture ? se dit-il.
Qui est-ce qui vient donc si matin ?

En ce moment on frappa un petit coup à la porte de sa
chambre.

Il frissonna de la tête aux pieds, et cria d'une voix
terrible :

— Qui est là ?

Quelqu'un répondit :

— Moi, monsieur le maire.

Il reconnut la voix de la vieille femme, sa portière.

— Eh bien, reprit-il, qu'est-ce que c'est ?

— Monsieur le maire, il est tout à l'heure cinq heures
du matin.

— Qu'est-ce que cela me fait ?

— Monsieur le maire, c'est le cabriolet.

— Quel cabriolet ?

— Le tilbury.

— Quel tilbury ?

— Est-ce que monsieur le maire n'a pas fait demander un tilbury ?

— Non, dit-il.

— Le cocher dit qu'il vient chercher monsieur le maire.

— Quel cocher ?

— Le cocher de M. Scaufflaire.

— M. Scaufflaire !

Ce nom le fit tressaillir comme si un éclair lui eût passé devant la face.

— Ah oui ! reprit-il, M. Scaufflaire !

Si la vieille femme l'eût pu voir en ce moment, elle eût été épouvantée.

Il se fit un assez long silence. Il examinait d'un air stupide la flamme de la bougie et prenait autour de la mèche de la cire brûlante qu'il roulait dans ses doigts. La vieille attendait. Elle se hasarda pourtant à élever encore la voix :

— Monsieur le maire, que faut-il que je réponde ?

— Dites que c'est bien, et que je descends.

V

BÂTONS DANS LES ROUES

Le service des postes d'Arras à M.— sur M.— se faisait encore à cette époque par de petites malles du temps de l'empire. Ces malles étaient des cabriolets à deux roues tapissés de cuir fauve au-dedans, suspendus sur des ressorts à pompe, et n'ayant que deux places, l'une pour le courrier, l'autre pour le voyageur. Les roues étaient armées de ces longs moyeux offensifs qui tiennent les autres voitures à distance et qu'on voit encore sur les routes d'Allemagne. Le coffre aux dépêches, immense boîte oblongue, était placé derrière le cabriolet et faisait corps avec lui. Ce coffre était peint en noir et le cabriolet en jaune.

Ces voitures, auxquelles rien ne ressemble aujourd'hui, avaient je ne sais quoi de difforme et de bossu, et quand on les voyait passer de loin et ramper dans quelque route à l'horizon, elles ressemblaient à ces insectes qu'on appelle, je crois, termites, et qui, avec un petit corsage, traînent un gros arrière-train. Elles allaient du reste, fort vite. La malle partie d'Arras toutes les nuits à une heure, après le passage du courrier de Paris, arrivait à M.— sur M.— un peu avant cinq heures du matin.

Cette nuit-là, la malle qui descendait à M.— sur M — par la route de Hesdin accrocha au tournant d'une rue, au moment où elle entrait dans la ville, un petit tilbury attelé d'un cheval blanc, qui venait en sens inverse et dans lequel il n'y avait qu'une personne, un homme enveloppé d'un manteau. La roue du tilbury reçut un choc assez rude. Le courrier cria à cet homme d'arrêter, mais le voyageur n'écouta pas, et continua sa route au grand trot.

— Voilà un homme diablement pressé! dit le courrier.

L'homme qui se hâtait ainsi, c'est celui que nous venons de voir se débattre dans des convulsions dignes à coup sûr de pitié.

Où allait-il? Il n'eût pu le dire. Pourquoi se hâtait-il? Il ne savait. Il allait au hasard devant lui. Où? A Arras sans doute; mais il allait peut-être ailleurs aussi. Par moments il le sentait, et il tressaillait. Il s'enfonçait dans cette nuit comme dans un gouffre. Quelque chose le poussait, quelque chose l'attirait. Ce qui se passait en lui, personne ne pourrait le dire, tous le comprendront. Quel homme n'est entré, au moins une fois en sa vie, dans cette obscure caverne de l'inconnu?

Du reste il n'avait rien résolu, rien décidé, rien arrêté, rien fait. Aucun des actes de sa conscience n'avait été définitif. Il était plus que jamais comme au premier moment.

Pourquoi allait-il à Arras?

Il se répétait ce qu'il s'était déjà dit en retenant le cabriolet de Scaufflaire, — que, quel que dût être le résultat, il n'y avait aucun inconvénient à voir de ses yeux, à juger les choses par lui-même; — que cela même était prudent, qu'il fallait savoir ce qui se passerait; — qu'on ne pouvait rien décider sans avoir observé et scruté; — que de loin on se faisait des montagnes de tout; — qu'au bout du compte, lorsqu'il aurait vu ce Champ-

mathieu, quelque misérable, sa conscience serait probablement fort soulagée de le laisser aller au bagne à sa
place; — qu'à la vérité il y aurait là Javert et ce Brevet,
ce Chenildieu, ce Cochepaille, anciens forçats qui
l'avaient connu; mais qu'à coup sûr ils ne le reconnaî-
traient pas; — bah! quelle idée! — Que Javert en était
à cent lieues; — que toutes les conjectures et toutes les
suppositions étaient fixées sur ce Champmathieu, et
que rien n'est entêté comme les suppositions et les
conjectures; — qu'il n'y avait donc aucun danger.

Que sans doute c'était un moment noir, mais qu'il en
sortirait; — qu'après tout il tenait sa destinée, si mauvaise
qu'elle voulût être, dans sa main, — qu'il en était le
maître. Il se cramponnait à cette pensée.

Au fond, pour tout dire, il eût mieux aimé ne point
aller à Arras.

Cependant il y allait.

Tout en songeant, il fouettait le cheval, lequel trottait
de ce bon trot réglé et sûr qui fait deux lieues et demi à
l'heure.

A mesure que le cabriolet avançait, il sentait quelque
chose en lui qui reculait.

Au point du jour il était en rase campagne; la ville de
M.— sur M — était assez loin derrière lui. Il regarda
l'horizon blanchir; il regarda, sans les voir, passer
devant ses yeux toutes les froides figures d'une aube
d'hiver. Le matin a ses spectres comme le soir. Il ne les
voyait pas, mais, à son insu, et par une sorte de pénétration presque physique, ces noires silhouettes d'arbres
et de collines ajoutaient à l'état violent de son âme je ne
sais quoi de morne et de sinistre.

Chaque fois qu'il passait devant une de ces maisons
isolées qui côtoient parfois les routes, il se disait : il y a
pourtant là-dedans des gens qui dorment!

Le trot du cheval, les grelots du harnais, les roues sur
le pavé, faisaient un bruit doux et monotone. Ces choses-
là sont charmantes quand on est joyeux et lugubres
quand on est triste.

Il était grand jour lorsqu'il arriva à Hesdin. Il s'arrêta
devant une auberge pour laisser souffler le cheval et lui
faire donner l'avoine.

Ce cheval était, comme l'avait dit Scaufflaire, de
cette race du Boulonnais qui a trop de tête, trop de ventre
et pas assez d'encolure, mais qui a le poitrail ouvert,
la croupe large, la jambe sèche et fine et le pied solide;

race laide, mais robuste et saine. L'excellente bête avait fait cinq lieues en deux heures et n'avait pas une goutte de sueur sur la croupe.

Il n'était pas descendu du tilbury. Le garçon d'écurie qui apportait l'avoine se baissa tout à coup et examina la roue de gauche.

— Allez-vous loin comme cela ? dit cet homme.

Il répondit, presque sans sortir de sa rêverie :

— Pourquoi ?

— Venez-vous de loin ? reprit le garçon.

— De cinq lieues d'ici.

— Ah !

— Pourquoi dites-vous : ah ?

Le garçon se pencha de nouveau, resta un moment silencieux, l'œil fixé sur la roue, puis se redressa en disant :

— C'est que voilà une roue qui vient de faire cinq lieues, c'est possible, mais qui à coup sûr ne fera pas maintenant un quart de lieue.

Il sauta à bas du tilbury.

— Que dites-vous là, mon ami ?

— Je dis que c'est un miracle que vous ayez fait cinq lieues sans rouler, vous et votre cheval, dans quelque fossé de la grande route. Regardez plutôt.

La roue en effet était gravement endommagée. Le choc de la malle-poste avait fendu deux rayons et labouré le moyeu dont l'écrou ne tenait plus.

— Mon ami, dit-il au garçon d'écurie, il y a un charron ici ?

— Sans doute, monsieur.

— Rendez-moi le service de l'aller chercher.

— Il est là à deux pas. Hé ! maître Bourgaillard !

Maître Bourgaillard, le charron, était sur le seuil de sa porte. Il vint examiner la roue et fit la grimace d'un chirurgien qui considère une jambe cassée.

— Pouvez-vous raccommoder cette roue sur-le-champ ?

— Oui, monsieur.

— Quand pourrai-je repartir ?

— Demain.

— Demain !

— Il y a une grande journée d'ouvrage. Est-ce que monsieur est pressé ?

— Très pressé. Il faut que je reparte dans une heure au plus tard.

— Impossible, monsieur.

— Je paierai tout ce qu'on voudra.

— Impossible.

— Eh bien! dans deux heures.

— Impossible pour aujourd'hui. Il faut refaire deux raies et un moyeu. Monsieur ne pourra repartir avant demain.

— L'affaire que j'ai ne peut attendre à demain. Si, au lieu de raccommoder cette roue, on la remplaçait?

— Comment cela?

— Vous êtes charron?

— Sans doute, monsieur.

— Est-ce que vous n'avez pas une roue à me vendre? je pourrais repartir tout de suite.

— Une roue de rechange?

— Oui.

— Je n'ai pas une roue toute faite pour votre cabriolet. Deux roues font la paire. Deux roues ne vont pas ensemble au hasard.

— En ce cas, vendez-moi une paire de roues.

— Monsieur, toutes les roues ne vont pas à tous les essieux.

— Essayez toujours.

— C'est inutile, monsieur. Je n'ai à vendre que des roues de charrette. Nous sommes un petit pays ici.

— Auriez-vous un cabriolet à me louer?

Le maître charron, du premier coup d'œil, avait reconnu que le tilbury était une voiture de louage. Il haussa les épaules.

— Vous les arrangez bien, les cabriolets qu'on vous loue! j'en aurais un que je ne vous le louerais pas.

— Eh bien, à me vendre?

— Je n'en ai pas.

— Quoi! pas une carriole! je ne suis pas difficile, comme vous voyez.

— Nous sommes un petit pays. J'ai bien là sous la remise, ajouta le charron, une vieille calèche qui est à un bourgeois de la ville qui me l'a donnée en garde et qui s'en sert tous les trente-six du mois. Je vous la louerais bien, qu'est-ce que cela me fait? mais il ne faudrait pas que le bourgeois la vît passer, et puis, c'est une calèche; il faudrait deux chevaux.

— Je prendrai des chevaux de poste.

— Où va monsieur?

— A Arras.

— Et monsieur veut arriver aujourd'hui ?

— Mais oui.

— En prenant des chevaux de poste ?

— Pourquoi pas ?

— Est-il égal à monsieur d'arriver cette nuit à quatre heures du matin ?

— Non, certes.

— C'est que, voyez-vous bien, il y a une chose à dire, en prenant des chevaux de poste... — Monsieur a son passeport ?

— Oui.

— Eh bien, en prenant des chevaux de poste, monsieur n'arrivera pas à Arras avant demain. Nous sommes un chemin de traverse. Les relais sont mal servis, les chevaux sont aux champs. C'est la saison des grandes charrues qui commence; il faut de forts attelages, et l'on prend les chevaux partout, à la poste comme ailleurs. Monsieur attendra au moins trois ou quatre heures à chaque relais. Et puis on va au pas. Il y a beaucoup de côtes à monter.

— Allons, j'irai à cheval. Dételez le cabriolet. On me vendra bien une selle dans le pays.

— Sans doute, mais ce cheval-ci endure-t-il la selle ?

— C'est vrai, vous m'y faites penser, il ne l'endure pas.

— Alors...

— Mais je trouverai bien dans le village un cheval à louer ?

— Un cheval pour aller à Arras d'une traite!

— Oui.

— Il faudrait un cheval comme on n'en a pas dans nos endroits. Il faudrait l'acheter d'abord, car on ne vous connaît pas. Mais ni à vendre ni à louer, ni pour cinq cents francs, ni pour mille, vous ne le trouveriez pas!

— Comment faire ?

— Le mieux, là, en honnête homme, c'est que je raccommode la roue et que vous remettiez votre voyage à demain.

— Demain il sera trop tard.

— Dame!

— N'y a-t-il pas la malle-poste qui va à Arras ? Quand passe-t-elle ?

— La nuit prochaine. Les deux malles font le service la nuit, celle qui monte comme celle qui descend.

— Comment! il vous faut une journée pour raccommoder cette roue?

— Une journée, et une bonne!

— En mettant deux ouvriers?

— En en mettant dix!

— Si on liait les rayons avec des cordes?

— Les rayons, oui; le moyeu, non. Et puis la jante aussi est en mauvais état.

— Y a-t-il un loueur de voitures dans la ville?

— Non.

— Y a-t-il un autre charron?

Le garçon d'écurie et le maître charron répondirent en même temps en hochant la tête:

— Non.

Il sentit une immense joie.

Il était évident que la Providence s'en mêlait. C'était elle qui avait brisé la roue du tilbury et qui l'arrêtait en route. Il ne s'était pas rendu à cette espèce de première sommation; il venait de faire tous les efforts possibles pour continuer son voyage; il avait loyalement et scrupuleusement épuisé tous les moyens; il n'avait reculé ni devant la saison, ni devant la fatigue, ni devant la dépense; il n'avait rien à se reprocher. S'il n'allait pas plus loin, cela ne le regardait plus! Ce n'était plus sa faute, c'était, non le fait de sa conscience, mais le fait de la Providence.

Il respira. Il respira librement et à pleine poitrine pour la première fois depuis la visite de Javert. Il lui semblait que le poignet de fer qui lui serrait le cœur depuis vingt heures, venait de le lâcher.

Il lui paraissait que maintenant Dieu était pour lui, et se déclarait.

Il se dit qu'il avait fait tout ce qu'il pouvait, et qu'à présent il n'avait qu'à revenir sur ses pas, tranquillement.

Si sa conversation avec le charron eût eu lieu dans une chambre de l'auberge, elle n'eût point eu de témoins, personne ne l'eût entendue, les choses en fussent restées là, et il est probable que nous n'aurions eu à raconter aucun des événements qu'on va lire, mais cette conversation s'était faite dans la rue. Tout colloque dans la rue produit inévitablement un cercle. Il y a toujours des gens qui ne demandent qu'à être spectateurs. Pendant qu'il questionnait le charron, quelques allants et venants s'étaient arrêtés autour d'eux. Après avoir écouté pendant quelques minutes, un jeune garçon auquel personne n'avait pris garde, s'était détaché du groupe en courant.

Au moment où le voyageur, après la délibération intérieure que nous venons d'indiquer, prenait la résolution de rebrousser chemin, cet enfant revenait. Il était accompagné d'une vieille femme.

— Monsieur, dit la femme, mon garçon me dit que vous avez envie de louer un cabriolet ?

Cette simple parole, prononcée par une vieille femme que conduisait un enfant, lui fit ruisseler la sueur dans les reins. Il crut voir la main qui l'avait lâché reparaître dans l'ombre derrière lui, toute prête à le reprendre.

Il répondit :

— Oui, bonne femme, je cherche un cabriolet à louer.

Et il se hâta d'ajouter :

— Mais il n'y en a pas dans le pays.

— Si fait, dit la vieille.

— Où ça donc ? reprit le charron.

— Chez moi, répliqua la vieille.

Il tressaillit. La main fatale l'avait ressaisi.

La vieille avait en effet sous un hangar une façon de carriole en osier. Le charron et le garçon d'auberge, désolés que le voyageur leur échappât, intervinrent.

— C'était une affreuse guimbarde, — cela était posé à cru sur l'essieu, — il est vrai que les banquettes étaient suspendues à l'intérieur avec des lanières de cuir, — il pleuvait dedans, — les roues étaient rouillées et rongées d'humidité, — cela n'irait pas beaucoup plus loin que le tilbury, — une vraie patache! — Ce monsieur aurait bien tort de s'y embarquer, — etc., etc.

Tout cela était vrai, mais cette guimbarde, cette patache, cette chose, quelle qu'elle fût, roulait sur ses deux roues et pouvait aller à Arras.

Il paya ce qu'on voulut, laissa le tilbury à réparer chez le charron pour l'y retrouver à son retour, fit atteler le cheval blanc à la carriole, y monta, et reprit la route qu'il suivait depuis le matin.

Au moment où la carriole s'ébranla, il s'avoua qu'il avait eu l'instant d'auparavant une certaine joie de songer qu'il n'irait point où il allait. Il examina cette joie avec une sorte de colère et la trouva absurde. Pourquoi de la joie à revenir en arrière ? Après tout, il faisait ce voyage librement. Personne ne l'y forçait.

Et certainement, rien n'arriverait que ce qu'il voudrait bien.

Comme il sortait de Hesdin, il entendit une voix qui

lui criait : arrêtez! arrêtez! Il arrêta la carriole d'un mouvement vif dans lequel il y avait encore je ne sais quoi de fébrile et de convulsif qui ressemblait à de l'espérance.

C'était le petit garçon de la vieille.

— Monsieur, dit-il, c'est moi qui vous ai procuré la carriole.

— Eh bien ?

— Vous ne m'avez rien donné.

Lui qui donnait à tous et si facilement, il trouva cette prétention exorbitante et presque odieuse.

— Ah! c'est toi, drôle ? dit-il, tu n'auras rien!

Il fouetta le cheval et repartit au grand trot.

Il avait perdu beaucoup de temps à Hesdin, il eût voulu le rattraper. Le petit cheval était courageux et tirait comme deux; mais on était au mois de février, il avait plu, les routes étaient mauvaises. Et puis, ce n'était plus le tilbury. La carriole était dure et très lourde. Avec cela force montées.

Il mit près de quatre heures pour aller de Hesdin à Saint-Pol. Quatre heures pour cinq lieues.

A Saint-Pol il dételá à la première auberge venue, et fit mener le cheval à l'écurie. Comme il l'avait promis à Scaufflaire, il se tint près du râtelier pendant que le cheval mangeait. Il songeait à des choses tristes et confuses.

La femme de l'aubergiste entra dans l'écurie.

— Est-ce que monsieur ne veut pas déjeuner ?

— Tiens, c'est vrai, dit-il, j'ai même bon appétit.

Il suivit cette femme qui avait une figure fraîche et réjouie. Elle le conduisit dans une salle basse où il y avait des tables ayant pour nappes des toiles cirées.

— Dépêchez-vous, reprit-il, il faut que je reparte. Je suis pressé.

Une grosse servante flamande mit son couvert en toute hâte. Il regardait cette fille avec un sentiment de bien-être.

— C'est là ce que j'avais, pensa-t-il. Je n'avais pas déjeuné.

On le servit. Il se jeta sur le pain, mordit une bouchée, puis le reposa lentement sur la table et n'y toucha plus.

Un roulier mangeait à une autre table. Il dit à cet homme :

— Pourquoi leur pain est-il donc si amer ?

Le roulier était allemand et n'entendit pas.

Il retourna dans l'écurie près du cheval.

Une heure après il avait quitté Saint-Pol et se dirigeait vers Tinques qui n'est qu'à cinq lieues d'Arras.

Que faisait-il pendant ce trajet ? A quoi pensait-il ? Comme le matin, il regardait passer les arbres, les toits de chaume, les champs cultivés, et les évanouissements du paysage qui se disloque à chaque coude du chemin. C'est là une contemplation qui suffit quelquefois à l'âme et qui la dispense presque de penser. Voir mille objets pour la première et pour la dernière fois, quoi de plus mélancolique et de plus profond! Voyager, c'est naître et mourir à chaque instant. Peut-être, dans la région la plus vague de son esprit, faisait-il des rapprochements entre ces horizons changeants et l'existence humaine. Toutes les choses de la vie sont perpétuellement en fuite devant nous. Les obscurcissements et les clartés s'entremêlent. Après un éblouissement, une éclipse; on regarde, on se hâte, on tend les mains pour saisir ce qui passe; chaque événement est un tournant de la route; et tout à coup on est vieux. On sent comme une secousse, tout est noir, on distingue une porte obscure, ce sombre cheval de la vie qui vous traînait s'arrête. Et l'on voit quelqu'un de voilé et d'inconnu qui le détèle dans les ténèbres.

Le crépuscule tombait au moment où des enfants qui sortaient de l'école regardèrent ce voyageur entrer dans Tinques. Il est vrai qu'on était encore aux jours courts de l'année. Il ne s'arrêta pas à Tinques. Comme il débouchait du village, un cantonnier qui empierrait la route dressa la tête et dit :

— Voilà un cheval bien fatigué.

La pauvre bête en effet n'allait plus qu'au pas.

— Est-ce que vous allez à Arras ? ajouta le cantonnier.

— Oui.

— Si vous allez de ce train, vous n'y arriverez pas de bonne heure.

Il arrêta le cheval et demanda au cantonnier :

— Combien y a-t-il encore d'ici à Arras ?

— Près de sept grandes lieues.

— Comment cela ? le livre de poste ne marque que cinq lieues et un quart.

— Ah! reprit le cantonnier, vous ne savez donc pas que la route est en réparation. Vous allez la trouver coupée à un quart d'heure d'ici. Pas moyen d'aller plus loin.

— Vraiment.

— Vous prendrez à gauche, le chemin qui va à Carency, vous passerez la rivière; quand vous serez à Camblin, vous tournerez à droite; c'est la route de Mont-Saint-Eloy qui va à Arras.

— Mais voilà la nuit, je me perdrai.

— Vous n'êtes pas du pays?

— Non.

— Avec ça, c'est tout chemin de traverse. — Tenez, monsieur, reprit le cantonnier, voulez-vous que je vous donne un conseil? Votre cheval est las; rentrez dans Tinques. Il y a une bonne auberge. Couchez-y. Vous irez demain à Arras.

— Il faut que j'y sois ce soir.

— C'est différent. Alors allez tout de même à cette auberge et prenez-y un cheval de renfort. Le garçon du cheval vous guidera dans la traverse.

Il suivit le conseil du cantonnier, rebroussa chemin, et une demi-heure après il repassait au même endroit, mais au grand trot, avec un bon cheval de renfort. Un garçon d'écurie qui s'intitulait postillon était assis sur le brancard de la carriole.

Cependant il sentait qu'il perdait du temps.

Il faisait tout à fait nuit.

Ils s'engagèrent dans la traverse. La route devint affreuse. La carriole tombait d'une ornière dans l'autre. Il dit au postillon:

— Toujours au trot, et double pourboire.

Dans un cahot le palonnier cassa.

— Monsieur, dit le postillon, voilà le palonnier cassé, je ne sais plus comment atteler mon cheval, cette route-ci est bien mauvaise la nuit, si vous vouliez revenir coucher à Tinques, nous pourrions être demain matin de bonne heure à Arras.

Il répondit: — As-tu un bout de corde et un couteau?

— Oui, monsieur.

Il coupa une branche d'arbre et en fit un palonnier.

Ce fut encore une perte de vingt minutes; mais ils repartirent au galop.

La plaine était ténébreuse. Des brouillards bas, courts et noirs rampaient sur les collines et s'en arrachaient comme des fumées. Il y avait des lueurs blanchâtres dans les nuages. Un grand vent qui venait de la mer faisait dans tous les coins de l'horizon le bruit de quelqu'un qui remue des meubles. Tout ce qu'on entrevoyait avait des attitudes de terreur. Que de choses frissonnent sous ces vastes souffles de la nuit !

Le froid le pénétrait. Il n'avait pas mangé depuis la veille. Il se rappelait vaguement son autre course nocturne dans la grande plaine aux environs de D—, il y avait huit ans ; et cela lui semblait hier.

Une heure sonna à quelque clocher lointain. Il demanda au garçon :

— Quelle est cette heure ?

— Sept heures, monsieur, nous serons à Arras à huit. Nous n'avons plus que trois lieues.

En ce moment il fit pour la première fois cette réflexion, — en trouvant étrange qu'elle ne lui fût pas venue plus tôt : — Que c'était peut-être inutile, toute la peine qu'il prenait ; qu'il ne savait seulement pas l'heure du procès ; qu'il aurait dû au moins s'en informer ; qu'il était extravagant d'aller ainsi devant soi sans savoir si cela servirait à quelque chose. — Puis il ébaucha quelques calculs dans son esprit : — qu'ordinairement les séances des cours d'assises commençaient à neuf heures du matin ; — que ce ne devait pas être long, cette affaire-là ; — que le vol de pommes, ce serait très court ; — qu'il n'y aurait ensuite qu'une question d'identité ; — quatre ou cinq dépositions, peu de chose à dire pour les avocats ; — qu'il allait arriver, lorsque tout serait fini !

Le postillon fouettait les chevaux. Ils avaient passé la rivière et laissé derrière eux Mont-Saint-Eloy.

La nuit devenait de plus en plus profonde.

VI

LA SŒUR SIMPLICE MISE A L'ÉPREUVE

Cependant, en ce moment-là même, Fantine était dans la joie.

Elle avait passé une très mauvaise nuit. Toux affreuse, redoublement de fièvre ; elle avait eu des songes. Le matin, à la visite du médecin, elle délirait. Il avait eu l'air alarmé et avait recommandé qu'on le prévînt dès que M. Madeleine viendrait.

Toute la matinée elle fut morne, parla peu et fit des plis à ses draps en murmurant à voix basse des calculs qui avaient l'air d'être des calculs de distances. Ses yeux étaient caves et fixes. Ils paraissaient presque éteints, et puis par moments, ils se rallumaient et resplendissaient comme des étoiles. Il semble qu'aux approches d'une certaine heure sombre, la clarté du ciel emplisse ceux que quitte la clarté de la terre.

Chaque fois que la sœur Simplice lui demandait comment elle se trouvait, elle répondait invariablement : — Bien. Je voudrais voir monsieur Madeleine.

Quelques mois auparavant, à ce moment où Fantine venait de perdre sa dernière pudeur, sa dernière honte et sa dernière joie, elle était l'ombre d'elle-même; maintenant elle en était le spectre. Le mal physique avait complété l'œuvre du mal moral. Cette créature de vingt-cinq ans avait le front ridé, les joues flasques, les narines pincées, les dents déchaussées, le teint plombé, le cou osseux, les clavicules saillantes, les membres chétifs, la peau terreuse, et ses cheveux blonds poussaient mêlés de cheveux gris. Hélas! comme la maladie improvise la vieillesse!

A midi, le médecin revint, il fit quelques prescriptions, s'informa si M. le maire avait paru à l'infirmerie, et branla la tête.

M. Madeleine venait d'habitude à trois heures voir la malade. Comme l'exactitude était de la bonté, il était exact.

Vers deux heures et demie, Fantine commença à s'agiter. Dans l'espace de vingt minutes, elle demanda plus de dix fois à la religieuse : — ma sœur, quelle heure est-il ?

Trois heures sonnèrent. Au troisième coup Fantine se dressa sur son séant, elle qui d'ordinaire pouvait à peine remuer dans son lit; elle joignit dans une sorte d'étreinte convulsive ses deux mains décharnées et jaunes, et la religieuse entendit sortir de sa poitrine un de ces soupirs profonds qui semblent soulever un accablement. Puis Fantine se tourna, et regarda la porte.

Personne n'entra; la porte ne s'ouvrit point.

Elle resta ainsi un quart d'heure, l'œil attaché sur la porte, immobile et comme retenant son haleine. La sœur n'osait lui parler. L'église sonna trois heures un quart. Fantine se laissa retomber sur l'oreiller.

Elle ne dit rien et se remit à faire des plis à son drap.

La demi-heure passa, puis l'heure, personne ne vint; chaque fois que l'horloge sonnait, Fantine se dressait et regardait du côté de la porte, puis elle retombait.

On voyait clairement sa pensée, mais elle ne prononçait aucun nom, elle ne se plaignait pas, elle n'accusait pas. Seulement elle toussait d'une façon lugubre. On eût dit que quelque chose d'obscur s'abaissait sur elle. Elle était livide et avait les lèvres bleues. Elle souriait par moments.

Cinq heures sonnèrent. Alors la sœur l'entendit qui disait très bas et doucement : — Mais puisque je m'en vais demain, il a tort de ne pas venir aujourd'hui!

La sœur Simplice elle-même était surprise du retard de M. Madeleine.

Cependant Fantine regardait le ciel de son lit. Elle avait l'air de chercher à se rappeler quelque chose. Tout à coup elle se mit à chanter d'une voix faible comme un souffle. La religieuse écouta. Voici ce que Fantine chantait :

> Nous achèterons de bien belles choses
> En nous promenant le long des faubourgs.
> Les bleuets sont bleus, les roses sont roses,
> Les bleuets sont bleus, j'aime mes amours.
>
> La Vierge Marie auprès de mon poêle
> Est venue hier en manteau brodé;
> Et m'a dit : — Voici, caché sous mon voile,
> Le petit qu'un jour tu m'as demandé. —
> Courez à la ville, ayez de la toile,
> Achetez du fil, achetez un dé.
>
> Nous achèterons de bien belles choses
> En nous promenant le long des faubourgs.
>
> Bonne sainte Vierge, auprès de mon poêle
> J'ai mis un berceau de rubans orné;
> Dieu me donnerait sa plus belle étoile,
> J'aime mieux l'enfant que tu m'as donné.
> — Madame, que faire avec cette toile ?
> — Faites un trousseau pour mon nouveau-né.
>
> Les bleuets sont bleus, les roses sont roses,
> Les bleuets sont bleus, j'aime mes amours.
>
> Lavez cette toile. — Où ? — Dans la rivière,
> Faites-en, sans rien gâter ni salir,
> Une belle jupe avec sa brassière
> Que je veux broder et de fleurs emplir.
> — L'enfant n'est plus là, madame, qu'en faire ?
> — Faites-en un drap pour m'ensevelir.
>
> Nous achèterons de bien belles choses
> En nous promenant le long des faubourgs.
> Les bleuets sont bleus, les roses sont roses,
> Les bleuets sont bleus, j'aime mes amours.

Cette chanson était une vieille romance de berceuse avec laquelle autrefois elle endormait sa petite Cosette, et qui ne s'était pas offerte à son esprit depuis cinq ans qu'elle n'avait plus son enfant. Elle chantait cela d'une voix si triste et sur un air si doux que c'était à faire pleurer, même une religieuse. La sœur, habituée aux choses austères, sentit une larme lui venir.

L'horloge sonna six heures. Fantine ne parut pas entendre. Elle semblait ne plus faire attention à aucune chose autour d'elle.

La sœur Simplice envoya une fille de service s'informer près de la portière de la fabrique si M. le maire était rentré et s'il ne monterait pas bientôt à l'infirmerie. La fille revint au bout de quelques minutes.

Fantine était toujours immobile et paraissait attentive à des idées qu'elle avait.

La servante raconta très bas à la sœur Simplice que M. le maire était parti le matin même avant six heures dans un petit tilbury attelé d'un cheval blanc, par le froid qu'il faisait; qu'il était parti seul, pas même de cocher, qu'on ne savait pas le chemin qu'il avait pris, que des personnes disaient l'avoir vu tourner par la route d'Arras, que d'autres assuraient l'avoir rencontré sur la route de Paris. Qu'en s'en allant il avait été comme à l'ordinaire, très doux, et qu'il avait seulement dit à la portière qu'on ne l'attendît pas cette nuit.

Pendant que les deux femmes, le dos tourné au lit de la Fantine, chuchotaient, la sœur questionnant, la servante conjecturant, la Fantine, avec cette vivacité fébrile de certaines maladies organiques, qui mêle les mouvements libres de la santé à l'effrayante maigreur de la mort, s'était mise à genoux sur son lit, ses deux poings crispés appuyés sur le traversin, et, la tête passée par l'intervalle des rideaux, elle écoutait. Tout à coup elle cria :

— Vous parlez là de monsieur Madeleine! pourquoi parlez-vous tout bas ? qu'est-ce qu'il fait ? pourquoi ne vient-il pas ?

Sa voix était si brusque et si rauque que les deux femmes crurent entendre une voix d'homme; elles se retournèrent effrayées.

— Répondez donc! cria Fantine.

La servante balbutia :

— La portière m'a dit qu'il ne pourrait pas venir aujourd'hui.

— Mon enfant, dit la sœur, tenez-vous tranquille, recouchez-vous.

Fantine, sans changer d'attitude, reprit d'une voix haute et avec un accent tout à la fois impérieux et déchirant :

— Il ne pourra venir ? Pourquoi cela ? Vous savez la raison. Vous la chuchotiez là entre vous. Je veux la savoir.

La servante se hâta de dire à l'oreille de la religieuse :

— Répondez qu'il est occupé au conseil municipal.

La sœur Simplice rougit légèrement; c'était un mensonge que la servante lui proposait. D'un autre côté il lui semblait bien que dire la vérité à la malade ce serait sans doute lui porter un coup terrible et que cela était grave dans l'état où était Fantine. Cette rougeur dura peu. La sœur leva sur Fantine son œil calme et triste, et dit :

— Monsieur le maire est parti.

Fantine se redressa et s'assit sur ses talons. Ses yeux étincelèrent. Une joie inouïe rayonna sur cette physionomie douloureuse.

— Parti! s'écria-t-elle. Il est allé chercher Cosette!

Puis elle tendit ses deux mains vers le ciel et tout son visage devint ineffable. Ses lèvres remuaient; elle priait à voix basse.

Quand sa prière fut finie : — Ma sœur, dit-elle, je veux bien me recoucher, je vais faire tout ce qu'on voudra; tout à l'heure j'ai été méchante, je vous demande pardon d'avoir parlé si haut, c'est très mal de parler haut, je le sais bien, ma bonne sœur, mais voyez-vous, je suis très contente. Le bon Dieu est bon, monsieur Madeleine est bon; figurez-vous qu'il est allé chercher ma petite Cosette à Montfermeil.

Elle se recoucha, aida la religieuse à arranger l'oreiller et baisa une petite croix d'argent qu'elle avait au cou et que la sœur Simplice lui avait donnée.

— Mon enfant, dit la sœur, tâchez de reposer maintenant, et ne parlez plus.

Fantine prit dans ses mains moites la main de la sœur, qui souffrait de lui sentir cette sueur.

— Il est parti ce matin pour aller à Paris. Au fait, il n'a pas même besoin de passer par Paris. Montfermeil, c'est un peu à gauche en venant. Vous rappelez-vous comme il me disait hier quand je lui parlais de Cosette : *bientôt, bientôt* ? C'est une surprise qu'il veut me faire.

Vous savez ? il m'avait fait signer une lettre pour la reprendre aux Thénardier. Ils n'auront rien à dire, pas vrai ? ils rendront Cosette. Puisqu'ils sont payés. Les autorités ne souffriraient pas qu'on garde un enfant quand on est payé. Ma sœur, ne me faites pas signe qu'il ne faut pas que je parle. Je suis extrêmement heureuse, je vais très bien, je n'ai plus de mal du tout, je vais revoir Cosette, j'ai même très faim. Il y a près de cinq ans que je ne l'ai vue. Vous ne vous figurez pas, vous, comme cela vous tient, les enfants ! et puis elle sera si gentille, vous verrez ! Si vous saviez, elle a de si jolis petits doigts roses ! d'abord elle aura de très belles mains. A un an, elle avait des mains ridicules. Ainsi !
— Elle doit être grande à présent. Cela vous a sept ans. C'est une demoiselle. Je l'appelle Cosette, mais elle s'appelle Euphrasie. Tenez, ce matin, je regardais sur la poussière qui était sur la cheminée et j'avais bien l'idée comme cela que je reverrais bientôt Cosette. Mon Dieu ! comme on a tort d'être des années sans voir ses enfants ! on devrait bien réfléchir que la vie n'est pas éternelle ! Oh ! comme il est bon d'être parti, monsieur le maire ! c'est vrai ça qu'il fait bien froid ! avait-il son manteau au moins ? il sera ici demain, n'est-ce pas ? ce sera demain fête. Demain matin, ma sœur, vous me ferez penser à mettre mon petit bonnet qui a de la dentelle. Montfermeil, c'est un pays. J'ai fait cette route-là à pied, dans le temps. Il y a eu bien loin pour moi. Mais les diligences vont très vite ! il sera ici demain avec Cosette. Combien y a-t-il d'ici Montfermeil ?

La sœur qui n'avait aucune idée des distances, répondit :
— Oh ! je crois bien qu'il pourra être ici demain.
— Demain ! demain ! dit Fantine, je verrai Cosette demain ! voyez-vous, bonne sœur du bon Dieu, je ne suis plus malade. Je suis folle. Je danserais, si on voulait.

Quelqu'un qui l'eût vue un quart d'heure auparavant, n'y eût rien compris. Elle était maintenant toute rose, elle parlait d'une voix vive et naturelle, toute sa figure n'était qu'un sourire. Par moments elle riait en se parlant tout bas. Joie de mère, c'est presque joie d'enfant.
— Eh bien, reprit la religieuse, vous voilà heureuse, obéissez-moi, ne parlez plus.

Fantine posa sa tête sur l'oreiller et dit à demi-voix :
— Oui, recouche-toi, sois sage puisque tu vas avoir ton enfant. Elle a raison, sœur Simplice. Tous ceux qui sont ici ont raison.

Et puis, sans bouger, sans remuer la tête, elle se mit à regarder partout avec ses yeux tout grands ouverts et un air joyeux, et elle ne dit plus rien.

La sœur referma ses rideaux, espérant qu'elle s'assoupirait.

Entre sept et huit heures le médecin vint. N'entendant aucun bruit, il crut que Fantine dormait, entra doucement et s'approcha du lit sur la pointe du pied. Il entrouvrit les rideaux, et à la lueur de la veilleuse il vit les grands yeux calmes de Fantine qui le regardaient.

Elle lui dit : — Monsieur, n'est-ce pas ? on me laissera la coucher à côté de moi dans un petit lit ?

Le médecin crut qu'elle délirait. Elle ajouta :

— Regardez plutôt, il y a juste la place.

Le médecin prit à part la sœur Simplice qui lui expliqua la chose, que M. Madeleine était absent pour un jour ou deux, et que, dans le doute, on n'avait pas cru devoir détromper la malade qui croyait monsieur le maire parti pour Montfermeil; qu'il était possible en somme qu'elle eût deviné juste. Le médecin approuva.

Il se rapprocha du lit de Fantine qui reprit :

— C'est que, voyez-vous, le matin, quand elle s'éveillera, je lui dirai bonjour à ce pauvre chat, et la nuit, moi qui ne dors pas, je l'entendrai dormir. Sa petite respiration si douce, cela me fera du bien.

— Donnez-moi votre main, dit le médecin.

Elle tendit son bras et s'écria en riant :

— Ah! tiens! au fait, c'est vrai, vous ne savez pas! c'est que je suis guérie. Cosette arrive demain.

Le médecin fut surpris. Elle était mieux. L'oppression était moindre. Le pouls avait repris de la force. Une sorte de vie survenue tout à coup ranimait ce pauvre être épuisé.

— Monsieur le docteur, reprit-elle, la sœur vous a-t-elle dit que monsieur le maire était allé chercher le chiffon ?

Le médecin recommanda le silence et qu'on évitât toute émotion pénible. Il prescrivit une infusion de quinquina pur, et, pour le cas où la fièvre reprendrait dans la nuit, une potion calmante. En s'en allant il dit à la sœur : — Cela va mieux. Si le bonheur voulait qu'en effet monsieur le maire arrivât demain avec l'enfant, qui sait ? il y a des crises si étonnantes, on a vu de grandes joies arrêter court des maladies, je sais bien que celle-ci est une maladie organique, et bien avancée, mais c'est

un tel mystère que tout cela! Nous la sauverions peut-
être.

VII

LE VOYAGEUR ARRIVÉ PREND SES PRÉCAUTIONS
POUR REPARTIR

Il était près de huit heures du soir quand la carriole
que nous avons laissée en route entra sous la porte cochère
de l'hôtel de la Poste à Arras. L'homme que nous avons
suivi jusqu'à ce moment, en descendit, répondit d'un
air distrait aux empressements des gens de l'auberge,
renvoya le cheval de renfort, et conduisit lui-même le
petit cheval blanc à l'écurie; puis il poussa la porte
d'une salle de billard qui était au rez-de-chaussée, s'y
assit et s'accouda sur une table. Il avait mis quatorze
heures à ce trajet qu'il comptait faire en six. Il se rendait
la justice que ce n'était pas de sa faute; mais au fond
il n'en était pas fâché.

La maîtresse de l'hôtel entra.

— Monsieur couche-t-il? monsieur soupe-t-il?

Il fit un signe de tête négatif.

— Le garçon d'écurie dit que le cheval de monsieur
est bien fatigué?

Ici il rompit le silence.

— Est-ce que le cheval ne pourra pas repartir demain
matin?

— Oh! monsieur! il lui faut au moins deux jours de
repos.

Il demanda :

— N'est-ce pas ici le bureau de la poste?

— Oui, monsieur.

L'hôtesse le mena à ce bureau; il montra son passeport
et s'informa s'il y avait moyen de revenir cette nuit
même à M.— sur M.— par la malle; la place à côté du
courrier était justement vacante; il la retint et la paya.

— Monsieur, dit le buraliste, ne manquez pas d'être ici
pour partir à une heure précise du matin.

Cela fait, il sortit de l'hôtel et se mit à marcher dans
la ville.

Il ne connaissait pas Arras, les rues étaient obscures, et il allait au hasard. Cependant il semblait s'obstiner à ne pas demander son chemin aux passants. Il traversa la petite rivière Crinchon et se trouva dans un dédale de ruelles étroites où il se perdit. Un bourgeois cheminait avec un falot. Après quelque hésitation, il prit le parti de s'adresser à ce bourgeois, non sans avoir d'abord regardé devant et derrière lui, comme s'il craignait que quelqu'un n'entendît la question qu'il allait faire.

— Monsieur, dit-il, le palais de justice, s'il vous plaît ?

— Vous n'êtes pas de la ville, monsieur, répondit le bourgeois qui était un assez vieux homme, eh bien, suivez-moi. Je vais précisément du côté du palais de justice, c'est-à-dire du côté de l'hôtel de la préfecture. Car on répare en ce moment le palais, et provisoirement les tribunaux ont leurs audiences à la préfecture.

— Est-ce là, demanda-t-il, qu'on tient les assises ?

— Sans doute, monsieur, voyez-vous, ce qui est la préfecture aujourd'hui était l'évêché avant la révolution. Monsieur de Conzié, qui était évêque en quatre-vingt-deux, y a fait bâtir une grande salle. C'est dans cette grande salle qu'on juge.

Chemin faisant, le bourgeois lui dit :

— Si c'est un procès que monsieur veut voir, il est un peu tard. Ordinairement les séances finissent à six heures.

Cependant, comme ils arrivaient sur la grande place, le bourgeois lui montra quatre longues fenêtres éclairées sur la façade d'un vaste bâtiment ténébreux.

— Ma foi, monsieur, vous arrivez à temps, vous avez du bonheur. Voyez-vous ces quatre fenêtres ? c'est la cour d'assises. Il y a de la lumière. Donc ce n'est pas fini. L'affaire aura traîné en longueur et on fait une audience du soir. Vous vous intéressez à cette affaire ? Est-ce que c'est un procès criminel ? est-ce que vous êtes témoin ?

Il répondit :

— Je ne viens pour aucune affaire, j'ai seulement à parler à un avocat.

— C'est différent, dit le bourgeois. Tenez, monsieur, voici la porte. Où est le factionnaire. Vous n'aurez qu'à monter le grand escalier.

Il se conforma aux indications du bourgeois, et quelques minutes après, il était dans une salle où il y avait beaucoup de monde et où des groupes mêlés d'avocats en robes chuchotaient çà et là.

C'est toujours une chose qui serre le cœur de voir ces attroupements d'hommes vêtus de noir qui murmurent entre eux à voix basse sur le seuil des chambres de justice. Il est rare que la charité et la pitié sortent de toutes ces paroles. Ce qui en sort le plus souvent, ce sont des condamnations faites d'avance. Tous ces groupes semblent à l'observateur qui passe et qui rêve autant de ruches sombres où des esprits bourdonnants construisent en commun toutes sortes d'édifices ténébreux.

Cette salle, spacieuse et éclairée d'une seule lampe, était une ancienne salle de l'évêché et servait de salle des pas perdus. Une porte à deux battants, fermée en ce moment, la séparait de la grande chambre où siégeait la cour d'assises.

L'obscurité était telle qu'il ne craignit pas de s'adresser au premier avocat qu'il rencontra.

— Monsieur, dit-il, où en est-on ?

— C'est fini, dit l'avocat.

— Fini !

Ce mot fut répété d'un tel accent que l'avocat se retourna.

— Pardon, monsieur, vous êtes peut-être un parent ?

— Non. Je ne connais personne ici. Et y a-t-il eu condamnation ?

— Sans doute. Cela n'était guère possible autrement.

— Aux travaux forcés ?...

— A perpétuité.

Il reprit d'une voix tellement faible qu'on l'entendait à peine :

— L'identité a donc été constatée ?

— Quelle identité ? répondit l'avocat. Il n'y avait pas d'identité à constater. L'affaire était simple. Cette femme avait tué son enfant, l'infanticide a été prouvé, le jury a écarté la préméditation, on l'a condamnée à vie.

— C'est donc une femme ? dit-il.

— Mais sûrement. La fille Limosin. De quoi me parlez-vous donc ?

— De rien, mais puisque c'est fini, comment se fait-il que la salle soit encore éclairée ?

— C'est pour l'autre affaire qu'on a commencée il y a à peu près deux heures.

— Quelle autre affaire ?

— Oh ! celle-là est claire aussi. C'est une espèce de

gueux, un récidiviste, un galérien, qui a volé. Je ne
sais plus trop son nom. En voilà un qui vous a une mine
de bandit. Rien que pour avoir cette figure-là, je l'enver-
rais aux galères.

— Monsieur, demanda-t-il, y a-t-il moyen de pénétrer
dans la salle ?

— Je ne crois vraiment pas. Il y a beaucoup de foule.
Cependant l'audience est suspendue. Il y a des gens
qui sont sortis, et à la reprise de l'audience, vous pourrez
essayer.

— Par où entre-t-on ?

— Par cette grande porte.

L'avocat le quitta. En quelques instants, il avait
éprouvé, presque en même temps, presque mêlées,
toutes les émotions possibles. Les paroles de cet indifférent lui avaient tour à tour traversé le cœur comme des
aiguilles de glace et comme des lames de feu. Quand il
vit que rien n'était terminé, il respira; mais il n'eût pu
dire si ce qu'il ressentait était du contentement ou de la
douleur.

Il s'approcha de plusieurs groupes et il écouta ce
qu'on disait. Le rôle de la session étant très chargé,
le président avait indiqué pour ce même jour deux
affaires simples et courtes. On avait commencé par
l'infanticide, et maintenant on en était au forçat, au
récidiviste, au « cheval de retour ». Cet homme avait
volé des pommes, mais cela ne paraissait pas bien prouvé;
ce qui était prouvé, c'est qu'il avait été déjà aux galères
à Toulon. C'est ce qui faisait son affaire mauvaise. Du
reste, l'interrogatoire de l'homme était terminé et les
dépositions des témoins; mais il y avait encore les plaidoiries de l'avocat et le réquisitoire du ministère public;
cela ne devait guère finir avant minuit. L'homme serait
probablement condamné; l'avocat général était très
bon; — et ne *manquait* pas ses accusés; — c'était un
garçon d'esprit qui faisait des vers.

Un huissier se tenait debout près de la porte qui
communiquait avec la salle des assises. Il demanda à cet
huissier :

— Monsieur, la porte va-t-elle bientôt s'ouvrir ?

— Elle ne s'ouvrira pas, dit l'huissier.

— Comment! on ne l'ouvrira pas à la reprise de
l'audience ? est-ce que l'audience n'est pas suspendue ?

— L'audience vient d'être reprise, répondit l'huissier,
mais la porte ne se rouvrira pas.

— Pourquoi ?

— Parce que la salle est pleine.

— Quoi ! il n'y a plus une place ?

— Plus une seule. La porte est fermée. Personne ne peut plus entrer.

L'huissier ajouta après un silence : — Il y a bien encore deux ou trois places derrière monsieur le président, mais monsieur le président n'y admet que les fontionnaires publics.

Cela dit, l'huissier lui tourna le dos.

Il se retira la tête baissée, traversa l'antichambre et redescendit l'escalier lentement, comme hésitant à chaque marche. Il est probable qu'il tenait conseil avec lui-même. Le violent combat qui se livrait en lui depuis la veille n'était pas fini ; et, à chaque instant, il en traversait quelque nouvelle péripétie. Arrivé sur le palier de l'escalier, il s'adossa à la rampe et croisa les bras. Tout à coup il ouvrit sa redingote, prit son portefeuille, en tira un crayon, déchira une feuille, et écrivit rapidement sur cette feuille à la lueur du réverbère cette ligne :

— *M. Madeleine, maire de M.— sur M—* ; puis il remonta l'escalier à grands pas, fendit la foule, marcha droit à l'huissier, lui remit le papier et lui dit avec autorité :

— Portez ceci à monsieur le président.

L'huissier prit le papier, y jeta un coup d'œil et obéit.

VIII

ENTRÉE DE FAVEUR

Sans qu'il s'en doutât, le maire de M.— sur M — avait une sorte de célébrité. Depuis sept ans que sa réputation de vertu remplissait tout le Bas-Boulonnais, elle avait fini par franchir les limites d'un petit pays et s'était répandue dans les deux ou trois départements voisins. Outre le service considérable qu'il avait rendu au chef-lieu en y restaurant l'industrie des verroteries noires, il n'était pas une des cent quarante et une communes de l'arrondissement de M.— sur M — qui ne lui

dût quelque bienfait. Il avait su même au besoin aider
et féconder les industries des autres arrondissements.
C'est ainsi qu'il avait dans l'occasion soutenu de son
crédit et de ses fonds la fabrique de tulle de Boulogne,
la filature de lin à la mécanique de Frévent et la manufacture hydraulique de toile de Boubers-sur-Canche. Partout on prononçait avec vénération le nom de M. Madeleine. Arras et Douai enviaient son maire à l'heureuse
petite ville de M.— sur M—.

Le conseiller à la cour royale de Douai, qui présidait
cette session des assises à Arras, connaissait comme tout
le monde ce nom si profondément et si universellement
honoré. Quand l'huissier, ouvrant discrètement la porte
qui communiquait de la chambre du conseil à l'audience,
se pencha derrière le fauteuil du président et lui remit le
papier où était écrite la ligne qu'on vient de lire, en ajoutant : *ce monsieur désire assister à l'audience*, le président
fit un vif mouvement de déférence, saisit une plume,
écrivit quelques mots au bas du papier et le rendit à
l'huissier en lui disant : faites entrer.

L'homme malheureux dont nous racontons l'histoire
était resté près de la porte de la salle à la même place et
dans la même attitude où l'huissier l'avait quitté. Il
entendit, à travers sa rêverie, quelqu'un qui lui disait :
monsieur veut-il bien me faire l'honneur de me suivre ?
C'était ce même huissier qui lui avait tourné le dos l'instant d'auparavant et qui maintenant le saluait jusqu'à
terre. L'huissier en même temps lui remit le papier. Il
le déplia, et, comme il se rencontrait qu'il était près de
la lampe, il put lire :

« Le président de la cour d'assises présente son res-
« pect à monsieur Madeleine. »

Il froissa le papier entre ses mains, comme si ces
quelques mots eussent eu pour lui un arrière-goût
étrange et amer.

Il suivit l'huissier.

Quelques minutes après, il se trouvait seul dans une
espèce de cabinet lambrissé, d'un aspect sévère, éclairé par
deux bougies posées sur une table à tapis vert. Il avait
encore dans l'oreille les dernières paroles de l'huissier
qui venait de le quitter : « Monsieur, vous voici dans la
« chambre du conseil; vous n'avez qu'à tourner le bou-
« ton de cuivre de cette porte et vous vous trouverez
« dans l'audience derrière le fauteuil de monsieur le pré-
« sident. » — Ces paroles se mêlaient dans sa pensée à

un souvenir vague de corridors étroits et d'escaliers noirs qu'il venait de parcourir.

L'huissier l'avait laissé seul. Le moment suprême était arrivé. Il cherchait à se recueillir sans pouvoir y parvenir. C'est surtout aux heures où l'on aurait le plus besoin de les rattacher aux réalités poignantes de la vie que tous les fils de la pensée se rompent dans le cerveau. Il était dans l'endroit même où les juges délibèrent et condamnent. Il regardait avec une tranquillité stupide cette chambre paisible et redoutable où tant d'existences avaient été brisées, où son nom allait retentir tout à l'heure, et que sa destinée traversait en ce moment. Il regardait la muraille, puis il se regardait lui-même, s'étonnant que ce fût cette chambre et que ce fût lui.

Il n'avait pas mangé depuis plus de vingt-quatre heures, il était brisé par les cahots de la carriole, mais il ne le sentait pas ; il lui semblait qu'il ne sentait rien.

Il s'approcha d'un cadre noir qui était accroché au mur et qui contenait sous verre une vieille lettre autographe de Jean Nicolas Pache, maire de Paris et ministre, datée, sans doute par erreur, du 9 *juin* an II, et dans laquelle Pache envoyait à la commune la liste des ministres et des députés tenus en arrestation chez eux. Un témoin qui l'eût pu voir et qui l'eût observé en cet instant eût sans doute imaginé que cette lettre lui paraissait bien curieuse, car il n'en détachait pas ses yeux et il la lut deux ou trois fois. Il la lisait sans y faire attention et à son insu. Il pensait à Fantine et à Cosette.

Tout en rêvant, il se retourna et ses yeux rencontrèrent le bouton de cuivre de la porte qui le séparait de la salle des assises. Il avait presque oublié cette porte. Son regard, d'abord calme, s'y arrêta, resta attaché à ce bouton de cuivre, puis devint effaré et fixe, et s'empreignit peu à peu d'épouvante. Des gouttes de sueur lui sortaient d'entre les cheveux et ruisselaient sur ses tempes.

A un certain moment, il fit avec une sorte d'autorité mêlée de rébellion ce geste indescriptible qui veut dire et qui dit si bien : *Pardieu ! qui est-ce qui m'y force !* Puis il se tourna vivement, vit devant lui la porte par laquelle il était entré, y alla, l'ouvrit et sortit. Il n'était plus dans cette chambre ; il était dehors ; dans un corridor, un corridor long, étroit, coupé de degrés et de guichets, faisant toutes sortes d'angles, éclairé çà et là de réverbères pareils à des veilleuses de malades, le corridor par où il était venu. Il respira, il écouta ; aucun bruit derrière lui, aucun bruit devant lui; il se mit à fuir comme si on le poursuivait.

Quand il eut doublé plusieurs des coudes de ce couloir, il écouta encore. C'était toujours le même silence et la même ombre autour de lui. Il était essoufflé, il chancelait, il s'appuya au mur. La pierre était froide, sa sueur était glacée sur son front, il se redressa en frissonnant.

Alors, là, seul, debout dans cette obscurité, tremblant de froid et d'autre chose peut-être, il songea.

Il avait songé toute la nuit, il avait songé toute la journée; il n'entendait plus en lui qu'une voix qui disait: hélas!

Un quart d'heure s'écoula ainsi. Enfin, il pencha la tête, soupira avec angoisse, laissa pendre ses bras et revint sur ses pas. Il marchait lentement et comme accablé. Il semblait que quelqu'un l'eût atteint dans sa fuite et le ramenait.

Il rentra dans la chambre du conseil. La première chose qu'il aperçut, ce fut la gâchette de la porte. Cette gâchette, ronde et en cuivre poli, resplendissait pour lui comme une effroyable étoile. Il la regardait comme une brebis regarderait l'œil d'un tigre.

Ses yeux ne pouvaient s'en détacher.

De temps en temps il faisait un pas et se rapprochait de la porte.

S'il eût écouté, il eût entendu, comme une sorte de murmure confus, le bruit de la salle voisine; mais il n'écoutait pas, et il n'entendait pas.

Tout à coup, sans qu'il sût lui-même comment, il se trouva près de la porte, il saisit convulsivement le bouton; la porte s'ouvrit.

Il était dans la salle d'audience.

IX

UN LIEU OÙ DES CONVICTIONS SONT EN TRAIN DE SE FORMER

Il fit un pas, referma machinalement la porte derrière lui et resta debout, considérant ce qu'il voyait.

C'était une assez vaste enceinte à peine éclairée, tantôt pleine de rumeur, tantôt pleine de silence, où tout l'appareil d'un procès criminel se développait avec sa gravité mesquine et lugubre au milieu de la foule.

A un bout de la salle, celui où il se trouvait, des juges à l'air distrait, en robe usée, se rongeant les ongles ou fermant les paupières ; à l'autre bout, une foule en haillons ; des avocats dans toutes sortes d'attitudes ; des soldats au visage honnête et dur ; de vieilles boiseries tachées, un plafond sale, des tables couvertes d'une serge plutôt jaune que verte, des portes noircies par les mains ; à des clous plantés dans le lambris, des quinquets d'estaminet donnant plus de fumée que de clarté ; sur les tables des chandelles dans des chandeliers de cuivre ; l'obscurité, la laideur, la tristesse ; et de tout cela se dégageait une impression austère et auguste, car on y sentait cette grande chose humaine qu'on appelle la loi et cette grande chose divine qu'on appelle la justice.

Personne dans cette foule ne fit attention à lui. Tous les regards convergeaient vers un point unique, un banc de bois adossé à une petite porte, le long de la muraille à gauche du président. Sur ce banc, que plusieurs chandelles éclairaient, il y avait un homme entre deux gendarmes.

Cet homme, c'était l'homme.

Il ne le chercha pas, il le vit. Ses yeux allèrent là naturellement, comme s'ils avaient su d'avance où était cette figure.

Il crut se voir lui-même, vieilli, non pas sans doute absolument semblable de visage, mais tout pareil d'attitude et d'aspect, avec ces cheveux hérissés, avec cette prunelle fauve et inquiète, avec cette blouse, tel qu'il était le jour où il entrait à D—, plein de haine et cachant dans son âme ce hideux trésor de pensées affreuses qu'il avait mis dix-neuf ans à ramasser sur le pavé du bagne.

Il se dit avec un frémissement : — Mon Dieu! est-ce que je redeviendrai ainsi ?

Cet être paraissait au moins soixante ans. Il avait je ne sais quoi de rude, de stupide et d'effarouché.

Au bruit de la porte, on s'était rangé pour lui faire place, le président avait tourné la tête, et comprenant que le personnage qui venait d'entrer était M. le maire de M.— sur M—, il l'avait salué. L'avocat général, qui avait vu M. Madeleine à M.— sur M — où des opérations de son ministère l'avaient plus d'une fois appelé, le

reconnut, et salua également. Lui s'en aperçut à peine.
Il était en proie à une sorte d'hallucination; il regardait.

Des juges, un greffier, des gendarmes, une foule de
têtes cruellement curieuses, il avait déjà vu cela une fois,
autrefois, il y avait vingt-sept ans. Ces choses funestes,
il les retrouvait; elles étaient là, elles remuaient, elles
existaient; ce n'était plus un effort de sa mémoire, un
mirage de sa pensée, c'étaient de vrais gendarmes et de
vrais juges, une vraie foule et de vrais hommes en chair
et en os. C'en était fait, il voyait reparaître et revivre
autour de lui, avec tout ce que la réalité a de formidable,
les aspects monstrueux de son passé.

Tout cela était béant devant lui.

Il en eut horreur, il ferma les yeux, et s'écria au plus
profond de son âme : jamais!

Et par un jeu tragique de la destinée qui faisait trembler
toutes ses idées, et le rendait presque fou, c'était un
autre lui-même qui était là! Cet homme qu'on jugeait,
tous l'appelaient Jean Valjean!

Il avait sous les yeux, vision inouïe, une sorte de
représentation du moment le plus horrible de sa vie,
jouée par son fantôme.

Tout y était, c'était le même appareil, la même heure
de nuit, presque les mêmes faces de juges, de soldats et
de spectateurs. Seulement au-dessus de la tête du président, il y avait un crucifix, chose qui manquait aux
tribunaux du temps de sa condamnation. Quand on
l'avait jugé, Dieu était absent.

Une chaise était derrière lui; il s'y laissa tomber,
terrifié de l'idée qu'on pouvait le voir. Quand il fut assis,
il profita d'une pile de cartons qui était sur le bureau des
juges pour dérober son visage à toute la salle. Il pouvait
maintenant voir sans être vu. Il rentra pleinement dans
le sentiment du réel; peu à peu il se remit. Il arriva à cette
phase de calme où l'on peut écouter.

M. Bamatabois était au nombre des jurés.

Il chercha Javert, mais il ne le vit pas. Le banc des
témoins lui était caché par la table du greffier. Et puis, nous
venons de le dire, la salle était à peine éclairée.

Au moment où il était entré, l'avocat de l'accusé
achevait sa plaidoirie. L'attention de tous était excitée
au plus haut point; l'affaire durait depuis trois heures.
Depuis trois heures, cette foule regardait plier peu à peu
sous le poids d'une vraisemblance terrible un homme, un
inconnu, une espèce d'être misérable, profondément stu-

pide ou profondément habile. Cet homme, on le sait déjà, était un vagabond qui avait été trouvé dans un champ, emportant une branche chargée de pommes mûres, cassée à un pommier dans un clos voisin, appelé le clos Pierron. Qui était cet homme ? Une enquête avait eu lieu, des témoins venaient d'être entendus, ils avaient été unanimes, des lumières avaient jailli de tout le débat. L'accusation disait : — Nous ne tenons pas seulement un voleur de fruits, un maraudeur ; nous tenons là, dans notre main, un bandit, un relaps en rupture de ban, un ancien forçat, un scélérat des plus dangereux, un malfaiteur appelé Jean Valjean que la justice recherche depuis longtemps, et qui, il y a huit ans, en sortant du bagne de Toulon, a commis un vol de grand chemin à main armée sur la personne d'un enfant savoyard appelé Petit-Gervais, crime prévu par l'article 383 du Code pénal, pour lequel nous nous réservons de le poursuivre ultérieurement, quand l'identité sera judiciairement acquise. Il vient de commettre un nouveau vol. C'est un cas de récidive. Condamnez-le pour le fait nouveau ; il sera jugé plus tard pour le fait ancien. — Devant cette accusation, devant l'unanimité des témoins, l'accusé paraissait surtout étonné. Il faisait des gestes et des signes qui voulaient dire non, ou bien il considérait le plafond. Il parlait avec peine, répondait avec embarras, mais de la tête aux pieds toute sa personne niait. Il était comme un idiot en présence de toutes ces intelligences rangées en bataille autour de lui, et comme un étranger au milieu de cette société qui le saisissait. Cependant il y allait pour lui de l'avenir le plus menaçant, la vraisemblance croissait à chaque minute, et toute cette foule regardait avec plus d'anxiété que lui-même cette sentence pleine de calamités qui penchait sur lui de plus en plus. Une éventualité laissait même entrevoir, outre le bagne, la peine de mort possible, si l'identité était reconnue et si l'affaire Petit-Gervais se terminait plus tard par une condamnation. Qu'était-ce que cet homme ? De quelle nature était son apathie ? Etait-ce imbécillité ou ruse ? Comprenait-il trop, ou ne comprenait-il pas du tout ? Questions qui divisaient la foule et semblaient partager le jury. Il y avait dans ce procès ce qui effraie et ce qui intrigue ; le drame n'était pas seulement sombre, il était obscur.

Le défenseur avait assez bien plaidé, dans cette langue de province qui a longtemps constitué l'éloquence du

barreau et dont usaient jadis tous les avocats, aussi bien
à Paris qu'à Romorantin ou à Montbrison, et qui aujour-
d'hui, étant devenue classique, n'est plus guère parlée
que par les orateurs officiels du parquet, auxquels elle
convient par sa sonorité grave et son allure majestueuse;
langue où un mari s'appelle *un époux*, une femme *une
épouse*, Paris *le centre des arts et de la civilisation*, le roi,
le monarque, monseigneur l'évêque, *un saint pontife*,
l'avocat général, *l'éloquent interprète de la vindicte*, les
plaidoiries, *les accents qu'on vient d'entendre*, le siècle
de Louis XIV, *le grand siècle*, un théâtre, *le temple de
Melpomène*, la famille régnante, *l'auguste sang de nos rois*,
un concert, *une solennité musicale*, monsieur le général
commandant le département, *l'illustre guerrier qui*, etc.,
les élèves du séminaire, *ces tendres lévites*, les erreurs
imputées aux journaux, *l'imposture qui distille son venin
dans les colonnes de ces organes*, etc., etc., — l'avocat donc
avait commencé par s'expliquer sur le vol des pommes, —
chose malaisée en beau style; mais Bénigne Bossuet lui-
même a été obligé de faire allusion à une poule en pleine
oraison funèbre, et il s'en est tiré avec pompe. L'avocat
avait établi que le vol des pommes n'était pas matérielle-
ment prouvé. — Son client, qu'en sa qualité de défenseur, il persistait à appeler Champmathieu, n'avait été
vu de personne escaladant le mur ou cassant la branche.
On l'avait arrêté nanti de cette branche (que l'avocat
appelait plus volontiers *rameau*); — mais il disait l'avoir
trouvée à terre et ramassée. Où était la preuve du contraire ?
Sans doute cette branche avait été cassée et dérobée
après escalade, puis jetée là par le maraudeur alarmé;
sans doute il y avait un voleur. — Mais qui est-ce qui
prouvait que ce voleur était Champmathieu ? Une seule
chose. Sa qualité d'ancien forçat. L'avocat ne niait pas
que cette qualité ne parût malheureusement bien constatée; l'accusé avait résidé à Faverolles; l'accusé y avait
été émondeur; le nom de Champmathieu pouvait bien
avoir pour origine Jean Mathieu, tout cela était vrai;
enfin quatre témoins reconnaissaient sans hésiter et positivement Champmathieu pour être le galérien Jean Valjean; à ces indications, à ces témoignages, l'avocat ne
pouvait opposer que la dénégation de son client, dénégation intéressée; mais en supposant qu'il fût le forçat
Jean Valjean, cela prouvait-il qu'il fût le voleur des
pommes ? c'était une présomption, tout au plus; non
une preuve. L'accusé, cela était vrai, et le défenseur « dans

sa bonne foi » devait en convenir, avait adopté « un mauvais système de défense ». Il s'obstinait à nier tout, le
vol et sa qualité de forçat. Un aveu sur ce dernier point
eût mieux valu, à coup sûr, et lui eût concilié l'indulgence
de ses juges ; l'avocat le lui avait conseillé ; mais l'accusé
s'y était refusé obstinément, croyant sans doute sauver
tout en n'avouant rien. C'était un tort, mais ne fallait-il
pas considérer la brièveté de cette intelligence ? Cet
homme était visiblement stupide. Un long malheur au
bagne, une longue misère hors du bagne, l'avaient
abruti, etc., etc., il se défendait mal, était-ce une raison
pour le condamner ? Quant à l'affaire Petit-Gervais,
l'avocat n'avait pas à la discuter, elle n'était point dans
la cause. L'avocat concluait en suppliant le jury et la cour,
si l'identité de Jean Valjean leur paraissait évidente, de lui
appliquer les peines de police qui s'adressent au condamné
en rupture de ban, et non le châtiment épouvantable qui
frappe le forçat récidiviste.

L'avocat général répliqua au défenseur. Il fut violent
et fleuri, comme sont habituellement les avocats généraux.

Il félicita le défenseur de sa « loyauté, » et profita
habilement de cette loyauté. Il atteignit l'accusé par toutes
les concessions que l'avocat avait faites. L'avocat semblait
accorder que l'accusé était Jean Valjean. Il en prit acte.
Cet homme était donc Jean Valjean. Ceci était acquis à
l'accusation et ne pouvait plus se contester. Ici, par une
habile antonomase, remontant aux sources et aux causes
de la criminalité, l'avocat général tonna contre l'immora-
lité de l'école romantique, alors à son aurore sous le nom
d'*école satanique* que lui avaient décerné les critiques de
la *Quotidienne* et de l'*Oriflamme ;* il attribua, non sans
vraisemblance, à l'influence de cette littérature perverse
le délit de Champmathieu, ou pour mieux dire, de
Jean Valjean. Ces considérations épuisées, il passa à
Jean Valjean lui-même. Qu'était-ce que Jean Valjean ?
Description de Jean Valjean ; un monstre vomi, etc. Le
modèle de ces sortes de descriptions est dans le récit de
Théramène, lequel n'est pas utile à la tragédie, mais
rend tous les jours de grands services à l'éloquence
judiciaire. L'auditoire et les jurés « frémirent ». La description achevée, l'avocat général reprit, dans un mouvement oratoire fait pour exciter au plus haut point le
lendemain matin l'enthousiasme du Journal de la préfecture : — Et c'est un pareil homme, etc., etc., etc.,

vagabond, mendiant, sans moyens d'existence, etc., etc.,
— accoutumé par sa vie passée aux actions coupables et
peu corrigé par son séjour au bagne, comme le prouve
le crime commis sur Petit-Gervais, etc., etc., — c'est
un homme pareil qui, trouvé sur la voie publique en
flagrant délit de vol, à quelques pas d'un mur escaladé,
tenant encore à la main l'objet volé, nie le flagrant délit,
le vol, l'escalade, nie tout, nie jusqu'à son nom, nie
jusqu'à son identité ! Outre cent autres preuves sur lesquelles nous ne revenons pas, quatre témoins le reconnaissent, Javert, l'intègre inspecteur de police Javert, et
trois de ses anciens compagnons d'ignominie, les forçats
Brevet, Chenildieu et Cochepaille. Qu'oppose-t-il à cette
unanimité foudroyante ? Il nie. Quel endurcissement !
Vous ferez justice, messieurs les jurés, etc., etc. — Pendant que l'avocat général parlait, l'accusé écoutait la
bouche ouverte, avec une sorte d'étonnement où il
entrait bien quelque admiration. Il était évidemment surpris qu'un homme pût parler comme cela. De temps en
temps, aux moments les plus « énergiques » du réquisitoire, dans ces instants où l'éloquence, qui ne peut se
contenir, déborde dans un flux d'épithètes flétrissantes
et enveloppe l'accusé comme un orage, il remuait lentement la tête de droite à gauche et de gauche à droite,
sorte de protestation triste et muette dont il se contentait
depuis le commencement des débats. Deux ou trois fois
les spectateurs placés le plus près de lui l'entendirent
dire à demi-voix : — Voilà ce que c'est, de n'avoir pas
demandé à monsieur Baloup ! — L'avocat général fit remarquer au jury cette attitude hébétée, calculée évidemment,
qui dénotait, non l'imbécillité, mais l'adresse, la ruse,
l'habitude de tromper la justice, et qui mettait dans tout
son jour « la profonde perversité » de cet homme. Il termina en faisant ses réserves pour l'affaire Petit-Gervais,
et en réclamant une condamnation sévère.

C'était pour l'instant, on s'en souvient, les travaux
forcés à perpétuité.

Le défenseur se leva, commença par complimenter
« monsieur l'avocat général » sur son « admirable parole »,
puis répliqua comme il put, mais il faiblissait ; le terrain
évidemment se dérobait sous lui.

X

LE SYSTÈME DE DÉNÉGATIONS

L'instant de clore les débats était venu. Le président fit lever l'accusé et lui adressa la question d'usage : — Avez-vous quelque chose à ajouter à votre défense ?

L'homme, debout, roulant dans ses mains un affreux bonnet qu'il avait, sembla ne pas entendre.

Le président répéta la question.

Cette fois l'homme entendit. Il parut comprendre. Il fit le mouvement de quelqu'un qui se réveille, promena ses yeux autour de lui, regarda le public, les gendarmes, son avocat, les jurés, la cour, posa son poing monstrueux sur le rebord de la boiserie placée devant son banc, regarda encore, et tout à coup, fixant son regard sur l'avocat général, il se mit à parler. Ce fut comme une éruption. Il sembla, à la façon dont les paroles s'échappaient de sa bouche, incohérentes, impétueuses, heurtées, pêle-mêle, qu'elles s'y pressaient toutes à la fois pour sortir en même temps. Il dit :

— J'ai à dire ça. Que j'ai été charron à Paris, même que c'était chez monsieur Baloup. C'est un état dur, dans la chose de charron, on travaille toujours en plein air, dans des cours, sous des hangars chez les bons maîtres, jamais dans des ateliers fermés, parce qu'il faut des espaces, voyez-vous. L'hiver, on a si froid qu'on se bat les bras pour se réchauffer, mais les maîtres ne veulent pas, ils disent que cela perd du temps. Manier du fer quand il y a de la glace entre les pavés, c'est rude. Ça vous use vite un homme. On est vieux tout jeune dans cet état-là. A quarante ans, un homme est fini. Moi, j'en avais cinquante-trois, j'avais bien du mal. Et puis c'est si méchant les ouvriers ! Quand un bonhomme n'est plus jeune, on vous l'appelle pour tout vieux serin, vieille bête ! Je ne gagnais plus que trente sous par jour, on me payait le moins cher qu'on pouvait, les maîtres profitaient de mon âge. Avec ça, j'avais ma fille qui était blanchisseuse à la rivière. Elle gagnait un peu de son côté ;

à nous deux, cela allait. Elle avait de la peine aussi. Toute la journée dans un baquet jusqu'à mi-corps, à la pluie, à la neige, avec le vent qui vous coupe la figure ; quand il gèle, c'est tout de même, il faut laver ; il y a des personnes qui n'ont pas beaucoup de linge et qui attendent après ; si on ne lavait pas, on perdrait des pratiques. Les planches sont mal jointes et il vous tombe des gouttes d'eau partout. On a ses jupes toutes mouillées, dessus et dessous. Ça pénètre. Elle a aussi travaillé au lavoir des Enfants Rouges, où l'eau arrive par des robinets. On n'est pas dans le baquet. On lave devant soi au robinet et on rince derrière soi dans le bassin. Comme c'est fermé, on a moins froid au corps. Mais il y a une buée d'eau chaude qui est terrible et qui vous perd les yeux. Elle revenait à sept heures du soir, et se couchait bien vite ; elle était si fatiguée. Son mari la battait. Elle est morte. Nous n'avons pas été bien heureux. C'était une brave fille qui n'allait pas au bal, qui était bien tranquille. Je me rappelle un mardi-gras où elle était couchée à huit heures. Voilà. Je dis vrai. Vous n'avez qu'à demander. Ah, bien oui ! demander, que je suis bête ! Paris c'est un gouffre. Qui est-ce qui connaît le père Champmathieu ? Pourtant je vous dis monsieur Baloup. Voyez chez monsieur Baloup. Après ça, je ne sais pas ce qu'on me veut.

L'homme se tut, et resta debout. Il avait dit ces choses d'une voix haute, rapide, rauque, dure et enrouée, avec une sorte de naïveté irritée et sauvage. Une fois il s'était interrompu pour saluer quelqu'un dans la foule. Les espèces d'affirmations qu'il semblait jeter au hasard devant lui, lui venaient comme des hoquets, et il ajoutait à chacune d'elles le geste d'un bûcheron qui fend du bois. Quand il eut fini, l'auditoire éclata de rire. Il regarda le public, et voyant qu'on riait, et ne comprenant pas, il se mit à rire lui-même.

Cela était sinistre.

Le président, homme attentif et bienveillant, éleva la voix :

Il rappela à « messieurs les jurés » que « le sieur Baloup, « l'ancien maître charron chez lequel l'accusé disait « avoir servi, avait été inutilement cité. Il était en faillite « et n'avait pu être retrouvé. » Puis se tournant vers l'accusé, il l'engagea à écouter ce qu'il allait lui dire et ajouta : — Vous êtes dans une situation où il faut réfléchir. Les présomptions les plus graves pèsent sur vous et peuvent entraîner des conséquences capitales. Accusé, dans votre intérêt, je vous interpelle une dernière fois, expliquez-vous clairement sur ces deux faits : — Premièrement, avez-vous, oui ou non, franchi le mur du clos Pierron, cassé la branche et volé les pommes, c'est-à-dire, commis le crime de vol avec escalade ? Deuxièmement, oui ou non, êtes-vous le forçat libéré Jean Valjean ?

L'accusé secoua la tête d'un air capable, comme un homme qui a bien compris et qui sait ce qu'il va répondre. Il ouvrit la bouche, se tourna vers le président et dit :

— D'abord...

Puis il regarda son bonnet, il regarda la plafond, et se tut.

— Accusé, reprit l'avocat général d'une voix sévère, faites attention. Vous ne répondez à rien de ce qu'on vous demande. Votre trouble vous condamne. Il est évident que vous ne vous appelez pas Champmathieu, que vous êtes le forçat Jean Valjean caché d'abord sous le nom de Jean Mathieu qui était le nom de sa mère, que vous êtes allé en Auvergne, que vous êtes né à Faverolles où vous avez été émondeur. Il est évident que vous avez volé avec escalade des pommes mûres dans le clos Pierron. Messieurs les jurés apprécieront.

L'accusé avait fini par se rasseoir; il se leva brusquement quand l'avocat général eut fini, et il s'écria :

— Vous êtes très méchant, vous! Voilà ce que je voulais dire. Je ne trouvais pas d'abord. Je n'ai rien volé, je suis un homme qui ne mange pas tous les jours. Je venais d'Ailly, je marchais dans le pays après une ondée qui avait fait la campagne toute jaune, même que les mares débordaient et qu'il ne sortait plus des sables que de petits brins d'herbe au bord de la route, j'ai trouvé une branche cassée par terre où il y avait des pommes, j'ai ramassé la branche sans savoir qu'elle me ferait arriver de la peine. Il y a trois mois que je suis en prison et qu'on me trimballe. Après ça, je ne peux pas dire, on parle contre moi, on me dit : répondez! Le gendarme, qui est bon enfant, me pousse le coude et me dit tout bas : réponds donc. Je ne sais pas expliquer, moi, je n'ai pas fait les études, je suis un pauvre homme. Voilà ce qu'on a tort de ne pas voir. Je n'ai pas volé, j'ai ramassé par terre des choses qu'il y avait. Vous dites Jean Valjean, Jean Mathieu! Je ne connais pas ces personnes-là. C'est des villageois. J'ai travaillé chez monsieur Baloup, boulevard de l'Hôpital. Je m'appelle Champmathieu. Vous êtes bien malins de me dire où je suis né. Moi je l'ignore. Tout le monde n'a pas des maisons pour y venir au monde. Ce serait trop commode. Je crois que mon père et ma mère étaient des gens qui allaient sur les routes; je ne sais pas d'ailleurs. Quand j'étais enfant, on m'appelait Petit, maintenant on m'appelle Vieux. Voilà mes noms de baptême. Prenez ça comme vous voudrez. J'ai été en Auvergne, j'ai été à Faverolles. Pardi! Eh bien? est-ce qu'on ne peut pas avoir été en Auvergne et avoir été à Faverolles sans avoir été aux galères? Je vous dis que je n'ai pas volé, et que je suis le père Champmathieu. J'ai été chez monsieur Baloup, j'ai été domicilié. Vous m'ennuyez avec vos bêtises à la fin! Pourquoi donc est-ce que le monde est après moi comme des acharnés?

L'avocat général était demeuré debout; il s'adressa au président:

— Monsieur le président, en présence des dénégations confuses, mais fort habiles, de l'accusé, qui voudrait bien se faire passer pour idiot, mais qui n'y parviendra pas, — nous l'en prévenons, — nous requérons qu'il vous plaise et qu'il plaise à la cour appeler de nouveau dans cette enceinte les condamnés Brevet, Cochepaille et Chenildieu et l'inspecteur de police Javert, et les interpeller une dernière fois sur l'identité de l'accusé avec le forçat Jean Valjean.

— Je fais remarquer à monsieur l'avocat général, dit le président, que l'inspecteur de police Javert, rappelé par ses fonctions au chef-lieu d'un arrondissement voisin, a quitté l'audience et même la ville, aussitôt sa déposition faite. Nous lui en avons accordé l'autorisation, avec l'agrément de monsieur l'avocat général et du défenseur de l'accusé.

— C'est juste, monsieur le président, reprit l'avocat général. En l'absence du sieur Javert, je crois devoir rappeler à messieurs les jurés ce qu'il a dit ici même il y a peu d'heures. Javert est un homme estimé qui honore par sa rigoureuse et stricte probité des fonctions inférieures, mais importantes. Voici en quels termes il a déposé: — « Je n'ai pas même besoin des présomptions « morales et des preuves matérielles qui démentent les « dénégations de l'accusé. Je le reconnais parfaitement. « Cet homme ne s'appelle pas Champmathieu; c'est un « ancien forçat très méchant et très redouté nommé « Jean Valjean. On ne l'a libéré à l'expiration de sa « peine qu'avec un extrême regret. Il a subi dix-neuf ans

« de travaux forcés pour vol qualifié. Il avait cinq ou
« six fois tenté de s'évader. Outre le vol Petit-Gervais et
« le vol Pierron, je le soupçonne encore d'un vol commis
« chez sa grandeur le défunt évêque de D —. Je l'ai
« souvent vu, à l'époque où j'étais adjudant-garde-
« chiourme au bagne de Toulon. Je répète que je le
« reconnais parfaitement. »

Cette déclaration si précise parut produire une vive
impression sur le public et le jury. L'avocat général
termina en insistant pour qu'à défaut de Javert, les trois
témoins Brevet, Chenildieu et Cochepaille fussent entendus de nouveau et interpellés solennellement.

Le président transmit un ordre à un huissier et un
moment après la porte de la chambre des témoins s'ouvrit.
L'huissier, accompagné d'un gendarme prêt à lui prêter
main-forte, introduisit le condamné Brevet. L'auditoire
était en suspens et toutes les poitrines palpitaient comme
si elles n'eussent eu qu'une seule âme.

L'ancien forçat Brevet portait la veste noire et grise
des maisons centrales. Brevet était un personnage d'une
soixantaine d'années qui avait une espèce de figure
d'homme d'affaires et l'air d'un coquin. Cela va quelquefois ensemble. Il était devenu, dans la prison où de nouveaux méfaits l'avaient ramené, quelque chose comme
guichetier. C'était un homme dont les chefs disaient :
Il cherche à se rendre utile. Les aumôniers portaient bon
témoignage de ses habitudes religieuses. Il ne faut pas
oublier que ceci se passait sous la restauration.

— Brevet, dit le président, vous avez subi une condamnation infamante et vous ne pouvez prêter serment.

Brevet baissa les yeux.

— Cependant, reprit le président, même dans l'homme
que la loi a dégradé, il peut rester, quand la pitié divine
le permet, un sentiment d'honneur et d'équité. C'est à
ce sentiment que je fais appel à cette heure décisive. S'il
existe encore en vous, et je l'espère, réfléchissez avant
de me répondre, considérez d'une part cet homme qu'un
mot de vous peut perdre, d'autre part la justice qu'un
mot de vous peut éclairer. L'instant est solennel, et il
est toujours temps de vous rétracter, si vous croyez vous
être trompé. — Accusé, levez-vous. — Brevet, regardez
bien l'accusé, recueillez vos souvenirs, et dites-nous, en
votre âme et conscience, si vous persistez à reconnaître
cet homme pour votre ancien camarade de bagne Jean
Valjean.

Brevet regarda l'accusé, puis se retourna vers la cour.

— Oui, monsieur le président. C'est moi qui l'ai reconnu le premier et je persiste. Cet homme est Jean Valjean, entré à Toulon en 1796 et sorti en 1815. Je suis sorti l'an d'après. Il a l'air d'une brute maintenant; alors ce serait que l'âge l'a abruti; au bagne il était sournois. Je le reconnais positivement.

— Allez vous asseoir, dit le président. Accusé, restez debout.

On introduisit Chenildieu, forçat à vie, comme l'indiquaient sa casaque rouge et son bonnet vert. Il subissait sa peine au bagne de Toulon, d'où on l'avait extrait pour cette affaire. C'était un petit homme d'environ cinquante ans, vif, ridé, chétif, jaune, effronté, fiévreux, qui avait dans tous ses membres et dans toute sa personne une sorte de faiblesse maladive et dans le regard une force immense. Ses compagnons du bagne l'avaient surnommé Je-nie-Dieu.

Le président lui adressa à peu près les mêmes paroles qu'à Brevet. Au moment où il lui rappela que son infamie lui ôtait le droit de prêter serment, Chenildieu leva la tête et regarda la foule en face. Le président l'invita à se recueillir et lui demanda, comme à Brevet, s'il persistait à reconnaître l'accusé.

Chenildieu éclata de rire.

— Pardieu! si je le reconnais! nous avons été cinq ans attachés à la même chaîne. Tu boudes donc, mon vieux ?

— Allez vous asseoir, dit le président.

L'huissier amena Cochepaille; cet autre condamné à perpétuité, venu du bagne et vêtu de rouge comme Chenildieu, était un paysan de Lourdes et un demi-ours des Pyrénées. Il avait gardé des troupeaux dans la montagne, et de pâtre il avait glissé brigand. Cochepaille n'était pas moins sauvage et paraissait plus stupide encore que l'accusé. C'était un de ces malheureux hommes que la nature a ébauchés en bêtes fauves et que la société termine en galériens.

Le président essaya de le remuer par quelques paroles pathétiques et graves et lui demanda, comme aux deux autres, s'il persistait, sans hésitation et sans trouble, à reconnaître l'homme debout devant lui.

— C'est Jean Valjean, dit Cochepaille. Même qu'on l'appelait Jean-le-Cric, tant il était fort!

Chacune des affirmations de ces trois hommes, évidemment sincères et de bonne foi, avait soulevé dans l'auditoire un murmure de fâcheux augure pour l'accusé, murmure qui croissait et se prolongeait plus longtemps, chaque fois qu'une déclaration nouvelle venait s'ajouter à la précédente. L'accusé, lui, les avait écoutées avec ce visage étonné qui, selon l'accusation, était son principal moyen de défense. A la première, les gendarmes ses voisins l'avaient entendu grommeler entre ses dents : Ah bien! en voilà un! Après la seconde il dit un peu plus haut, d'un air presque satisfait : Bon! A la troisième il s'écria : Fameux!

Le président l'interpella :

— Accusé, vous avez entendu. Qu'avez-vous à dire ?

Il répondit :

— Je dis — fameux!

Une rumeur éclata dans le public et gagna presque le jury. Il était évident que l'homme était perdu.

— Huissiers, dit le président, faites faire silence. Je vais clore les débats.

En ce moment un mouvement se fit tout à côté du président. On entendit une voix qui criait :

— Brevet, Chenildieu, Cochepaille! regardez de ce côté-ci.

Tous ceux qui entendirent cette voix se sentirent glacés, tant elle était lamentable et terrible. Les yeux se tournèrent vers le point d'où elle venait. Un homme, placé parmi les spectateurs privilégiés qui étaient assis derrière la cour, venait de se lever, avait poussé la porte à hauteur d'appui qui séparait le tribunal du prétoire, et était debout au milieu de la salle. Le président, l'avocat général, M. Bamatabois, vingt personnes, le reconnurent, et s'écrièrent à la fois :

— Monsieur Madeleine!

XI

CHAMPMATHIEU DE PLUS EN PLUS ÉTONNÉ

C'était lui en effet. La lampe du greffier éclairait son visage. Il tenait son chapeau à la main, il n'y avait aucun désordre dans ses vêtements, sa redingote était boutonnée avec soin. Il était très pâle et il tremblait légèrement. Ses cheveux, gris encore au moment de son arrivée à Arras, étaient maintenant tout à fait blancs. Ils avaient blanchi depuis une heure qu'il était là.

Toutes les têtes se dressèrent. La sensation fut indescriptible. Il y eut dans l'auditoire un instant d'hésitation. La voix avait été si poignante, l'homme qui était là paraissait si calme, qu'au premier abord on ne comprit pas. On se demanda qui avait crié. On ne pouvait croire que ce fût cet homme tranquille qui eût jeté ce cri effrayant.

Cette indécision ne dura que quelques secondes. Avant même que le président et l'avocat général eussent pu dire un mot, avant que les gendarmes et les huissiers eussent pu faire un geste, l'homme que tous appelaient encore en ce moment M. Madeleine s'était avancé vers les témoins Cochepaille, Brevet et Chenildieu.

— Vous ne me reconnaissez pas ? dit-il.

Tous trois demeurèrent interdits et indiquèrent par un signe de tête qu'ils ne le connaissaient point. Cochepaille intimidé fit le salut militaire. M. Madeleine se tourna vers les jurés et vers la cour et dit d'une voix douce :

— Messieurs les jurés, faites relâcher l'accusé. Monsieur le président, faites-moi arrêter. L'homme que vous cherchez, ce n'est pas lui, c'est moi. Je suis Jean Valjean.

Pas une bouche ne respirait. A la première commotion de l'étonnement avait succédé un silence de sépulcre. On sentait dans la salle cette espèce de terreur religieuse qui saisit la foule lorsque quelque chose de grand s'accomplit.

Cependant le visage du président s'était empreint de sympathie et de tristesse ; il avait échangé un signe rapide avec l'avocat général et quelques paroles à voix basse avec les conseillers assesseurs. Il s'adressa au public et demanda avec un accent qui fut compris de tous :

— Y a-t-il un médecin ici ?

L'avocat général prit la parole :

— Messieurs les jurés, l'incident si étrange et si inattendu qui trouble l'audience ne nous inspire, ainsi qu'à vous, qu'un sentiment que nous n'avons pas besoin d'exprimer. Vous connaissez tous, au moins de réputation, l'honorable M. Madeleine, maire de M.— sur M—. S'il y a un médecin dans l'auditoire, nous nous joignons à monsieur le président pour le prier de vouloir bien assister monsieur Madeleine et le reconduire à sa demeure.

M. Madeleine ne laissa point achever l'avocat général. Il l'interrompit d'un accent plein de mansuétude et d'autorité. Voici les paroles qu'il prononça; les voici littéralement, telles qu'elles furent écrites immédiatement après l'audience par un des témoins de cette scène, telles qu'elles sont encore dans l'oreille de ceux qui les ont entendues, il y a près de quarante ans aujourd'hui.

— Je vous remercie, monsieur l'avocat général, mais je ne suis pas fou. Vous allez voir. Vous étiez sur le point de commettre une grande erreur, lâchez cet homme, j'accomplis un devoir, je suis ce malheureux condamné. Je suis le seul qui voie clair ici, et je vous dis la vérité. Ce que je fais en ce moment, Dieu, qui est là-haut, le regarde, et cela suffit. Vous pouvez me prendre, puisque me voilà. J'avais pourtant fait de mon mieux. Je me suis caché sous un nom; je suis devenu riche, je suis devenu maire; j'ai voulu rentrer parmi les honnêtes gens. Il paraît que cela ne se peut pas. Enfin, il y a bien des choses que je ne puis pas dire, je ne vais pas vous raconter ma vie, un jour on saura. J'ai volé monseigneur l'évêque, cela est vrai; j'ai volé Petit-Gervais, cela est vrai. On a eu raison de vous dire que Jean Valjean était un malheureux très méchant. Toute la faute n'est peut-être pas à lui. Ecoutez, messieurs les juges, un homme aussi abaissé que moi n'a pas de remontrance à faire à la Providence ni de conseil à donner à la société; mais voyez-vous, l'infamie d'où j'avais essayé de sortir est une chose nuisible. Les galères font le galérien. Recueillez cela, si vous voulez. Avant le bagne, j'étais un pauvre paysan, très peu intelligent, une espèce d'idiot; le bagne m'a changé. J'étais stupide, je suis devenu méchant; j'étais bûche, je suis devenu tison. Plus tard l'indulgence et la bonté m'ont sauvé, comme la sévérité m'avait perdu. Mais, pardon, vous ne pouvez pas comprendre ce que je dis là. Vous trouverez chez moi, dans les cendres de la cheminée, la pièce de quarante sous que j'ai volée il y a sept ans à Petit-Gervais. Je n'ai plus rien à ajouter. Prenez-moi. Mon Dieu! monsieur l'avocat général remue la tête, vous dites : M. Madeleine est devenu fou; vous ne me croyez pas! Voilà qui est affligeant. N'allez point condamner cet homme au moins! Quoi! ceux-ci ne me reconnaissent pas! Je voudrais que Javert fût ici. Il me reconnaîtrait, lui!

Rien ne pourrait rendre ce qu'il y avait de mélancolie

bienveillante et sombre dans l'accent qui accompagnait ces paroles.

Il se tourna vers les trois forçats :

— Eh bien, je vous reconnais, moi! Brevet! vous rappelez-vous ?...

Il s'interrompit, hésita un moment, et dit :

— Te rappelles-tu ces bretelles en tricot à damier que tu avais au bagne ?

Brevet eut comme une secousse de surprise et le regarda de la tête aux pieds d'un air effrayé. Lui continua :

— Chenildieu, qui te surnommais toi-même Je-nie-Dieu, tu as toute l'épaule droite brûlée profondément, parce que tu t'es couché un jour l'épaule sur un réchaud plein de braise, pour effacer les trois lettres T. F. P., qu'on y voit toujours cependant. Réponds, est-ce vrai ?

— C'est vrai, dit Chenildieu.

Il s'adressa à Cochepaille :

— Cochepaille, tu as près de la saignée du bras gauche une date gravée en lettres bleues avec de la poudre brûlée. Cette date, c'est celle du débarquement de l'empereur à Cannes, 1er mars 1815. Relève ta manche.

Cochepaille releva sa manche, tous les regards se penchèrent autour de lui sur son bras nu. Un gendarme approcha une lampe; la date y était.

Le malheureux homme se tourna vers l'auditoire et vers les juges avec un sourire dont ceux qui l'ont vu sont encore navrés lorsqu'ils y songent. C'était le sourire du triomphe, c'était aussi le sourire du désespoir.

— Vous voyez bien, dit-il, que je suis Jean Valjean.

Il n'y avait plus dans cette enceinte ni juges, ni accusateurs, ni gendarmes; il n'y avait que des yeux fixes et des cœurs émus. Personne ne se rappelait plus le rôle que chacun pouvait avoir à jouer; l'avocat général oubliait qu'il était là pour requérir, le président qu'il était là pour présider, le défenseur qu'il était là pour défendre. Chose frappante, aucune question ne fut faite, aucune autorité n'intervint. Le propre des spectacles sublimes, c'est de prendre toutes les âmes et de faire de tous les témoins des spectateurs. Aucun peut-être ne se rendait compte de ce qu'il éprouvait; aucun, sans doute, ne se disait qu'il voyait resplendir là une grande lumière; tous intérieurement se sentaient éblouis.

Il était évident qu'on avait sous les yeux Jean Valjean. Cela rayonnait. L'apparition de cet homme avait suffi pour remplir de clarté cette aventure si obscure le moment d'auparavant. Sans qu'il fût besoin d'aucune explication désormais, toute cette foule, comme par une sorte de révélation électrique, comprit tout de suite et d'un seul coup d'œil cette simple et magnifique histoire d'un homme qui se livrait pour qu'un autre homme ne fût pas condamné à sa place. Les détails, les hésitations, les petites résistances possibles se perdirent dans ce vaste fait lumineux.

Impression qui passa vite, mais qui dans l'instant fut irrésistible.

— Je ne veux pas déranger davantage l'audience, reprit Jean Valjean. Je m'en vais, puisqu'on ne m'arrête pas. J'ai plusieurs choses à faire. Monsieur l'avocat général sait qui je suis, il sait où je vais, il me fera arrêter quand il voudra.

Il se dirigea vers la porte de sortie. Pas une voix ne s'éleva, pas un bras ne s'étendit pour l'empêcher. Tous s'écartèrent. Il avait en ce moment ce je ne sais quoi de divin qui fait que les multitudes reculent et se rangent devant un homme. Il traversa la foule à pas lents. On n'a jamais su qui ouvrit la porte, mais il est certain que la porte se trouva ouverte lorsqu'il y parvint. Arrivé là, il se retourna et dit :

— Monsieur l'avocat général, je reste à votre disposition.

Puis il s'adressa à l'auditoire :

— Vous tous, tous ceux qui sont ici, vous me trouvez digne de pitié, n'est-ce pas ? Mon Dieu ! quand je pense à ce que j'ai été sur le point de faire, je me trouve digne d'envie. Cependant j'aurais mieux aimé que tout ceci n'arrivât pas.

Il sortit, et la porte se referma comme elle avait été ouverte, car ceux qui font de certaines choses souveraines sont toujours sûrs d'être servis par quelqu'un dans la foule.

Moins d'une heure après, le verdict du jury déchargeait de toute accusation le nommé Champmathieu ; et Champmathieu, mis en liberté immédiatement, s'en allait stupéfait, croyant tous les hommes fous et ne comprenant rien à cette vision.

LIVRE HUITIÈME

CONTRECOUP

I

DANS QUEL MIROIR M. MADELEINE REGARDE
SES CHEVEUX

Le jour commençait à poindre. Fantine avait eu une nuit de fièvre et d'insomnie, pleine d'ailleurs d'images heureuses; au matin, elle s'endormit. La sœur Simplice qui l'avait veillée profita de ce sommeil pour aller préparer une nouvelle potion de quinquina. La digne sœur était depuis quelques instants dans le laboratoire de l'infirmerie, penchée sur ses drogues et sur ses fioles et regardant de très près, à cause de cette brume que le crépuscule répand sur les objets. Tout à coup elle tourna la tête et fit un léger cri. M. Madeleine était devant elle. Il venait d'entrer silencieusement.

— C'est vous, monsieur le maire! s'écria-t-elle.

Il répondit, à voix basse:

— Comment va cette pauvre femme?

— Pas mal en ce moment. Mais nous avons été bien inquiets, allez!

Elle lui expliqua ce qui s'était passé, que Fantine était bien mal la veille et que maintenant elle était mieux, parce qu'elle croyait que monsieur le maire était allé chercher son enfant à Montfermeil. La sœur n'osa pas interroger monsieur le maire, mais elle vit bien à son air que ce n'était point de là qu'il venait.

— Tout cela est bien, dit-il, vous avez eu raison de ne pas la détromper.

— Oui, reprit la sœur, mais maintenant, monsieur le maire, qu'elle va vous voir et qu'elle ne verra pas son enfant, que lui dirons-nous?

Il resta un moment rêveur.

— Dieu nous inspirera, dit-il.

— On ne pourrait cependant pas mentir, murmura la sœur à demi-voix.

Le plein jour s'était fait dans la chambre. Il éclairait

en face le visage de M. Madeleine. Le hasard fit que la
sœur leva les yeux.

— Mon Dieu, monsieur! s'écria-t-elle, que vous est-il
donc arrivé? vos cheveux sont tout blancs!

— Blancs! dit-il.

La sœur Simplice n'avait point de miroir; elle fouilla
dans une trousse et en tira une petite glace dont se servait
le médecin de l'infirmerie pour constater qu'un malade
était mort et ne respirait plus. M. Madeleine prit la
glace, y considéra ses cheveux et dit : Tiens!

Il prononça ce mot avec indifférence et comme s'il
pensait à autre chose.

La sœur se sentit glacée par je ne sais quoi d'inconnu
qu'elle entrevoyait dans tout ceci.

Il demanda :

— Puis-je la voir?

— Est-ce que monsieur le maire ne lui fera pas revenir
son enfant? dit la sœur, osant à peine hasarder une
question.

— Sans doute, mais il faut au moins deux ou trois jours.

— Si elle ne voyait pas monsieur le maire d'ici-là,
reprit timidement la sœur, elle ne saurait pas que monsieur le maire est de retour, il serait aisé de lui faire
prendre patience, et quand l'enfant arriverait, elle penserait tout naturellement que monsieur le maire est
arrivé avec l'enfant. On n'aurait pas de mensonge à faire.

M. Madeleine parut réfléchir quelques instants, puis
il dit avec sa gravité calme :

— Non, ma sœur, il faut que je la voie. Je suis peut-
être pressé.

La religieuse ne sembla pas remarquer ce mot : « peut-
être », qui donnait un sens obscur et singulier aux paroles
de M. le maire. Elle répondit en baissant les yeux et la
voix respectueusement :

— En ce cas, elle repose, mais monsieur le maire peut
entrer.

Il fit quelques observations sur une porte qui fermait
mal, et dont le bruit pouvait réveiller la malade, puis il
entra dans la chambre de Fantine, s'approcha du lit et
entrouvrit les rideaux. Elle dormait. Son souffle sortait
de sa poitrine avec ce bruit tragique qui est propre à ces
maladies, et qui navre les pauvres mères lorsqu'elles
veillent la nuit près de leur enfant condamné et endormi.
Mais cette respiration pénible troublait à peine une sorte
de sérénité ineffable, répandue sur son visage, qui la

transfigurait dans son sommeil. Sa pâleur était devenue de la blancheur; ses joues étaient vermeilles. Ses longs cils blonds, la seule beauté qui lui fût restée de sa virginité et de sa jeunesse, palpitaient tout en demeurant clos et baissés. Toute sa personne tremblait de je ne sais quel déploiement d'ailes prêtes à s'entrouvrir et à l'emporter, qu'on sentait frémir, mais qu'on ne voyait pas. A la voir ainsi, on n'eût jamais pu croire que c'était là une malade presque désespérée. Elle ressemblait plutôt à ce qui va s'envoler qu'à ce qui va mourir.

La branche, lorsqu'une main s'approche pour détacher la fleur, frissonne, et semble à la fois se dérober et s'offrir. Le corps humain a quelque chose de ce tressaillement, quand arrive l'instant où les doigts mystérieux de la mort vont cueillir l'âme.

M. Madeleine resta quelque temps immobile près de ce lit, regardant tour à tour la malade et le crucifix, comme il faisait deux mois auparavant, le jour où il était venu pour la première fois la voir dans cet asile. Ils étaient encore là tous les deux dans la même attitude; elle dormant, lui priant; seulement maintenant, depuis ces deux mois écoulés, elle avait des cheveux gris et lui des cheveux blancs.

La sœur n'était pas entrée avec lui. Il se tenait près de ce lit, debout, le doigt sur la bouche, comme s'il y eût dans la chambre quelqu'un à faire taire.

Elle ouvrit les yeux, le vit, et dit paisiblement, avec un sourire :

— Et Cosette ?

II

FANTINE HEUREUSE

Elle n'eut pas un mouvement de surprise, ni un mouvement de joie; elle était la joie même. Cette simple question : — Et Cosette ? fut faite avec une foi si profonde, avec tant de certitude, avec une absence si complète d'inquiétude et de doute, qu'il ne trouva pas une parole. Elle continua :

— Je savais que vous étiez là, je dormais, mais je vous voyais. Il y a longtemps que je vous vois, je vous ai suivi des yeux toute la nuit. Vous étiez dans une gloire et vous aviez autour de vous toutes sortes de figures célestes.

Il leva son regard vers le crucifix.

— Mais, reprit-elle, dites-moi donc où est Cosette ? Pourquoi ne l'avoir pas mise sur mon lit pour le moment où je m'éveillerais ?

Il répondit machinalement quelque chose qu'il n'a jamais pu se rappeler plus tard.

Heureusement le médecin, averti, était survenu. Il vint en aide à M. Madeleine.

— Mon enfant, dit le médecin, calmez-vous. Votre enfant est là.

Les yeux de Fantine s'illuminèrent et couvrirent de clarté tout son visage. Elle joignit les mains avec une expression qui contenait tout ce que la prière peut avoir à la fois de plus violent et de plus doux :

— Oh ! s'écria-t-elle, apportez-la-moi !

Touchante illusion de mère ! Cosette était toujours pour elle le petit enfant qu'on apporte.

— Pas encore, reprit le médecin, pas en ce moment. Vous avez un reste de fièvre. La vue de votre enfant vous agiterait et vous ferait du mal. Il faud d'abord vous guérir.

Elle l'interrompit impétueusement.

— Mais je suis guérie ! je vous dis que je suis guérie ! Est-il âne, ce médecin. Ah ça ! je veux voir mon enfant, moi !

— Vous voyez, dit le médecin, comme vous vous emportez. Tant que vous serez ainsi, je m'opposerai à ce que vous ayez votre enfant. Il ne suffit pas de la voir, il faut vivre pour elle. Quand vous serez raisonnable, je vous l'amènerai moi-même.

La pauvre mère courba la tête.

— Monsieur le médecin, je vous demande pardon, je vous demande vraiment bien pardon. Autrefois je n'aurais pas parlé comme je viens de faire, il m'est arrivé tant de malheurs que quelquefois je ne sais plus ce que je dis. Je comprends, vous craignez l'émotion, j'attendrai tant que vous voudrez, mais je vous jure que cela ne m'aurait pas fait de mal de voir ma fille. Je la vois, je ne la quitte pas des yeux depuis hier au soir. Savez-vous ? on me l'apporterait maintenant que je me mettrais à lui parler doucement. Voilà tout. Est-ce que ce n'est pas bien naturel que j'aie envie de voir mon enfant qu'on a été me chercher exprès à Montfermeil ? Je ne suis pas en colère.

Je sais bien que je vais être heureuse. Toute la nuit j'ai
vu des choses blanches et des personnes qui me sou-
riaient. Quand monsieur le médecin voudra, il m'appor-
tera ma Cosette. Je n'ai plus de fièvre, puisque je suis
guérie ; je sens bien que je n'ai plus rien du tout ; mais je
vais faire comme si j'étais malade et ne pas bouger pour
faire plaisir aux dames d'ici. Quand on verra que je suis
bien tranquille, on dira : il faut lui donner son enfant.

M. Madeleine s'était assis sur une chaise qui était à
côté du lit. Elle se tourna vers lui ; elle faisait visiblement
effort pour paraître calme et « bien sage », comme elle
disait dans cet affaiblissement de la maladie qui ressemble
à l'enfance, afin que, la voyant si paisible, on ne fît pas
difficulté de lui amener Cosette. Cependant, tout en se
contenant, elle ne pouvait s'empêcher d'adresser à
M. Madeleine mille questions.

— Avez-vous fait un bon voyage, monsieur le maire ?
Oh ! comme vous êtes bon d'avoir été me la chercher !
Dites-moi seulement comment elle est. A-t-elle bien
supporté la route ? Hélas ! elle ne me reconnaîtra pas !
Depuis le temps, elle m'a oubliée, pauvre chou ! Les
enfants, cela n'a pas de mémoire. C'est comme des
oiseaux. Aujourd'hui cela voit une chose et demain une
autre, et cela ne pense plus à rien. Avait-elle du linge
blanc seulement ? Ces Thénardier la tenaient-ils proprement ? Comment la nourrissait-on ? Oh ! comme j'ai
souffert, si vous saviez ! de me faire toutes ces questions-là
dans le temps de ma misère ! Maintenant, c'est passé !
Je suis joyeuse ! Oh ! que je voudrais donc la voir !
Monsieur le maire, l'avez-vous trouvée jolie ? N'est-ce
pas qu'elle est belle, ma fille ? Vous devez avoir eu bien
froid dans cette diligence ? Est-ce qu'on ne pourrait pas
l'amener rien qu'un petit moment ? On la remporterait
tout de suite après ! Dites ! vous qui êtes le maître, si vous
vouliez !

Il lui prit la main : — Cosette est belle, dit-il, Cosette
se porte bien, vous la verrez bientôt, mais apaisez-vous.
Vous parlez trop vivement, et puis vous sortez vos bras
du lit, et cela vous fait tousser.

En effet des quintes de toux interrompaient Fantine
presque à chaque mot.

Fantine ne murmura pas, elle craignit d'avoir compromis par quelques plaintes trop passionnées la confiance
qu'elle voulait inspirer, et elle se mit à dire des paroles
indifférentes.

— C'est assez joli, Montfermeil, n'est-ce pas ? L'été, on va y faire des parties de plaisir. Ces Thénardier font-ils de bonnes affaires ? Il ne passe pas grand monde dans leur pays. C'est une espèce de gargote que cette auberge-là.

M. Madeleine lui tenait toujours la main, il la considérait avec anxiété; il était évident qu'il était venu pour lui dire des choses devant lesquelles sa pensée hésitait maintenant. Le médecin, sa visite faite, s'était retiré. La sœur Simplice était seule restée auprès d'eux.

Cependant, au milieu de ce silence, Fantine s'écria :

— Je l'entends! mon Dieu! je l'entends!

Elle étendit le bras pour qu'on se tût autour d'elle, retint son souffle, et se mit à écouter avec ravissement.

Il y avait un enfant qui jouait dans la cour; l'enfant de la portière ou d'une ouvrière quelconque. C'est là un de ces hasards qu'on retrouve toujours et qui semble faire partie de la mystérieuse mise en scène des événements lugubres. L'enfant, c'était une petite fille, allait, venait, courait pour se réchauffer, riait et chantait à haute voix. Hélas! à quoi les jeux des enfants ne se mêlent-ils pas! C'était cette petite fille que Fantine entendait chanter.

— Oh! reprit-elle, c'est ma Cosette! je reconnais sa voix!

L'enfant s'éloigna comme il était venu, la voix s'éteignit, Fantine écouta encore quelque temps, puis son visage s'assombrit, et M. Madeleine l'entendit qui disait à voix basse : — Comme ce médecin est méchant de ne pas me laisser voir ma fille! Il a une mauvaise figure, cet homme-là!

Cependant le fond riant de ses idées revint. Elle continua de se parler à elle-même, la tête sur l'oreiller : — Comme nous allons être heureuses! Nous aurons un petit jardin, d'abord! monsieur Madeleine me l'a promis. Ma fille jouera dans le jardin. Elle doit savoir ses lettres maintenant. Je la ferai épeler. Elle courra dans l'herbe après les papillons. Je la regarderai. Et puis, elle fera sa première communion. Ah ça! quand fera-t-elle sa première communion ?

Elle se mit à compter sur ses doigts.

— ... Un, deux, trois, quatre... elle a sept ans. Dans cinq ans. Elle aura un voile blanc, des bas à jour, elle aura l'air d'une petite femme. O ma bonne sœur, vous ne savez pas comme je suis bête, voilà que je pense à la première communion de ma fille!

Et elle se mit à rire.

Il avait quitté la main de Fantine. Il écoutait ces paroles comme on écoute un vent qui souffle, les yeux à terre, l'esprit plongé dans des réflexions sans fond. Tout à coup elle cessa de parler, cela lui fit lever machinalement la tête. Fantine était devenue effrayante.

Elle ne parlait plus, elle ne respirait plus ; elle s'était soulevée à demi sur son séant, son épaule maigre sortait de sa chemise ; son visage, radieux le moment d'auparavant, était blême, et elle paraissait fixer sur quelque chose de formidable, devant elle, à l'autre extrémité de la chambre, son œil agrandi par la terreur.

— Mon Dieu ! s'écria-t-il. Qu'avez-vous, Fantine ?

Elle ne répondit pas, elle ne quitta point des yeux l'objet quelconque qu'elle semblait voir, elle lui toucha le bras d'une main et de l'autre lui fit signe de regarder derrière lui.

Il se retourna, et vit Javert.

III

JAVERT CONTENT

Voici ce qui s'était passé :

Minuit et demi venait de sonner, quand M. Madeleine était sorti de la salle des assises d'Arras. Il était rentré à son auberge juste à temps pour repartir par la malle-poste où l'on se rappelle qu'il avait retenu sa place. Un peu avant six heures du matin, il était arrivé à M. — sur M—, et son premier soin avait été de jeter à la poste sa lettre à M. Laffitte, puis d'entrer à l'infirmerie et de voir Fantine.

Cependant, à peine avait-il quitté la salle d'audience de la cour d'assises, que l'avocat général, revenu du premier saisissement, avait pris la parole pour déplorer l'acte de folie de l'honorable maire de M. — sur M—, déclarer que ses convictions n'étaient en rien modifiées par cet incident bizarre qui s'éclaircirait plus tard, et requérir, en attendant, la condamnation de ce Champmathieu, évidemment le vrai Jean Valjean. La persistance de l'avocat général était visiblement en contradiction avec le sentiment de tous, du public, de la cour et du jury. Le défenseur avait eu peu de peine à réfuter cette harangue et à établir que, par suite des révélations de M. Madeleine, c'est-à-dire du vrai Jean Valjean, la face de l'affaire était bouleversée de fond en comble, et que le jury n'avait plus devant les yeux qu'un innocent. L'avocat avait tiré de là quelques épiphonèmes, malheureusement peu neufs, sur les erreurs judiciaires, etc., etc.; le président, dans son résumé, s'était joint au défenseur, et le jury en quelques minutes avait mis hors de cause Champmathieu.

Cependant il fallait un Jean Valjean à l'avocat général, et n'ayant plus Champmathieu, il prit Madeleine.

Immédiatement après la mise en liberté de Champmathieu, l'avocat général s'enferma avec le président. Ils conférèrent « de la nécessité de se saisir de la personne « de M. le maire de M. — sur M—. » Cette phrase, où il y a beaucoup de *de*, est de M. l'avocat général, entièrement écrite de sa main sur la minute de son rapport au procureur général. La première émotion passée, le président fit peu d'objections. Il fallait bien que justice eût son cours. Et puis, pour tout dire, quoique le président fût homme bon et assez intelligent, il était en même temps fort royaliste et presque ardent, et il avait été choqué que le maire de M. — sur M—, en parlant du débarquement à Cannes, eût dit l'*empereur* et non *Buonaparte*.

L'ordre d'arrestation fut donc expédié. L'avocat général l'envoya à M. — sur M— par un exprès, à franc-étrier, et en chargea l'inspecteur de police Javert.

On sait que Javert était revenu à M. — sur M— immédiatement après avoir fait sa déposition.

Javert se levait au moment où l'exprès lui remit l'ordre d'arrestation et le mandat d'amener.

L'exprès était lui-même un homme de police fort entendu qui, en deux mots, mit Javert au fait de ce qui était arrivé à Arras. L'ordre d'arrestation, signé de l'avocat général, était ainsi conçu : — L'inspecteur Javert appréhendera au corps le sieur Madeleine, maire de M. — sur M—, qui, dans l'audience de ce jour, a été reconnu pour être le forçat libéré Jean Valjean.

Quelqu'un qui n'eût pas connu Javert et qui l'eût vu au moment où il pénétra dans l'antichambre de l'infirmerie, n'eût pu rien deviner de ce qui se passait, et lui eût trouvé l'air le plus ordinaire du monde. Il était froid, calme, grave, avait ses cheveux gris parfaitement lissés sur les tempes et venait de monter l'escalier avec sa lenteur habituelle. Quelqu'un qui l'eût connu à fond et qui l'eût examiné attentivement, eût frémi. La boucle de son col de cuir, au lieu d'être sur sa nuque, était sur son oreille gauche. Ceci révélait une agitation inouïe.

Javert était un caractère complet, ne faisant faire de pli ni à son devoir, ni à son uniforme ; méthodique avec les scélérats, rigide avec les boutons de son habit.

Pour qu'il eût mal mis la boucle de son col, il fallait qu'il y eût en lui une de ces émotions qu'on pourrait appeler des tremblements de terre intérieurs.

Il était venu simplement, avait requis un caporal et quatre soldats au poste voisin, avait laissé les soldats dans la cour, et s'était fait indiquer la chambre de Fantine par la portière sans défiance, accoutumée qu'elle était à voir des gens armés demander monsieur le maire.

Arrivé à la chambre de Fantine, Javert tourna la clef, poussa la porte avec une douceur de garde-malade ou de mouchard, et entra.

A proprement parler, il n'entra pas. Il se tint debout dans la porte entrebâillée, le chapeau sur la tête, la main gauche dans sa redingote fermée jusqu'au menton. Dans le pli du coude on pouvait voir le pommeau de plomb de son énorme canne, laquelle disparaissait derrière lui.

Il resta ainsi près d'une minute, sans qu'on s'aperçût de sa présence. Tout à coup Fantine leva les yeux, le vit et fit retourner M. Madeleine.

A l'instant où le regard de Madeleine rencontra le regard de Javert, Javert, sans bouger, sans remuer, sans approcher, devint épouvantable. Aucun sentiment humain ne réussit à être effroyable comme la joie.

Ce fut le visage d'un démon qui vient de retrouver son damné.

La certitude de tenir enfin Jean Valjean fit apparaître sur sa physionomie tout ce qu'il avait dans l'âme. Le fond remué monta à la surface. L'humiliation d'avoir un peu perdu la piste et de s'être mépris quelques minutes sur ce Champmathieu, s'effaçait sous l'orgueil d'avoir si bien deviné d'abord et d'avoir eu si longtemps un instinct juste. Le contentement de Javert éclata dans son attitude souveraine. La difformité du triomphe s'épanouit sur ce front étroit. Ce fut tout le déploiement d'horreur que peut donner une figure satisfaite.

Javert en ce moment était au ciel. Sans qu'il s'en rendît nettement compte, mais pourtant avec une intuition confuse de sa nécessité et de son succès, il personnifiait, lui Javert, la justice, la lumière et la vérité dans leur fonction céleste d'écrasement du mal. Il avait derrière lui et autour de lui, à une profondeur infinie, l'autorité, la raison, la chose jugée, la conscience légale, la vindicte publique, toutes les étoiles; il protégeait l'ordre, il faisait sortir de la loi la foudre, il vengeait la société, il prêtait main-forte à l'absolu; il se dressait dans une gloire; il y avait dans sa victoire un reste de défi et de combat; debout, altier, éclatant, il étalait en plein azur la bestialité surhumaine d'un archange féroce; l'ombre redoutable de l'action qu'il accomplissait faisait visible à son poing crispé le vague flamboiement de l'épée sociale; heureux et indigné, il tenait sous son talon le crime, le vice, la rébellion, la perdition, l'enfer, il rayonnait, il exterminait, il souriait, et il y avait une incontestable grandeur dans ce saint Michel monstrueux.

Javert, effroyable, n'avait rien d'ignoble.

La probité, la sincérité, la candeur, la conviction, l'idée du devoir, sont des choses qui, en se trompant, peuvent devenir hideuses, mais qui, même hideuses, restent grandes; leur majesté, propre à la conscience humaine, persiste dans l'horreur : ce sont des vertus qui ont un vice, l'erreur. L'impitoyable joie honnête d'un fanatique en pleine atrocité conserve on ne sait quel rayonnement lugubrement vénérable. Sans qu'il s'en doutât, Javert, dans son bonheur formidable, était à plaindre comme tout ignorant qui triomphe. Rien n'était poignant et terrible comme cette figure où se montrait ce qu'on pourrait appeler tout le mauvais du bon.

IV

L'AUTORITÉ REPREND SES DROITS

La Fantine n'avait point vu Javert depuis le jour où M. le maire l'avait arrachée à cet homme. Son cerveau malade ne se rendit compte de rien, seulement elle ne douta pas qu'il ne revînt la chercher. Elle ne put supporter cette figure affreuse, elle se sentit expirer, elle cacha son visage de ses deux mains et cria avec angoisse :

— Monsieur Madeleine, sauvez-moi !

Jean Valjean, — nous ne le nommerons plus désormais autrement, — s'était levé. Il dit à Fantine de sa voix la plus douce et la plus calme :

— Soyez tranquille. Ce n'est pas pour vous qu'il vient.

Puis il s'adressa à Javert et lui dit :

— Je sais ce que vous voulez.

Javert répondit :

— Allons, vite !

Il y eut dans l'inflexion qui accompagna ces deux mots, je ne sais quoi de fauve et de frénétique. Javert ne dit pas : Allons, vite ! il dit : Allonouaîte ! Aucune orthographe ne pourrait rendre l'accent dont cela fut prononcé ; ce n'était plus une parole humaine ; c'était un rugissement.

Il ne fit point comme d'habitude ; il n'entra point en matière ; il n'exhiba point de mandat d'amener. Pour lui, Jean Valjean était une sorte de combattant mystérieux et insaisissable, un lutteur ténébreux qu'il étreignait depuis cinq ans sans pouvoir le renverser. Cette arrestation n'était pas un commencement, mais une fin. Il se borna à dire : Allons, vite !

En parlant ainsi, il ne fit point un pas ; il lança sur Jean Valjean ce regard qu'il jetait comme un crampon, et avec lequel il avait coutume de tirer violemment les misérables à lui.

C'était ce regard que la Fantine avait senti pénétrer jusque dans la moelle de ses os, deux mois auparavant.

Au cri de Javert, Fantine avait rouvert les yeux. Mais M. le maire était là, que pouvait-elle craindre ?

Javert avança au milieu de la chambre et cria :

— Ah çà ! viendras-tu !

La malheureuse regarda autour d'elle. Il n'y avait personne que la religieuse et monsieur le maire. A qui pouvait s'adresser ce tutoiement abject ? A elle seulement. Elle frissonna.

Alors elle vit une chose inouïe, tellement inouïe que jamais rien de pareil ne lui était apparu dans les plus noirs délires de la fièvre.

Elle vit le mouchard Javert saisir au collet monsieur le maire ; elle vit monsieur le maire courber la tête. Il lui sembla que le monde s'évanouissait.

Javert, en effet, avait pris Jean Valjean au collet.

— Monsieur le maire! cria Fantine.

Javert éclata de rire, de cet affreux rire qui lui déchaussait toutes les dents.

— Il n'y a plus de monsieur le maire ici!

Jean Valjean n'essaya pas de déranger la main qui tenait le col de sa redingote. Il dit :

— Javert...

Javert l'interrompit : — Appelle-moi monsieur l'inspecteur.

— Monsieur, reprit Jean Valjean, je voudrais vous dire un mot en particulier.

— Tout haut! parle tout haut, répondit Javert; on me parle tout haut, répondit Javert; on me parle tout haut à moi!

Jean Valjean continua en baissant la voix :

— C'est une prière que j'ai à vous faire...

— Je te dis de parler tout haut.

— Mais cela ne doit être entendu que de vous seul...

— Qu'est-ce que cela me fait? je n'écoute pas!

Jean Valjean se tourna vers lui et lui dit rapidement et très bas :

— Accordez-moi trois jours! Trois jours pour aller chercher l'enfant de cette malheureuse femme! Je paierai ce qu'il faudra! Vous m'accompagnerez, si vous voulez.

— Tu veux rire! cria Javert. Ah ça! je ne te croyais pas bête! Tu me demandes trois jours pour t'en aller! Tu dis que c'est pour aller chercher l'enfant de cette fille! Ah! ah! c'est bon! voilà qui est bon!

Fantine eut un tremblement.

— Mon enfant! s'écria-t-elle, aller chercher mon enfant! Elle n'est donc pas ici! Ma sœur, répondez-moi, où est Cosette? Je veux mon enfant! monsieur Madeleine! monsieur le maire!

Javert frappa du pied.

— Voilà l'autre à présent! te tairas-tu, drôlesse! Gredin de pays où les galériens sont magistrats et où les filles publiques sont soignées comme des comtesses! Ah, mais! tout ça va changer; il était temps!

Il regarda fixement Fantine et ajouta, en reprenant à poignée la cravate, la chemise et le collet de Jean Valjean :

— Je te dis qu'il n'y a point de monsieur Madeleine et qu'il n'y a point de monsieur le maire. Il y a un voleur, il y a un brigand, il y a un forçat appelé Jean Valjean! c'est lui que je tiens! voilà ce qu'il y a!

Fantine se dressa en sursaut, appuyée sur ses bras raides et sur ses deux mains, elle regarda Jean Valjean, elle regarda Javert, elle regarda la religieuse, elle ouvrit la bouche comme pour parler, un râle sortit du fond de sa gorge, ses dents claquèrent, elle étendit les bras avec angoisse, ouvrant convulsivement les mains, et cherchant autour d'elle comme quelqu'un qui se noie, puis elle s'affaissa subitement sur l'oreiller

Sa tête heurta le chevet du lit et vint retomber sur sa poitrine, la bouche béante, les yeux ouverts et éteints.

Elle était morte.

Jean Valjean posa sa main sur la main de Javert qui le tenait, et l'ouvrit comme il eût ouvert la main d'un enfant, puis il dit à Javert :

— Vous avez tué cette femme.

— Finirons-nous ! cria Javert furieux, je ne suis pas ici pour entendre des raisons. Economisons tout ça ; la garde est en bas, marchons tout de suite, ou les poucettes !

Il y avait dans un coin de la chambre un vieux lit en fer en assez mauvais état qui servait de lit de camp aux sœurs quand elles veillaient. Jean Valjean alla à ce lit, disloqua en un clin d'œil le chevet déjà fort délabré, chose facile à des muscles comme les siens, saisit à poigne-main la maîtresse tringle, et considéra Javert. Javert recula vers la porte.

Jean Valjean, sa barre de fer au poing, marcha lentement vers le lit de Fantine. Quand il y fut parvenu, il se retourna et dit à Javert d'une voix qu'on entendait à peine :

— Je ne vous conseille pas de me déranger en ce moment.

Ce qui est certain, c'est que Javert tremblait.

Il eut l'idée d'aller appeler la garde, mais Jean Valjean pouvait profiter de cette minute pour s'évader. Il resta donc, saisit sa canne par le petit bout, et s'adossa au chambranle de la porte sans quitter du regard Jean Valjean.

Jean Valjean posa son coude sur la pomme du chevet du lit et son front sur sa main, et se mit à contempler Fantine immobile et étendue. Il demeura ainsi, absorbé, muet, et ne songeant évidemment plus à aucune chose de cette vie. Il n'y avait plus rien sur son visage et dans son attitude qu'une inexprimable pitié. Après quelques instants de cette rêverie, il se pencha vers Fantine et lui parla à voix basse.

Que lui dit-il ? Que pouvait dire cet homme qui était réprouvé, à cette femme qui était morte ? Qu'était-ce que ces paroles ? Personne sur la terre ne les a entendues. La morte les entendit-elle ? Il y a des illusions touchantes qui sont peut-être des réalités sublimes. Ce qui est hors de doute, c'est que la sœur Simplice, unique témoin de la chose qui se passait, a souvent raconté qu'au moment où Jean Valjean parla à l'oreille de Fantine, elle vit distinctement poindre un ineffable sourire sur ces lèvres pâles et dans ces prunelles vagues, pleines de l'étonnement du tombeau.

Jean Valjean prit dans ses deux mains la tête de Fantine et l'arrangea sur l'oreiller comme une mère eût fait pour son enfant, puis il lui rattacha le cordon de sa chemise et rentra ses cheveux sous son bonnet. Cela fait, il lui ferma les yeux.

La face de Fantine en cet instant semblait étrangement éclairée.

La mort, c'est l'entrée dans la grande lueur.

La main de Fantine pendait hors du lit. Jean Valjean s'agenouilla devant cette main, la souleva doucement et la baisa.

Puis il se redressa, et se tournant vers Javert :

— Maintenant, dit-il, je suis à vous.

V

TOMBEAU CONVENABLE

Javert déposa Jean Valjean à la prison de la ville.

L'arrestation de M. Madeleine produisit à M. — sur M— une sensation, ou pour mieux dire une commotion extraordinaire. Nous sommes triste de ne pouvoir dissimuler que sur ce seul mot : *c'était un galérien*, tout le monde à peu près l'abandonna. En moins de deux heures tout le bien qu'il avait fait fut oublié, et ce ne fut plus « qu'un galérien ». Il est juste de dire qu'on ne connaissait pas encore les détails de l'événement d'Arras. Toute la journée on entendit dans toutes les parties de la ville des conversations comme celle-ci :

— Vous ne savez pas ? C'était un forçat libéré !

— Qui ça ? — Le maire. — Bah! M. Madeleine ?
— Oui. — Vraiment ? — Il ne s'appelait pas Madeleine;
il a un affreux nom, Béjean, Bojean, Boujean. — Ah,
mon Dieu! — Il est arrêté. — Arrêté! — En prison, à
la prison de la ville, en attendant qu'on le transfère.
— Qu'on le transfère! On va le transférer! Où va-t-on
le transférer ? — Il va passer aux assises pour un vol de
grand chemin qu'il a fait autrefois. — Eh bien! je m'en
doutais. Cet homme était trop bon, trop parfait, trop
confit. Il refusait la croix, il donnait des sous à tous les
petits drôles qu'il rencontrait. J'ai toujours pensé qu'il
y avait là-dessous quelque mauvaise histoire.

« Les salons » surtout abondèrent dans ce sens.

Une vieille dame, abonnée au *Drapeau blanc*, fit cette
réflexion dont il est presque impossible de sonder la profondeur :

— Je n'en suis pas fâchée. Cela apprendra aux buo-
napartistes!

C'est ainsi que ce fantôme qui s'était appelé M. Madeleine se dissipa à M. — sur M —. Trois ou quatre
personnes seulement dans toute la ville restèrent fidèles
à cette mémoire. La vieille portière qui l'avait servi, fut
du nombre.

Le soir de ce même jour, cette digne vieille était assise
dans sa loge, encore tout effarée et réfléchissant tristement. La fabrique avait été fermée toute la journée, la
porte cochère était verrouillée, la rue était déserte. Il n'y
avait dans la maison que les deux religieuses, sœur Perpétue et sœur Simplice, qui veillaient près du corps de
Fantine.

Vers l'heure où M. Madeleine avait coutume de rentrer, la brave portière se leva machinalement, prit la clef
de la chambre de M. Madeleine dans un tiroir et le bougeoir dont il se servait tous les soirs pour monter chez
lui, puis elle accrocha la clef au clou où il la prenait
d'habitude et plaça le bougeoir à côté, comme si elle
l'attendait. Ensuite elle se rassit sur sa chaise et se remit
à songer. La pauvre bonne vieille avait fait tout cela
sans en avoir conscience.

Ce ne fut qu'au bout de plus de deux heures qu'elle
sortit de sa rêverie et s'écria : Tiens! mon bon Dieu
Jésus! moi qui ai mis sa clef au clou!

En ce moment la vitre de la loge s'ouvrit, une main
passa par l'ouverture, saisit la clef et le bougeoir et alluma
la bougie à la chandelle qui brûlait.

La portière leva les yeux et resta béante, avec un cri dans le gosier qu'elle retint.

Elle connaissait cette main, ce bras, cette manche de redingote.

C'était M. Madeleine.

Elle fut quelques secondes avant de pouvoir parler, *saisie*, comme elle le disait elle-même plus tard en racontant son aventure.

— Mon Dieu, monsieur le maire, s'écria-t-elle enfin, je vous croyais...

Elle s'arrêta, la fin de sa phrase eût manqué de respect au commencement. Jean Valjean était toujours pour elle monsieur le maire.

Il acheva sa pensée.

— En prison, dit-il. J'y étais. J'ai brisé un barreau d'une fenêtre, je me suis laissé tomber du haut d'un toit, et me voici. Je monte à ma chambre, allez me chercher la sœur Simplice. Elle est sans doute près de cette pauvre femme.

La vieille obéit en toute hâte.

Il ne lui fit aucune recommandation; il était bien sûr qu'elle le garderait mieux qu'il ne se garderait lui-même.

On n'a jamais su comment il avait réussi à pénétrer dans la cour sans faire ouvrir la porte cochère. Il avait, et portait toujours sur lui, un passe-partout qui ouvrait une petite porte latérale; mais on avait dû le fouiller et lui prendre son passe-partout. Ce point n'a pas été éclairci.

Il monta l'escalier qui conduisait à sa chambre. Arrivé en haut, il laissa son bougeoir sur les dernières marches de l'escalier, ouvrit sa porte avec peu de bruit, et alla fermer à tâtons sa fenêtre et son volet, puis il revint prendre sa bougie et rentra dans sa chambre.

La précaution était utile; on se souvient que sa fenêtre pouvait être aperçue de la rue.

Il jeta un coup d'œil autour de lui, sur sa table, sur sa chaise, sur son lit qui n'avait pas été défait depuis trois jours. Il ne restait aucune trace du désordre de l'avant-dernière nuit. La portière avait « fait la chambre ». Seulement elle avait ramassé dans les cendres et posé proprement sur la table les deux bouts du bâton ferré et la pièce de quarante sous noircie par le feu.

Il prit une feuille de papier sur laquelle il écrivit : *Voici les deux bouts de mon bâton ferré et la pièce de quarante sous volée à Petit-Gervais dont j'ai parlé à la cour d'assises*, et il posa sur cette feuille la pièce d'argent et les deux morceaux de fer, de façon que ce fût la première chose qu'on aperçût en entrant dans la chambre. Il tira d'une armoire une vieille chemise à lui qu'il déchira. Cela fit quelques morceaux de toile dans lesquels il emballa les deux flambeaux d'argent. Du reste il n'avait ni hâte ni agitation. Et, tout en emballant les chandeliers de l'évêque, il mordait dans un morceau de pain noir. Il est probable que c'était le pain de la prison qu'il avait emporté en s'évadant.

Ceci a été constaté par les miettes de pain qui furent trouvées sur le carreau de la chambre, lorsque la justice plus tard fit une perquisition.

On frappa deux petits coups à la porte.

— Entrez, dit-il.

C'était la sœur Simplice.

Elle était pâle, elle avait les yeux rouges, la chandelle qu'elle tenait vacillait dans sa main. Les violences de la destinée ont cela de particulier, que si perfectionnés ou si refroidis que nous soyons, elles nous tirent du fond des entrailles la nature humaine et la forcent de reparaître au-dehors. Dans les émotions de cette journée, la religieuse était redevenue femme. Elle avait pleuré, et elle tremblait.

Jean Valjean venait d'écrire quelques lignes sur un papier qu'il tendit à la religieuse en disant : — Ma sœur, vous remettrez ceci à monsieur le curé.

Le papier était déplié. Elle y jeta les yeux. — Vous pouvez lire, dit-il.

Elle lut : — « Je prie monsieur le curé de veiller « sur tout ce que je laisse ici. Il voudra bien payer là- « dessus les frais de mon procès et l'enterrement de la « femme qui est morte aujourd'hui. Le reste sera aux « pauvres. »

La sœur voulut parler, mais elle put à peine balbutier quelques sons inarticulés. Elle parvint cependant à dire :

— Est-ce que monsieur le maire ne désire pas revoir une dernière fois cette pauvre malheureuse ?

— Non, dit-il, on est à ma poursuite, on n'aurait qu'à m'arrêter dans sa chambre, cela la troublerait.

Il achevait à peine qu'un grand bruit se fit dans l'escalier. Ils entendirent un tumulte de pas qui montaient, et la vieille portière qui disait de sa voix la plus haute et la plus perçante :

— Mon bon monsieur, je vous jure le bon Dieu qu'il

n'est entré personne ici de toute la journée, de toute la soirée, que même je n'ai pas quitté ma porte !

Un homme répondit :

— Cependant il y a de la lumière dans cette chambre.

Ils reconnurent la voix de Javert.

La chambre était disposée de façon que la porte en s'ouvrant masquait l'angle du mur à droite. Jean Valjean souffla la bougie et se mit dans cet angle.

La sœur Simplice tomba à genoux près de la table.

La porte s'ouvrit.

Javert entra.

On entendait le chuchotement de plusieurs hommes et les protestations de la portière dans le corridor.

La religieuse ne leva pas les yeux. Elle priait.

La chandelle était sur la cheminée et ne donnait que peu de clarté.

Javert aperçut la sœur et s'arrêta interdit.

On se rappelle que le fond même de Javert, son élément, son milieu respirable, c'était la vénération de toute autorité. Il était tout d'une pièce et n'admettait ni objection, ni restriction. Pour lui, bien entendu, l'autorité ecclésiastique était la première de toutes ; il était religieux, superficiel et correct sur ce point comme sur tous. A ses yeux, un prêtre était un esprit qui ne se trompe pas, une religieuse était une créature qui ne pèche pas. C'étaient des âmes murées à ce monde avec une seule porte qui ne s'ouvrait jamais que pour laisser sortir la vérité.

En apercevant la sœur, son premier mouvement fut de se retirer.

Cependant il y avait aussi un autre devoir qui le tenait, et qui le poussait impérieusement en sens inverse. Son second mouvement fut de rester, et de hasarder au moins une question.

C'était cette sœur Simplice qui n'avait menti de sa vie. Javert le savait, et la vénérait particulièrement à cause de cela.

— Ma sœur, dit-il, êtes-vous seule dans cette chambre ?

Il y eut un moment affreux pendant lequel la pauvre portière se sentit défaillir.

La sœur leva les yeux et répondit :

— Oui.

— Ainsi, reprit Javert, excusez-moi si j'insiste, c'est mon devoir, vous n'avez pas vu ce soir une personne, un homme, il s'est évadé, nous le cherchons, — ce nommé Jean Valjean, vous ne l'avez pas vu ?

La sœur répondit : — Non.

Elle mentit. Elle mentit deux fois de suite, coup sur coup, sans hésiter, rapidement, comme on se dévoue.

— Pardon, dit Javert, et il se retira en saluant profondément.

O sainte fille, vous n'êtes plus de ce monde depuis beaucoup d'années ; vous avez rejoint dans la lumière vos sœurs les vierges et vos frères les anges ; que ce mensonge vous soit compté dans le paradis !

L'affirmation de la sœur fut pour Javert quelque chose de si décisif qu'il ne remarqua même pas la singularité de cette bougie qu'on venait de souffler et qui fumait sur la table.

Une heure après, un homme, marchant à travers les arbres et les brumes, s'éloignait rapidement de M.— sur M— dans la direction de Paris. Cet homme était Jean Valjean. Il a été établi, par le témoignage de deux ou trois rouliers qui l'avaient rencontré, qu'il portait un paquet et qu'il était vêtu d'une blouse. Où avait-il pris cette blouse ? On ne l'a jamais su. Cependant, un vieux ouvrier était mort quelques jours auparavant à l'infirmerie de la fabrique, ne laissant que sa blouse. C'était peut-être celle-là.

Un dernier mot sur Fantine.

Nous avons tous une mère, la terre. On rendit Fantine à cette mère.

Le curé crut bien faire, et fit bien peut-être, en réservant, sur ce que Jean Valjean avait laissé, le plus d'argent possible aux pauvres. Après tout, de quoi s'agissait-il ? d'un forçat et d'une fille publique. C'est pourquoi il simplifia l'enterrement de Fantine, et le réduisit à ce strict nécessaire qu'on appelle la fosse commune.

Fantine fut donc enterrée dans le coin gratis du cimetière qui est à tous et à personne, et où l'on perd les pauvres. Heureusement Dieu sait où retrouver l'âme. On coucha Fantine dans les ténèbres parmi les premiers os venus ; elle subit la promiscuité des cendres. Elle fut jetée à la fosse publique. Sa tombe ressembla à son lit.

DEUXIÈME PARTIE

COSETTE

LIVRE PREMIER

I

CE QU'ON RENCONTRE EN VENANT DE NIVELLES

L'an dernier (1861), par une belle matinée de mai, un passant, celui qui raconte cette histoire, arrivait de Nivelles et se dirigeait vers La Hulpe. Il allait à pied. Il suivait, entre deux rangées d'arbres, une large chaussée pavée ondulant sur des collines qui viennent l'une après l'autre, soulèvent la route et la laissent retomber, et font là comme des vagues énormes. Il avait dépassé Lillois et Bois-Seigneur-Isaac. Il apercevait, à l'ouest, le clocher d'ardoise de Braine-l'Alleud qui a la forme d'un vase renversé. Il venait de laisser derrière lui un bois sur une hauteur, et à l'angle d'un chemin de traverse, à côté d'une espèce de potence vermoulue portant l'inscription : *Ancienne barrière nº 4*, un cabaret ayant sur sa façade cet écriteau : *Au quatre vents. Echabeau, café de particulier.*

Un demi-quart de lieue plus loin que ce cabaret, il arriva au fond d'un petit vallon où il y a de l'eau qui passe sous une arche pratiquée dans le remblai de la route. Le bouquet d'arbres, clair-semé, mais très vert, qui emplit le vallon d'un côté de la chaussée, s'éparpille de l'autre dans les prairies et s'en va avec grâce et comme en désordre vers Braine-l'Alleud.

Il y avait là, à droite, au bord de la route, une auberge, une charrette à quatre roues devant la porte, un grand faisceau de perches à houblon, une charrue, un tas de broussailles sèches près d'une haie vive, de la chaux qui fumait dans un trou carré, une échelle le long d'un vieux hangar à cloisons de paille. Une jeune fille sarclait dans un champ où une grande affiche jaune, probablement du spectacle forain de quelque kermesse, volait au vent. A l'angle de l'auberge, à côté d'une mare où naviguait une flottille de canards, un sentier mal pavé s'enfonçait dans les broussailles. Ce passant y entra.

Au bout d'une centaine de pas, après avoir longé un mur du quinzième siècle surmonté d'un pignon aigu à briques contrariées, il se trouva en présence d'une grande porte de pierre cintrée, avec imposte rectiligne, dans le grave style de Louis XIV, accostée de deux médaillons planes. Une façade sévère dominait cette porte; un mur perpendiculaire à la façade venait presque toucher la porte et la flanquait d'un brusque angle droit. Sur le pré devant la porte gisaient trois herses à travers lesquelles poussaient pêle-mêle toutes les fleurs de mai. La porte était fermée. Elle avait pour clôture deux battants décrépits ornés d'un vieux marteau rouillé.

Le soleil était charmant; les branches avaient ce doux frémissement de mai qui semble venir des nids plus encore que du vent. Un brave petit oiseau, probablement amoureux, vocalisait éperdument dans un grand arbre.

Le passant se courba et considéra dans la pierre à gauche, au bas du pied droit de la porte, une assez large excavation circulaire ressemblant à l'alvéole d'une sphère. En ce moment les battants s'écartèrent et une paysanne sortit.

Elle vit le passant et aperçut ce qu'il regardait.

— C'est un boulet français qui a fait ça, lui dit-elle.

Et elle ajouta :

— Ce que vous voyez là, plus haut, dans la porte, près d'un clou, c'est le trou d'un gros biscaïen. Le biscaïen n'a pas traversé le bois.

— Comment s'appelle cet endroit-ci ? demanda le passant.

— Hougomont, dit la paysanne.

Le passant se redressa. Il fit quelques pas et s'en alla regarder au-dessus des haies. Il aperçut à l'horizon à travers les arbres une espèce de monticule et sur ce monticule quelque chose qui, de loin, ressemblait à un lion.

Il était dans le champ de bataille de Waterloo.

II

HOUGOMONT

Hougomont, ce fut là un lieu funèbre; le commencement de l'obstacle, la première résistance que rencontra à Waterloo ce grand bûcheron de l'Europe qu'on appelait Napoléon; le premier nœud sous le coup de hache.

C'était un château, ce n'est plus qu'une ferme. Hougomont, pour l'antiquaire, c'est *Hugomons*. Ce manoir fut bâti par Hugo, sire de Somerel, le même qui dota la sixième chapellenie de l'abbaye de Villers.

Le passant poussa la porte, coudoya sous un porche une vieille calèche, et entra dans la cour.

La première chose qui le frappa, dans ce préau, ce fut une porte du seizième siècle qui y simule une arcade, tout étant tombé autour d'elle. L'aspect monumental naît souvent de la ruine. Auprès de l'arcade s'ouvre dans un mur une autre porte avec claveaux du temps de Henri IV, laissant voir les arbres d'un verger. A côté de cette porte un trou à fumier, des pioches et des pelles, quelques charrettes, un vieux puits avec sa dalle et son tourniquet de fer, un poulain qui saute, un dindon qui fait la roue, une chapelle que surmonte un petit clocher, un poirier en fleur en espalier sur le mur de la chapelle, voilà cette cour dont la conquête fut un rêve de Napoléon. Ce coin de terre, s'il eût pu le prendre, lui eût peut-être donné le monde. Des poules y éparpillent du bec la poussière. On entend un grondement; c'est un gros chien qui montre les dents et qui remplace les anglais.

Les anglais là ont été admirables. Les quatre compagnies des gardes de Cooke y ont tenu tête pendant sept heures à l'acharnement d'une armée.

Hougomont, vu sur la carte, en plan géométral, bâtiments et enclos compris, présente une espèce de rectangle irrégulier dont un angle aurait été entaillé. C'est à cet angle qu'est la porte méridionale, gardée par ce mur qui la fusille à bout portant. Hougomont a deux portes : la porte méridionale, celle du château, et la porte sep-

tentrionale, celle de la ferme. Napoléon envoya contre
Hougomont son frère Jérôme ; les divisions Guilleminot,
Foy et Bachelu s'y heurtèrent, presque tout le corps de
Reille y fut employé et y échoua, les boulets de Kellermann s'épuisèrent sur cet héroïque pan de mur. Ce ne
fut pas trop de la brigade Bauduin pour forcer Hougomont au nord, et la brigade Soye ne put que l'entamer
au sud, sans le prendre.

Les bâtiments de la ferme bordent la cour au sud. Un
morceau de la porte nord, brisée par les français, pend
accroché au mur. Ce sont quatre planches clouées sur
deux traverses, et où l'on distingue les balafres de
l'attaque.

La porte septentrionale, enfoncée par les français, et
à laquelle on a mis une pièce pour remplacer le panneau
suspendu à la muraille, s'entrebâille au fond du préau ;
elle est coupée carrément dans un mur de pierre en bas,
de brique en haut, qui ferme la cour au nord. C'est une
simple porte charretière comme il y en a dans toutes les
métairies, deux larges battants faits de planches rustiques :
au-delà, des prairies. La dispute de cette entrée a été
furieuse. On a longtemps vu sur le montant de la porte
toutes sortes d'empreintes de mains sanglantes. C'est là
que Bauduin fut tué.

L'orage du combat est encore dans cette cour ; l'horreur y est visible ; le bouleversement de la mêlée s'y est
pétrifié ; cela vit, cela meurt ; c'était hier. Les murs
agonisent, les pierres tombent, les brèches crient ; les
trous sont des plaies ; les arbres penchés et frissonnants
semblent faire effort pour s'enfuir.

Cette cour, en 1815, était plus bâtie qu'elle ne l'est
aujourd'hui. Des constructions qu'on a depuis jetées bas
y faisaient des redans, des angles et des coudes d'équerre.

Les anglais s'y étaient barricadés ; les français y péné-
trèrent, mais ne purent s'y maintenir. A côté de la chapelle, une aile du château, le seul débris qui reste du
manoir d'Hougomont, se dresse écroulée, on pourrait
dire éventrée. Le château servit de donjon, la chapelle
servit de blockhaus. On s'y extermina. Les français, arque-
busés de toutes parts, de derrière les murailles, du haut
des greniers, du fond des caves, par toutes les croisées,
par tous les soupiraux, par toutes les fentes des pierres,
apportèrent des fascines et mirent le feu aux murs et aux
hommes ; la mitraille eut pour réplique l'incendie.

On entrevoit dans l'aile ruinée, à travers des fenêtres

garnies de barreaux de fer, les chambres démantelées d'un corps de logis en briques; les gardes anglaises étaient embusquées dans ces chambres; la spirale de l'escalier, crevassé du rez-de-chaussée jusqu'au toit, apparaît comme l'intérieur d'un coquillage brisé. L'escalier a deux étages; les anglais, assiégés dans l'escalier, et massés sur les marches supérieures, avaient coupé les marches inférieures. Ce sont de larges dalles de pierre bleue qui font un monceau dans les orties. Une dizaine de marches tiennent encore au mur; sur la première est entaillée l'image d'un trident. Ces degrés inaccessibles sont solides dans leurs alvéoles. Tout le reste ressemble à une mâchoire édentée. Deux vieux arbres sont là; l'un est mort, l'autre est blessé au pied, et reverdit en avril. Depuis 1815, il s'est mis à pousser à travers l'escalier.

On s'est massacré dans la chapelle. Le dedans, redevenu calme, est étrange. On n'y a plus dit la messe depuis le carnage. Pourtant l'autel y est resté, un autel de bois grossier adossé à un fond de pierre brute. Quatre murs lavés au lait de chaux, une porte vis-à-vis l'autel, deux petites fenêtres cintrées, sur la porte un grand crucifix de bois, au-dessus du crucifix un soupirail carré bouché d'une botte de foin, dans un coin, à terre, un vieux châssis vitré tout cassé, telle est cette chapelle. Près de l'autel est clouée une statue en bois de sainte Anne, du quinzième siècle; la tête de l'enfant Jésus a été emportée par un biscaïen. Les français, maîtres un moment de la chapelle, puis délogés, l'ont incendiée. Les flammes ont rempli cette masure; elle a été fournaise; la porte a brûlé, le plancher a brûlé, le Christ en bois n'a pas brûlé. Le feu lui a rongé les pieds dont on ne voit plus que les moignons noircis, puis s'est arrêté. Miracle, au dire des gens du pays. L'enfant Jésus, décapité, n'a pas été aussi heureux que le Christ.

Les murs sont couverts d'inscriptions. Près des pieds du Christ on lit ce nom : *Henquinez.* Puis ces autres : *Conde de Rio Maïor. Marques y Marquesa de Almagro (Habana).* Il y a des noms français avec des points d'exclamation, signes de colère. On a reblanchi le mur en 1849. Les nations s'y insultaient.

C'est à la porte de cette chapelle qu'a été ramassé un cadavre qui tenait une hache à la main. Ce cadavre était le sous-lieutenant Legros.

On sort de la chapelle, et à gauche, on voit un puits. Il y en a deux dans cette cour. On demande : pourquoi

n'y a-t-il pas de seau et de poulie à celui-ci ? C'est qu'on
n'y puise plus d'eau. Pourquoi n'y puise-t-on plus
d'eau ? Parce qu'il est plein de squelettes.

Le dernier qui ait tiré de l'eau de ce puits, se nommait
Guillaume Van Kylsom. C'était un paysan qui habitait
Hougomont et y était jardinier. Le 18 juin 1815, sa
famille prit la fuite et s'alla cacher dans les bois.

La forêt autour de l'abbaye de Villers abrita pendant
plusieurs jours et plusieurs nuits toutes ces malheureuses
populations dispersées. Aujourd'hui encore de certains
vestiges reconnaissables, tels que de vieux troncs d'arbre
brûlés, marquent la place de ces pauvres bivouacs trem-
blants au fond des halliers.

Guillaume Van Kylsom demeura à Hougomont « pour
garder le château » et se blottit dans une cave. Les anglais
l'y découvrirent. On l'arracha de sa cachette, et, à coup de
plat de sabre, les combattants se firent servir par cet
homme effrayé. Ils avaient soif ; ce Guillaume leur portait
à boire. C'est à ce puits qu'il puisait l'eau. Beaucoup
burent là leur dernière gorgée. Ce puits, où burent tant
de morts, devait mourir lui aussi.

Après l'action, on eut une hâte, enterrer les cadavres. La
mort a une façon à elle de harceler la victoire, et elle fait
suivre la gloire par la peste. Le typhus est une annexe du
triomphe. Ce puits était profond, on en fit un sépulcre.

On y jeta trois cents morts. Peut-être avec trop d'empressement. Tous étaient-ils morts ? la légende dit non.
Il paraît que, la nuit qui suivit l'ensevelissement, on
entendit sortir du puits des voix faibles qui appelaient.

Ce puits est isolé au milieu de la cour. Trois murs mi-
partis pierre et brique, repliés comme les feuilles d'un
paravent et simulant une tourelle carrée, l'entourent de
trois côtés. Le quatrième côté est ouvert. C'est par là
qu'on puisait l'eau. Le mur du fond a une façon d'œil-
de-bœuf informe, peut-être un trou d'obus. Cette tourelle avait un plafond dont il ne reste que les poutres. La
ferrure de soutènement du mur de droite dessine une
croix. On se penche et l'œil se perd dans un profond
cylindre de brique qu'emplit un entassement de ténèbres.
Tout autour du puits, le bas des murs disparaît dans les
orties.

Ce puits n'a point pour devanture la large dalle bleue
qui sert de tablier à tous les puits de la Belgique. La
dalle bleue y est remplacée par une traverse à laquelle
s'appuient cinq ou six difformes tronçons de bois noueux

et ankylosés qui ressemblent à de grands ossements. Il n'a plus ni seau, ni chaîne, ni poulie; mais il a encore la cuvette de pierre qui servait de déversoir. L'eau des pluies s'y amasse, et de temps en temps un oiseau des forêts voisines vient y boire et s'envole.

Une maison dans cette ruine, la maison de la ferme, est encore habitée. La porte de cette maison donne sur la cour. A côté d'une jolie plaque de serrure gothique il y a sur cette porte une poignée de fer à trèfles, posée de biais. Au moment où le lieutenant hanovrien Wilda saisissait cette poignée pour se réfugier dans la ferme, un sapeur français lui abattit la main d'un coup de hache.

La famille qui occupe la maison a pour grand-père l'ancien jardinier Van Kylsom, mort depuis longtemps. Une femme en cheveux gris nous dit : — J'étais là. J'avais trois ans. Ma sœur, plus grande, avait peur et pleurait. On nous a emportées dans les bois. J'étais dans les bras de ma mère. On se collait l'oreille à terre pour écouter. Moi, j'imitais le canon, et je faisais *boum, boum*.

Une porte de la cour, à gauche, nous l'avons dit, donne dans le verger.

Le verger est terrible.

Il est en trois parties, on pourrait presque dire en trois actes. La première partie est un jardin, la deuxième est le verger, la troisième est un bois. Ces trois parties ont une enceinte commune, du côté de l'entrée les bâtiments du château et de la ferme, à gauche une haie, à droite un mur, au fond un mur. Le mur de droite est en brique, le mur du fond est en pierre. On entre dans le jardin d'abord. Il est en contre-bas, planté de groseilliers, encombré de végétations sauvages, fermé d'un terrassement monumental en pierre de taille avec balustres à double renflement. C'était un jardin seigneurial dans ce premier style français qui a précédé Le Nôtre; ruine et ronce aujourd'hui. Les pilastres sont surmontés de globes qui semblent des boulets de pierre. On compte encore quarante-trois balustres sur leurs dés; les autres sont couchés dans l'herbe. Presque tous ont des éraflures de mousqueterie. Un balustre brisé est posé sur l'étrave comme une jambe cassée.

C'est dans ce jardin, plus bas que le verger, que six voltigeurs du 1er léger, ayant pénétré là et n'en pouvant plus sortir, pris et traqués comme des ours dans leur fosse, acceptèrent le combat avec deux compagnies hanovriennes, dont une était armée de carabines. Les hanovriens bordaient ces balustres et tiraient d'en haut. Ces voltigeurs, ripostant d'en bas, six contre deux cents, intrépides, n'ayant pour abri que les groseilliers, mirent un quart d'heure à mourir.

On monte quelques marches, et du jardin on passe dans le verger proprement dit. Là, dans ces quelques toises carrées, quinze cents hommes tombèrent en moins d'une heure. Le mur semble prêt à recommencer le combat. Les trente-huit meurtrières percées par les anglais à des hauteurs irrégulières, y sont encore. Devant la seizième sont couchées deux tombes anglaises en granit. Il n'y a de meurtrières qu'au mur sud; l'attaque principale venait de là. Ce mur est caché au-dehors par une grande haie vive; les français arrivèrent, croyant n'avoir affaire qu'à la haie, la franchirent, et trouvèrent le mur, obstacle et embuscade, les gardes anglaises derrière, les trente-huit meurtrières faisant feu à la fois, un orage de mitraille et de balles; et la brigade Soye s'y brisa. Waterloo commença ainsi.

Le verger pourtant fut pris. On n'avait pas d'échelles, les français grimpèrent avec les ongles. On se battit corps à corps sous les arbres. Toute cette herbe a été mouillée de sang. Un bataillon de Nassau, sept cents hommes, fut foudroyé là. Au-dehors le mur, contre lequel furent braquées les deux batteries de Kellermann, est rongé par la mitraille.

Ce verger est sensible comme un autre au mois de mai. Il a ses boutons d'or et ses pâquerettes, l'herbe y est haute, des chevaux de charrue y paissent, des cordes de crin où sèche du linge traversent les intervalles des arbres et font baisser la tête aux passants, on marche dans cette friche et le pied enfonce dans les trous de taupes. Au milieu de l'herbe on remarque un tronc déraciné, gisant, verdissant. Le major Blackman s'y est adossé pour expirer. Sous un grand arbre voisin est tombé le général allemand Duplat, d'une famille française réfugiée à la révocation de l'édit de Nantes. Tout à côté se penche un vieux pommier malade pansé avec un bandage de paille et de terre glaise. Presque tous les pommiers tombent de vieillesse. Il n'y en a pas un qui n'ait sa balle ou son biscaïen. Les squelettes d'arbres morts abondent dans ce verger. Les corbeaux volent dans les branches, au fond il y a un bois plein de violettes.

Bauduin tué, Foy blessé, l'incendie, le massacre, le carnage, un ruisseau fait de sang anglais, de sang alle-

mand et de sang français, furieusement mêlés, un puits
comblé de cadavres, le régiment de Nassau et le régiment
de Brunswick détruits, Duplat tué, Blackman tué, les
gardes anglaises mutilées, vingt bataillons français, sur
les quarante du corps de Reille, décimés, trois mille
hommes, dans cette seule masure de Hougomont, sabrés,
écharpés, égorgés, fusillés, brûlés; et tout cela pour
qu'aujourd'hui un paysan dise à un voyageur : *Monsieur,
donnez-moi trois francs; si vous aimez, je vous expliquerai
la chose de Waterloo!*

III

LE 18 JUIN 1815

Retournons en arrière, c'est un des droits du narrateur, et replaçons-nous en l'année 1815, et même un peu
avant l'époque où commence l'action racontée dans la
première partie de ce livre.

S'il n'avait pas plu dans la nuit du 17 au 18 juin 1815,
l'avenir de l'Europe était changé. Quelques gouttes d'eau
de plus ou de moins ont fait pencher Napoléon. Pour
que Waterloo fût la fin d'Austerlitz, la providence n'a
eu besoin que d'un peu de pluie, et un nuage traversant
le ciel à contre-sens de la saison a suffi pour l'écroulement
d'un monde.

La bataille de Waterloo, et ceci a donné à Blücher
le temps d'arriver, n'a pu commencer qu'à onze heures
et demie. Pourquoi ? Parce que la terre était mouillée. Il
a fallu attendre un peu de raffermissement pour que
l'artillerie pût manœuvrer.

Napoléon était officier d'artillerie et il s'en ressentait.
Tous ses plans de bataille sont faits pour le projectile.
Faire converger l'artillerie sur un point donné, c'était
là sa clef de victoire. Il traitait la stratégie du général
ennemi comme une citadelle, et il la battait en brèche.
Il accablait le point faible de mitraille; il nouait et
dénouait les batailles avec le canon. Il y avait du tir
dans son génie. Enfoncer les carrés, pulvériser les régiments, rompre les lignes, broyer et disperser les masses,
tout pour lui était là, frapper, frapper, frapper sans cesse,

et il confiait cette besogne au boulet. Méthode redoutable, et qui, jointe au génie, a fait invincible pendant quinze ans ce sombre athlète du pugilat de la guerre.

Le 18 juin 1815, il comptait d'autant plus sur l'artillerie qu'il avait pour lui le nombre. Wellington n'avait que cent cinquante-neuf bouches à feu; Napoléon en avait deux cent quarante.

Supposez la terre sèche, l'artillerie pouvant rouler, l'action commençait à six heures du matin. La bataille était gagnée et finie à deux heures, trois heures avant la péripétie prussienne.

Quelle quantité de faute y a-t-il de la part de Napoléon dans la perte de cette bataille ? le naufrage est-il imputable au pilote ?

Le déclin physique évident de Napoléon se compliquait-il à cette époque d'une certaine diminution intérieure ? les vingt ans de guerre avaient-ils usé la lame comme le fourreau, l'âme comme le corps ? le vétéran se faisait-il fâcheusement sentir dans le capitaine ? en un mot, ce génie, comme beaucoup d'historiens considérables l'ont cru, s'éclipsait-il ? entrait-il en frénésie pour se déguiser à lui-même son affaiblissement ? commençait-il à osciller sous l'égarement d'un souffle d'aventure ? devenait-il, chose grave dans un général, inconscient du péril ? dans cette classe de grands hommes matériels qu'on peut appeler les géants de l'action, y a-t-il un âge pour la myopie du génie ? la vieillesse n'a pas de prise sur les génies de l'idéal; pour les Dantes et les Michel-Anges, vieillir, c'est croître; pour les Annibals et les Bonapartes, est-ce décroître? Napoléon avait-il perdu le sens direct de la victoire ? en était-il à ne plus reconnaître l'écueil, à ne plus deviner le piège, à ne plus discerner le bord croulant des abîmes ? manquait-il du flair des catastrophes ? lui qui jadis savait toutes les routes du triomphe et qui, du haut de son char d'éclairs, les indiquait d'un doigt souverain, avait-il maintenant cet ahurissement sinistre de mener aux précipices son tumultueux attelage de légions ? était-il pris, à quarante-six ans, d'une folie suprême ? ce cocher titanique du destin n'était-il plus qu'un immense casse-cou ?

Nous ne le pensons point.

Son plan de bataille était, de l'aveu de tous, un chef-d'œuvre. Aller droit au centre de la ligne alliée, faire un trou dans l'ennemi, le couper en deux, pousser la moitié britannique sur Hal et la moitié prussienne sur Tongres, faire de Wellington et de Blücher deux tronçons, enlever Mont-Saint-Jean, saisir Bruxelles, jeter l'allemand dans le Rhin et l'anglais dans la mer. Tout cela, pour Napoléon, était dans cette bataille. Ensuite on verrait.

Il va sans dire que nous ne prétendons pas faire ici l'histoire de Waterloo; une des scènes génératrices du drame que nous racontons se rattache à cette bataille; mais cette histoire n'est pas notre sujet; cette histoire d'ailleurs est faite, et faite magistralement, à un point de vue par Napoléon, à l'autre point de vue par Charras. Quant à nous, nous laissons les deux historiens aux prises; nous ne sommes qu'un témoin à distance, un passant dans la plaine, un chercheur penché sur cette terre pétrie de chair humaine, prenant peut-être des apparences pour des réalités; nous n'avons pas le droit de tenir tête, au nom de la science, à un ensemble de faits où il y a sans doute du mirage, nous n'avons ni la pratique militaire ni la compétence stratégique qui autorisent un système; selon nous, un enchaînement de hasards domine à Waterloo les deux capitaines; et quand il s'agit du destin, ce mystérieux accusé, nous jugeons comme le peuple, ce juge naïf.

IV

A

Ceux qui veulent se figurer nettement la bataille de Waterloo n'ont qu'à coucher sur le sol par la pensée un A majuscule. Le jambage gauche de l'A est la route de Nivelles, le jambage droit est la route de Genappe, la corde de l'A est le chemin creux d'Ohain à Braine-l'Alleud. Le sommet de l'A est Mont-Saint-Jean, là est Wellington; la pointe gauche inférieure est Hougomont, là est Reille avec Jérôme Bonaparte; la pointe droite inférieure est la Belle-Alliance, là est Napoléon. Un peu au-dessous du point où la corde de l'A rencontre et coupe le jambage droit est la Haie-Sainte. Au milieu de cette corde est le point précis où s'est dit le mot final de la bataille. C'est là qu'on a placé le lion, symbole involontaire du suprême héroïsme de la garde impériale.

Le triangle compris au sommet de l'A entre les deux jambages et la corde, est le plateau de Mont-Saint-Jean. La dispute de ce plateau fut toute la bataille.

Les ailes des deux armées s'étendent à droite et à gauche des deux routes de Genappe et de Nivelles; d'Erlon faisant face à Picton, Reille faisant face à Hill.

Derrière la pointe de l'A, derrière le plateau de Mont-Saint-Jean, est la forêt de Soignes.

Quant à la plaine en elle-même, qu'on se représente un vaste terrain ondulant; chaque pli domine le pli suivant, et toutes les ondulations montent vers Mont-Saint-Jean, et y aboutissent à la forêt.

Deux troupes ennemies sur un champ de bataille sont deux lutteurs. C'est un bras-le-corps. L'une cherche à faire glisser l'autre. On se cramponne à tout; un buisson est un point d'appui; un angle de mur est un épaulement; faute d'une bicoque où s'adosser, un régiment lâche pied; un ravalement de la plaine, un mouvement de terrain, un sentier transversal à propos, un bois, un ravin, peuvent arrêter le talon de ce colosse qu'on appelle une armée et l'empêcher de reculer. Qui sort du champ est battu. De là, pour le chef responsable, la nécessité d'examiner la moindre touffe d'arbres et d'approfondir le moindre relief.

Les deux généraux avaient attentivement étudié la plaine de Mont-Saint-Jean, dite aujourd'hui plaine de Waterloo. Dès l'année précédente, Wellington, avec une sagacité prévoyante, l'avait examinée comme un en-cas de grande bataille. Sur ce terrain et pour ce duel, le 18 juin, Wellington avait le bon côté, Napoléon le mauvais. L'armée anglaise était en haut, l'armée française en bas.

Esquisser ici l'aspect de Napoléon, à cheval, sa lunette à la main, sur la hauteur de Rossomme, à l'aube du 18 juin 1815, cela est presque de trop. Avant qu'on le montre, tout le monde l'a vu. Ce profil calme sous le petit chapeau de l'école de Brienne, cet uniforme vert, le revers blanc cachant la plaque, la redingote cachant les épaulettes, l'angle du cordon rouge sous le gilet, la culotte de peau, le cheval blanc avec sa housse de velours pourpre ayant aux coins des N couronnés et des aigles, les bottes à l'écuyère sur des bas de soie, les éperons d'argent, l'épée de Marengo, toute cette figure du dernier César est debout dans les imaginations, acclamée des uns, sévèrement regardée par les autres.

Cette figure a été longtemps toute dans la lumière; cela tenait à un certain obscurcissement légendaire que la plupart des héros dégagent et qui voile toujours plus ou moins longtemps la vérité; mais aujourd'hui l'histoire et le jour se font.

Cette clarté, l'histoire, est impitoyable; elle a cela d'étrange et de divin que, toute lumière qu'elle est, et précisément parce qu'elle est lumière, elle met souvent de l'ombre là où l'on voyait des rayons; du même homme elle fait deux fantômes différents, et l'un attaque l'autre, et en fait justice, et les ténèbres du despote luttent avec l'éblouissement du capitaine. De là une mesure plus vraie dans l'appréciation définitive des peuples. Babylone violée diminue Alexandre; Rome enchaînée diminue César; Jérusalem tuée diminue Titus. La tyrannie suit le tyran. C'est un malheur pour un homme de laisser derrière lui de la nuit qui a sa forme.

V

LE « QUID OBSCURUM » DES BATAILLES

Tout le monde connaît la première phase de cette bataille; début trouble, incertain, hésitant, menaçant pour les deux armées, mais pour les anglais plus encore que pour les français.

Il avait plu toute la nuit; la terre était défoncée par l'averse; l'eau s'était çà et là amassée dans les creux de la plaine comme dans des cuvettes; sur de certains points les équipages du train en avaient jusqu'à l'essieu; les sous-ventrières des attelages dégouttaient de boue liquide; si les blés et les seigles couchés par cette cohue de charrois en marche n'eussent comblé les ornières et fait litière sous les roues, tout mouvement, particulièrement dans les vallons du côté de Papelotte, eût été impossible.

L'affaire commença tard; Napoléon, nous l'avons expliqué, avait l'habitude de tenir toute l'artillerie dans sa main comme un pistolet, visant tantôt tel point, tantôt tel autre de la bataille, et il avait voulu attendre que les batteries attelées pussent rouler et galoper librement; il fallait pour cela que le soleil parût et séchât le sol. Mais le soleil ne parut pas. Ce n'était plus le rendez-vous d'Austerlitz. Quand le premier coup de canon fut tiré, le général anglais Colville regarda à sa montre et constata qu'il était onze heures trente-cinq minutes.

L'action s'engagea avec furie, plus de furie peut-être que l'empereur n'eût voulu, par l'aile gauche française sur Hougomont. En même temps Napoléon attaqua le centre en précipitant la brigade Quiot sur la Haie-Sainte et Ney poussa l'aile droite française contre l'aile gauche anglaise qui s'appuyait sur Papelotte.

L'attaque sur Hougomont avait quelque simulation; attirer là Wellington, le faire pencher à gauche, tel était le plan. Ce plan eût réussi, si les quatre compagnies des gardes anglaises et les braves belges de la division Perponcher n'eussent solidement gardé la position, et Wellington, au lieu de s'y masser, put se borner à y envoyer pour tout renfort quatre autres compagnies de gardes et un bataillon de Brunswick.

L'attaque de l'aile droite française sur Papelotte était à fond; culbuter la gauche anglaise, couper la route de Bruxelles, barrer le passage aux prussiens possibles, forcer Mont-Saint-Jean, refouler Wellington sur Hougomont, de là sur Braine-l'Alleud, de là sur Hal, rien de plus net. A part quelques incidents, cette attaque réussit. Papelotte fut pris; la Haie-Sainte fut enlevée.

Détail à noter. Il y avait dans l'infanterie anglaise, particulièrement dans la brigade de Kempt, force recrues. Ces jeunes soldats, devant nos redoutables fantassins, furent vaillants; leur inexpérience se tira intrépidement d'affaire; ils firent surtout un excellent service de tirailleurs; le soldat en tirailleur, un peu livré à lui-même, devient pour ainsi dire son propre général; ces recrues montrèrent quelque chose de l'invention et de la furie françaises. Cette infanterie novice eut de la verve. Ceci déplut à Wellington.

Après la prise de la Haie-Sainte, la bataille vacilla.

Il y a dans cette journée, de midi à quatre heures, un intervalle obscur; le milieu de cette bataille est presque indistinct et participe du sombre de la mêlée. Le crépuscule s'y fait. On aperçoit de vastes fluctuations dans cette brume, un mirage vertigineux, l'attirail de guerre d'alors presque inconnu aujourd'hui, les colbacks à flamme, les sabretaches flottantes, les buffleteries croisées, les gibernes

à grenades, les dolmans des hussards, les bottes rouges
à mille plis, les lourds schakos enguirlandés de torsades,
l'infanterie presque noire de Brunswick mêlée à l'infanterie écarlate d'Angleterre, les soldats anglais ayant aux
entournures pour épaulettes de gros bourrelets blancs
circulaires, les chevau-légers hanovriens avec leur casque
de cuir oblong à bandes de cuivre et à crinières de crins
rouges, les écossais aux genous nus et aux plaids qua-
drillés, les grandes guêtres blanches de nos grenadiers;
des tableaux, non des lignes stratégiques; ce qu'il faut à
Salvator Rosa, non ce qu'il faut à Gribeauval.

Une certaine quantité de tempête se mêle toujours à
une bataille. *Quid obscurum, quid divinum.* Chaque historien trace un peu le linéament qui lui plaît dans ces
pêle-mêle. Quelle que soit la combinaison des généraux,
le choc des masses armées a d'incalculables reflux; dans
l'action, les deux plans des deux chefs entrent l'un dans
l'autre et se déforment l'un par l'autre. La ligne de bataille
flotte et serpente comme un fil, les traînées de sang ruis-
sellent illogiquement, les fronts des armées ondoient, les
régiments entrant ou sortant font des caps ou des golfes,
tous ces écueils remuent continuellement les uns devant
les autres; où était l'infanterie, l'artillerie arrive; où
était l'artillerie, accourt la cavalerie; les bataillons sont
des fumées. Il y avait là quelque chose, cherchez, c'est
disparu; les éclaircies se déplacent; les plis sombres
avancent et reculent; une sorte de vent du sépulcre pousse,
refoule, enfle et disperse ces multitudes tragiques. Qu'est-
ce qu'une mêlée? une oscillation. L'immobilité d'un plan
mathématique exprime une minute et non une journée.
Pour peindre une bataille, il faut de ces puissants peintres
qui aient du chaos dans le pinceau; Rembrandt vaut
mieux que Vandermeulen. Vandermeulen, exact à midi,
ment à trois heures. La géométrie trompe : l'ouragan
seul est vrai. C'est ce qui donne à Folard le droit de
contredire Polybe. Ajoutons qu'il y a toujours un certain instant où la bataille dégénère en combat, se parti-
cularise, et s'éparpille en d'innombrables faits de détail
qui, pour emprunter l'expression de Napoléon lui-même,
« appartiennent plutôt à la biographie des régiments qu'à
« l'histoire de l'armée ». L'historien, en ce cas, a le droit
évident de résumé. Il ne peut que saisir les contours
principaux de la lutte, et il n'est donné à aucun narrateur,
si consciencieux qu'il soit, de fixer absolument la forme
de ce nuage horrible qu'on appelle une bataille.

Ceci, qui est vrai de tous les grands chocs armés, est particulièrement applicable à Waterloo.

Toutefois, dans l'après-midi, à un certain moment, la bataille se précisa.

VI

QUATRE HEURES DE L'APRÈS-MIDI

Vers quatre heures, la situation de l'armée anglaise était grave. Le prince d'Orange commandait le centre, Hill l'aile droite, Picton l'aile gauche. Le prince d'Orange, éperdu et intrépide, criait aux hollando-belges : *Nassau ! Brunswick ! jamais en arrière !* Hill, affaibli, venait s'adosser à Wellington. Picton était mort. Dans la même minute où les anglais avaient enlevé aux français le drapeau du 105e de ligne, les français avaient tué aux anglais le général Picton d'une balle à travers la tête. La bataille, pour Wellington, avait deux points d'appui, Hougomont et la Haie-Sainte ; Hougomont tenait encore, mais brûlait ; la Haie-Sainte était prise. Du bataillon allemand qui la défendait, quarante-deux hommes seulement survivaient ; tous les officiers, moins cinq, étaient morts ou pris. Trois mille combattants s'étaient massacrés dans cette grange. Un sergent des gardes anglaises, le premier boxeur de l'Angleterre, réputé par ses compagnons invulnérable, y avait été tué par un petit tambour français. Baring était délogé, Alten était sabré. Plusieurs drapeaux étaient perdus, dont un de la division Alten, et un du bataillon de Lunebourg porté par un prince de la famille de Deux-Ponts. Les écossais gris n'existaient plus ; les gros dragons de Ponsonby étaient hachés. Cette vaillante cavalerie avait plié sous les lanciers de Bro et sous les cuirassiers de Travers ; de douze cents chevaux il en restait six cents ; des trois lieutenants-colonels, deux étaient à terre, Hamilton blessé, Mater tué. Ponsonby était tombé, troué de sept coups de lances. Gordon était mort, Marsh était mort. Deux divisions, la cinquième et la sixième, étaient détruites.

Hougomont entamé, la Haie-Sainte prise, il n'y avait plus qu'un nœud, le centre. Ce nœud-là tenait toujours.

Wellington le renforça. Il y appela Hill qui était à Merbe-Braine, il y appela Chassé qui était à Braine-l'Alleud.

Le centre de l'armée anglaise, un peu concave, très dense et très compacte, était fortement situé. Il occupait le plateau de Mont-Saint-Jean, ayant derrière lui le village et devant lui la pente, assez âpre alors. Il s'adossait à cette forte maison de pierre qui était à cette époque un bien domanial de Nivelles et qui marque l'intersection des routes, masse du seizième siècle si robuste que les boulets y ricochaient sans l'entamer. Tout autour du plateau, les anglais avaient taillé çà et là les haies, fait des embrasures dans les aubépines, mis une gueule de canon entre deux branches, crénelé les buissons. Leur artillerie était en embuscade sous les broussailles. Ce travail punique, incontestablement autorisé par la guerre qui admet le piège, était si bien fait que Haxo envoyé par l'empereur à neuf heures du matin pour reconnaître les batteries ennemies, n'en avait rien vu, et était revenu dire à Napoléon qu'il n'y avait pas d'obstacle, hors les deux barricades barrant les routes de Nivelles et de Genappe. C'était le moment où la moisson est haute; sur la lisière du plateau, un bataillon de la brigade Kempt, le 95e, armé de carabines, était couché dans les grands blés.

Ainsi assuré et contre-butté, le centre de l'armée anglo-hollandaise était en bonne posture.

Le péril de cette position était la forêt de Soignes, alors contiguë au champ de bataille et coupée par les étangs de Groenendael et de Boitsfort. Une armée n'eût pu y reculer sans se dissoudre; les régiments s'y fussent tout de suite désagrégés. L'artillerie s'y fût perdue dans les marais. La retraite, selon l'opinion de plusieurs hommes du métier, contestée par d'autres, il est vrai, eût été là un sauve-qui-peut.

Wellington ajouta à ce centre une brigade de Chassé, ôtée à l'aile droite, et une brigade de Wincke, ôtée à l'aile gauche, plus la division Clinton. A ses anglais, aux régiments de Halkett, à la brigade de Mitchell, aux gardes de Maitland, il donna comme épaulement et contreforts l'infanterie de Brunswick, le contingent de Nassau, les hanovriens de Kielmansegge et les allemands d'Ompteda. Cela lui mit sous la main vingt-six bataillons. *L'aile droite*, comme dit Charras, *fut rabattue derrière le centre*. Une batterie énorme était masquée par des sacs à terre à l'endroit où est aujourd'hui ce qu'on appelle « le musée de Waterloo ». Wellington avait en outre dans un pli de terrain les dragons-gardes de Somerset, quatorze cents chevaux. C'était l'autre moitié de cette cavalerie anglaise, si justement célèbre. Ponsonby détruit, restait Somerset.

La batterie, qui, achevée, eût été presque une redoute, était disposée derrière un mur de jardin très bas, revêtu à la hâte d'une chemise de sacs de sable et d'un large talus de terre. Cet ouvrage n'était pas fini; on n'avait pas eu le temps de le palissader.

Wellington, inquiet, mais impassible, était à cheval, et y demeura toute la journée dans la même attitude, un peu en avant du vieux moulin de Mont-Saint-Jean, qui existe encore, sous un orme qu'un anglais, depuis, vandale enthousiaste, a acheté deux cents francs, scié et emporté. Wellington fut là froidement héroïque. Les boulets pleuvaient. L'aide de camp Gordon venait de tomber à côté de lui. Lord Hill, lui montrant un obus qui éclatait, lui dit : — Mylord, quelles sont vos instructions, et quels ordres nous laissez-vous, si vous vous faites tuer ? — *De faire comme moi*, répondit Wellington. A Clinton, il dit laconiquement : — *Tenir ici jusqu'au dernier homme.* — La journée visiblement tournait mal. Wellington criait à ses anciens compagnons de Talavera, de Vittoria et de Salamanque : — *Boys* (garçons)! *est-ce qu'on peut songer à lâcher pied ? pensez à la vieille Angleterre !*

Vers quatre heures, la ligne anglaise s'ébranla en arrière. Tout à coup on ne vit plus sur la crête du plateau que l'artillerie et les tirailleurs, le reste disparut; les régiments, chassés par les obus et les boulets français, se replièrent dans le fond que coupe encore aujourd'hui le sentier de service de la ferme de Mont-Saint-Jean, un mouvement rétrograde se fit, le front de bataille anglais se déroba, Wellington recula. — Commencement de retraite! cria Napoléon.

VII

NAPOLÉON DE BELLE HUMEUR

L'empereur, quoique malade et gêné à cheval par une souffrance locale, n'avait jamais été de si bonne humeur que ce jour-là. Depuis le matin, son impénétrabilité souriait. Le 18 juin 1815, cett âme profonde, masquée de marbre, rayonnait aveuglément. L'homme qui avait été sombre à Austerlitz fut gai à Waterloo. Les plus grands prédestinés font de ces contre-sens. Nos joies sont de l'ombre. Le suprême sourire est à Dieu.

Ridet Cæsar, Pompeius flebit, disaient les légionnaires de la légion Fulminatrix. Pompée cette fois ne devait pas pleurer, mais il est certain que César riait.

Dès la veille, la nuit, à une heure, explorant à cheval, sous l'orage et sous la pluie, avec Bertrand, les collines qui avoisinent Rossomme, satisfait de voir la longue ligne des feux anglais illuminant tout l'horizon de Frischemont à Braine-l'Alleud, il lui avait semblé que le destin, assigné par lui à jour fixe sur le champ de Waterloo, était exact; il avait arrêté son cheval, et était demeuré quelque temps immobile, regardant les éclairs, écoutant le tonnerre; et on avait entendu ce fataliste jeter dans l'ombre cette parole mystérieuse : « Nous sommes d'accord. » Napoléon se trompait. Ils n'étaient plus d'accord.

Il n'avait pas pris une minute de sommeil; tous les instants de cette nuit-là avaient été marqués pour lui par une joie. Il avait parcouru toute la ligne des grand-gardes, en s'arrêtant çà et là pour parler aux vedettes. A deux heures et demie, près du bois d'Hougomont, il avait entendu le pas d'une colonne en marche; il avait cru un moment à la reculade de Wellington. Il avait dit à Bertrand : *c'est l'arrière-garde anglaise qui s'ébranle pour décamper. Je ferai prisonniers les six mille anglais qui viennent d'arriver à Ostende.* Il causait avec expansion; il avait retrouvé cette verve du débarquement du 1er mars, quand il montrait au grand maréchal le paysan enthou-

siaste du golfe Juan, en s'écriant : — *Eh bien, Bertrand,*
voilà déjà du renfort ! La nuit du 17 au 18 juin, il raillait
Wellington. — *Ce petit anglais a besoin d'une leçon*, disait
Napoléon. La pluie redoublait; il tonnait pendant que
l'empereur parlait.

À trois heures et demie du matin, il avait perdu une
illusion; des officiers envoyés en reconnaissance lui
avaient annoncé que l'ennemi ne faisait aucun mouvement. Rien ne bougeait; pas un feu de bivouac n'était
éteint. L'armée anglaise dormait. Le silence était profond sur la terre; il n'y avait de bruit que dans le ciel. À
quatre heures, un paysan lui avait été amené par les
coureurs; ce paysan avait servi de guide à une brigade
de cavalerie anglaise, probablement la brigade Vivian,
qui allait prendre position au village d'Ohain, à l'extrême
gauche. À cinq heures, deux déserteurs belges lui avaient
rapporté qu'ils venaient de quitter leur régiment, et que
l'armée anglaise attendait la bataille. — *Tant mieux !*
s'était écrié Napoléon. *J'aime encore mieux les culbuter*
que les refouler.

Le matin, sur la berge qui fait l'angle du chemin de
Plancenoit, il avait mis pied à terre dans la boue, s'était
fait apporter de la ferme de Rossomme une table de cuisine et une chaise de paysan, s'était assis, avec une botte
de paille pour tapis, et avait déployé sur la table la carte
du champ de bataille, en disant à Soult : *Joli échiquier !*

Par suite des pluies de la nuit, les convois de vivres,
empêtrés dans des routes défoncées, n'avaient pu arriver
le matin, le soldat n'avait pas dormi, était mouillé et
était à jeun, cela n'avait pas empêché Napoléon de crier
allégrement à Ney : *Nous avons quatre-vingt-dix chances*
sur cent. À huit heures, on avait apporté le déjeuner de
l'empereur. Il y avait invité plusieurs généraux. Tout en
déjeunant, on avait raconté que Wellington était l'avant-
veille au bal à Bruxelles, chez la duchesse de Somerset,
et Soult, rude homme de guerre avec sa figure d'archevêque, avait dit : *le bal, c'est aujourd'hui.* L'empereur avait
plaisanté Ney qui disait : *Wellington ne sera pas assez*
simple pour attendre votre majesté. C'était là d'ailleurs sa
manière. *Il badinait volontiers*, dit Fleury de Chaboulon.
Le fond de son caractère était une humeur enjouée, dit
Gourgaud. *Il abondait en plaisanteries, plutôt bizarres que*
spirituelles, dit Benjamin Constant. Ces gaîtés de géant
valent la peine qu'on y insiste. C'est lui qui avait appelé
ses grenadiers « les grognards; » il leur pinçait l'oreille, il

leur tirait la moustache. *L'empereur ne faisait que nous faire des niches;* ceci est un mot de l'un d'eux. Pendant le mystérieux trajet de l'île d'Elbe en France, le 27 février, en pleine mer, le brick de guerre français le *Zéphir* ayant rencontré le brick *Inconstant* où Napoléon était caché et ayant demandé à l'*Inconstant* des nouvelles de Napoléon, l'empereur, qui avait encore en ce moment-là à son chapeau la cocarde blanche et amaranthe semée d'abeilles, adoptée par lui à l'île d'Elbe, avait pris en riant le porte-voix et avait répondu lui-même : *l'empereur se porte bien*. Qui rit de la sorte est en familiarité avec les événements. Napoléon avait eu plusieurs accès de ce rire pendant le déjeuner de Waterloo. Après le déjeuner il s'était recueilli un quart d'heure, puis deux généraux s'étaient assis sur la botte de paille, une plume à la main, une feuille de papier sur le genou, et l'empereur leur avait dicté l'ordre de bataille.

A neuf heures, à l'instant où l'armée française échelonnée et mise en mouvement sur cinq colonnes, s'était déployée, les divisions sur deux lignes, l'artillerie entre les brigades, musique en tête, battant aux champs, avec les roulements des tambours et les sonneries des trompettes, puissante, vaste, joyeuse, mer de casques, de sabres et de baïonnettes sur l'horizon, l'empereur, ému, s'était écrié à deux reprises : magnifique! magnifique!

De neuf heures à dix heures et demie, toute l'armée, ce qui semble incroyable, avait pris position et s'était rangée sur six lignes, formant, pour répéter l'expression de l'empereur, « la figure de six V ». Quelques instants après la formation du front en bataille, au milieu de ce profond silence de commencement d'orage qui précède les mêlées, voyant défiler les trois batteries de douze, détachées sur son ordre des trois corps de d'Erlon, de Reille et de Lobau, et destinées à commencer l'action en battant Mont-Saint-Jean où est l'intersection des routes de Nivelles et de Genappe, l'empereur avait frappé sur l'épaule de Haxo en lui disant : *Voilà vingt-quatre belles filles, général.*

Sûr de l'issue, il avait encouragé d'un sourire, à son passage devant lui, la compagnie de sapeurs du premier corps, désignée par lui pour se barricader dans Mont-Saint-Jean, sitôt le village enlevé. Toute cette sérénité n'avait été traversée que par un mot de pitié hautaine; en voyant à sa gauche, à un endroit où il y a aujourd'hui une grande tombe, se masser avec leurs chevaux superbes, ces admirables écossais gris, il avait dit : *C'est dommage.*

Puis il était monté à cheval, s'était porté en avant de Rossomme, et avait choisi pour observatoire une étroite croupe de gazon à droite de la route de Genappe à Bruxelles, qui fut sa seconde station pendant la bataille. La troisième station, celle de sept heures du soir, entre la Belle-Alliance et la Haie-Sainte, est redoutable; c'est un tertre assez élevé qui existe encore et derrière lequel la garde était massée dans une déclivité de la plaine. Autour de ce tertre, les boulets ricochaient sur le pavé de la chaussée jusqu'à Napoléon. Comme à Brienne, il avait sur sa tête le sifflement des balles et des biscaïens. On a ramassé, presque à l'endroit où étaient les pieds de son cheval, des boulets vermoulus, de vieilles lames de sabre et des projectiles informes, mangés de rouille. *Scabrâ rubigine.* Il y a quelques années, on y a déterré un obus de soixante, encore chargé, dont la fusée s'était brisée au ras de la bombe. C'est à cette dernière station que l'empereur disait à son guide Lacoste, paysan hostile, effaré, attaché à la selle d'un hussard, se retournant à chaque paquet de mitraille, et tâchant de se cacher derrière Napoléon : — *Imbécile, c'est honteux. Tu vas te faire tuer dans le dos.* Celui qui écrit ces lignes a trouvé lui-même dans le talus friable de ce tertre, en creusant le sable, les restes du col d'une bombe, désagrégés par l'oxyde de quarante-six années, et de vieux tronçons de fer qui cassaient comme des bâtons de sureau entre ses doigts.

Les ondulations des plaines diversement inclinées où eut lieu la rencontre de Napoléon et de Wellington ne sont plus, personne ne l'ignore, ce qu'elles étaient le 18 juin 1815. En prenant à ce champ funèbre de quoi lui faire un monument, on lui a ôté son relief réel, et l'histoire, déconcertée, ne s'y reconnaît plus. Pour le glorifier, on l'a défiguré. Wellington, deux ans après, revoyant Waterloo, s'est écrié : *On m'a changé mon champ de bataille.* Là où est aujourd'hui la grosse pyramide de terre surmontée du lion, il y avait une crête qui vers la route de Nivelles s'abaissait en rampe praticable, mais qui du côté de la chaussée de Genappe était presque un escarpement. L'élévation de cet escarpement peut encore être mesurée aujourd'hui par la hauteur des deux tertres des deux grandes sépultures qui encaissent la route de Genappe à Bruxelles : l'une le tombeau anglais, à gauche; l'autre le tombeau allemand, à droite. Il n'y a point de tombeau français. Pour la France, toute cette plaine est sépulcre. Grâce aux mille et mille charretées de terre employées à la butte de cent cinquante pieds de haut et d'un demi-mille de circuit, le plateau de Mont-Saint-Jean est aujourd'hui accessible en pente douce; le jour de la bataille, surtout du côté de la Haie-Sainte, il était d'un abord âpre et abrupt. Le versant là était si incliné que les canons anglais ne voyaient pas au-dessous d'eux la ferme située au fond du vallon, centre du combat. Le 18 juin 1815, les pluies avaient encore raviné cette raideur, la fange compliquait la montée, et non seulement on gravissait, mais on s'embourbait. Le long de la crête du plateau courait une sorte de fossé impossible à deviner pour un observateur lointain.

Qu'était-ce que ce fossé? disons-le. Braine-l'Alleud est un village de Belgique, Ohain en est un autre. Ces villages, cachés tous les deux dans des courbes de terrain, sont joints par un chemin d'une lieue et demie environ qui traverse une plaine à niveau ondulant, et souvent entre et s'enfonce dans des collines comme un sillon, ce qui fait que sur divers points cette route est un ravin. En 1815, comme aujourd'hui, cette route coupait la crête du plateau de Mont-Saint-Jean entre les deux chaussées de Genappe et de Nivelles; seulement, elle est aujourd'hui de plain-pied avec la plaine; elle était alors chemin creux. On lui a pris ses deux talus pour la butte monument. Cette route était et est encore une tranchée dans la plus grande partie de son parcours; tranchée creuse quelquefois d'une douzaine de pieds et dont les talus trop escarpés s'écroulaient çà et là, surtout en hiver, sous les averses. Des accidents y arrivaient. La route était si étroite à l'entrée de Braine-l'Alleud qu'un passant y avait été broyé par un chariot, comme le constate une croix de pierre debout près du cimetière qui donne le nom du mort, *Monsieur Bernard Debrye, marchand à Bruxelles*, et la date de l'accident, *février* 1637[1].

---

1. Voici l'inscription :

D O M
CY A ÉTÉ ÉCRASÉ
PAR MALHEUR
SOUS UN CHARIOT
MONSIEUR BERNARD
DE BRYE MARCHAND
A BRUXELLE LE (illisible)
FEBVRIER 1637

Elle était si profonde sur le plateau de Mont-Saint-Jean
qu'un paysan, Mathieu Nicaise, y avait été écrasé en 1783
par un éboulement du talus, comme le constatait une
autre croix de pierre dont le faîte a disparu dans les
défrichements, mais dont le piédestal renversé est encore
visible aujourd'hui sur la pente du gazon à gauche de la
chaussée entre la Haie-Sainte et la ferme de Mont-Saint-
Jean.

Un jour de bataille, ce chemin creux dont rien n'aver-
tissait, bordant la crête de Mont-Saint-Jean, fossé au
sommet de l'escarpement, ornière cachée dans les terres,
était invisible, c'est-à-dire terrible.

VIII

L'EMPEREUR FAIT UNE QUESTION AU GUIDE LACOSTE

Donc, le matin de Waterloo, Napoléon était content.

Il avait raison; le plan de bataille, conçu par lui, nous
l'avons constaté, était en effet admirable.

Une fois la bataille engagée, ses péripéties très diverses,
la résistance d'Hougomont, la ténacité de la Haie-Sainte,
Bauduin tué, Foy mis hors de combat, la muraille inattendue où s'était brisée la brigade Soye, l'étourderie
fatale de Guilleminot n'ayant ni pétards ni sacs à poudre;
l'embourbement des batteries, les quinze pièces sans
escorte culbutées par Uxbridge dans un chemin creux,
le peu d'effet des bombes tombant dans les lignes
anglaises, s'y enfouissant dans le sol détrempé par les
pluies et ne réussissant qu'à y faire des volcans de boue,
de sorte que la mitraille se changeait en éclaboussure,
l'inutilité de la démonstration de Piré sur Braine-l'Alleud, toute cette cavalerie, quinze escadrons, à peu près
annulée, l'aile droite anglaise mal inquiétée, l'aile gauche
mal entamée, l'étrange malentendu de Ney massant, au
lieu de les échelonner, les quatre divisions du premier
corps, des épaisseurs de vingt-sept rangs et des fronts de
deux cents hommes livrés de la sorte à la mitraille,
l'effrayante trouée des boulets dans ces masses, les

colonnes d'attaque désunies, la batterie d'écharpe brusquement démasquée sur leur flanc, Bourgeois, Donzelot
et Durutte compromis, Quiot repoussé, le lieutenant
Vieux, cet hercule sorti de l'école polytechnique, blessé
au moment où il enfonçait à coups de hache la porte de
la Haie-Sainte sous le feu plongeant de la barricade
anglaise barrant le coude de la route de Genappe à
Bruxelles, la division Marcognet, prise entre l'infanterie et la cavalerie, fusillée à bout portant dans les blés
par Best et Pack, sabrée par Ponsonby; sa batterie de
sept pièces enclouée; le prince de Saxe-Weymar, tenant
et gardant, malgré le comte d'Erlon, Frischemont et
Smohain, le drapeau du 105e pris, le drapeau du 45e pris,
ce hussard noir prussien arrêté par les coureurs de la
colonne volante de trois cents chasseurs battant l'estrade
entre Wavre et Plancenoit, les choses inquiétantes que
ce prisonnier avait dites, le retard de Grouchy, les quinze
cents hommes tués en moins d'une heure dans le verger
d'Hougomont, les dix-huit cents hommes couchés en
moins de temps encore autour de la Haie-Sainte; tous
ces incidents orageux, passant comme les nuées de la
bataille devant Napoléon, avaient à peine troublé son
regard et n'avaient point assombri cette face impériale
de la certitude. Napoléon était habitué à regarder la
guerre fixement; il ne faisait jamais chiffre à chiffre l'ad-
dition poignante du détail; les chiffres lui importaient
peu, pourvu qu'ils donnassent ce total : Victoire; que
les commencements · s'égarassent, il ne s'en alarmait
point, lui qui se croyait maître et possesseur de la fin;
il savait attendre, se supposant hors de question, et il
traitait le destin d'égal à égal. Il paraissait dire au sort :
tu n'oseras pas.

Mi-parti lumière et ombre, Napoléon se sentait protégé dans le bien et toléré dans le mal. Il avait, ou croyait
avoir pour lui, une connivence, on pourrait presque dire
une complicité des événements, équivalente à l'antique
invulnérabilité.

Pourtant, quand on a derrière soi la Bérésina, Leip-
sick et Fontainebleau, il semble qu'on pourrait se défier
de Waterloo. Un mystérieux froncement de sourcil
devient visible au fond du ciel.

Au moment où Wellington rétrograda, Napoléon tressaillit. Il vit subitement le plateau de Mont-Saint-Jean
se dégarnir et le front de l'armée anglaise disparaître.
Elle se ralliait, mais se dérobait. L'empereur se souleva

à demi sur ses étriers. L'éclair de la victoire passa dans
ses yeux.

Wellington, acculé à la forêt de Soignes et détruit,
c'était le terrassement définitif de l'Angleterre par la
France; c'était Crécy, Poitiers, Malplaquet et Ramillies
vengés. L'homme de Marengo raturait Azincourt.

L'empereur alors, méditant la péripétie terrible, promena une dernière fois sa lunette sur tous les points du
champ de bataille. Sa garde, l'arme au pied derrière lui,
l'observait d'en bas avec une sorte de religion. Il songeait;
il examinait les versants, notait les pentes, scrutait le
bouquet d'arbres, le carré de seigles, le sentier; il semblait
compter chaque buisson. Il regarda avec quelque fixité
les barricades anglaises des deux chaussées, deux larges
abattis d'arbres, celle de la chaussée de Genappe au-
dessus de la Haie-Sainte, armée de deux canons, les seuls
de toute l'artillerie anglaise qui vissent le fond du champ
de bataille, et celle de la chaussée de Nivelles où étin-
celaient les baïonnettes hollandaises de la brigade
Chassé. Il remarqua près de cette barricade la vieille
chapelle de Saint-Nicolas peinte en blanc qui est à l'angle
de la traverse vers Braine-l'Alleud. Il se pencha et parla
à demi-voix au guide Lacoste. Le guide fit un signe de
tête négatif, probablement perfide.

L'empereur se redressa et se recueillit.

Wellington avait reculé.

Il ne restait plus qu'à achever ce recul par un écrasement.

Napoléon, se retournant brusquement, expédia une
estafette à franc étrier à Paris pour y annoncer que la
bataille était gagnée.

Napoléon était un de ces génies d'où sort le tonnerre.

Il venait de trouver son coup de foudre.

Il donna l'ordre aux cuirassiers de Milhaud d'enlever
le plateau de Mont-Saint-Jean.

IX

L'INATTENDU

Ils étaient trois mille cinq cents. Ils faisaient un front d'un quart de lieue. C'étaient des hommes géants sur des chevaux colosses. Ils étaient vingt-six escadrons; et ils avaient derrière eux, pour les appuyer, la division de Lefebvre Desnouettes, les cent six gendarmes d'élite, les chasseurs de la garde, onze cent quatre-vingt-dix-sept hommes, et les lanciers de la garde, huit cent quatre-vingts lances. Ils portaient le casque sans crins et la cuirasse de fer battu, avec les pistolets d'arçon dans les fontes et le long sabre-épée. Le matin toute l'armée les avait admirés, quand, à neuf heures, les clairons sonnant, toutes les musiques chantant : *Veillons au salut de l'empire*, ils étaient venus, colonne épaisse, une de leurs batteries à leur flanc, l'autre à leur centre, se déployer sur deux rangs entre la chaussée de Genappe et Frischemont, et prendre leur place de bataille dans cette puissante deuxième ligne, si savamment composée par Napoléon, laquelle, ayant à son extrémité de gauche les cuirassiers de Kellermann et à son extrémité de droite, les cuirassiers de Milhaud, avait, pour ainsi dire, deux ailes de fer.

L'aide de camp Bernard leur porta l'ordre de l'empereur. Ney tira son épée et prit la tête. Les escadrons énormes s'ébranlèrent.

Alors on vit un spectacle formidable.

Toute cette cavalerie, sabres levés, étendards et trompettes au vent, formée en colonnes par division, descendit, d'un même mouvement et comme un seul homme, avec la précision d'un bélier de bronze qui ouvre une brèche, la colline de la Belle-Alliance, s'enfonça dans le fond redoutable où tant d'hommes déjà étaient tombés, y disparut dans la fumée, puis, sortant de cette ombre, reparut de l'autre côté du vallon, toujours compacte et serrée, montant au grand trot, à travers un nuage de mitraille crevant sur elle, l'épouvantable pente de boue du plateau de Mont-Saint-Jean. Ils montaient, graves, menaçants, imperturbables ; dans les intervalles de la mousqueterie et de l'artillerie, on entendait ce piétinement colossal. Etant deux divisions, ils étaient deux colonnes ; la division Wathier avait la droite, la division Delord avait la gauche. On croyait voir de loin s'allonger vers la crête du plateau deux immenses couleuvres d'acier. Cela traversa la bataille comme un prodige.

Rien de semblable ne s'était vu depuis la prise de la grande redoute de la Moskowa par la grosse cavalerie ; Murat y manquait, mais Ney s'y retrouvait. Il semblait que cette masse était devenue monstre et n'eût qu'une âme. Chaque escadron ondulait et se gonflait comme un anneau du polype. On les apercevait à travers une vaste fumée déchirée çà et là. Pêle-mêle de casques, de cris, de sabres, bondissement orageux des croupes des chevaux dans le canon et la fanfare, tumulte discipliné et terrible ; là-dessus les cuirasses, comme les écailles sur l'hydre.

Ces récits semblent d'un autre âge. Quelque chose de pareil à cette vision apparaissait sans doute dans les vieilles épopées orphiques racontant les hommes-chevaux, les antiques hippanthropes, ces titans à face humaine et à poitrail équestre dont le galop escalada l'Olympe, horribles, invulnérables, sublimes ; dieux et bêtes.

Bizarre coïncidence numérique, vingt-six bataillons allaient recevoir ces vingt-six escadrons. Derrière la crête du plateau, à l'ombre de la batterie masquée, l'infanterie anglaise, formée en treize carrés, deux bataillons par carré, et sur deux lignes, sept sur la première, six sur la seconde, la crosse à l'épaule, couchant en joue ce qui allait venir, calme, muette, immobile, attendait. Elle ne voyait pas les cuirassiers et les cuirassiers ne la voyaient pas. Elle écoutait monter cette marée d'hommes. Elle entendait le grossissement du bruit des trois mille chevaux, le frappement alternatif et symétrique des sabots au grand trot, le froissement des cuirasses, le cliquetis des sabres, et une sorte de grand souffle farouche. Il y eut un silence redoutable, puis, subitement, une longue file de bras levés brandissant des sabres apparut au-dessus de la crête, et les casques, et les trompettes et les étendards, et trois mille têtes à moustaches grises criant : vive l'empereur ! Toute cette cavalerie déboucha sur le plateau, et ce fut comme l'entrée d'un tremblement de terre.

Tout à coup, chose tragique, à la gauche des anglais, à notre droite, la tête de colonne des cuirassiers se cabra

avec une clameur effroyable. Parvenus au point culminant de la crête, effrénés, tout à leur furie et à leur
course d'extermination sur les carrés et les canons, les
cuirassiers venaient d'apercevoir entre eux et les anglais
un fossé, une fosse. C'était le chemin creux d'Ohain.

L'instant fut épouvantable. Le ravin était là, inattendu,
béant, à pic sous les pieds des chevaux, profond de deux
toises entre son double talus; le second rang y poussa le
premier, et le troisième y poussa le second; les chevaux
se dressaient, se rejetaient en arrière, tombaient sur la
croupe, glissaient les quatre pieds en l'air, pilant et bou-
leversant les cavaliers, aucun moyen de reculer, toute la
colonne n'était plus qu'un projectile, la force acquise pour
écraser les anglais écrasa les français, le ravin inexorable
ne pouvait se rendre que comblé; cavaliers et chevaux y
roulèrent pêle-mêle se broyant les uns les autres, ne faisant qu'une chair dans ce gouffre, et quand cette fosse
fut pleine d'hommes vivants, on marcha dessus et le
reste passa. Presque un tiers de la brigade Dubois croula
dans cet abîme.

Ceci commença la perte de la bataille.

Une tradition locale, qui exagère évidemment, dit que
deux mille chevaux et quinze cents hommes furent ense-
velis dans le chemin creux d'Ohain. Ce chiffre probablement comprend tous les autres cadavres qu'on jeta
dans ce ravin le lendemain du combat.

Napoléon, avant d'ordonner cette charge des cuirassiers de Milhaud, avait scruté le terrain, mais n'avait pu
voir ce chemin creux qui ne faisait pas même une ride
à la surface du plateau. Averti pourtant et mis en éveil
par la petite chapelle blanche qui en marque l'angle sur la
chaussée de Nivelles, il avait fait, probablement sur
l'éventualité d'un obstacle, une question au guide Lacoste.
Le guide avait répondu non. On pourrait presque dire
que de ce signe de tête d'un paysan est sortie la catastrophe de Napoléon.

D'autres fatalités encore devaient surgir.

Etait-il possible que Napoléon gagnât cette bataille?
nous répondons non. Pourquoi? à cause de Wellington?
à cause de Blücher? non. A cause de Dieu.

Bonaparte vainqueur à Waterloo, ceci n'était plus dans
la loi du dix-neuvième siècle. Une autre série de faits se
préparait, où Napoléon n'avait plus de place. La mauvaise
volonté des événements s'était annoncée de longue date.

Il était temps que cet homme vaste tombât.

L'excessive pesanteur de cet homme dans la destinée humaine troublait l'équilibre. Cet individu comptait à lui seul plus que le groupe universel. Ces pléthores de toute la vitalité humaine concentrée dans une seule tête, le monde montant au cerveau d'un homme, cela serait mortel à la civilisation, si cela durait. Le moment était venu pour l'incorruptible équité suprême d'aviser. Probablement les principes et les éléments, d'où dépendent les gravitations régulières dans l'ordre moral comme dans l'ordre matériel, se plaignaient. Le sang qui fume, le trop-plein des cimetières, les mères en larmes, ce sont des plaidoyers redoutables. Il y a, quand la terre souffre d'une surcharge, de mystérieux gémissements de l'ombre, que l'abîme entend.

Napoléon avait été dénoncé dans l'infini, et sa chute était décidée.

Il gênait Dieu.

Waterloo n'est point une bataille; c'est le changement de front de l'univers.

X

LE PLATEAU DE MONT-SAINT-JEAN

En même temps que le ravin, la batterie s'était démasquée.

Soixante canons et les treize carrés foudroyèrent les cuirassiers à bout portant. L'intrépide général Delord fit le salut militaire à la batterie anglaise.

Toute l'artillerie volante anglaise était rentrée au galop dans les carrés. Les cuirassiers n'eurent pas même un temps d'arrêt. Le désastre du chemin creux les avait décimés, mais non découragés. C'étaient de ces hommes qui, diminués de nombre, grandissent de cœur.

La colonne Wathier seule avait souffert du désastre; la colonne Delord, que Ney avait fait obliquer à gauche, comme s'il pressentait l'embûche, était arrivée entière.

Les cuirassiers se ruèrent sur les carrés anglais.

Ventre à terre, brides lâchées, sabre aux dents, pistolets au poing, telle fut l'attaque.

Il y a des moments dans les batailles où l'âme durcit

l'homme jusqu'à changer le soldat en statue, et où toute cette chair se fait granit. Les bataillons anglais, éperdument assaillis, ne bougèrent pas.

Alors ce fut effrayant.

Toutes les faces des carrés anglais furent attaquées à la fois. Un tournoiement frénétique les enveloppa. Cette froide infanterie demeura impassible. Le premier rang, genou en terre, recevait les cuirassiers sur les baïonnettes, le second rang les fusillait; derrière le second rang les canonniers chargeaient les pièces, le front du carré s'ouvrait, laissait passer une éruption de mitraille et se refermait. Les cuirassiers répondaient par l'écrasement. Leurs grands chevaux se cabraient, enjambaient les rangs, sautaient par-dessus les baïonnettes et tombaient, gigantesques, au milieu de ces quatre murs vivants. Les boulets faisaient des trouées dans les cuirassiers, les cuirassiers faisaient des brèches dans les carrés. Des files d'hommes disparaissaient broyées sous les chevaux. Les baïonnettes s'enfonçaient dans les ventres de ces centaures. De là une difformité de blessures qu'on n'a pas vue peut-être ailleurs. Les carrés rongés par cette cavalerie forcenée, se rétrécissaient sans broncher. Inépuisables en mitraille, ils faisaient explosion au milieu des assaillants. La figure de ce combat était monstrueuse. Ces carrés n'étaient plus des bataillons, c'étaient des cratères; ces cuirassiers n'étaient plus une cavalerie, c'était une tempête. Chaque carré était un volcan attaqué par un nuage; la lave combattait la foudre.

Le carré extrême de droite, le plus exposé de tous, étant en l'air, fut presque anéanti dès les premiers chocs. Il était formé du 75ᵉ régiment de highlanders. Le joueur de cornemuse au centre, pendant qu'on s'exterminait autour de lui, baissant dans une inattention profonde son œil mélancolique plein du reflet des forêts et des lacs, assis sur un tambour, son pibroch sous le bras, jouait les airs de la montagne. Ces écossais mouraient en pensant au Ben Lothian comme les grecs en se souvenant d'Argos. Le sabre d'un cuirassier, abattant le pibroch et le bras qui le portait, fit cesser le chant en tuant le chanteur.

Les cuirassiers, relativement peu nombreux, amoindris par la catastrophe du ravin, avaient là contre eux presque toute l'armée anglaise, mais ils se multipliaient, chaque homme valant dix. Cependant quelques bataillons hanovriens plièrent. Wellington le vit, et songea à sa cavalerie. Si Napoléon, en ce moment-là même, eût songé à son infanterie, il eût gagné la bataille. Cet oubli fut sa grande faute fatale.

Tout à coup les cuirassiers assaillants se sentirent assaillis. La cavalerie anglaise était sur leur dos. Devant eux les carrés, derrière eux Somerset; Somerset, c'étaient les quatorze cents dragons-gardes. Somerset avait à sa droite Dornberg avec les chevau-légers allemands, et à sa gauche Trip avec les carabiniers belges; les cuirassiers, attaqués en flanc et en tête, en avant et en arrière, par l'infanterie et par la cavalerie, durent faire face de tous les côtés. Que leur importait? Ils étaient tourbillon. La bravoure devint inexprimable.

En outre, ils avaient derrière eux la batterie toujours tonnante. Il fallait cela, pour que ces hommes fussent blessés dans le dos. Une de leurs cuirasses, trouée à l'omoplate gauche d'un biscaïen, est dans la collection du musée de Waterloo.

Pour de tels français, il ne fallait pas moins que de tels anglais.

Ce ne fut plus une mêlée, ce fut une ombre, une furie, un vertigineux emportement d'âmes et de courages, un ouragan d'épées-éclairs. En un instant les quatorze cents dragons-gardes ne furent plus que huit cents; Fuller, leur lieutenant-colonel, tomba mort. Ney accourut avec les lanciers et les chasseurs de Lefebvre-Desnouettes. Le plateau de Mont-Saint-Jean fut pris, repris, pris encore. Les cuirassiers quittaient la cavalerie pour retourner à l'infanterie, ou, pour mieux dire, toute cette cohue formidable se colletait sans que l'un lâchât l'autre. Les carrés tenaient toujours. Il y eut douze assauts. Ney eut quatre chevaux tués sous lui. La moitié des cuirassiers resta sur le plateau. Cette lutte dura deux heures.

L'armée anglaise en fut profondément ébranlée. Nul doute que, s'ils n'eussent été affaiblis dans leur premier choc par le désastre du chemin creux, les cuirassiers n'eussent culbuté le centre et décidé la victoire. Cette cavalerie extraordinaire pétrifia Clinton qui avait vu Talavera et Badajoz. Wellington, aux trois quarts vaincu, admirait héroïquement. Il disait à demi-voix: sublime[1]!

Les cuirassiers anéantirent sept carrés sur treize, prirent ou enclouèrent soixante pièces de canon, et enle-

---

1. *Splendid!* mot textuel.

vèrent aux régiments anglais six drapeaux, que trois cuirassiers et trois chasseurs de la garde allèrent porter à
l'empereur devant la ferme de la Belle-Alliance.

La situation de Wellington avait empiré. Cette étrange
bataille était comme un duel entre deux blessés acharnés
qui, chacun de leur côté, tout en combattant et en se
résistant toujours, perdent tout leur sang. Lequel des
deux tombera le premier ?

La lutte du plateau continuait.

Jusqu'où sont allés les cuirassiers ? personne ne saurait
le dire. Ce qui est certain, c'est que le lendemain de la
bataille, un cuirassier et son cheval furent trouvés morts
dans la charpente de la bascule du pesage des voitures
à Mont-Saint-Jean, au point même où s'entre-coupent
et se rencontrent les quatre routes de Nivelles, de
Genappe, de La Hulpe et de Bruxelles. Ce cavalier avait
percé les lignes anglaises. Un des hommes qui ont
relevé ce cadavre vit encore à Mont-Saint-Jean. Il se
nomme Dehaze. Il avait alors dix-huit ans.

Wellington se sentait pencher. La crise était proche.

Les cuirassiers n'avaient point réussi, en ce sens que
le centre n'était pas enfoncé. Tout le monde ayant le
plateau, personne ne l'avait, et en somme il restait pour
la plus grande part aux anglais. Wellington avait le village et la plaine culminante; Ney n'avait que la crête et
la pente. Des deux côtés on semblait enraciné dans ce
sol funèbre.

Mais l'affaiblissement des anglais paraissait irrémédiable. L'hémorragie de cette armée était horrible.
Kempt, à l'aile gauche, réclamait du renfort. — *Il n'y
en a pas*, répondait Wellington, *qu'il se fasse tuer !* —
Presque à la même minute, rapprochement singulier qui
peint l'épuisement des deux armées, Ney demandait de
l'infanterie à Napoléon, et Napoléon s'écriait : *De l'infanterie ! où veut-il que j'en prenne ? Veut-il que j'en fasse ?*

Pourtant l'armée anglaise était la plus malade. Les
poussées furieuses de ces grands escadrons à cuirasses
de fer et à poitrines d'acier avaient broyé l'infanterie.
Quelques hommes autour d'un drapeau marquaient la
place d'un régiment, tel bataillon n'était plus commandé
que par un capitaine ou par un lieutenant; la division
Alten, déjà si maltraitée à la Haie-Sainte, était presque
détruite; les intrépides belges de la brigade Van Kluze
jonchaient les seigles le long de la route de Nivelles; il
ne restait presque rien de ces grenadiers hollandais qui,

en 1811, mêlés en Espagne à nos rangs, combattaient Wellington, et qui, en 1815, ralliés aux anglais, combattaient Napoléon. La perte en officiers était considérable. Lord Uxbridge, qui le lendemain fit enterrer sa jambe, avait le genou fracassé. Si, du côté des français, dans cette lutte des cuirassiers, Delord, l'Héritier, Colbert, Dnop, Travers et Blancard, étaient hors de combat, du côté des anglais, Alten était blessé, Barne était blessé, Delancey était tué, Van Meeren était tué, Ompteda était tué, tout l'état-major de Wellington était décimé, et l'Angleterre avait le pire partage dans ce sanglant équilibre. Le 2ᵉ régiment des gardes à pied avait perdu cinq lieutenants-colonels, quatre capitaines et trois enseignes; le premier bataillon du 30ᵉ d'infanterie avait perdu vingt-quatre officiers et cent douze soldats; le 79ᵉ montagnards avait vingt-quatre officiers blessés, dix-huit officiers morts, quatre cent cinquante soldats tués. Les hussards hanovriens de Cumberland, un régiment tout entier, ayant à sa tête son colonel Hacke, qui devait plus tard être jugé et cassé, avaient tourné bride devant la mêlée et étaient en fuite dans la forêt de Soignes, semant la déroute jusqu'à Bruxelles. Les charrois, les prolonges, les bagages, les fourgons pleins de blessés, voyant les français gagner du terrain et s'approcher de la forêt, s'y précipitaient; les hollandais, sabrés par la cavalerie française, criaient : alarme! De Vert-Coucou jusqu'à Groenendael, sur une longueur de près de deux lieues dans la direction de Bruxelles, il y avait, au dire des témoins qui existent encore, un encombrement de fuyards. Cette panique fut telle qu'elle gagna le prince de Condé à Malines et Louis XVIII à Gand. À l'exception de la faible réserve échelonnée derrière l'ambulance établie dans la ferme de Mont-Saint-Jean et des brigades Vivian et Vandeleur qui flanquaient l'aile gauche, Wellington n'avait plus de cavalerie. Nombre de batteries gisaient démontées. Ces faits sont avoués par Siborne; et Pringle, exagérant le désastre, va jusqu'à dire que l'armée anglo-hollandaise était réduite à trente-quatre mille hommes. Le duc de Fer demeurait calme, mais ses lèvres avaient blêmi. Le commissaire autrichien Vincent, le commissaire espagnol Alava, présents à la bataille dans l'état-major anglais, croyaient le duc perdu. A cinq heures, Wellington tira sa montre, et on l'entendit murmurer ce mot sombre : *Blücher, ou la nuit !*

Ce fut vers ce moment-là qu'une ligne lointaine

de baïonnettes étincela sur les hauteurs du côté de Frischemont.

Ici est la péripétie de ce drame géant.

XI

MAUVAIS GUIDE A NAPOLÉON, BON GUIDE A BÜLOW

On connaît la poignante méprise de Napoléon; Grouchy espéré, Blücher survenant; la mort au lieu de la vie.

La destinée a de ces tournants; on s'attendait au trône du monde; on aperçoit Sainte-Hélène.

Si le petit pâtre, qui servait de guide à Bülow, lieutenant de Blücher, lui eût conseillé de déboucher de la forêt au-dessus de Frischemont plutôt qu'au-dessous de Plancenoit, la forme du dix-neuvième siècle eût peut-être été différente. Napoléon eût gagné la bataille de Waterloo. Par tout autre chemin qu'au-dessous de Plancenoit, l'armée prussienne aboutissait à un ravin infranchissable à l'artillerie, et Bülow n'arrivait pas.

Or, une heure de retard, c'est le général prussien Muffling qui le déclare, et Blücher n'aurait plus trouvé Wellington debout; « la bataille était perdue ».

Il était temps, on le voit, que Bülow arrivât. Il avait du reste été fort retardé. Il avait bivouaqué à Dion-le-Mont et était parti dès l'aube. Mais les chemins étaient impraticables et ses divisions s'étaient embourbées. Les ornières venaient au moyeu des canons. En outre il avait fallu passer la Dyle sur l'étroit pont de Wavre; la rue menant au pont avait été incendiée par les français; les caissons et les fourgons de l'artillerie, ne pouvant passer entre deux rangs de maisons en feu, avaient dû attendre que l'incendie fût éteint. Il était midi que l'avant-garde de Bülow n'avait pu encore atteindre Chapelle-Saint-Lambert.

L'action commencée deux heures plus tôt, eût été finie à quatre heures, et Blücher serait tombé sur la bataille gagnée par Napoléon. Tels sont ces immenses hasards, proportionnés à un infini qui nous échappe.

Dès midi, l'empereur, le premier, avec sa longue-vue,

avait aperçu à l'extrême horizon quelque chose qui avait fixé son attention. Il avait dit : — Je vois là-bas un nuage qui me paraît être des troupes. Puis il avait demandé au duc de Dalmatie : — Soult, que voyez-vous vers Chapelle-Saint-Lambert ? — Le maréchal braquant sa lunette avait répondu : — Quatre ou cinq mille hommes, sire. Evidemment Grouchy. Cependant cela restait immobile dans la brume. Toutes les lunettes de l'état-major avaient étudié « le nuage » signalé par l'empereur. Quelques-uns avaient dit : ce sont des colonnes qui font halte. La plupart avaient dit : ce sont des arbres. La vérité est que le nuage ne remuait pas. L'empereur avait détaché en reconnaissance vers ce point obscur la division de cavalerie légère de Domon.

Bülow en effet n'avait pas bougé. Son avant-garde était très faible, et ne pouvait rien. Il devait attendre le gros du corps d'armée et il avait l'ordre de se concentrer avant d'entrer en ligne ; mais à cinq heures, voyant le péril de Wellington, Blücher ordonna à Bülow d'attaquer et dit ce mot remarquable : « Il faut donner de l'air à « l'armée anglaise. »

Peu après, les divisions Losthin, Hiller, Hacke et Ryssel se déployaient devant le corps de Lobau, la cavalerie du prince Guillaume de Prusse débouchait du bois de Paris, Plancenoit était en flammes et les boulets prussiens commençaient à pleuvoir jusque dans les rangs de la garde en réserve derrière Napoléon.

XII

LA GARDE

On sait le reste ; l'irruption d'une troisième armée, la bataille disloquée, quatre-vingt-six bouches à feu tonnant tout à coup, Pirch Ier survenant avec Bülow, la cavalerie de Zieten menée par Blücher en personne, les français refoulés, Marcognet balayé du plateau d'Ohain, Durutte délogé de Papelotte, Donzelot et Quiot reculant, Lobau pris en écharpe, une nouvelle bataille se précipitant à la nuit tombante sur nos régiments démantelés, toute la ligne anglaise reprenant l'offensive et poussée en avant, la gigantesque trouée faite dans l'armée française, la mitraille anglaise et la mitraille prussienne s'entraidant, l'extermination, le désastre de front, le désastre en flanc, la garde entrant en ligne sous cet épouvantable écroulement.

Comme elle sentait qu'elle allait mourir, elle cria : vive l'empereur ! L'histoire n'a rien de plus émouvant que cette agonie éclatant en acclamations.

Le ciel avait été couvert toute la journée. Tout à coup, en ce moment-là même, il était huit heures du soir, les nuages de l'horizon s'écartèrent et laissèrent passer, à travers les ormes de la route de Nivelles, la grande rougeur sinistre du soleil qui se couchait. On l'avait vu se lever à Austerlitz.

Chaque bataillon de la garde, pour ce dénouement, était commandé par un général. Friant, Michel, Roguet, Harlet, Mallet, Poret de Morvan, étaient là. Quand les hauts bonnets des grenadiers de la garde avec la large plaque à l'aigle apparurent, symétriques, alignés, tranquilles, dans la brume de cette mêlée, l'ennemi sentit le respect de la France; on crut voir vingt victoires entrer sur le champ de bataille, ailes déployées, et ceux qui étaient vainqueurs, s'estimant vaincus, reculèrent; mais Wellington cria : *Debout, gardes, et visez juste !* Le régiment rouge des gardes anglaises, couché derrière les haies, se leva, une nuée de mitraille cribla le drapeau tricolore frissonnant autour de nos aigles, tous se ruèrent et le suprême carnage commença. La garde impériale sentit dans l'ombre l'armée lâchant pied autour d'elle, et le vaste ébranlement de la déroute, elle entendit le sauve-qui-peut! qui avait remplacé le vive l'empereur! et, avec la fuite derrière elle, elle continua d'avancer, de plus en plus foudroyée et mourant davantage à chaque pas qu'elle faisait. Il n'y eut point d'hésitants ni de timides. Le soldat dans cette troupe était aussi héros que le général. Pas un homme ne manqua au suicide.

Ney, éperdu, grand de toute la hauteur de la mort acceptée, s'offrait à tous les coups dans cette tourmente. Il eut là son cinquième cheval tué sous lui. En sueur, la flamme aux yeux, l'écume aux lèvres, l'uniforme déboutonné, une de ses épaulettes à demi coupée par le coup de sabre d'un horse-guard, sa plaque de grand-aigle bosselée par une balle, sanglant, fangeux, magnifique, une épée cassée à la main, il disait : *Venez voir comment meurt*

un maréchal de France sur le champ de bataille ! Mais en
vain ; il ne mourut pas. Il était hagard et indigné. Il
jetait à Drouet d'Erlon cette question : *Est-ce que tu ne te
fais pas tuer, toi ?* Il criait au milieu de toute cette artillerie écrasant une poignée d'hommes : — *Il n'y a donc
rien pour moi ! Oh ! je voudrais que tous ces boulets anglais
m'entrassent dans le ventre !* — Tu étais réservé à des
balles françaises, infortuné !

XIII

LA CATASTROPHE

La déroute derrière la garde fut lugubre.

L'armée plia brusquement de tous les côtés à la fois,
de Hougomont, de la Haie-Sainte, de Papelotte, de Plancenoit. Le cri : trahison ! fut suivi du cri : sauve-qui-
peut ! Une armée qui se débande, c'est un dégel. Tout
fléchit, se fêle, craque, flotte, roule, tombe, se heurte, se
hâte, se précipite. Désagrégation inouïe. Ney emprunte un
cheval, saute dessus, et, sans chapeau, sans cravate, sans
épée, se met en travers de la chaussée de Bruxelles,
arrêtant à la fois les anglais et les français. Il tâche de
retenir l'armée, il la rappelle, il l'insulte, il se cramponne
à la déroute. Il est débordé. Les soldats le fuient, en
criant : *vive le maréchal Ney !* Deux régiments de Durutte
vont et viennent effarés et comme ballottés entre le sabre
des uhlans et la fusillade des brigades de Kempt, de
Best, de Pack et de Rylandt ; la pire des mêlées, c'est la
déroute ; les amis s'entretuent pour fuir ; les escadrons et
les bataillons se brisent et se dispersent les uns contre
les autres, énorme écume de la bataille. Lobau à une
extrémité comme Reille à l'autre sont roulés dans le flot.
En vain Napoléon fait des murailles avec ce qui lui reste
de la garde ; en vain il dépense à un dernier effort ses
escadrons de service. Quiot recule devant Vivian, Kellermann devant Vandeleur, Lobau devant Bülow, Morand
devant Pirch, Domon et Subervic devant le prince Guillaume de Prusse. Guyot, qui a mené à la charge les escadrons de l'empereur, tombe sous les pieds des dragons

anglais. Napoléon court au galop le long des fuyards, les harangue, presse, menace, supplie. Toutes les bouches qui criaient le matin vive l'empereur, restent béantes; c'est à peine si on le connaît. La cavalerie prussienne, fraîche venue, s'élance, vole, sabre, taille, hache, tue, extermine. Les attelages se ruent, les canons se sauvent; les soldats du train détèlent les caissons et en prennent les chevaux pour s'échapper; des fourgons culbutés les quatre roues en l'air entravent la route et sont des occasions de massacre. On s'écrase, on se foule, on marche sur les morts et sur les vivants. Les bras sont éperdus. Une multitude vertigineuse emplit les routes, les sentiers, les ponts, les plaines, les collines, les vallées, les bois, encombrés par cette évasion de quarante mille hommes. Cris, désespoir, sacs et fusils jetés dans les seigles, passages frayés à coup d'épée, plus de camarades, plus d'officiers, plus de généraux, une inexprimable épouvante. Zieten sabrant la France à son aise. Les lions devenus chevreuils. Telle fut cette fuite.

A Genappe, on essaya de se retourner, de faire front, d'enrayer. Lobau rallia trois cents hommes. On barricada l'entrée du village, mais à la première volée de la mitraille prussienne, tout se remit à fuir, et Lobau fut pris. On voit encore aujourd'hui cette volée de mitraille empreinte sur le vieux pignon d'une masure en brique à droite de la route, quelques minutes avant d'entrer à Genappe. Les prussiens s'élancèrent dans Genappe, furieux sans doute d'être si peu vainqueurs. La poursuite fut monstrueuse. Blücher ordonna l'extermination. Roguet avait donné ce lugubre exemple de menacer de mort tout grenadier français qui lui amènerait un prisonnier prussien. Blücher dépassa Roguet. Le général de la jeune garde, Duhesme, acculé sur la porte d'une auberge de Genappe, rendit son épée à un hussard de la mort qui prit l'épée et tua le prisonnier. La victoire s'acheva par l'assassinat des vaincus. Punissons, puisque nous sommes l'histoire : le vieux Blücher se déshonora. Cette férocité mit le comble au désastre. La déroute désespérée traversa Genappe, traversa les Quatre-Bras, traversa Sombreffe, traversa Frasnes, traversa Thuin, traversa Charleroi, et ne s'arrêta qu'à la frontière. Hélas! et qui donc fuyait de la sorte ? la grande armée.

Ce vertige, cette terreur, cette chute en ruine de la plus haute bravoure qui ait jamais étonné l'histoire, est-ce que cela est sans cause ? Non. L'ombre d'une droite énorme se projette sur Waterloo. C'est la journée du destin. La force au-dessus de l'homme a donné ce jour-là. De là le pli épouvanté des têtes; de là toutes ces grandes âmes rendant leur épée. Ceux qui avaient vaincu l'Europe sont tombés terrassés, n'ayant plus rien à dire ni à faire, sentant dans l'ombre une présence terrible. *Hoc erat in fatis.* Ce jour-là, la perspective du genre humain a changé. Waterloo, c'est le gond du dix-neuvième siècle. La disparition du grand homme était nécessaire à l'avènement du grand siècle. Quelqu'un à qui on ne réplique pas, s'en est chargé. La panique des héros s'explique. Dans la bataille de Waterloo, il y a plus que du nuage; il y a du météore. Dieu a passé.

A la nuit tombante, dans un champ près de Genappe, Bernard et Bertrand saisirent par un pan de sa redingote et arrêtèrent un homme hagard, pensif, sinistre, qui, entraîné jusque-là par le courant de la déroute, venait de mettre pied à terre, avait passé sous son bras la bride de son cheval, et, l'œil égaré, s'en retournait seul vers Waterloo. C'était Napoléon, essayant encore d'aller en avant, immense somnambule de ce rêve écroulé.

XIV

LE DERNIER CARRÉ

Quelques carrés de la garde, immobiles dans le ruissellement de la déroute comme des rochers dans de l'eau qui coule, tinrent jusqu'à la nuit. La nuit venant, la mort aussi, ils attendirent cette ombre double, et, inébranlables, s'en laissèrent envelopper. Chaque régiment, isolé des autres et n'ayant plus de lien avec l'armée rompue de toutes parts, mourait pour son compte. Ils avaient pris position, pour faire cette dernière action, les uns sur les hauteurs de Rossomme, les autres dans la plaine de Mont-Saint-Jean. Là, abandonnés, vaincus, terribles, ces carrés sombres agonisaient formidablement. Ulm, Wagram, Iéna, Friedland, mouraient en eux.

Au crépuscule, vers neuf heures du soir, au bas du plateau de Mont-Saint-Jean, il en restait un. Dans ce

vallon funeste, au pied de cette pente gravie par les cuirassiers, inondée maintenant par les masses anglaises,
sous les feux convergents de l'artillerie ennemie victorieuse, sous une effroyable densité de projectiles, ce
carré luttait. Il était commandé par un officier obscur
nommé Cambronne. A chaque décharge, le carré diminuait, et ripostait. Il répliquait à la mitraille par la fusillade, rétrécissant continuellement ses quatre murs. De
loin les fuyards, s'arrêtant par moment essoufflés, écou-
taient dans les ténèbres ce sombre tonnerre décroissant.

Quand cette légion ne fut plus qu'une poignée, quand
leur drapeau ne fut plus qu'une loque, quand leurs fusils
épuisés de balles ne furent plus que des bâtons, quand le
tas de cadavres fut plus grand que le groupe vivant, il
y eut parmi les vainqueurs une sorte de terreur sacrée
autour de ces mourants sublimes, et l'artillerie anglaise,
reprenant haleine, fit silence. Ce fut une espèce de répit.
Ces combattants avaient autour d'eux comme un fourmillement de spectres, des silhouettes d'hommes à
cheval, le profil noir des canons, le ciel blanc aperçu à
travers les roues et les affûts; la colossale tête de mort que
les héros entrevoient toujours dans la fumée au fond de
la bataille, s'avançait sur eux et les regardait. Ils purent
entendre dans l'ombre crépusculaire qu'on chargeait les
pièces, les mèches allumées pareilles à des yeux de tigre
dans la nuit firent un cercle autour de leurs têtes; tous
les boute-feux des batteries anglaises s'approchèrent des
canons, et alors, ému, tenant la minute suprême suspendue au-dessus de ces hommes, un général anglais,
Colville selon les uns, Maitland selon les autres, leur
cria : Braves français, rendez-vous! Cambronne répondit :
Merde!

XV

CAMBRONNE

Le lecteur français voulant être respecté, le plus beau
mot peut-être qu'un français ait jamais dit ne peut lui
être répété. Défense de déposer du sublime dans l'histoire.

A nos risques et périls, nous enfreignons cette défense.

Donc, parmi ces géants, il y eut un titan, Cambronne.

Dire ce mot, et mourir ensuite, quoi de plus grand ! car c'est mourir que de le vouloir, et ce n'est pas la faute de cet homme, si, mitraillé, il a survécu.

L'homme qui a gagné la bataille de Waterloo, ce n'est pas Napoléon en déroute, ce n'est pas Wellington pliant à quatre heures, désespéré à cinq, ce n'est pas Blücher, qui ne s'est point battu ; l'homme qui a gagné la bataille de Waterloo, c'est Cambronne.

Foudroyer d'un tel mot le tonnerre qui vous tue, c'est vaincre.

Faire cette réponse à la catastrophe, dire cela au destin, donner cette base au lion futur, jeter cette réplique à la pluie de la nuit, au mur traître de Hougomont, au chemin creux d'Ohain, au retard de Grouchy, à l'arrivée de Blücher, être l'ironie dans le sépulcre, faire en sorte de rester debout après qu'on sera tombé, noyer dans deux syllabes la coalition européenne, offrir aux rois ces latrines déjà connues des Césars, faire du dernier des mots le premier, en y mêlant l'éclair de la France, clore insolemment Waterloo par le mardi gras, compléter Léonidas par Rabelais, résumer cette victoire dans une parole suprême impossible à prononcer, perdre le terrain et garder l'histoire, après ce carnage avoir pour soi les rieurs, c'est immense.

C'est l'insulte à la foudre. Cela atteint la grandeur eschylienne.

Le mot de Cambronne fait l'effet d'une fracture. C'est la fracture d'une poitrine par le dédain ; c'est le trop-plein de l'agonie qui fait explosion. Qui a vaincu ? est-ce Wellington ? Non. Sans Blücher il était perdu. Est-ce Blücher ? Non. Si Wellington n'eût pas commencé, Blücher n'aurait pu finir. Ce Cambronne, ce passant de la dernière heure, ce soldat ignoré, cet infiniment petit de la guerre, sent qu'il y a là un mensonge dans une catastrophe, redoublement poignant ; et au moment où il en éclate de rage, on lui offre cette dérision, la vie ! Comment ne pas bondir ! Ils sont là, tous les rois de l'Europe, les généraux heureux, les Jupiters tonnants, ils ont cent mille soldats victorieux, et derrière les cent mille, un million, leurs canons, mèches allumées, sont béants, ils ont sous leurs talons la garde impériale et la grande armée, ils viennent d'écraser Napoléon, et il ne reste plus que Cambronne ; il n'y a plus pour protester que ce ver de terre. Il protestera. Alors il cherche un mot comme on cherche une épée. Il lui vient de l'écume, et cette écume, c'est le mot. Devant cette victoire prodigieuse et médiocre, devant cette victoire sans victorieux, ce désespéré se redresse; il en subit l'énormité, mais il en constate le néant; et il fait plus que cracher sur elle; et sous l'accablement du nombre, de la force et de la matière, il trouve à l'âme une expression, l'excrément. Nous le répétons, dire cela, faire cela, trouver cela, c'est être le vainqueur.

L'esprit des grands jours entra dans cet homme inconnu à cette minute fatale. Cambronne trouve le mot de Waterloo comme Rouget de l'Isle trouve la Marseillaise, par visitation du souffle d'en haut. Un effluve de l'ouragan divin se détache et vient passer à travers ces hommes, et ils tressaillent, et l'un chante le chant suprême et l'autre pousse le cri terrible. Cette parole du dédain titanique, Cambronne ne la jette pas seulement à l'Europe au nom de l'empire, ce serait peu; il la jette au passé au nom de la révolution. On l'entend, et l'on reconnaît dans Cambronne la vieille âme des géants. Il semble que c'est Danton qui parle ou Kléber qui rugit.

Au mot de Cambronne, la voix anglaise répondit : feu! les batteries flamboyèrent, la colline trembla, de toutes ces bouches d'airain sortit un dernier vomissement de mitraille, épouvantable; une vaste fumée, vaguement blanchie du lever de la lune, roula, et quand la fumée se dissipa, il n'y avait plus rien. Ce reste formidable était anéanti; la garde était morte. Les quatre murs de la redoute vivante gisaient, à peine distinguait-on çà et là un tressaillement parmi les cadavres; et c'est ainsi que les légions françaises, plus grandes que les légions romaines, expirèrent à Mont-Saint-Jean sur la terre mouillée de pluie et de sang, dans les blés sombres, à l'endroit où passe maintenant, à quatre heures du matin en sifflant et en fouettant gaiement son cheval, Joseph, qui fait le service de la malle-poste de Nivelles.

XVI

QUOT LIBRAS IN DUCE ?

La bataille de Waterloo est une énigme. Elle est aussi obscure pour ceux qui l'ont gagnée que pour celui qui l'a perdue. Pour Napoléon, c'est une panique[1]; Blücher n'y voit que du feu; Wellington n'y comprend rien. Voyez les rapports. Les bulletins sont confus, les commentaires sont embrouillés. Ceux-ci balbutient, ceux-là bégaient. Jomini partage la bataille de Waterloo en quatre moments; Muffling la coupe en trois péripéties; Charras, quoique sur quelques points nous ayons une autre appréciation que lui, a seul saisi de son fier coup d'œil les linéaments caractéristiques de cette catastrophe du génie humain aux prises avec le hasard divin. Tous les autres historiens ont un certain éblouissement, et dans cet éblouissement ils tâtonnent. Journée fulgurante, en effet, écroulement de la monarchie militaire qui, à la grande stupeur des rois, a entraîné tous les royaumes, chute de la force, déroute de la guerre.

Dans cet événement, empreint de nécessité surhumaine, la part des hommes n'est rien.

Retirer Waterloo à Wellington et à Blücher, est-ce ôter quelque chose à l'Angleterre et à l'Allemagne ? Non. Ni cette illustre Angleterre ni cette auguste Allemagne ne sont en question dans le problème de Waterloo. Grâce au ciel, les peuples sont grands en dehors des lugubres aventures de l'épée. Ni l'Allemagne, ni l'Angleterre, ni la France, ne tiennent dans un fourreau. Dans cette époque où Waterloo n'est qu'un cliquetis de sabres, au-dessus de Blücher l'Allemagne a Gœthe et au-dessus de Wellington l'Angleterre a Byron. Un vaste lever

---

1. « Une bataille terminée, une journée finie, de fausses mesures réparées, de plus grands succès assurés pour le lendemain, tout fut perdu par un moment de terreur panique. »

(NAPOLÉON, *Dictées de Sainte-Hélène*.)

d'idées est propre à notre siècle, et dans cette aurore l'Angleterre et l'Allemagne ont une lueur magnifique. Elles sont majestueuses parce qu'elles pensent. L'élévation de niveau qu'elles apportent à la civilisation leur est intrinsèque; il vient d'elles-mêmes, et non d'un accident. Ce qu'elles ont d'agrandissement au dix-neuvième siècle n'a point Waterloo pour source. Il n'y a que les peuples barbares qui aient des crues subites après une victoire. C'est la vanité passagère des torrents enflés d'un orage. Les peuples civilisés, surtout au temps où nous sommes, ne se haussent ni ne s'abaissent par la bonne ou mauvaise fortune d'un capitaine. Leur poids spécifique dans le genre humain résulte de quelque chose de plus qu'un combat. Leur honneur, Dieu merci, leur dignité, leur lumière, leur génie, ne sont pas des numéros que les héros et les conquérants, ces joueurs, peuvent mettre à la loterie des batailles. Souvent bataille perdue, progrès conquis. Moins de gloire, plus de liberté. Le tambour se tait, la raison prend la parole. C'est le jeu à qui perd gagne. Parlons donc de Waterloo froidement des deux côtés. Rendons au hasard ce qui est au hasard et à Dieu ce qui est à Dieu. Qu'est-ce que Waterloo? Une victoire? Non. Un quine.

Quine gagné par l'Europe, payé par la France.

Ce n'était pas beaucoup la peine de mettre là un lion.

Waterloo du reste est la plus étrange rencontre qui soit dans l'histoire. Napoléon et Wellington. Ce ne sont pas des ennemis, ce sont des contraires. Jamais Dieu, qui se plaît aux antithèses, n'a fait un plus saisissant contraste et une confrontation plus extraordinaire. D'un côté la précision, la prévision, la géométrie, la prudence, la retraite assurée, les réserves ménagées, un sang-froid opiniâtre, une méthode imperturbable, la stratégie qui profite du terrain, la tactique qui équilibre les bataillons, le carnage tiré au cordeau, la guerre réglée montre en main, rien laissé volontairement au hasard, le vieux courage classique, la correction absolue; de l'autre l'intuition, la divination, l'étrangeté militaire, l'instinct surhumain, le coup d'œil flamboyant, on ne sait quoi qui regarde comme l'aigle et qui frappe comme la foudre, un art prodigieux dans une impétuosité dédaigneuse, tous les mystères d'une âme profonde, l'association avec le destin; le fleuve, la plaine, la forêt, la colline, sommés et en quelque sorte forcés d'obéir, le despote allant jusqu'à tyranniser le champ de bataille; la foi à l'étoile mêlée à la science stra-

tégique, la grandissant, mais la troublant. Wellington
était le Barême de la guerre, Napoléon en était le Michel-
Ange; et cette fois le génie fut vaincu par le calcul.

Des deux côtés on attendait quelqu'un. Ce fut le cal-
culateur exact qui réussit. Napoléon attendait Grouchy;
il ne vint pas. Wellington attendait Blücher; il vint.

Wellington, c'est la guerre classique qui prend sa
revanche. Bonaparte, à son aurore, l'avait rencontrée en
Italie, et superbement battue. La vieille chouette avait
fui devant le jeune vautour. L'ancienne tactique avait été
non seulement foudroyée, mais scandalisée. Qu'était-
ce que ce corse de vingt-six ans, que signifiait cet ignorant splendide qui, ayant tout contre lui, rien pour lui,
sans vivres, sans munitions, sans canons, sans souliers,
presque sans armée, avec une poignée d'hommes contre
des masses, se ruait sur l'Europe coalisée, et gagnait
absurdement des victoires dans l'impossible? D'où sortait ce forcené foudroyant qui, presque sans reprendre
haleine, et avec le même jeu de combattants dans la
main, pulvérisait l'une après l'autre les cinq armées de
l'empereur d'Allemagne, culbutant Beaulieu sur Alvinzi,
Wurmser sur Beaulieu, Mélas sur Wurmser, Mack sur
Mélas? Qu'était-ce que ce nouveau venu de la guerre
ayant l'effronterie d'un astre? L'école académique militaire l'excommuniait en lâchant pied. De là une implacable rancune du vieux césarisme contre le nouveau, du
sabre correct contre l'épée flamboyante, et de l'échiquier
contre le génie. Le 18 juin 1815, cette rancune eut le
dernier mot, et au-dessous de Lodi, de Montebello, de
Montenotte, de Mantoue, de Marengo, d'Arcole, elle
écrivit: Waterloo. Triomphe des médiocres doux aux
majorités. Le destin consentit à cette ironie. A son déclin,
Napoléon retrouva devant lui Wurmser jeune.

Pour avoir Wurmser, en effet, il suffit de blanchir les
cheveux de Wellington.

Waterloo est une bataille du premier ordre gagnée par
un capitaine du second.

Ce qu'il faut admirer dans la bataille de Waterloo,
c'est l'Angleterre, c'est la fermeté anglaise, c'est la résolution anglaise, c'est le sang anglais; ce que l'Angleterre
a eu là de superbe, ne lui en déplaise, c'est elle-même.
Ce n'est pas son capitaine, c'est son armée.

Wellington, bizarrement ingrat, déclare, dans une
lettre à lord Bathurst, que son armée, l'armée qui a
combattu le 18 juin 1815, était une « détestable armée ».

Qu'en pense cette sombre mêlée d'ossements enfouis sous les sillons de Waterloo ?

L'Angleterre a été trop modeste vis-à-vis de Wellington. Faire Wellington si grand, c'est faire l'Angleterre petite. Wellington n'est qu'un héros comme un autre. Ces écossais gris, ces horse-guards, ces régiments de Maitland et de Mitchell, cette infanterie de Pack et de Kempt, cette cavalerie de Ponsonby et de Somerset, ces highlanders jouant du pibroch sous la mitraille, ces bataillons de Rylandt, ces recrues toutes fraîches qui savaient à peine manier le mousquet, tenant tête aux vieilles bandes d'Essling et de Rivoli, voilà ce qui est grand. Wellington a été tenace, ce fut là son mérite, et nous ne le lui marchandons pas, mais le moindre de ses fantassins et de ses cavaliers a été tout aussi solide que lui. L'iron-soldier vaut l'iron-duke. Quant à nous, toute notre glorification va au soldat anglais, à l'armée anglaise, au peuple anglais. Si trophée il y a, c'est à l'Angleterre que le trophée est dû. La colonne de Waterloo serait plus juste si, au lieu de la figure d'un homme, elle élevait dans la nue la statue d'un peuple.

Mais cette grande Angleterre s'irritera de ce que nous disons ici. Elle a encore, après son 1688 et notre 1789, l'illusion féodale. Elle croit à l'hérédité et à la hiérarchie. Ce peuple, qu'aucun ne dépasse en puissance et en gloire, s'estime comme nation, non comme peuple. En tant que peuple, il se subordonne volontiers et prend un lord pour une tête. Workman, il se laisse dédaigner ; soldat, il se laisse bâtonner. On se souvient qu'à la bataille d'Inkermann un sergent qui, à ce qu'il paraît, avait sauvé l'armée, ne put être mentionné par lord Raglan, la hiérarchie militaire anglaise ne permettant de citer dans un rapport aucun héros au-dessous du grade d'officier.

Ce que nous admirons par-dessus tout, dans une rencontre du genre de celle de Waterloo, c'est la prodigieuse habileté du hasard. Pluie nocturne, mur de Hougomont, chemin creux d'Ohain, Grouchy sourd au canon, guide de Napoléon qui le trompe, guide de Bülow qui l'éclaire ; tout ce cataclysme est merveilleusement conduit.

Au total, disons-le, il y eut à Waterloo plus de massacre que de bataille.

Waterloo est de toutes les batailles rangées celle qui a le plus petit front sur un tel nombre de combattants. Napoléon, trois quarts de lieue, Wellington, une demi-

lieue; soixante-douze mille combattants de chaque côté.
De cette épaisseur vint le carnage.

On a fait ce calcul et établi cette proportion : Perte
d'hommes : à Austerlitz, français, quatorze pour cent;
russes, trente pour cent; autrichiens, quarante-quatre
pour cent. A Wagram, français, treize pour cent; autrichiens, quatorze. A la Moskowa, français, trente-sept
pour cent; russes, quarante-quatre. A Bautzen, français,
treize pour cent; russes et prussiens, quatorze. A Waterloo,
français, cinquante-six pour cent; alliés, trente et un.
Total pour Waterloo, quarante et un pour cent. Cent
quarante-quatre mille combattants; soixante mille morts.

Le champ de Watterloo aujourd'hui a le calme qui
appartient à la terre, support impassible de l'homme,
et il ressemble à toutes les plaines.

La nuit pourtant une espèce de brume visionnaire s'en
dégage, et si quelque voyageur s'y promène, s'il regarde,
s'il écoute, s'il rêve comme Virgile dans les funestes
plaines de Philippes, l'hallucination de la catastrophe le
saisit. L'effrayant 18 juin revit; la fausse colline monument s'efface, ce lion quelconque se dissipe, le champ de
bataille reprend sa réalité; des lignes d'infanterie ondulent
dans la plaine, des galops furieux traversent l'horizon;
le songeur effaré voit l'éclair des sabres, l'étincelle des
baïonnettes, le flamboiement des bombes, l'entre-croi-
sement monstrueux des tonnerres; il entend, comme un
râle au fond d'une tombe, la clameur vague de la bataille
fantôme; ces ombres, ce sont les grenadiers; ces lueurs,
ce sont les cuirassiers; ce squelette, c'est Napoléon; ce
squelette, c'est Wellington; tout cela n'est plus, et se
heurte et combat encore; et les ravins s'empourprent, et
les arbres frissonnent, et il y a de la furie jusque dans les
nuées, et dans les ténèbres, toutes ces hauteurs farouches,
Mont-Saint-Jean, Hougomont, Frischemont, Papelotte,
Plancenoit, apparaissent confusément couronnées de
tourbillons de spectres s'exterminant.

XVII

FAUT-IL TROUVER BON WATERLOO ?

Il existe une école libérale très respectable, qui ne hait point Waterloo. Nous n'en sommes pas. Pour nous, Waterloo n'est que la date stupéfaite de la liberté. Qu'un tel aigle sorte d'un tel œuf, c'est à coup sûr l'inattendu.

Waterloo, si l'on se place au point de vue culminant de la question, est intentionnellement une victoire contre-révolutionnaire. C'est l'Europe contre la France, c'est Pétersbourg, Berlin et Vienne contre Paris, c'est le statu quo contre l'initiative, c'est le 14 juillet 1789 attaqué à travers le 20 mars 1815, c'est le branle-bas des monarchies contre l'indomptable émeute française. Eteindre enfin ce vaste peuple en éruption depuis vingt-six ans, tel était le rêve. Solidarité des Brunswick, des Nassau, des Romanoff, des Hohenzollern, des Habsbourg avec les Bourbons. Waterloo porte en croupe le droit divin. Il est vrai que l'empire ayant été despotique, la royauté, par la réaction naturelle des choses, devait forcément être libérale, et qu'un ordre constitutionnel à contre-cœur est sorti de Waterloo, au grand regret des vainqueurs. C'est que la révolution ne peut être vraiment vaincue, et qu'étant providentielle et absolument fatale, elle reparaît toujours, avant Waterloo, dans Bonaparte jetant bas les vieux trônes, après Waterloo, dans Louis XVIII octroyant et subissant la charte. Bonaparte met un postillon sur le trône de Naples et un sergent sur le trône de Suède, employant l'inégalité à démontrer l'égalité ; Louis XVIII à Saint-Ouen contresigne la déclaration des droits de l'homme. Voulez-vous vous rendre compte de ce que c'est que la révolution, appelez-la Progrès ; et voulez-vous vous rendre compte de ce que c'est que le progrès, appelez-le Demain. Demain fait irrésistiblement son œuvre, et il la fait dès aujourd'hui. Il arrive toujours à son but, étrangement. Il emploie Wellington à faire de Foy, qui n'était qu'un soldat, un orateur. Foy tombe à Hougomont et se relève à la tri-

bune. Ainsi procède le progrès. Pas de mauvais outil
pour cet ouvrier-là. Il ajuste à son travail divin, sans se
déconcerter, l'homme qui a enjambé les Alpes, et le bon
vieux malade chancelant du père Elysée. Il se sert du
podagre comme du conquérant ; du conquérant au-dehors,
du podagre au-dedans. Waterloo, en coupant court à la
démolition des trônes européens par l'épée, n'a eu
d'autre effet que de faire continuer le travail révolutionnaire d'un autre côté. Les sabreurs ont fini, c'est le tour
des penseurs. Le siècle que Waterloo voulait arrêter, a
marché dessus et a poursuivi sa route. Cette victoire
sinistre a été vaincue par la liberté.

En somme, et incontestablement, ce qui triomphait à
Waterloo, ce qui souriait derrière Wellington, ce qui lui
apportait tous les bâtons de maréchal de l'Europe, y
compris, dit-on, le bâton de maréchal de France, ce qui
roulait joyeusement les brouettes de terre pleine d'ossements pour élever la butte du lion, ce qui a triomphale-
ment écrit sur ce piédestal cette date : *18 juin 1815*, ce
qui encourageait Blücher sabrant la déroute, ce qui du
haut du plateau de Mont-Saint-Jean se penchait sur la
France comme sur une proie, c'était la contre-révolution.
C'est la contre-révolution qui murmurait ce mot infâme :
démembrement. Arrivée à Paris, elle a vu le cratère de
près, elle a senti que cette cendre lui brûlait les pieds, et
elle s'est ravisée. Elle est revenue au bégaiement d'une
charte.

Ne voyons dans Waterloo que ce qui est dans Waterloo.
De liberté intentionnelle, point. La contre-révolution
était involontairement libérale, de même que, par un
phénomène correspondant, Napoléon était involontairement révolutionnaire. Le 18 juin 1815, Robespierre à
cheval fut désarçonné.

XVIII

RECRUDESCENCE DU DROIT DIVIN

Fin de la dictature. Tout le système d'Europe croula.
L'empire s'affaissa dans une ombre qui ressembla à celle
du monde romain expirant. On revit de l'abîme comme

au temps des barbares. Seulement la barbarie de 1815,
qu'il faut nommer de son petit nom, la contre-révolution,
avait peu d'haleine, s'essouffla vite, et resta court. L'empire, avouons-le, fut pleuré, et pleuré par des yeux
héroïques. Si la gloire est dans le glaive fait sceptre,
l'empire avait été la gloire même. Il avait répandu sur
la terre toute la lumière que la tyrannie peut donner;
lumière sombre. Disons plus : lumière obscure. Com-
parées au jour vrai, c'est de la nuit. Cette disparition
de la nuit fit l'effet d'une éclipse.

Louis XVIII rentra dans Paris. Les danses en rond
du 8 juillet effacèrent les enthousiasmes du 20 mars. Le
corse devint l'antithèse du béarnais. Le drapeau du
dôme des Tuileries fut blanc. L'exil trôna. La table de
sapin de Hartwell prit place devant le fauteuil fleurdelysé
de Louis XIV. On parla de Bouvines et de Fontenoy
comme d'hier, Austerlitz ayant vieilli. L'autel et le trône
fraternisèrent majestueusement. Une des formes les plus
incontestées du salut de la société au dix-neuvième siècle
s'établit sur la France et sur le continent. L'Europe prit
la cocarde blanche. Trestaillon fut célèbre. La devise *non
pluribus impar* reparut dans des rayons de pierre figurant
un soleil sur la façade de la caserne du quai d'Orsay. Où
il y avait eu une garde impériale, il y eut une maison
rouge. L'arc du carrousel, tout chargé de victoires mal
portées, dépaysé dans ces nouveautés, un peu honteux
peut-être de Marengo et d'Arcole, se tira d'affaire avec
la statue du duc d'Angoulême. Le cimetière de la Madeleine, redoutable fosse commune de 93, se couvrit de
marbre et de jaspe, les os de Louis XVI et de Marie-
Antoinette étant dans cette poussière. Dans le fossé de
Vincennes, un cippe sépulcral sortit de terre, rappelant
que le duc d'Enghien était mort dans le mois même où
Napoléon avait été couronné. Le pape Pie VII, qui avait
fait ce sacre très près de cette mort, bénit tranquillement
la chute comme il avait béni l'élévation. Il y eut à Schœn-
brunn une petite ombre âgée de quatre ans qu'il fut
séditieux d'appeler le roi de Rome. Et ces choses se sont
faites, et ces rois ont repris leurs trônes, et le maître de
l'Europe a été mis dans une cage, et l'ancien régime est
devenu le nouveau, et toute l'ombre et toute la lumière
de la terre ont changé de place, parce que, dans l'après-
midi d'un jour d'été, un pâtre a dit à un prussien dans un
bois : passez par ici et non par là !

Ce 1815 fut une sorte d'avril lugubre. Les vieilles

réalités malsaines et vénéneuses se couvrirent d'apparences neuves. Le mensonge épousa 1789, le droit divin se masqua d'une charte, les fictions se firent constitutionnelles, les préjugés, les superstitions et les arrière-pensées, avec l'art. 14 au cœur, se vernirent de libéralisme. Changement de peau des serpents.

L'homme avait été à la fois agrandi et amoindri par Napoléon. L'idéal, sous ce règne de la matière splendide, avait reçu le nom étrange d'idéologie. Grave imprudence d'un grand homme, tourner en dérision l'avenir. Les peuples cependant, cette chair à canon si amoureuse du canonnier, le cherchaient des yeux. Où est-il ? Que fait-il ? Napoléon est mort, disait un passant à un invalide de Marengo et de Waterloo. — *Lui mort !* s'écria ce soldat, *vous le connaissez bien !* Les imaginations déifiaient cet homme terrassé. Le fond de l'Europe, après Waterloo, fut ténébreux. Quelque chose d'énorme resta longtemps vide par l'évanouissement de Napoléon.

Les rois se mirent dans ce vide. La vieille Europe en profita pour se reformer. Il y eut une Sainte-Alliance. Belle-Alliance, avait dit d'avance le champ fatal de Waterloo.

En présence et en face de cette antique Europe refaite, les linéaments d'une France nouvelle s'ébauchèrent. L'avenir, raillé par l'empereur, fit son entrée. Il avait sur le front cette étoile, Liberté. Les yeux ardents des jeunes générations se tournèrent vers lui. Chose singulière, on s'éprit en même temps de cet avenir, Liberté, et de ce passé, Napoléon. La défaite avait grandi le vaincu. Bonaparte tombé semblait plus haut que Napoléon debout. Ceux qui avaient triomphé eurent peur. L'Angleterre le fit garder par Hudson Lowe et la France le fit guetter par Montchenu. Ses bras croisés devinrent l'inquiétude des trônes. Alexandre le nommait : mon insomnie. Cet effroi venait de la quantité de révolution qu'il avait en lui. C'est ce qui explique et excuse le libéralisme bonapartiste. Ce fantôme donnait le tremblement au vieux monde. Les rois régnèrent mal à leur aise, avec le rocher de Sainte-Hélène à l'horizon.

Pendant que Napoléon agonisait à Longwood, les soixante mille hommes tombés dans le champ de Waterloo pourrirent tranquillement, et quelque chose de leur paix se répandit dans le monde. Le congrès de Vienne en fit les traités de 1815, et l'Europe nomma cela la restauration.

Voilà ce que c'est que Waterloo.

Mais qu'importe à l'infini ? toute cette tempête, tout ce nuage, cette guerre, puis cette paix, toute cette ombre, ne troubla pas un moment la lueur de l'œil immense devant lequel un puceron sautant d'un brin d'herbe à l'autre égale l'aigle volant de clocher en clocher aux tours de Notre-Dame.

XIX

LE CHAMP DE BATAILLE LA NUIT

Revenons, c'est une nécessité de ce livre, sur ce fatal champ de bataille.

Le 18 juin 1815, c'était pleine lune. Cette clarté favorisa la poursuite féroce de Blücher, dénonça les traces des fuyards, livra cette masse désastreuse à la cavalerie prussienne acharnée et aida au massacre. Il y a parfois dans les catastrophes de ces tragiques complaisances de la nuit.

Après le dernier coup de canon tiré, la plaine de Mont-Saint-Jean resta déserte.

Les anglais occupèrent le campement des français ; c'est la constatation habituelle de la victoire ; coucher dans le lit du vaincu. Ils établirent leur bivouac au-delà de Rossomme. Les prussiens, lâchés sur la déroute, poussèrent en avant. Wellington alla au village de Waterloo rédiger son rapport à lord Bathurst.

Si jamais le *sic vos non vobis* a été applicable, c'est à coup sûr à ce village de Waterloo. Waterloo n'a rien fait, et est resté à une demi-lieue de l'action. Mont-Saint-Jean a été canonné, Hougomont a été brûlé, Papelotte a été brûlé, Plancenoit a été brûlé, la Haie-Sainte a été prise d'assaut, la Belle-Alliance a vu l'embrassement des deux vainqueurs ; on sait à peine ces noms, et Waterloo qui n'a point travaillé dans la bataille en a tout l'honneur.

Nous ne sommes pas de ceux qui flattent la guerre ; quand l'occasion s'en présente, nous lui disons ses vérités. La guerre a d'affreuses beautés que nous n'avons point cachées ; elle a aussi, convenons-en, quelques laideurs. Une des plus surprenantes, c'est le prompt dépouillement des morts après la victoire. L'aube qui suit une bataille se lève toujours sur des cadavres nus.

Qui fait cela ? Qui souille ainsi le triomphe ? Quelle est cette hideuse main furtive qui se glisse dans la poche de la victoire ? Quels sont ces filous faisant leur coup derrière la gloire ? Quelques philosophes, Voltaire entre autres, affirment que ce sont précisément ceux-là qui ont fait la gloire. Ce sont les mêmes, disent-ils, il n'y a pas de rechange ; ceux qui sont debout pillent ceux qui sont à terre. Le héros du jour est le vampire de la nuit. On a bien le droit, après tout, de détrousser un peu un cadavre dont on est l'auteur. Quant à nous, nous ne le croyons pas. Cueillir des lauriers et voler les souliers d'un mort, cela nous semble impossible à la même main.

Ce qui est certain, c'est que, d'ordinaire, après les vainqueurs viennent les voleurs. Mais mettons le soldat, surtout le soldat contemporain, hors de cause.

Toute armée a une queue, et c'est là ce qu'il faut accuser. Des êtres chauves-souris, mi-partis brigands et valets, toutes les espèces de vespertilio qu'engendre ce crépuscule qu'on appelle la guerre, des porteurs d'uniforme qui ne combattent pas, de faux malades, des éclopés redoutables, des cantiniers interlopes trottant, quelquefois avec leurs femmes, sur de petites charrettes et volant ce qu'ils revendent, des mendiants s'offrant pour guides aux officiers, des goujats, des maraudeurs, les armées en marche autrefois, — nous ne parlons pas du temps présent, — traînaient tout cela, si bien que, dans la langue spéciale, cela s'appelait « les traînards ». Aucune armée ni aucune nation n'étaient responsables de ces êtres ; ils parlaient italien et suivaient les allemands ; ils parlaient français et suivaient les anglais. C'est par un de ces misérables, traînard espagnol qui parlait français, que le marquis de Fervacques, trompé par son baragouin picard, et le prenant pour un des nôtres, fut tué en traître et volé sur le champ de bataille même, dans la nuit qui suivit la victoire de Cérisolles. De la maraude naissait le maraud. La détestable maxime : *Vivre sur l'ennemi*, produisait cette lèpre, qu'une forte discipline pouvait seule guérir. Il y a des renommées qui trompent ; on ne sait pas toujours pourquoi de certains généraux, grands d'ailleurs, ont été si populaires. Turenne était adoré de ses soldats parce qu'il tolérait le pillage ; le mal permis fait partie de la bonté ; Turenne était si bon qu'il a laissé mettre à feu et à sang le Palatinat. On voyait à

la suite des armées moins ou plus de maraudeurs selon
que le chef était plus ou moins sévère. Hoche et Marceau
n'avaient point de traînards ; Wellington, nous lui rendons volontiers cette justice, en avait peu.

Pourtant, dans la nuit du 18 au 19 juin, on dépouilla
les morts. Wellington fut rigide ; ordre de passer par les
armes quiconque serait pris en flagrant délit ; mais la
rapine est tenace. Les maraudeurs volaient dans un coin
du champ de bataille pendant qu'on les fusillait dans
l'autre.

La lune était sinistre sur cette plaine.

Vers minuit, un homme rôdait, ou plutôt rampait, du
côté du chemin creux d'Ohain. C'était, selon toute apparence, un de ceux que nous venons de caractériser, ni
anglais, ni français, ni paysan, ni soldat, moins homme
que goule, attiré par le flair des morts, ayant pour victoire le vol, venant dévaliser Waterloo. Il était vêtu d'une
blouse qui était un peu une capote, il était inquiet et
audacieux, il allait devant lui et regardait derrière lui.
Qu'était-ce que cet homme ? La nuit probablement en
savait plus sur son compte que le jour. Il n'avait point
de sac, mais évidemment de larges poches sous sa capote.
De temps en temps, il s'arrêtait, examinait la plaine
autour de lui comme pour voir s'il n'était pas observé,
se penchait brusquement, dérangeait à terre quelque
chose de silencieux et d'immobile, puis se redressait et
s'esquivait. Son glissement, ses attitudes, son geste rapide
et mystérieux, le faisaient ressembler à ces larves cré-
pusculaires qui hantent les ruines et que les anciennes
légendes normandes appellent les Alleurs.

De certains échassiers nocturnes font de ces silhouettes
dans les marécages.

Un regard qui eût sondé attentivement toute cette
brume, eût pu remarquer, à quelque distance, arrêté
et comme caché derrière la masure qui borde sur la
chaussée de Nivelles l'angle de la route de Mont-Saint-
Jean à Braine-l'Alleud, une façon de petit fourgon de
vivandier à coiffe d'osier goudronnée, attelé d'une haridelle affamée broutant l'ortie à travers son mors, et dans
le fourgon une espèce de femme assise sur des coffres
et des paquets. Peut-être y avait-il un lien entre ce fourgon
et ce rôdeur.

L'obscurité était sereine. Pas un nuage au zénith.
Qu'importe que la terre soit rouge, la lune reste blanche.
Ce sont là les indifférences du ciel. Dans les prairies,

des branches d'arbres cassées par la mitraille mais non
tombées et retenues par l'écorce se balançaient doucement
au vent de la nuit. Une haleine, presque une respiration,
remuait les broussailles. Il y avait dans l'herbe des frissons
qui ressemblaient à des départs d'âmes.

On entendait vaguement au loin aller et venir les
patrouilles et les rondes-major du campement anglais.

Hougomont et la Haie-Sainte continuaient de brûler,
faisant, l'une à l'ouest, l'autre à l'est, deux grosses
flammes auxquelles venait se rattacher, comme un collier
de rubis dénoué ayant à ses extrémités deux escarboucles,
le cordon de feux du bivouac anglais étalé en demi-
cercle immense sur les collines de l'horizon.

Nous avons dit la catastrophe du chemin d'Ohain. Ce
qu'avait été cette mort pour tant de braves, le cœur
s'épouvante d'y songer.

Si quelque chose est effroyable, s'il existe une réalité qui dépasse le rêve, c'est ceci : vivre, voir le soleil,
être en pleine possession de la force virile, avoir la santé
et la joie, rire vaillamment, courir vers une gloire qu'on
a devant soi, éblouissante, se sentir dans la poitrine un
poumon qui respire, un cœur qui bat, une volonté qui
raisonne, parler, penser, espérer, aimer, avoir une mère,
avoir une femme, avoir des enfants, avoir la lumière, et
tout à coup, le temps d'un cri, en moins d'une minute,
s'effondrer dans un abîme, tomber, rouler, écraser, être
écrasé, voir des épis de blé, des fleurs, des feuilles, des
branches, ne pouvoir se retenir à rien, sentir son sabre
inutile, des hommes sous soi, des chevaux sur soi, se
débattre en vain, les os brisés par quelque ruade dans les
ténèbres, sentir un talon qui vous fait jaillir les yeux,
mordre avec rage des fers de chevaux, étouffer, hurler,
se tordre, être là-dessous, et se dire : tout à l'heure
j'étais un vivant!

Là où avait râlé ce lamentable désastre, tout faisait
silence maintenant. L'encaissement du chemin creux
était comblé de chevaux et de cavaliers inextricablement
amoncelés. Enchevêtrement terrible. Il n'y avait plus de
talus, les cadavres nivelaient la route avec la plaine et
venaient au ras du bord comme un boisseau d'orge bien
mesuré. Un tas de morts dans la partie haute, une rivière
de sang dans la partie basse; telle était cette route, le
soir du 18 juin 1815. Le sang coulait jusque sur la chaussée
de Nivelles et s'y extravasait en une large mare devant
l'abattis d'arbres qui barrait la chaussée, à un endroit

qu'on montre encore. C'est, on s'en souvient, au point opposé, vers la chaussée de Genappe, qu'avait eu lieu l'effondrement des cuirassiers. L'épaisseur des cadavres se proportionnait à la profondeur du chemin creux. Vers le milieu, à l'endroit où il devenait plane, là où avait passé la division Delord, la couche des morts s'amincissait.

Le rôdeur nocturne, que nous venons de faire entrevoir au lecteur, allait de ce côté. Il furetait cette immense tombe. Il regardait. Il passait on ne sait quelle hideuse revue des morts. Il marchait les pieds dans le sang.

Tout à coup il s'arrêta.

A quelques pas devant lui, dans le chemin creux, au point où finissait le monceau des morts, de dessous cet amas d'hommes et de chevaux, sortait une main ouverte, éclairée par la lune.

Cette main avait au doigt quelque chose qui brillait, et qui était un anneau d'or.

L'homme se courba, demeura un moment accroupi, et quand il se releva, il n'y avait plus d'anneau à cette main.

Il ne se releva pas précisément; il resta dans une attitude fauve et effarouchée, tournant le dos au tas de morts, scrutant l'horizon, à genoux, tout l'avant du corps portant sur les deux index appuyés à terre, la tête guettant par-dessus le bord du chemin creux. Les quatre pattes du chacal conviennent à de certaines actions.

Puis, prenant son parti, il se dressa.

En ce moment il eut un soubresaut. Il sentit que par-derrière on le tenait.

Il se retourna; c'était la main ouverte qui s'était refermée et qui avait saisi le pan de sa capote.

Un honnête homme eût eu peur. Celui-ci se mit à rire.

— Tiens, dit-il, ce n'est que le mort. J'aime mieux un revenant qu'un gendarme.

Cependant la main défaillit et le lâcha. L'effort s'épuise vite dans la tombe.

— Ah ça! reprit le rôdeur, est-il vivant, ce mort? Voyons donc.

Il se pencha de nouveau, fouilla le tas, écarta ce qui faisait obstacle, saisit la main, empoigna le bras, dégagea la tête, tira le corps, et quelques instants après il traînait dans l'ombre du chemin creux un homme inanimé, au moins évanoui. C'était un cuirassier, un officier, un officier même d'un certain rang; une grosse épaulette d'or sortait de dessous la cuirasse; cet officier n'avait plus de casque. Un furieux coup de sabre balafrait son visage où l'on ne voyait que du sang. Du reste, il ne semblait pas qu'il eût de membre cassé, et par quelque hasard heureux, si ce mot est possible ici, les morts s'étaient arc-boutés au-dessus de lui de façon à le garantir de l'écrasement. Ses yeux étaient fermés.

Il avait sur sa cuirasse la croix d'argent de la Légion d'honneur.

Le rôdeur arracha cette croix qui disparut dans un des gouffres qu'il avait sous sa capote.

Après quoi, il tâta le gousset de l'officier, y sentit une montre et la prit. Puis, il fouilla le gilet, y trouva une bourse et l'empocha.

Comme il en était à cette phase des secours qu'il portait à ce mourant, l'officier ouvrit les yeux.

— Merci, dit-il faiblement.

La brusquerie des mouvements de l'homme qui le maniait, la fraîcheur de la nuit, l'air respiré librement, l'avaient tiré de sa léthargie.

Le rôdeur ne répondit point. Il leva la tête. On entendait un bruit de pas dans la plaine; probablement quelque patrouille qui approchait.

L'officier murmura, car il y avait encore de l'agonie dans sa voix :

— Qui a gagné la bataille ?

— Les anglais, répondit le rôdeur.

L'officier reprit :

— Cherchez dans mes poches. Vous y trouverez une bourse et une montre. Prenez-les.

C'était déjà fait.

Le rôdeur exécuta le semblant demandé, et dit :

— Il n'y a rien.

— On m'a volé, reprit l'officier, j'en suis fâché. C'eût été pour vous.

Les pas de la patrouille devenaient de plus en plus distincts.

— Voici qu'on vient, dit le rôdeur, faisant le mouvement d'un homme qui s'en va.

L'officier, soulevant péniblement le bras, le retint :

— Vous m'avez sauvé la vie. Qui êtes-vous ?

Le rôdeur répondit vite et bas :

— J'étais comme vous de l'armée française. Il faut que je vous quitte. Si l'on me prenait, on me fusillerait. Je vous ai sauvé la vie. Tirez-vous d'affaire maintenant.

— Quel est votre grade ?

— Sergent.

— Comment vous appelez-vous ?

— Thénardier.

— Je n'oublierai pas ce nom, dit l'officier. Et vous,
retenez le mien. Je me nomme Pontmercy.

LIVRE DEUXIÈME

LE VAISSEAU L'ORION

I

LE NUMÉRO 24601 DEVIENT LE NUMÉRO 9430

Jean Valjean avait été repris.

On nous saura gré de passer rapidement sur des détails douloureux. Nous nous bornons à transcrire deux entrefilets publiés par les journaux du temps, quelques mois après les événements surprenants accomplis à M.— sur M —.

Ces articles sont un peu sommaires. On se souvient qu'il n'existait pas encore à cette époque de *Gazette des Tribunaux*.

Nous empruntons le premier au *Drapeau blanc*. Il est daté du 25 juillet 1823.

« — Un arrondissement du Pas-de-Calais vient
« d'être le théâtre d'un événement peu ordinaire.
« Un homme étranger au département et nommé M. Ma-
« deleine avait relevé depuis quelques années, grâce à des
« procédés nouveaux, une ancienne industrie locale, la
« fabrication des jais et des verroteries noires. Il y avait
« fait sa fortune, et, disons-le, celle de l'arrondissement.
« En reconnaissance de ses services on l'avait nommé
« maire. La police a découvert que M. Madeleine n'était
« autre qu'un ancien forçat en rupture de ban, condamné
« en 1796 pour vol, et nommé Jean Valjean. Jean Valjean
« a été réintégré au bagne. Il paraît qu'avant son arresta-
« tion il avait réussi à retirer de chez M. Laffitte une
« somme de plus d'un demi-million qu'il y avait placée,
« et qu'il avait du reste, très légitimement, dit-on, gagnée
« dans son commerce. On n'a pu savoir où Jean Valjean
« avait caché cette somme depuis sa rentrée au bagne
« de Toulon. »

Le deuxième article, un peu plus détaillé, est extrait du *Journal de Paris*, même date :

« — Un ancien forçat libéré, nommé Jean Valjean,

« vient de comparaître devant la cour d'assises du Var
« dans des circonstances faites pour appeler l'attention.
« Ce scélérat était parvenu à tromper la vigilance de la
« police ; il avait changé de nom et avait réussi à se faire
« nommer maire d'une de nos petites villes du Nord. Il avait
« établi dans cette ville un commerce assez considérable.
« Il a été enfin démasqué et arrêté, grâce au zèle infa-
« tigable du ministère public. Il avait pour concubine une
« fille publique qui est morte de saisissement au moment
« de son arrestation. Ce misérable, qui est doué d'une
« force herculéenne, avait trouvé moyen de s'évader,
« mais trois ou quatre jours après son évasion, la police
« mit de nouveau la main sur lui, à Paris même, au
« moment où il montait dans une de ces petites voitures
« qui font le trajet de la capitale au village de Mont-
« fermeil (Seine-et-Oise). On dit qu'il avait profité de
« l'intervalle de ces trois ou quatre jours de liberté pour
« retirer une somme considérable placée par lui chez un
« de nos principaux banquiers. On évalue cette somme
« à six ou sept cent mille francs. A en croire l'acte d'accu-
« sation, il l'aurait enfouie en un lieu connu de lui seul
« et l'on n'a pas pu la saisir ; quoi qu'il en soit, le nommé
« Jean Valjean vient d'être traduit aux assises du dépar-
« tement du Var comme accusé d'un vol de grand chemin
« commis à main armée, il y a huit ans environ, sur la
« personne d'un de ces honnêtes enfants qui, comme
« l'a dit le patriarche de Ferney en vers immortels,

> « ... De Savoie arrivent tous les ans
> « Et dont la main légèrement essuie
> « Ces longs canaux engorgés par la suie.

« Ce bandit a renoncé à se défendre. Il a été établi par
« l'habile et éloquent organe du ministère public, que le
« vol avait été commis de complicité et que Jean Valjean
« faisait partie d'une bande de voleurs dans le Midi. En
« conséquence Jean Valjean, déclaré coupable, a été
« condamné à la peine de mort. Ce criminel avait refusé
« de se pourvoir en cassation. Le roi, dans son inépui-
« sable clémence, a daigné commuer sa peine en celle
« des travaux forcés à perpétuité. Jean Valjean a été
« immédiatement dirigé sur le bagne de Toulon. »

On n'a pas oublié que Jean Valjean avait à M.— sur
M. — des habitudes religieuses. Quelques journaux, entre
autres le *Constitutionnel*, présentèrent cette commutation
comme un triomphe du parti prêtre.

Jean Valjean changea de chiffre au bagne. Il s'appela 9430.

Du reste, disons-le pour n'y plus revenir, avec M. Madeleine la prospérité de M.— sur M — disparut; tout ce qu'il avait prévu dans sa nuit de fièvre et d'hésitation se réalisa; lui de moins, ce fut en effet *l'âme de moins*. Après sa chute il se fit à M.— sur M — ce partage égoïste des grandes existences tombées, ce fatal dépècement des choses florissantes qui s'accomplit tous les jours obscurément dans la communauté humaine et que l'histoire n'a remarqué qu'une fois, parce qu'il s'est fait après la mort d'Alexandre. Les lieutenants se couronnent rois; les contre-maîtres s'improvisèrent fabricants. Les rivalités envieuses surgirent. Les vastes ateliers de M. Madeleine furent fermés; les bâtiments tombèrent en ruine, les ouvriers se dispersèrent. Les uns quittèrent le pays, les autres quittèrent le métier. Tout se fit désormais en petit, au lieu de se faire en grand; pour le lucre, au lieu de se faire pour le bien. Plus de centre; la concurrence partout, et l'acharnement. M. Madeleine dominait tout, et dirigeait. Lui tombé, chacun tira à soi; l'esprit de lutte succéda à l'esprit d'organisation, l'âpreté à la cordialité, la haine de l'un contre l'autre à la bienveillance du fondateur pour tous; les fils noués par M. Madeleine se brouillèrent et se rompirent; on falsifia les procédés, on avilit les produits, on tua la confiance; les débouchés diminuèrent, moins de commandes; le salaire baissa, les ateliers chômèrent, la faillite vint. Et puis plus rien pour les pauvres. Tout s'évanouit.

L'Etat lui-même s'aperçut que quelqu'un avait été écrasé quelque part. Moins de quatre ans après l'arrêt de la cour d'assises constatant au profit du bagne l'identité de M. Madeleine et de Jean Valjean, les frais de perception de l'impôt étaient doublés dans l'arrondissement de M.— sur M—; et M. de Villèle en faisait l'observation à la tribune au mois de février 1827.

II

Avant d'aller plus loin, il est à propos de raconter avec quelque détail un fait singulier qui se passa vers la même époque à Montfermeil et qui n'est peut-être pas sans coïncidence avec certaines conjectures du ministère public.

Il y a dans le pays de Montfermeil une superstition très ancienne, d'autant plus curieuse et d'autant plus précieuse qu'une superstition populaire dans le voisinage de Paris est comme un aloès en Sibérie. Nous sommes de ceux qui respectent tout ce qui est à l'état de plante rare. Voici donc la superstition de Montfermeil : on croit que le diable a, de temps immémorial, choisi la forêt pour y cacher ses trésors. Les bonnes femmes affirment qu'il n'est pas rare de rencontrer, à la chute du jour, dans les endroits écartés du bois, un homme noir, ayant la mine d'un charretier ou d'un bûcheron, chaussé de sabots, vêtu d'un pantalon et d'un sarrau de toile, et reconnaissable en ce qu'au lieu de bonnet ou de chapeau il a deux immenses cornes sur la tête. Ceci doit le rendre reconnaissable en effet. Cet homme est habituellement occupé à creuser un trou. Il y a trois manières de tirer parti de cette rencontre. La première, c'est d'aborder l'homme et de lui parler. Alors on s'aperçoit que cet homme est tout bonnement un paysan, qu'il paraît noir parce qu'on est au crépuscule, qu'il ne creuse pas le moindre trou, mais qu'il coupe de l'herbe pour ses vaches, et que ce qu'on avait pris pour des cornes n'est autre chose qu'une fourche à fumier qu'il porte sur son dos et dont les dents, grâce à la perspective du soir, semblaient lui sortir de la tête. On rentre chez soi, et l'on meurt dans la semaine. La seconde manière, c'est de l'observer, d'attendre qu'il ait creusé son trou, qu'il l'ait refermé et qu'il s'en soit allé ; puis de courir bien vite à la fosse, de la rouvrir et d'y prendre le « trésor » que l'homme noir y a nécessairement déposé. En ce cas, on meurt dans le mois. Enfin la troisième manière, c'est de ne point parler à l'homme noir, de ne point le regarder et de s'enfuir à toutes jambes. On meurt dans l'année.

Comme les trois manières ont leurs inconvénients, la seconde, qui offre du moins quelques avantages, entre autres celui de posséder un trésor, ne fût-ce qu'un mois, est la plus généralement adoptée. Les hommes hardis que toutes les chances tentent, ont donc, assez souvent, à ce qu'on assure, rouvert les trous creusés par l'homme noir et essayé de voler le diable. Il paraît que l'opération est médiocre. Du moins, s'il faut en croire la tradition et en particulier les deux vers énigmatiques en latin barbare qu'a laissés sur ce sujet un mauvais moine normand, un peu sorcier, appelé Tryphon. Ce Tryphon est enterré à l'abbaye Saint-Georges de Bocherville près Rouen, et il naît des crapauds sur sa tombe.

On fait donc des efforts énormes, ces fosses-là sont ordinairement très creuses, on sue, on fouille, on travaille toute une nuit, car c'est la nuit que cela se fait, on mouille sa chemise, on brûle sa chandelle, on ébrèche sa pioche, et lorsqu'on est arrivé enfin au fond du trou, lorsqu'on met la main sur le « trésor », que trouve-t-on ? qu'est-ce que c'est que le trésor du diable ? un sou, parfois un écu ; une pierre, un squelette, un cadavre saignant, quelquefois un spectre plié en quatre comme une feuille de papier dans un portefeuille, quelquefois rien. C'est ce que semblent annoncer aux curieux indiscrets les vers de Tryphon :

> Fodit, et in fossa thesauros condit opaca,
> As, nummos, lapides, cadaver. simulacra, nihilque.

Il paraît que de nos jours on y trouve aussi, tantôt une poire à poudre avec des balles, tantôt un vieux jeu de cartes gras et roussi qui a évidemment servi aux diables. Tryphon n'enregistre point ces deux trouvailles, attendu que Tryphon vivait au douzième siècle et qu'il ne semble point que le diable ait eu l'esprit d'inventer la poudre avant Roger Bacon et les cartes avant Charles VI.

Du reste, si l'on joue avec ces cartes, on est sûr de perdre tout ce qu'on possède ; et quant à la poudre qui est dans la poire, elle a la propriété de vous faire éclater votre fusil à la figure.

Or, fort peu de temps après l'époque où il sembla au ministère public que le forçat libéré Jean Valjean, pendant son évasion de quelques jours, avait rôdé autour de

Montfermeil, on remarqua dans ce même village qu'un
certain vieux cantonnier appelé Boulatruelle avait « des
allures » dans les bois. On croyait savoir dans le pays que
ce Boulatruelle avait été au bagne; il était soumis à de
certaines surveillances de police, et, comme il ne trouvait
d'ouvrage nulle part, l'administration l'employait au
rabais comme cantonnier sur le chemin de traverse de
Gagny à Lagny.

Ce Boulatruelle était un homme vu de travers par les
gens de l'endroit, trop respectueux, trop humble, prompt
à ôter son bonnet à tout le monde, tremblant et souriant
devant les gendarmes, probablement affilié à des bandes,
disait-on, suspect d'embuscade au coin des taillis à la
nuit tombante. Il n'avait que cela pour lui qu'il était
ivrogne.

Voici ce qu'on croyait avoir remarqué :

Depuis quelque temps, Boulatruelle quittait de fort
bonne heure sa besogne d'empierrement et d'entretien
de la route et s'en allait dans la forêt avec sa pioche. On
le rencontrait vers le soir dans les clairières les plus
désertes, dans les fourrés les plus sauvages, ayant l'air
de chercher quelque chose, quelquefois creusant des
trous. Les bonnes femmes qui passaient le prenaient
d'abord pour Belzébuth, puis elles reconnaissaient Boulatruelle, et n'étaient guère plus rassurées. Ces rencontres
paraissaient contrarier vivement Boulatruelle. Il était
visible qu'il cherchait à se cacher, et qu'il y avait un
mystère dans ce qu'il faisait.

On disait dans le village : — C'est clair que le diable
a fait quelque apparition. Boulatruelle l'a vu, et cherche.
Au fait, il est fichu pour empoigner le magot de Luci-
fer. — Les voltairiens ajoutaient : Sera-ce Boulatruelle
qui attrapera le diable, ou le diable qui attrapera Boulatruelle ? — Les vieilles femmes faisaient beaucoup de
signes de croix.

Cependant les manèges de Boulatruelle dans le bois
cessèrent, et il reprit régulièrement son travail de cantonnier. On parla d'autre chose.

Quelques personnes toutefois étaient restées curieuses,
pensant qu'il y avait probablement dans ceci, non
point les fabuleux trésors de la légende, mais quelque
bonne aubaine plus sérieuse et plus palpable que les
billets de banque du diable, et dont le cantonnier avait
sans doute surpris à moitié le secret. Les plus « intrigués »
étaient le maître d'école et le gargotier Thénardier,

lequel était l'ami de tout le monde et n'avait point dédaigné de se lier avec Boulatruelle.

— Il a été aux galères, disait Thénardier. Eh! mon Dieu! on ne sait ni qui y est, ni qui y sera.

Un soir le maître d'école affirmait qu'autrefois la justice se serait enquis de ce que Boulatruelle allait faire dans le bois, et qu'il aurait bien fallu qu'il parlât, et qu'on l'aurait mis à la torture au besoin, et que Boulatruelle n'aurait point résisté, par exemple, à la question de l'eau.

— Donnons-lui la question du vin, dit Thénardier.

On se mit à quatre et l'on fit boire le vieux cantonnier. Boulatruelle but énormément et parla peu. Il combina, avec un art admirable et dans une proportion magistrale, la soif d'un goinfre avec la discrétion d'un juge. Cependant, à force de revenir à la charge, et de rapprocher et de presser les quelques paroles obscures qui lui échappèrent, voici ce que Thénardier et le maître d'école crurent comprendre :

Boulatruelle, un matin, en se rendant au point du jour à son ouvrage, aurait été surpris de voir, dans un coin du bois, sous une broussaille, une pelle et une pioche, *comme qui dirait cachées.* Cependant, il aurait pensé que c'étaient probablement la pelle et la pioche du père Six-Fours, le porteur d'eau, et il n'y aurait plus songé. Mais le soir du même jour, il aurait vu, sans pouvoir être vu lui-même, étant masqué par un gros arbre, se diriger de la route vers le plus épais du bois « un particulier qui n'était pas du tout du pays, et que lui, Boulatruelle, connaissait très bien ». Traduction par Thénardier : *Un camarade du bagne.* Boulatruelle s'était obstinément refusé à dire le nom. Ce particulier portait un paquet, quelque chose de carré, comme une grande boîte ou un petit coffre. Surprise de Boulatruelle. Ce ne serait pourtant qu'au bout de sept ou huit minutes que l'idée de suivre « le particulier » lui serait venue. Mais il était trop tard, le particulier était déjà dans le fourré, la nuit s'était faite, et Boulatruelle n'avait pu le rejoindre. Alors il avait pris le parti d'observer la lisière du bois. « Il faisait lune. » Deux ou trois heures après, Boulatruelle avait vu ressortir du taillis son particulier portant maintenant, non plus le petit coffre-malle, mais une pioche et une pelle. Boulatruelle avait laissé passer le particulier et n'avait pas eu l'idée de l'aborder, parce qu'il s'était dit que l'autre était trois fois plus fort que lui, et armé d'une pioche, et l'assommerait probablement en le recon-

naissant et en se voyant reconnu. Touchante effusion de
deux vieux camarades qui se retrouvent. Mais la pelle
et la pioche avaient été un trait de lumière pour Boulatruelle; il avait couru à la broussaille du matin, et n'y
avait plus trouvé ni pelle ni pioche. Il en avait conclu
que son particulier, entré dans le bois, y avait creusé
un trou avec la pioche, avait enfoui le coffre, et avait
refermé le trou avec la pelle. Or, le coffre était trop petit
pour contenir un cadavre, donc il contenait de l'argent.
De là ses recherches. Boulatruelle avait exploré, sondé et
fureté toute la forêt, et fouillé partout où la terre lui avait
paru fraîchement remuée. En vain.

Il n'avait rien « déniché ». Personne n'y pensa plus
dans Montfermeil. Il y eut seulement quelques braves
commères qui dirent : Tenez pour certain que le cantonnier de Gagny n'a pas fait tout ce triquemaque pour rien;
il est sûr que le diable est venu.

III

QU'IL FALLAIT QUE LA CHAÎNE DE LA MANILLE EÛT SUBI UN CERTAIN TRAVAIL PRÉPARATOIRE POUR ÊTRE AINSI BRISÉE D'UN COUP DE MARTEAU

Vers la fin d'octobre de cette même année 1823, les
habitants de Toulon virent rentrer dans leur port, à la
suite d'un gros temps et pour réparer quelques avaries,
le vaisseau l'*Orion* qui a été plus tard employé à Brest
comme vaisseau-école et qui faisait alors partie de l'escadre de la Méditerranée.

Ce bâtiment, tout éclopé qu'il était, car la mer l'avait
malmené, fit de l'effet en entrant dans la rade. Il portait
je ne sais plus quel pavillon qui lui valut un salut régle-
mentaire de onze coups de canon, rendus par lui coup
pour coup; total : vingt-deux. On a calculé qu'en salves,
politesses royales et militaires, échanges de tapages cour-
tois, signaux d'étiquette, formalités de rades et de citadelles, levers et couchers de soleil salués tous les jours
par toutes les forteresses et tous les navires de guerre,
ouvertures et fermetures des portes, etc., etc., le monde

civilisé tirait à poudre par toute la terre, toutes les vingt-quatre heures, cent cinquante mille coups de canon inutiles. A six francs le coup de canon, cela fait neuf cent mille francs par jour, trois cents millions par an, qui s'en vont en fumée. Ceci n'est qu'un détail. Pendant ce temps-là les pauvres meurent de faim.

L'année 1823 était ce que la restauration a appelé « l'époque de la guerre d'Espagne ».

Cette guerre contenait beaucoup d'événements dans un seul, et force singularités. Une grosse affaire de famille pour la maison de Bourbon; la branche de France secourant et protégeant la branche de Madrid, c'est-à-dire, faisant acte d'aînesse; un retour apparent à nos traditions nationales compliqué de servitude et de sujétion aux cabinets du nord; M. le duc d'Angoulême, surnommé par les feuilles libérales *le héros d'Andujar*, comprimant, dans une attitude triomphale un peu contrariée par son air paisible, le vieux terrorisme fort réel du saint-office aux prises avec le terrorisme chimérique des libéraux; les sans-culottes ressuscités au grand effroi des douairières sous le nom de *descamisados ;* le monarchisme faisant obstacle au progrès qualifié anarchie; les théories de 89 brusquement interrompues dans la sape; un holà européen intimé à l'idée française faisant son tour du monde; à côté du fils de France généralissime, le prince de Carignan, depuis Charles-Albert, s'enrôlant dans cette croisade des rois contre les peuples comme volontaire avec des épaulettes de grenadier en laine rouge; les soldats de l'empire se remettant en campagne, mais après huit années de repos, vieillis, tristes, et sous la cocarde blanche; le drapeau tricolore agité à l'étranger par une héroïque poignée de français comme le drapeau blanc l'avait été à Coblentz trente ans auparavant; les moines mêlés à nos troupiers; l'esprit de liberté et de nouveauté mis à la raison par les baïonnettes; les principes matés à coups de canon; la France défaisant par ses armes ce qu'elle avait fait par son esprit; du reste, les chefs ennemis vendus, les soldats hésitant, les villes assiégées par des millions; point de périls militaires et pourtant des explosions possibles, comme dans toute mine surprise et envahie; peu de sang versé, peu d'honneur conquis, de la honte pour quelques-uns, de la gloire pour personne; telle fut cette guerre, faite par des princes qui descendaient de Louis XIV et conduite par des généraux qui sortaient de Napoléon. Elle eut ce triste sort de ne rappeler ni la grande guerre ni la grande politique.

Quelques faits d'armes furent sérieux; la prise du Tro-cadéro, entre autres, fut une belle action militaire; mais en somme, nous le répétons, les trompettes de cette guerre rendent un son fêlé, l'ensemble fut suspect, l'histoire approuve la France dans sa difficulté d'acceptation de ce faux triomphe. Il parut évident que certains officiers espagnols chargés de la résistance cédaient trop aisément, l'idée de corruption se dégagea de la victoire; il sembla qu'on avait plutôt gagné les généraux que les batailles, et le soldat vainqueur rentra humilié. Guerre diminuante en effet où l'on put lire *Banque de France* dans les plis du drapeau.

Des soldats de la guerre de 1808, sur lesquels s'était formidablement écroulée Saragosse, fronçaient le sourcil en 1823 devant l'ouverture facile des citadelles, et se prenaient à regretter Palafox. C'est l'humeur de la France d'aimer encore mieux avoir devant elle Rostopchine que Ballesteros.

A un point de vue plus grave encore, et sur lequel il convient d'insister aussi, cette guerre qui froissait en France l'esprit militaire, indignait l'esprit démocratique. C'était une entreprise d'asservissement. Dans cette cam-pagne, le but du soldat français, fils de la démocratie, était la conquête d'un joug pour autrui. Contresens hideux. La France est faite pour réveiller l'âme des peuples, non pour l'étouffer. Depuis 1792, toutes les révolutions de l'Europe sont la révolution française; la liberté rayonne de France. C'est là un fait solaire. Aveugle qui ne le voit pas! C'est Bonaparte qui l'a dit.

La guerre de 1823, attentat à la généreuse nation espa-gnole, était donc en même temps un attentat à la révo-lution française. Cette voie de fait monstrueuse, c'était la France qui la commettait; car, en dehors des guerres libératrices, tout ce que font les armées, elles le font de force. Le mot *obéissance passive* l'indique. Une armée est un étrange chef-d'œuvre de combinaison où la force résulte d'une somme énorme d'impuissances. Ainsi s'ex-plique la guerre, faite par l'humanité contre l'humanité malgré l'humanité.

Quant aux Bourbons, la guerre de 1823 leur fut fatale. Ils la prirent pour un succès. Ils ne virent point quel danger il y a à faire tuer une idée par une consigne. Ils se méprirent dans leur naïveté au point d'introduire dans leur établissement comme élément de force l'immense affaiblissement d'un crime. L'esprit de guet-apens entra dans leur politique. 1830 germa dans 1823. La campagne d'Espagne devint dans leurs conseils un argument pour les coups de force et pour les aventures de droit divin. La France, ayant rétabli *el rey neto* en Espagne, pouvait bien rétablir le roi absolu chez elle. Ils tombèrent dans cette redoutable erreur de prendre l'obéissance du soldat pour le consentement de la nation. Cette confiance-là perd les trônes. Il ne faut s'endormir, ni à l'ombre d'un mancenillier, ni à l'ombre d'une armée.

Revenons au navire l'*Orion*.

Pendant les opérations de l'armée commandée par le prince-généralissime, une escadre croisait dans la Méditerranée. Nous venons de dire que l'*Orion* était de cette escadre et qu'il fut ramené par des événements de mer dans le port de Toulon.

La présence d'un vaisseau de guerre dans un port a je ne sais quoi qui appelle et qui occupe la foule. C'est que cela est grand, et que la foule aime ce qui est grand.

Un vaisseau de ligne est une des plus magnifiques rencontres qu'ait le génie de l'homme avec la puissance de la nature.

Un vaisseau de ligne est composé à la fois de ce qu'il y a de plus lourd et de ce qu'il y a de plus léger, parce qu'il a affaire en même temps aux trois formes de la substance, au solide, au liquide, au fluide, et qu'il doit lutter contre toutes les trois. Il a onze griffes de fer pour saisir le granit au fond de la mer, et plus d'ailes et plus d'antennes que la bigaille pour prendre le vent dans les nuées. Son haleine sort par ses cent vingt canons comme par des clairons énormes, et répond fièrement à la foudre. L'Océan cherche à l'égarer dans l'effrayante similitude de ses vagues, mais le vaisseau a son âme, sa boussole, qui le conseille et lui montre toujours le nord. Dans les nuits noires ses fanaux suppléent aux étoiles. Ainsi contre le vent il a la corde et la toile, contre l'eau le bois, contre le rocher le fer, le cuivre et le plomb, contre l'ombre la lumière, contre l'immensité une aiguille.

Si l'on veut se faire une idée de toutes ces proportions gigantesques dont l'ensemble constitue le vaisseau de ligne, on n'a qu'à entrer sous une des cales couvertes, à six étages, des ports de Brest ou de Toulon. Les vaisseaux en construction sont là sous cloche, pour ainsi dire. Cette poutre colossale, c'est une vergue; cette grosse colonne de bois couchée à terre à perte de vue, c'est le grand mât.

A le prendre de sa racine dans la cale à sa cime dans la nuée, il est long de soixante toises, et il a trois pieds de diamètre à sa base. Le grand mât anglais s'élève à deux cent dix-sept pieds au-dessus de la ligne de flottaison. La marine de nos pères employait des câbles, la nôtre emploie des chaînes. Le simple tas de chaînes d'un vaisseau de cent canons a quatre pieds de haut, vingt pieds de large, huit pieds de profondeur. Et pour faire ce vaisseau, combien faut-il de bois ? Trois mille stères. C'est une forêt qui flotte.

Et encore, qu'on le remarque bien, il ne s'agit ici que du bâtiment militaire d'il y a quarante ans, du simple navire à voiles; la vapeur, alors dans l'enfance, a depuis ajouté de nouveaux miracles à ce prodige qu'on appelle le vaisseau de guerre. A l'heure qu'il est, par exemple, le navire mixte à hélice est une machine surprenante traînée par une voilure de trois milles mètres carrés de surface et par une chaudière de la force de deux mille cinq cents chevaux.

Sans parler de ces merveilles nouvelles, l'ancien navire de Christophe Colomb et de Ruyter est un des grands chefs-d'œuvre de l'homme. Il est inépuisable en force comme l'infini en souffles, il emmagasine le vent dans sa voile, il est précis dans l'immense diffusion des vagues, il flotte et il règne.

Il vient une heure pourtant où la rafale brise comme une paille cette vergue de soixante pieds de long, où le vent ploie comme un jonc ce mât de quatre cents pieds de haut, où cette ancre qui pèse dix milliers se tord dans la gueule de la vague comme l'hameçon d'un pêcheur dans la mâchoire d'un brochet, où ces canons monstrueux poussent des rugissements plaintifs et inutiles que l'ouragan emporte dans le vide et dans la nuit, où toute cette puissance et toute cette majesté s'abîment dans une puissance et dans une majesté supérieures.

Toutes les fois qu'une force immense se déploie pour aboutir à une immense faiblesse, cela fait rêver les hommes. De là, dans les ports, les curieux qui abondent, sans qu'ils s'expliquent eux-mêmes parfaitement pourquoi, autour de ces merveilleuses machines de guerre et de navigation.

Tous les jours donc, du matin au soir, les quais, les musoirs et les jetées du port de Toulon étaient couverts d'une quantité d'oisifs et de badauds, comme on dit à Paris, ayant pour affaire de regarder l'*Orion*.

L'*Orion* était un navire malade depuis longtemps. Dans ses navigations antérieures, des couches épaisses de coquillages s'étaient amoncelées sur sa carène au point de lui faire perdre la moitié de sa marche; on l'avait mis à sec l'année précédente pour gratter ces coquillages, puis il avait repris la mer. Mais ce grattage avait altéré les boulonnages de la carène. A la hauteur des Baléares, le bordé s'était fatigué et ouvert, et, comme le vaigrage ne se faisait pas alors en tôle, le navire avait fait de l'eau. Un violent coup d'équinoxe était survenu, qui avait défoncé à bâbord la poulaine et un sabord et endommagé le porte-haubans de misaine. A la suite de ces avaries, l'*Orion* avait regagné Toulon.

Il était mouillé près de l'Arsenal. Il était en armement et on le réparait. La coque n'avait pas été endommagée à tribord, mais quelques bordages étaient décloués çà et là, selon l'usage, pour laisser pénétrer de l'air dans la carcasse.

Un matin la foule qui le contemplait fut témoin d'un accident.

L'équipage était occupé à enverguer les voiles. Le gabier chargé de prendre l'empointure du grand hunier tribord perdit l'équilibre. On le vit chanceler, la multitude amassée sur le quai de l'Arsenal jeta un cri, la tête emporta le corps, l'homme tourna autour de la vergue, les mains étendues vers l'abîme; il saisit, au passage, le faux-marchepied d'une main d'abord, puis de l'autre, et il y resta suspendu. La mer était au-dessous de lui à une profondeur vertigineuse. La secousse de sa chute avait imprimé au faux-marchepied un violent mouvement d'escarpolette. L'homme allait et venait au bout de cette corde comme la pierre d'une fronde.

Aller à son secours, c'était courir un risque effrayant. Aucun des matelots, tous pêcheurs de la côte nouvellement levés pour le service, n'osait s'y aventurer. Cependant le malheureux gabier se fatiguait; on ne pouvait voir son angoisse sur son visage, mais on distinguait dans tous ses membres son épuisement. Ses bras se tordaient dans un tiraillement horrible. Chaque effort qu'il faisait pour remonter ne servait qu'à augmenter les oscillations du faux-marchepied. Il ne criait pas de peur de perdre de la force. On n'attendait plus que la minute où il lâcherait la corde et par instants toutes les têtes se détournaient afin de ne pas le voir passer. Il y a des moments où un bout de corde, une perche, une branche d'arbre, c'est la vie même, et c'est une chose affreuse de voir un être vivant s'en détacher et tomber comme un fruit mûr.

Tout à coup, on aperçut un homme qui grimpait dans le gréement avec l'agilité d'un chat-tigre. Cet homme était vêtu de rouge, c'était un forçat; il avait un bonnet vert, c'était un forçat à vie. Arrivé à la hauteur de la hune, un coup de vent emporta son bonnet et laissa voir une tête toute blanche; ce n'était pas un jeune homme.

Un forçat en effet, employé à bord avec une corvée du bagne, avait dès le premier moment couru à l'officier de quart et au milieu du trouble et de l'hésitation de l'équipage, pendant que tous les matelots tremblaient et reculaient, il avait demandé à l'officier la permission de risquer sa vie pour sauver le gabier. Sur un signe affirmatif de l'officier, il avait rompu d'un coup de marteau la chaîne rivée à la manille de son pied, puis il avait pris une corde, et il s'était élancé dans les haubans. Personne ne remarqua en cet instant-là avec quelle facilité cette chaîne fut brisée. Ce ne fut que plus tard qu'on s'en souvint.

En un clin d'œil il fut sur la vergue. Il s'arrêta quelques secondes et parut la mesurer du regard. Ces secondes, pendant lesquelles le vent balançait le gabier à l'extrémité d'un fil, semblèrent des siècles à ceux qui regardaient. Enfin le forçat leva les yeux au ciel, et fit un pas en avant. La foule respira. On le vit parcourir la vergue en courant. Parvenu à la pointe, il y attacha un bout de la corde qu'il avait apportée, et laissa pendre l'autre bout, puis il se mit à descendre avec les mains le long de cette corde, et alors ce fut une inexprimable angoisse, au lieu d'un homme suspendu sur le gouffre, on en vit deux.

On eût dit une araignée venant saisir une mouche; seulement ici l'araignée apportait la vie et non la mort. Dix mille regards étaient fixés sur ce groupe. Pas un cri, pas une parole, le même frémissement fronçait tous les sourcils. Toutes les bouches retenaient leur haleine, comme si elles eussent craint d'ajouter le moindre souffle au vent qui secouait les deux misérables.

Cependant le forçat était parvenu à s'affaler près du matelot. Il était temps; une minute de plus, l'homme, épuisé et désespéré, se laissait tomber dans l'abîme; le forçat l'avait amarré solidement avec la corde à laquelle il se tenait d'une main pendant qu'il travaillait de l'autre. Enfin on le vit remonter sur la vergue et y haler le matelot;

il le soutint là un instant pour lui laisser reprendre ses forces, puis il le saisit dans ses bras et le porta en marchant sur la vergue jusqu'au chouquet, et de là dans la hune où il le laissa dans les mains de ses camarades.

A cet instant la foule applaudit; il y eut de vieux argousins de chiourme qui pleurèrent, les femmes s'embrassaient sur le quai; et l'on entendit toutes les voix crier avec une sorte de fureur attendrie : la grâce de cet homme!

Lui, cependant, s'était mis en devoir de redescendre immédiatement pour rejoindre sa corvée. Pour être plus promptement arrivé, il se laissa glisser dans le gréement et se mit à courir sur une basse vergue. Tous les yeux le suivaient. A un certain moment, on eut peur; soit qu'il fût fatigué, soit que la tête lui tournât, on crut le voir hésiter et chanceler. Tout à coup la foule poussa un grand cri, le forçat venait de tomber à la mer.

La chute était périlleuse. La frégate l'*Algésiras* était mouillée auprès de l'*Orion*, et le pauvre galérien était tombé entre les deux navires. Il était à craindre qu'il ne glissât sous l'un ou sous l'autre. Quatre hommes se jetèrent en hâte dans une embarcation. La foule les encourageait, l'anxiété était de nouveau dans toutes les âmes. L'homme n'était pas remonté à la surface. Il avait disparu dans la mer sans y faire un pli, comme s'il fût tombé dans une tonne d'huile. On sonda, on plongea. Ce fut en vain. On chercha jusqu'au soir; on ne retrouva pas même le corps.

Le lendemain, le journal de Toulon imprimait ces quelques lignes : — « 17 novembre 1823. — Hier, un « forçat, de corvée à bord de l'*Orion*, en revenant de « porter secours à un matelot, est tombé à la mer et s'est « noyé. On n'a pu retrouver son cadavre. On présume « qu'il se sera engagé sous les pilotis de la pointe de « l'Arsenal.-Cet homme était écroué sous le nº 9430 et « se nommait Jean Valjean. »

LIVRE TROISIÈME

ACCOMPLISSEMENT DE LA PROMESSE
FAITE A LA MORTE

I

LA QUESTION DE L'EAU A MONTFERMEIL

Montfermeil est situé entre Livry et Chelles, sur la
lisière méridionale de ce haut plateau qui sépare l'Ourque
de la Marne. Aujourd'hui, c'est un assez gros bourg orné,
toute l'année, de villas en plâtre, et, le dimanche, de
bourgeois épanouis. En 1823, il n'y avait à Montfermeil
ni tant de maisons blanches ni tant de bourgeois satisfaits :
ce n'était qu'un village dans les bois. On y rencontrait
bien çà et là quelques maisons de plaisance du dernier
siècle, reconnaissables à leur grand air, à leurs balcons en
fer tordu et à ces longues fenêtres dont les petits carreaux font sur le blanc des volets fermés toutes sortes
de verts différents. Mais Montfermeil n'en était pas
moins un village. Les marchands de drap retirés et les
agréés en villégiature ne l'avaient pas encore découvert. C'était un endroit paisible et charmant, qui n'était
sur la route de rien; on y vivait à bon marché de cette
vie paysanne si abondante et si facile. Seulement l'eau
y était rare à cause de l'élévation du plateau.

Il fallait aller la chercher assez loin. Le bout du village qui est du côté de Gagny puisait son eau aux magnifiques étangs qu'il y a là dans les bois; l'autre bout, qui
entoure l'église et qui est du côté de Chelles, ne trouvait
d'eau potable qu'à une petite source à mi-côte, près de
la route de Chelles, à environ un quart d'heure de Montfermeil.

C'était donc une assez rude besogne pour chaque
ménage que cet approvisionnement de l'eau. Les grosses
maisons, l'aristocratie, la gargote Thénardier en faisait
partie, payaient un liard par seau d'eau à un bonhomme
dont c'était l'état et qui gagnait à cette entreprise des
eaux de Montfermeil environ huit sous par jour, mais
ce bonhomme ne travaillait que jusqu'à sept heures du

soir l'été et jusqu'à cinq heures l'hiver, et une fois la nuit venue, une fois les volets des rez-de-chaussée clos, qui n'avait pas d'eau à boire en allait chercher ou s'en passait.

C'était là la terreur de ce pauvre être que le lecteur n'a peut-être pas oublié, de la petite Cosette. On se souvient que Cosette était utile aux Thénardier de deux manières, ils se faisaient payer par la mère et ils se faisaient servir par l'enfant. Aussi quand la mère cessa tout à fait de payer, on vient de lire pourquoi dans les chapitres précédents, les Thénardier gardèrent Cosette. Elle leur remplaçait une servante. En cette qualité, c'était elle qui courait chercher de l'eau quand il en fallait. Aussi l'enfant, fort épouvantée de l'idée d'aller à la source la nuit, avait-elle grand soin que l'eau ne manquât jamais à la maison.

La Noël de l'année 1823 fut particulièrement brillante à Montfermeil. Le commencement de l'hiver avait été doux; il n'avait encore ni gelé ni neigé. Des bateleurs venus de Paris avaient obtenu de M. le maire la permission de dresser leurs baraques dans la grande rue du village, et une bande de marchands ambulants avait, sous la même tolérance, construit ses échoppes sur la place de l'église et jusque dans la ruelle du Boulanger, où était située, on s'en souvient peut-être, la gargote des Thénardier. Cela emplissait les auberges et les cabarets, et donnait à ce petit pays tranquille une vie bruyante et joyeuse. Nous devons même dire, pour être fidèle historien, que parmi les curiosités étalées sur la place, il y avait une ménagerie dans laquelle d'affreux paillasses vêtus de loques et venus de on ne sait d'où, montraient en 1823 aux paysans de Montfermeil un de ces effrayants vautours du Brésil que notre Muséum royal ne possède que depuis 1845, et qui ont pour œil une cocarde tricolore. Les naturalistes appellent, je crois, cet oiseau Cara-cara Polyborus; il est de l'ordre des apicides et de la famille des vautouriens. Quelques bons vieux soldats bonapartistes retirés dans le village allaient voir cette bête avec dévotion. Les bateleurs donnaient la cocarde tricolore comme un phénomène unique et fait exprès par le bon Dieu pour leur ménagerie.

Dans la soirée même de Noël, plusieurs hommes, rouliers et colporteurs, étaient attablés et buvaient autour de quatre ou cinq chandelles dans la salle basse de l'auberge Thénardier. Cette salle ressemblait à toutes les salles de cabaret; des tables, des brocs d'étain, des bouteilles, des

buveurs, des fumeurs ; peu de lumière, beaucoup de bruit.
La date de l'année 1823 était pourtant indiquée par les
deux objets à la mode alors dans la classe bourgeoise
qui étaient sur une table, savoir un kaléidoscope et une
lampe de fer-blanc moiré. La Thénardier surveillait le
souper qui rôtissait devant un bon feu clair ; le mari
Thénardier buvait avec ses hôtes et parlait politique.

Outre les causeries politiques, qui avaient pour objets
principaux la guerre d'Espagne et M. le duc d'Angoulême,
on entendait dans le brouhaha des parenthèses toutes
locales comme celles-ci :

— Du côté de Nanterre et de Suresnes le vin a beaucoup donné. Où l'on comptait sur dix pièces on en a eu
douze. Cela a beaucoup juté sous le pressoir. — Mais le
raisin ne devait pas être mûr ? — Dans ces pays-là il ne
faut pas qu'on vendange mûr : le vin tourne au gras
sitôt le printemps. — C'est donc tout petit vin ? — C'est
des vins encore plus petits que par ici. Il faut qu'on vendange vert.

Etc. —

Ou bien, c'était un meunier qui s'écriait :

— Est-ce que nous sommes responsables de ce qu'il
y a dans les sacs ? Nous y trouvons un tas de petites
graines que nous ne pouvons pas nous amuser à éplucher
et qu'il faut bien laisser passer sous les meules ; c'est
l'ivraie, c'est la luzette, la nielle, la vesce, la gaverolle, le
chènevis, la queue de renard, et une foule d'autres
drogues, sans compter les cailloux qui abondent dans de
certains blés, surtout dans les blés bretons. Je n'ai pas
l'amour de moudre du blé breton, pas plus que les
scieurs de long de scier des poutres où il y a des clous.
Jugez de la mauvaise poussière que tout cela fait dans le
rendement. Après quoi on se plaint de la farine. On a
tort. La farine n'est pas notre faute.

Dans un entre-deux de fenêtres, un faucheur, attablé
avec un propriétaire qui faisait prix pour un travail de
prairie à faire au printemps, disait :

— Il n'y a point de mal que l'herbe soit mouillée.
Elle se coupe mieux. La rousée est bonne, monsieur.
C'est égal, cette herbe-là, votre herbe, est jeune et bien
difficile encore. Que voilà qui est si tendre ; que voilà qui
plie devant la planche de fer.

Etc. —

Cosette était à sa place ordinaire, assise sur la traverse
de la table de cuisine près de la cheminée : elle était en

haillons, elle avait ses pieds nus dans des sabots et elle tricotait à la lueur du feu des bas de laine destinés aux petites Thénardier. Un tout jeune chat jouait sous les chaises. On entendait rire et jaser dans une pièce voisine deux fraîches voix d'enfants; c'étaient Eponine et Azelma.

Au coin de la cheminée, un martinet était suspendu à un clou.

Par intervalles, le cri d'un très jeune enfant, qui était quelque part dans la maison, perçait au milieu du bruit du cabaret. C'était un petit garçon que la Thénardier avait eu un des hivers précédents, — « sans savoir pourquoi, disait-elle : effet du froid », — et qui était âgé d'un peu plus de trois ans. La mère l'avait nourri, mais ne l'aimait pas. Quand la clameur acharnée du mioche devenait trop importune : — Ton fils piaille, disait Thénardier, va donc voir ce qu'il veut. — Bah! répondait la mère, il m'ennuie. — Et le petit abandonné continuait de crier dans les ténèbres.

II

DEUX PORTRAITS COMPLÉTÉS

On n'a encore aperçu dans ce livre les Thénardier que de profil; le moment est venu de tourner autour de ce couple et de le regarder sous toutes ses faces.

Thénardier venait de dépasser ses cinquante ans; madame Thénardier touchait à la quarantaine, qui est la cinquantaine de la femme; de façon qu'il y avait équilibre d'âge entre la femme et le mari.

Les lecteurs ont peut-être, dès sa première apparition, conservé quelque souvenir de cette Thénardier grande, blonde, rouge, grasse, charnue, carrée, énorme et agile; elle tenait, nous l'avons dit, de la race de ces sauvagesses colosses qui se cambrent dans les foires avec des pavés pendus à leur chevelure. Elle faisait tout dans le logis, les lits, les chambres, la lessive, la cuisine, la pluie, le beau temps, le diable. Elle avait pour tout domestique Cosette; une souris au service d'un éléphant. Tout tremblait au son de sa voix, les vitres, les meubles et les gens, Son large visage, criblé de taches de rousseur, avait l'aspect d'une écumoire. Elle avait de la barbe. C'était l'idéal d'un fort de la halle habillé en fille. Elle jurait splendidement ; elle se vantait de casser une noix d'un coup de poing. Sans les romans qu'elle avait lus, et qui, par moments, faisaient bizarrement reparaître la mijaurée sous l'ogresse, jamais l'idée ne fût venue à personne de dire d'elle : C'est une femme. Cette Thénardier était comme le produit de la greffe d'une donzelle sur une poissarde. Quand on l'entendait parler, on disait : C'est un gendarme ; quand on la regardait boire, on disait : C'est un charretier ; quand on la voyait manier Cosette, on disait : C'est le bourreau. Au repos, il lui sortait de la bouche une dent.

Le Thénardier était un homme petit, maigre, blême, anguleux, osseux, chétif, qui avait l'air malade et qui se portait à merveille, sa fourberie commençait là. Il souriait habituellement par précaution, et était poli à peu près avec tout le monde, même avec le mendiant auquel il refusait un liard. Il avait le regard d'une fouine et la mine d'un homme de lettres. Il ressemblait beaucoup aux portraits de l'abbé Delille. Sa coquetterie consistait à boire avec les rouliers. Personne n'avait jamais pu le griser. Il fumait dans une grosse pipe. Il portait une blouse et sous sa blouse un vieil habit noir. Il avait des prétentions à la littérature et au matérialisme. Il y avait des noms qu'il prononçait souvent, pour appuyer les choses quelconques qu'il disait, Voltaire, Raynal, Parny, et, chose bizarre, saint Augustin. Il affirmait avoir « un système ». Du reste fort escroc. Un filousophe. Cette nuance existe. On se souvient qu'il prétendait avoir servi ; il contait avec quelque luxe qu'à Waterloo, étant sergent dans un 6e ou 9e léger quelconque, il avait, seul contre un escadron de hussards de la Mort, couvert de son corps et sauvé à travers la mitraille « un général dangereusement blessé ». De là, venait, pour son mur, sa flamboyante enseigne, et, pour son auberge, dans le pays, le nom de « cabaret du sergent de Waterloo ». Il était libéral, classique et bonapartiste. Il avait souscrit pour le champ d'Asile. On disait dans le village qu'il avait étudié pour être prêtre.

Nous croyons qu'il avait simplement étudié en Hollande pour être aubergiste. Ce gredin de l'ordre composite était, selon les probabilités, quelque flamand de Lille en Flandre, français à Paris, belge à Bruxelles, commodément à cheval sur deux frontières. Sa prouesse à Waterloo, on la connaît. Comme on voit, il l'exagérait un peu. Le flux et le reflux, le méandre, l'aventure, était l'élément de son existence; conscience déchirée entraîne vie décousue; et vraisemblablement, à l'orageuse époque du 18 juin 1815, Thénardier appartenait à cette variété de cantiniers maraudeurs dont nous avons parlé, battant l'estrade, vendant à ceux-ci, volant ceux-là, et roulant en famille, homme, femme et enfants, dans quelque carriole boiteuse, à la suite des troupes en marche, avec l'instinct de se rattacher toujours à l'armée victorieuse. Cette campagne faite, ayant, comme il disait, « du quibus », il était venu ouvrir gargote à Montfermeil.

Ce quibus, composé des bourses et des montres, des bagues d'or et des croix d'argent, récoltées au temps de la moisson dans les sillons ensemencés de cadavres, ne faisait pas un gros total et n'avait pas mené bien loin ce vivandier passé gargotier.

Thénardier avait ce je ne sais quoi de rectiligne dans le geste qui, avec un juron, rappelle la caserne, et, avec un signe de croix, le séminaire. Il était beau parleur. Il se laissait croire savant. Néanmoins, le maître d'école avait remarqué qu'il faisait — « des cuirs. » — Il composait la carte à payer des voyageurs avec supériorité, mais des yeux exercés y trouvaient parfois des fautes d'orthographe. Thénardier était sournois, gourmand, flâneur et habile. Il ne dédaignait pas ses servantes, ce qui faisait que sa femme n'en avait plus. Cette géante était jalouse. Il lui semblait que ce petit homme maigre et jaune devait être l'objet de la convoitise universelle.

Thénardier, par-dessus tout, homme d'astuce et d'équilibre, était un coquin du genre tempéré. Cette espèce est la pire; l'hypocrisie s'y mêle.

Ce n'est pas que Thénardier ne fût dans l'occasion capable de colère au moins autant que sa femme; mais cela était très rare, et dans ces moments-là, comme il en voulait au genre humain tout entier, comme il avait en lui une profonde fournaise de haine, comme il était de ces gens qui se vengent perpétuellement, qui accusent tout ce qui passe devant eux, de tout ce qui est tombé sur eux, et qui sont toujours prêts à jeter sur le premier venu, comme légitime grief, le total des déceptions, des banqueroutes et des calamités de leur vie, comme tout ce levain se soulevait en lui et lui bouillonnait dans la bouche et dans les yeux, il était épouvantable. Malheur à qui passait sous sa fureur alors!

Outre toutes ses autres qualités, Thénardier était attentif et pénétrant, silencieux ou bavard à l'occasion, et toujours avec une haute intelligence. Il avait quelque chose du regard des marins accoutumés à cligner des yeux dans les lunettes d'approche. Thénardier était un homme d'Etat.

Tout nouveau venu qui entrait dans la gargote disait en voyant la Thénardier : Voilà le maître de la maison. Erreur. Elle n'était même pas la maîtresse. Le maître et et la maîtresse, c'était le mari. Elle faisait, il créait. Il dirigeait tout par une sorte d'action magnétique invisible et continuelle. Un mot lui suffisait, quelquefois un signe ; le mastodonte obéissait. Le Thénardier était pour la Thénardier, sans qu'elle s'en rendît trop compte, une espèce d'être particulier et souverain. Elle avait les vertus de sa façon d'être ; jamais, eût-elle été en dissentiment sur un détail avec « monsieur Thénardier », hypothèse du reste inadmissible, elle n'eût donné publiquement tort à son mari, sur quoi que ce soit. Jamais elle n'eût commis « devant des étrangers » cette faute que font si souvent les femmes, et qu'on appelle en langage parlementaire : découvrir la couronne. Quoique leur accord n'eût pour résultat que le mal, il y avait de la contemplation dans la soumission de la Thénardier à son mari. Cette montagne de bruit et de chair se mouvait sous le petit doigt de ce despote frêle. C'était, vu par son côté nain et grotesque, cette grande chose universelle : l'adoration de la matière pour l'esprit ; car de certaines laideurs ont leur raison d'être dans les profondeurs mêmes de la beauté éternelle. Il y avait de l'inconnu dans Thénardier ; de là l'empire absolu de cet homme sur cette femme. A certains moments, elle le voyait comme une chandelle allumée ; dans d'autres, elle le sentait comme une griffe.

Cette femme était une créature formidable qui n'aimait que ses enfants et ne craignait que son mari. Elle était mère parce qu'elle était mammifère. Du reste, sa maternité s'arrêtait à ses filles, et, comme on le verra, ne s'étendait pas jusqu'aux garçons. Lui, l'homme, n'avait qu'une pensée : s'enrichir.

Il n'y réussissait point. Un digne théâtre manquait à ce grand talent. Thénardier à Montfermeil se ruinait, si la ruine est possible à zéro ; en Suisse ou dans les Pyrénées, ce sans-le-sou serait devenu millionnaire. Mais où le sort attache l'aubergiste, il faut qu'il broute.

On comprend que le mot *aubergiste* est employé ici

dans un sens restreint, et qui ne s'étend pas à une classe entière.

En cette même année 1823, Thénardier était endetté d'environ quinze cents francs de dettes criardes, ce qui le rendait soucieux.

Quelle que fût envers lui l'injustice opiniâtre de la destinée, le Thénardier était un des hommes qui comprenaient le mieux, avec le plus de profondeur et de la façon la plus moderne, cette chose qui est une vertu chez les peuples barbares et une marchandise chez les peuples civilisés, l'hospitalité. Du reste braconnier admirable et cité pour son coup de fusil. Il avait un certain rire froid et paisible qui était particulièrement dangereux.

Ses théories d'aubergiste jaillissaient quelquefois de lui par éclairs. Il avait des aphorismes professionnels qu'il insérait dans l'esprit de sa femme. — « Le devoir de l'aubergiste, lui disait-il un jour violemment et à voix basse, c'est de vendre au premier venu du fricot, du repos, de la lumière, du feu, des draps sales, de la bonne, des puces, du sourire; d'arrêter les passants, de vider les petites bourses et d'alléger honnêtement les grosses, d'abriter avec respect les familles en route, de râper l'homme, de plumer la femme, d'éplucher l'enfant; de coter la fenêtre ouverte, la fenêtre fermée, le coin de la cheminée, le fauteuil, la chaise, le tabouret, l'escabeau, le lit de plume, le matelas et la botte de paille; de savoir de combien l'ombre use le miroir et de tarifer cela, et, par les cinq cent mille diables, de faire tout payer au voyageur, jusqu'aux mouches que son chien mange! »

Cet homme et cette femme, c'était ruse et rage mariés ensemble, attelage hideux et terrible.

Pendant que le mari ruminait et combinait, la Thénardier, elle, ne pensait pas aux créanciers absents, n'avait souci d'hier ni de demain, et vivait avec emportement, toute dans la minute.

Tels étaient ces deux êtres. Cosette était entre eux, subissant leur double pression, comme une créature qui serait à la fois broyée par une meule et déchiquetée par une tenaille. L'homme et la femme avaient chacun une manière différente; Cosette était rouée de coups, cela venait de la femme; elle allait pieds nus l'hiver; cela venait du mari.

Cosette montait, descendait, lavait, brossait, frottait, balayait, courait, trimait, haletait, remuait des choses lourdes, et, toute chétive, faisait les grosses besognes. Nulle pitié; une maîtresse farouche, un maître venimeux. La gargote Thénardier était comme une toile où Cosette était prise et tremblait. L'idéal de l'oppression était réalisé par cette domesticité sinistre. C'était quelque chose comme la mouche servante des araignées.

La pauvre enfant, passive, se taisait.

Quand elles se trouvent ainsi, dès l'aube, toutes petites, toutes nues, parmi les hommes, que se passe-t-il dans ces âmes qui viennent de quitter Dieu?

III

IL FAUT DU VIN AUX HOMMES ET DE L'EAU AUX CHEVAUX

Il était arrivé quatre nouveaux voyageurs.

Cosette songeait tristement; car, quoiqu'elle n'eût que huit ans, elle avait déjà tant souffert qu'elle rêvait avec l'air lugubre d'une vieille femme.

Elle avait la paupière noire d'un coup de poing que la Thénardier lui avait donné, ce qui faisait de temps en temps dire à la Thénardier : — Est-elle laide avec son pochon sur l'œil!

Cosette pensait donc qu'il était nuit, très nuit, qu'il avait fallu remplir à l'improviste les pots et les carafes dans les chambres des voyageurs survenus, et qu'il n'y avait plus d'eau dans la fontaine.

Ce qui la rassurait un peu, c'est qu'on ne buvait pas beaucoup d'eau dans la maison Thénardier. Il ne manquait pas là de gens qui avaient soif; mais c'était de cette soif qui s'adresse plus volontiers au broc qu'à la cruche. Qui eût demandé un verre d'eau parmi ces verres de vin eût semblé un sauvage à tous ces hommes. Il y eut pourtant un moment où l'enfant trembla; la Thénardier souleva le couvercle d'une casserole qui bouillait sur le fourneau, puis saisit un verre et s'approcha vivement de la fontaine. Elle tourna le robinet, l'enfant avait levé la tête et suivait tous ses mouvements. Un maigre filet d'eau coula du robinet et remplit le verre à moitié. — Tiens, dit-elle, il n'y a plus d'eau! puis elle eut un moment de silence. L'enfant ne respirait pas.

— Bah, reprit la Thénardier en examinant le verre à demi plein, il y en aura assez comme cela.

Cosette se remit à son travail, mais pendant plus d'un quart d'heure elle sentit son cœur sauter comme un gros flocon dans sa poitrine.

Elle comptait les minutes qui s'écoulaient ainsi, et eût bien voulu être au lendemain matin.

De temps en temps, un des buveurs regardait dans la rue et s'exclamait : — Il fait noir comme dans un four ! — ou : — Il faut être chat pour aller dans la rue sans lanterne à cette heure-ci ! — Et Cosette tressaillait.

Tout à coup, un des marchands colporteurs logés dans l'auberge entra, et dit d'une voix dure :

— On n'a pas donné à boire à mon cheval.

— Si fait, vraiment, dit la Thénardier.

— Je vous dis que non, la mère, reprit le marchand.

Cosette était sortie de dessous la table.

— Oh ! si ! monsieur ! dit-elle, le cheval a bu, il a bu dans le seau, plein le seau, et même que c'est moi qui lui ai porté à boire, et je lui ai parlé.

Cela n'était pas vrai. Cosette mentait.

— En voilà une qui est grosse comme le poing et qui ment gros comme la maison, s'écria le marchand. Je te dis qu'il n'a pas bu, petite drôlesse ! Il a une manière de souffler, quand il n'a pas bu, que je connais bien.

Cosette persista, et ajouta d'une voix enrouée par l'angoisse et qu'on entendait à peine :

— Et même qu'il a bien bu !

— Allons, reprit le marchand avec colère, ce n'est pas tout ça, qu'on donne à boire à mon cheval et que cela finisse !

Cosette rentra sous la table.

— Au fait, c'est juste, dit la Thénardier, si cette bête n'a pas bu, il faut qu'elle boive.

Puis, regardant autour d'elle :

— Eh bien, où est donc cette autre ?

Elle se pencha et découvrit Cosette blottie à l'autre bout de la table, presque sous les pieds des buveurs.

— Vas-tu venir ! cria la Thénardier.

Cosette sortit de l'espèce de trou où elle s'était cachée. La Thénardier reprit :

— Mademoiselle Chien-faute-de-nom, va porter à boire à ce cheval.

— Mais, madame, dit Cosette faiblement, c'est qu'il n'y a pas d'eau.

La Thénardier ouvrit toute grande la porte de la rue :

— Eh bien, va en chercher !

Cosette baissa la tête, et alla prendre un seau vide qui était au coin de la cheminée.

Ce seau était plus grand qu'elle, et l'enfant aurait pu s'asseoir dedans et y tenir à l'aise.

La Thénardier se remit à son fourneau, et goûta avec une cuillère de bois ce qui était dans la casserole, tout en grommelant :

— Il y en a à la source. Ce n'est pas plus malin que ça. Je crois que j'aurais mieux fait de passer mes oignons.

Puis elle fouilla dans un tiroir où il y avait des sous, du poivre et des échalottes :

— Tiens, mamselle Crapaud, ajouta-t-elle, en revenant tu prendras un gros pain chez le boulanger. Voilà une pièce-quinze-sous.

Cosette avait une petite poche de côté à son tablier ; elle prit la pièce sans dire un mot, et la mit dans cette poche.

Puis elle resta immobile, le seau à la main, la porte ouverte devant elle. Elle semblait attendre qu'on vînt à son secours :

— Va donc ! cria la Thénardier.

Cosette sortit. La porte se referma.

IV

ENTRÉE EN SCÈNE D'UNE POUPÉE

La file de boutiques en plein vent qui partait de l'église, se développait, on s'en souvient, jusqu'à l'auberge Thénardier. Ces boutiques, à cause du passage prochain des bourgeois allant à la messe de minuit, étaient toutes illuminées de chandelles brûlant dans des entonnoirs de papier, ce qui, comme le disait le maître d'école de Montfermeil attablé en ce moment chez Thénardier, faisait « un effet magique ». En revanche, on ne voyait pas une étoile au ciel.

La dernière de ces baraques, établie précisément en face de la porte des Thénardier, était une boutique de bimbeloterie, toute reluisante de clinquants, de verro-

teries et de choses magnifiques en fer-blanc. Au premier
rang, et en avant, le marchand avait placé, sur un fond de
serviettes blanches, une immense poupée haute de près
de deux pieds qui était vêtue d'une robe de crêpe rose
avec des épis d'or sur la tête et qui avait de vrais cheveux
et des yeux en émail. Tout le jour, cette merveille avait
été étalée à l'ébahissement des passants de moins de
dix ans, sans qu'il se fût trouvé à Montfermeil une mère
assez riche, ou assez prodigue, pour la donner à son enfant.
Eponine et Azelma avaient passé des heures à la contempler, et Cosette elle-même, furtivement, il est vrai, avait
osé la regarder.

Au moment où Cosette sortit, son seau à la main, si
morne et si accablée qu'elle fût, elle ne put s'empêcher
de lever les yeux sur cette prodigieuse poupée, vers *la
dame*, comme elle l'appelait. La pauvre enfant s'arrêta
pétrifiée. Elle n'avait pas encore vu cette poupée de près.
Toute cette boutique lui semblait un palais ; cette poupée
n'était pas une poupée, c'était une vision. C'était la joie,
la splendeur, la richesse, le bonheur, qui apparaissaient
dans une sorte de rayonnement chimérique à ce malheureux petit être englouti si profondément dans une misère
funèbre et froide. Cosette mesurait avec cette sagacité
naïve et triste de l'enfance l'abîme qui la séparait de cette
poupée. Elle se disait qu'il fallait être reine ou au moins
princesse pour avoir une « chose » comme cela. Elle
considérait cette belle robe rose, ces beaux cheveux
lisses, et elle pensait : Comme elle doit être heureuse,
cette poupée-là ! Ses yeux ne pouvaient se détacher de
cette boutique fantastique. Plus elle regardait, plus elle
s'éblouissait. Elle croyait voir le paradis. Il y avait
d'autres poupées derrière la grande qui lui paraissaient
des fées et des génies. Le marchand qui allait et venait
au fond de sa baraque lui faisait un peu l'effet d'être
le Père Eternel.

Dans cette adoration, elle oubliait tout, même la com-
mission dont elle était chargée. Tout à coup, la voix rude
de la Thénardier la rappela à la réalité : — Comment,
péronnelle, tu n'es pas partie ! Attends ! je vais à toi !
Je vous demande un peu ce qu'elle fait là ! Petit monstre,
va !

La Thénardier avait jeté un coup d'œil dans la rue et
aperçu Cosette en extase.

Cosette s'enfuit emportant son seau et faisant les plus
grands pas qu'elle pouvait.

V

LA PETITE TOUTE SEULE

Comme l'auberge Thénardier était dans cette partie du village qui est près de l'église, c'était à la source du bois du côté de Chelles que Cosette devait aller puiser de l'eau.

Elle ne regarda plus un seul étalage de marchand. Tant qu'elle fut dans la ruelle du Boulanger et dans les environs de l'église, les boutiques illuminées éclairaient le chemin, mais bientôt la dernière lueur de la dernière baraque disparut. La pauvre enfant se trouva dans l'obscurité. Elle s'y enfonça. Seulement, comme une certaine émotion la gagnait, tout en marchant elle agitait le plus qu'elle pouvait l'anse du seau. Cela faisait un bruit qui lui tenait compagnie.

Plus elle cheminait, plus les ténèbres devenaient épaisses. Il n'y avait plus personne dans les rues. Pourtant, elle rencontra une femme qui se retourna en la voyant passer, et qui resta immobile, marmottant entre ses lèvres : Mais où peut donc aller cet enfant ? Est-ce que c'est un enfant-garou ? Puis la femme reconnut Cosette. — Tiens, dit-elle, c'est l'Alouette !

Cosette traversa ainsi le labyrinthe de rues tortueuses et désertes qui termine du côté de Chelles le village de Montfermeil. Tant qu'elle eut des maisons et même seulement des murs des deux côtés de son chemin, elle alla assez hardiment. De temps en temps, elle voyait le rayonnement d'une chandelle à travers la fente d'un volet, c'était de la lumière et de la vie, il y avait là des gens, cela la rassurait. Cependant, à mesure qu'elle avançait, sa marche se ralentissait comme machinalement. Quand elle eut passé l'angle de la dernière maison, Cosette s'arrêta. Aller au-delà de la dernière boutique avait été difficile; aller plus loin que la dernière maison, cela devenait impossible. Elle posa le seau à terre, plongea sa main dans ses cheveux et se mit à se gratter lentement la tête, geste propre aux enfants terrifiés et indécis. Ce n'était plus Montfermeil, c'était les champs. L'espace noir et désert était devant elle. Elle regarda avec désespoir cette obscurité où il n'y avait plus personne, où il y avait des bêtes, où il y avait peut-être des revenants. Elle regarda bien, et elle entendit les bêtes qui marchaient dans l'herbe, et elle vit distinctement les revenants qui remuaient dans les arbres. Alors elle ressaisit le seau, la peur lui donnait de l'audace : — Bah! dit-elle, je lui dirai qu'il n'y avait plus d'eau! — Et elle rentra résolument dans Montfermeil.

A peine eut-elle fait cent pas qu'elle s'arrêta encore, et se remit à se gratter la tête. Maintenant, c'était la Thénardier qui lui apparaissait; la Thénardier hideuse avec sa bouche d'hyène et la colère flamboyante dans les yeux. L'enfant jeta un regard lamentable en avant et en arrière. Que faire ? que devenir ? où aller ? Devant elle le spectre de la Thénardier; derrière elle tous les fantômes de la nuit et des bois. Ce fut devant la Thénardier qu'elle recula. Elle reprit le chemin de la source et se mit à courir. Elle sortit du village en courant, elle entra dans le bois en courant, ne regardant plus rien, n'écoutant plus rien. Elle n'arrêta sa course que lorsque la respiration lui manqua, mais elle n'interrompit point sa marche. Elle allait devant elle, éperdue.

Tout en courant elle avait envie de pleurer.

Le frémissement nocturne de la forêt l'enveloppait tout entière.

Elle ne pensait plus, elle ne voyait plus. L'immense nuit faisait face à ce petit être. D'un côté, toute l'ombre; de l'autre, un atome.

Il n'y avait que sept ou huit minutes de la lisière du bois à la source. Cosette connaissait le chemin pour l'avoir fait plusieurs fois le jour. Chose étrange, elle ne se perdit pas. Un reste d'instinct la conduisit vaguement. Elle ne jetait cependant les yeux ni à droite ni à gauche, de crainte de voir des choses dans les branches et dans les broussailles. Elle arriva ainsi à la source.

C'était une étroite cuve naturelle creusée par l'eau dans un sol glaiseux, profonde d'environ deux pieds, entourée de mousse et de ces grandes herbes gaufrées qu'on appelle collerettes de Henri IV, et pavée de quelques grosses pierres. Un ruisseau s'en échappait avec un petit bruit tranquille.

Cosette ne prit pas le temps de respirer. Il faisait très noir, mais elle avait l'habitude de venir à cette fontaine.

Elle chercha de la main gauche dans l'obscurité un jeune chêne incliné sur la source qui lui servait ordinairement de point d'appui, rencontra une branche, s'y suspendit, se pencha et plongea le seau dans l'eau. Elle était dans un moment si violent que ses forces étaient triplées. Pendant qu'elle était ainsi penchée, elle ne fit pas attention que la poche de son tablier se vidait dans la source. La pièce de quinze sous tomba dans l'eau. Cosette ne la vit ni ne l'entendit tomber. Elle retira le seau presque plein et le posa sur l'herbe.

Cela fait, elle s'aperçut qu'elle était épuisée de lassitude. Elle eût bien voulu repartir tout de suite; mais l'effort de remplir le seau avait été tel qu'il lui fut impossible de faire un pas. Elle fut bien forcée de s'asseoir. Elle se laissa tomber sur l'herbe et y demeura accroupie.

Elle ferma les yeux, puis elle les rouvrit, sans savoir pourquoi, mais ne pouvant faire autrement. A côté d'elle, l'eau agitée dans le seau faisait des cercles qui ressemblaient à des serpents de feu blanc.

Au-dessus de sa tête, le ciel était couvert de vastes nuages noirs qui étaient comme des pans de fumée. Le tragique masque de l'ombre semblait se pencher vaguement sur cet enfant.

Jupiter se couchait dans les profondeurs.

L'enfant regardait d'un œil égaré cette grosse étoile qu'elle ne connaissait pas et qui lui faisait peur. La planète, en effet, était en ce moment très près de l'horizon et traversait une épaisse couche de brume qui lui donnait une rougeur horrible. La brume, lugubrement empourprée, élargissait l'astre. On eût dit une plaie lumineuse.

Un vent froid soufflait de la plaine. Le bois était ténébreux, sans aucun froissement de feuilles, sans aucune de ces vagues et fraîches lueurs de l'été. De grands branchages s'y dressaient affreusement. Des buissons chétifs et difformes sifflaient dans les clairières. Les hautes herbes fourmillaient sous la bise comme des anguilles. Les ronces se tordaient comme de longs bras armés de griffes cherchant à prendre des proies. Quelques bruyères sèches, chassées par le vent, passaient rapidement et avaient l'air de s'enfuir avec épouvante devant quelque chose qui arrivait. De tous les côtés il y avait des étendues lugubres.

L'obscurité est vertigineuse. Il faut à l'homme de la clarté. Quiconque s'enfonce dans le contraire du jour se sent le cœur serré. Quand l'œil voit noir, l'esprit voit trouble. Dans l'éclipse, dans la nuit, dans l'opacité fuligineuse, il y a de l'anxiété, même pour les plus forts. Nul ne marche seul la nuit dans la forêt sans tremblement. Ombres et arbres, deux épaisseurs redoutables. Une réalité chimérique apparaît dans la profondeur indistincte. L'inconcevable s'ébauche à quelques pas de vous avec une netteté spectrale. On voit flotter, dans l'espace ou dans son propre cerveau, on ne sait quoi de vague et d'insaisissable comme les rêves des fleurs endormies. Il y a des attitudes farouches sur l'horizon. On aspire les effluves du grand vide noir. On a peur et envie de regarder derrière soi. Les cavités de la nuit, les choses devenues hagardes, des profils taciturnes qui se dissipent quand on avance, des échevellements obscurs, des touffes irritées, des flaques livides, le lugubre reflété dans le funèbre, l'immensité sépulcrale du silence, les êtres inconnus possibles, des penchements de branches mystérieux, d'effrayants torses d'arbres, de longues poignées d'herbes frémissantes, on est sans défense contre tout cela. Pas de hardiesse qui ne tressaille et qui ne sente le voisinage de l'angoisse. On éprouve quelque chose de hideux comme si l'âme s'amalgamait à l'ombre. Cette pénétration des ténèbres est inexprimablement sinistre dans un enfant.

Les forêts sont des apocalypses; et le battement d'ailes d'une petite âme fait un bruit d'agonie sous leur voûte monstrueuse.

Sans se rendre compte de ce qu'elle éprouvait, Cosette se sentait saisir par cette énormité noire de la nature. Ce n'était plus seulement de la terreur qui la gagnait, c'était quelque chose de plus terrible même que la terreur. Elle frissonnait. Les expressions manquent pour dire ce qu'avait d'étrange ce frisson qui la glaçait jusqu'au fond du cœur. Son œil était devenu farouche. Elle croyait sentir qu'elle ne pourrait peut-être pas s'empêcher de revenir là à la même heure le lendemain.

Alors, par une sorte d'instinct, pour sortir de cet état singulier qu'elle ne comprenait pas, mais qui l'effrayait, elle se mit à compter à haute voix un, deux, trois, quatre, jusqu'à dix, et quand elle eut fini, elle recommença. Cela lui rendit la perception vraie des choses qui l'entouraient. Elle sentit le froid à ses mains qu'elle avait mouillées en puisant de l'eau. Elle se leva. La peur lui était revenue, une peur naturelle et insurmontable. Elle n'eut plus qu'une pensée, s'enfuir; s'enfuir à toutes jambes, à travers bois, à travers champs, jusqu'aux maisons, jusqu'aux fenêtres, jusqu'aux chandelles allumées. Son regard tomba sur le seau qui était devant elle. Tel était l'effroi que lui inspirait la Thénardier qu'elle n'osa pas s'enfuir sans le seau d'eau. Elle saisit l'anse à deux mains. Elle eut de la peine à soulever le seau.

Elle fit ainsi une douzaine de pas, mais le seau était plein, il était lourd, elle fut forcée de le reposer à terre. Elle respira un instant, puis elle enleva l'anse de nouveau, et se remit, à marcher cette fois un peu plus longtemps. Mais il fallut s'arrêter encore. Après quelques secondes de repos, elle repartit. Elle marchait penchée en avant, la tête baissée, comme une vieille; le poids du seau tendait et roidissait ses bras maigres. L'anse de fer achevait d'engourdir et de geler ses petites mains mouillées; de temps en temps elle était forcée de s'arrêter, et chaque fois qu'elle s'arrêtait, l'eau froide qui débordait du seau tombait sur ses jambes nues. Cela se passait au fond d'un bois, la nuit, en hiver, loin de tout regard humain; c'était un enfant de huit ans; il n'y avait que Dieu en ce moment qui voyait cette chose triste.

Et sans doute sa mère, hélas!

Car il est des choses qui font ouvrir les yeux aux mortes dans leur tombeau.

Elle soufflait avec une sorte de râlement douloureux; des sanglots lui serraient la gorge, mais elle n'osait pas pleurer, tant elle avait peur de la Thénardier, même loin. C'était son habitude de se figurer toujours que la Thénardier était là.

Cependant elle ne pouvait pas faire beaucoup de chemin de la sorte, et elle allait bien lentement. Elle avait beau diminuer la durée des stations et marcher entre chaque le plus longtemps possible. Elle pensait avec angoisse qu'il lui faudrait plus d'une heure pour retourner ainsi à Montfermeil et que la Thénardier la battrait. Cette angoisse se mêlait à son épouvante d'être seule dans le bois la nuit. Elle était harassée de fatigue et n'était pas encore sortie de la forêt. Parvenue près d'un vieux châtaignier qu'elle connaissait, elle fit une dernière halte plus longue que les autres pour se bien reposer, puis elle rassembla toutes ses forces, reprit le seau et se remit à marcher courageusement. Cependant le pauvre petit être désespéré ne put s'empêcher de s'écrier : O mon Dieu! mon Dieu!

En ce moment, elle sentit tout à coup que le seau ne

pesait plus rien. Une main, qui lui parut énorme, venait de saisir l'anse et la soulevait vigoureusement. Elle leva la tête. Une grande forme noire, droite et debout, marchait auprès d'elle dans l'obscurité. C'était un homme qui était arrivé derrière elle et qu'elle n'avait pas entendu venir. Cet homme, sans dire un mot, avait empoigné l'anse du seau qu'elle portait.

Il y a des instincts pour toutes les rencontres de la vie. L'enfant n'eut pas peur.

VI

QUI PEUT-ÊTRE PROUVE L'INTELLIGENCE
DE BOULATRUELLE

Dans l'après-midi de cette même journée de Noël 1823, un homme se promena assez longtemps dans la partie la plus déserte du boulevard de l'Hôpital à Paris. Cet homme avait l'air de quelqu'un qui cherche un logement, et semblait s'arrêter de préférence aux plus modestes maisons de cette lisière délabrée du faubourg St-Marceau.

On verra plus loin que cet homme avait en effet loué une chambre dans ce quartier isolé.

Cet homme, dans son vêtement comme dans toute sa personne, réalisait le type de ce qu'on pourrait nommer le mendiant de bonne compagnie, l'extrême misère combinée avec l'extrême propreté. C'est là un mélange assez rare qui inspire aux cœurs intelligents ce double respect qu'on éprouve pour celui qui est très pauvre et pour celui qui est très digne. Il avait un chapeau rond fort vieux et fort brossé, une redingote râpée jusqu'à la corde en gros drap jaune d'ocre, couleur qui n'avait rien de trop bizarre à cette époque, un grand gilet à poches de forme séculaire, des culottes noires devenues grises aux genoux, des bas de laine noire et d'épais souliers à boucles de cuivre. On eût dit un ancien précepteur de bonne maison revenu de l'émigration. A ses cheveux tout blancs, à son front ridé, à ses lèvres livides, à son visage où tout respirait l'accablement et la lassitude de la vie, on lui eût supposé beaucoup plus de soixante ans. A sa démarche ferme, quoique lente, à la vigueur singulière empreinte dans tous ses mouvements, on lui en eût donné à peine cinquante. Les rides de son front étaient bien placées, et eussent prévenu en sa faveur quelqu'un qui l'eût observé avec attention. Sa lèvre se contractait avec un pli étrange, qui semblait sévère et qui était humble. Il y avait au fond de son regard on ne sait quelle sérénité lugubre. Il portait de la main gauche un petit paquet noué dans un mouchoir; de la droite il s'appuyait sur une espèce de bâton coupé dans une haie. Ce bâton avait été travaillé avec quelque soin, et n'avait pas trop méchant air; on avait tiré parti des nœuds, et on lui avait figuré un pommeau de corail avec de la cire rouge; c'était un gourdin et cela semblait une canne.

Il y a peu de passants sur ce boulevard, surtout l'hiver. Cet homme, sans affectation pourtant, paraissait les éviter plutôt que les chercher.

A cette époque le roi Louis XVIII allait presque tous les jours à Choisy-le-Roi. C'était une de ses promenades favorites. Vers deux heures, presque invariablement, on voyait la voiture et la cavalcade royale passer ventre à terre sur le boulevard de l'Hôpital.

Cela tenait lieu de montre et d'horloge aux pauvresses du quartier qui disaient : — Il est deux heures, le voilà qui s'en retourne aux Tuileries.

Et les uns accouraient, et les autres se rangeaient; car un roi qui passe, c'est toujours un tumulte. Du reste l'apparition et la disparition de Louis XVIII faisaient un certain effet dans les rues de Paris. Cela était rapide, mais majestueux. Ce roi impotent avait le goût du grand galop; ne pouvant marcher, il voulait courir; ce cul-de-jatte se fût fait volontiers traîner par l'éclair. Il passait, pacifique et sévère, au milieu des sabres nus. Sa berline massive, toute dorée, avec de grosses branches de lys peintes sur les panneaux, roulait bruyamment. A peine avait-on le temps d'y jeter un coup d'œil. On voyait dans l'angle du fond à droite, sur des coussins capitonnés de satin blanc, une face large, ferme et vermeille, un front frais poudré à l'oiseau royal, un œil fier, dur et fin, un sourire de lettré, deux grosses épaulettes à torsades flottantes sur un habit bourgeois, la Toison d'or, la croix de St-Louis, la croix de la Légion d'honneur, la plaque d'argent du St-Esprit, un gros ventre et un large cordon bleu; c'était le roi. Hors de Paris, il tenait son chapeau à plumes blanches sur ses genoux emmaillotés de hautes guêtres anglaises; quand il rentrait dans la ville, il mettait son chapeau sur sa tête, saluant peu. Il regardait froidement le peuple, qui le lui rendait. Quand il parut pour la première fois dans le quartier Saint-Marceau, tout son succès fut ce mot d'un faubourien à son camarade : « C'est ce gros-là qui est le gouvernement. »

Cet infaillible passage du roi à la même heure était donc l'événement quotidien du boulevard de l'Hôpital.

Le promeneur à la redingote jaune n'était évidemment pas du quartier, et probablement pas de Paris, car il ignorait ce détail. Lorsqu'à deux heures la voiture royale, entourée d'un escadron de gardes-du-corps galonnés d'argent, déboucha sur le boulevard, après avoir tourné la Salpêtrière, il parut surpris et presque effrayé. Il n'y avait que lui dans la contre-allée, il se rangea vivement derrière un angle du mur d'enceinte, ce qui n'empêcha pas M. le duc d'Havré de l'apercevoir. M. le duc d'Havré, comme capitaine des gardes de service ce jour-là, était assis dans la voiture vis-à-vis du roi. Il dit à sa majesté : Voilà un homme d'assez mauvaise mine. Des gens de police, qui éclairaient le passage du roi, le remarquèrent également; l'un deux reçut l'ordre de le suivre. Mais l'homme s'enfonça dans les petites rues solitaires du faubourg, et comme le jour commençait à baisser, l'agent perdit sa trace, ainsi que cela est constaté par un rapport adressé le soir même à M. le comte Anglès, ministre d'Etat, préfet de police.

Quand l'homme à la redingote jaune eut dépisté l'agent, il doubla le pas, non sans s'être retourné bien des fois pour s'assurer qu'il n'était pas suivi. A quatre heures un quart, c'est-à-dire à la nuit close, il passait devant le théâtre de la Porte-St-Martin où l'on donnait ce jour-là *les deux Forçats*. Cette affiche, éclairée par les réverbères du théâtre, le frappa, car quoiqu'il marchât vite, il s'arrêta pour la lire. Un instant après, il était dans le cul-de-sac de la Planchette, et il entrait au *Plat d'étain*, où était alors le bureau de la voiture de Lagny. Cette voiture partait à quatre heures et demie. Les chevaux étaient attelés, et les voyageurs, appelés par le cocher, escaladaient en hâte le haut escalier de fer du coucou.

L'homme demanda :

— Avez-vous une place ?

— Une seule, à côté de moi, sur le siège, dit le cocher.

— Je la prends.

— Montez.

Cependant, avant de partir, le cocher jeta un coup

d'œil sur le costume médiocre du voyageur, sur la petitesse de son paquet, et se fit payer.

— Allez-vous jusqu'à Lagny ? demanda le cocher.

— Oui, dit l'homme.

Le voyageur paya jusqu'à Lagny.

On partit. Quand on eut passé la barrière, le cocher essaya de nouer la conversation, mais le voyageur ne répondait que par monosyllabes. Le cocher prit le parti de siffler et de jurer après ses chevaux.

Le cocher s'enveloppa de son manteau. Il faisait froid. L'homme ne paraissait pas y songer. On traversa ainsi Gournay et Neuilly-sur-Marne.

Vers six heures du soir on était à Chelles. Le cocher s'arrêta pour laisser souffler ses chevaux, devant l'auberge à rouliers installée dans les vieux bâtiments de l'abbaye royale :

— Je descends ici, dit l'homme.

Il prit son paquet et son bâton, et sauta à bas de la voiture.

Un instant après, il avait disparu.

Il n'était pas entré dans l'auberge.

Quand, au bout de quelques minutes, la voiture repartit pour Lagny, elle ne le rencontra pas dans la grande rue de Chelles.

Le cocher se tourna vers les voyageurs de l'intérieur.

— Voilà, dit-il, un homme qui n'est pas d'ici, car je ne le connais pas. Il a l'air de n'avoir pas le sou ; cependant, il ne tient pas à l'argent ; il paie pour Lagny, et il ne va que jusqu'à Chelles. Il est nuit, toutes les maisons sont fermées, il n'entre pas à l'auberge, et on ne le retrouve plus. Il s'est donc enfoncé dans la terre.

L'homme ne s'était pas enfoncé dans la terre, mais il avait arpenté en hâte dans l'obscurité la grande rue de Chelles ; puis il avait pris à gauche avant d'arriver à l'église le chemin vicinal qui mène à Montfermeil, comme quelqu'un qui eût connu le pays et qui y fût déjà venu.

Il suivit ce chemin rapidement. A l'endroit où il est coupé par l'ancienne route bordée d'arbres qui va de Gagny à Lagny, il entendit venir des passants. Il se cacha précipitamment dans un fossé, et y attendit que les gens qui passaient se fussent éloignés. La précaution était d'ailleurs presque superflue, car, comme nous l'avons déjà dit, c'était une nuit de décembre très noire. On voyait à peine deux ou trois étoiles au ciel.

C'est à ce point-là que commence la montée de la colline. L'homme ne rentra pas dans le chemin de Montfermeil; il prit à droite, à travers champs, et gagna à grands pas le bois.

Quand il fut dans le bois, il ralentit sa marche, et se mit à regarder soigneusement tous les arbres, avançant pas à pas, comme s'il cherchait et suivait une route mystérieuse connue de lui seul. Il y eut un moment où il parut se perdre et où il s'arrêta indécis. Enfin il arriva, de tâtonnements en tâtonnements, à une clairière où il y avait un monceau de grosses pierres blanchâtres. Il se dirigea vivement vers ces pierres et les examina avec attention à travers la brume de la nuit, comme s'il les passait en revue. Un gros arbre, couvert de ces excroissances qui sont les verrues de la végétation, était à quelques pas du tas de pierres. Il alla à cet arbre, et promena sa main sur l'écorce du tronc, comme s'il cherchait à reconnaître et à compter toutes les verrues.

Vis-à-vis de cet arbre, qui était un frêne, il y avait un châtaignier malade d'une décortication, auquel on avait mis pour pansement une bande de zinc clouée. Il se haussa sur la pointe des pieds et toucha cette bande de zinc.

Puis il piétina pendant quelque temps sur le sol dans l'espace compris entre l'arbre et les pierres, comme quelqu'un qui s'assure que la terre n'a pas été fraîchement remuée.

Cela fait, il s'orienta et reprit sa marche à travers le bois.

C'était cet homme qui venait de rencontrer Cosette.

En cheminant par le taillis dans la direction de Montfermeil, il avait aperçu cette petite ombre qui se mouvait avec un gémissement, qui déposait un fardeau à terre, puis le reprenait, et se remettait à marcher. Il s'était approché et avait reconnu que c'était un tout jeune enfant chargé d'un énorme seau d'eau. Alors, il était allé à l'enfant, et avait pris silencieusement l'anse du seau.

VII

COSETTE CÔTE A CÔTE DANS L'OMBRE AVEC L'INCONNU

Cosette, nous l'avons dit, n'avait pas eu peur.

L'homme lui adressa la parole. Il parlait d'une voix grave et presque basse :

— Mon enfant, c'est bien lourd pour vous ce que vous portez là.

Cosette leva la tête et répondit :

— Oui, monsieur.

— Donnez, reprit l'homme, je vais vous le porter.

Cosette lâcha le seau. L'homme se mit à cheminer près d'elle.

— C'est très lourd, en effet, dit-il entre ses dents.

Puis il ajouta :

— Petite, quel âge as-tu ?

— Huit ans, monsieur.

— Et viens-tu de loin comme cela ?

— De la source qui est dans le bois.

— Et est-ce loin où tu vas ?

— A un bon quart d'heure d'ici.

L'homme resta un moment sans parler, puis il dit brusquement :

— Tu n'as donc pas de mère ?

— Je ne sais pas, répondit l'enfant.

Avant que l'homme eût eu le temps de reprendre la parole, elle ajouta :

— Je ne crois pas. Les autres en ont. Moi, je n'en ai pas.

Et après un silence, elle reprit :

— Je crois que je n'en ai jamais eu.

L'homme s'arrêta, il posa le seau à terre, se pencha et mit ses deux mains sur les deux épaules de l'enfant, faisant effort pour la regarder et voir son visage dans l'obscurité.

La figure maigre et chétive de Cosette se dessinait vaguement à la lueur livide du ciel.

— Comment t'appelles-tu ? dit l'homme.

— Cosette.

L'homme eut comme une secousse électrique. Il la regarda encore, puis il ôta ses mains de dessus les épaules de Cosette, saisit le seau, et se remit à marcher.

Au bout d'un instant, il demanda :

— Petite, où demeures-tu ?

— A Montfermeil, si vous connaissez.

— C'est là que nous allons ?

— Oui, monsieur.

Il fit encore une pause, puis recommença :

— Qui est-ce donc qui t'a envoyée à cette heure chercher de l'eau dans le bois ?

— C'est madame Thénardier.

L'homme repartit d'un son de voix qu'il voulait s'efforcer de rendre indifférent, mais où il y avait pourtant un tremblement singulier :

— Qu'est-ce qu'elle fait, ta madame Thénardier ?

— C'est ma bourgeoise, dit l'enfant. Elle tient l'auberge.

— L'auberge ? dit l'homme. Eh bien, je vais aller y loger cette nuit. — Conduis-moi.

— Nous y allons, dit l'enfant.

L'homme marchait assez vite. Cosette le suivait sans peine. Elle ne sentait plus la fatigue. De temps en temps, elle levait les yeux vers cet homme avec une sorte de tranquillité et d'abandon inexprimable. Jamais on ne lui avait appris à se tourner vers la Providence et à prier. Cependant elle sentait en elle quelque chose qui ressemblait à de l'espérance et à de la joie et qui s'en allait vers le ciel.

Quelques minutes s'écoulèrent. L'homme reprit :

— Est-ce qu'il n'y a pas de servante chez madame Thénardier ?

— Non, monsieur.

— Est-ce que tu es seule ?

— Oui, monsieur.

Il y eut encore une interruption. Cosette éleva la voix :

— C'est-à-dire il y a deux petites filles.

— Quelles petites filles ?

— Ponine et Zelma.

L'enfant simplifiait de la sorte les noms romanesques chers à la Thénardier.

— Qu'est-ce que c'est que Ponine et Zelma ?

— Ce sont les demoiselles de madame Thénardier, comme qui dirait ses filles.

— Et que font-elles, celles-là ?

— Oh! dit l'enfant, elles ont de belles poupées, des choses où il y a de l'or, tout plein d'affaires. Elles jouent, elles s'amusent.

— Toute la journée ?

— Oui, monsieur.

— Et toi ?

— Moi, je travaille.

— Toute la journée ?

L'enfant leva ses grands yeux où il y avait une larme, qu'on ne voyait pas à cause de la nuit, et répondit doucement :

— Oui, monsieur.

Elle poursuivit après un intervalle de silence :

— Des fois, quand j'ai fini l'ouvrage et qu'on veut bien, je m'amuse aussi.

— Comment t'amuses-tu ?

— Comme je peux. On me laisse. Mais je n'ai pas beaucoup de joujoux. Ponine et Zelma ne veulent pas que je joue avec leurs poupées. Je n'ai qu'un petit sabre en plomb, pas plus long que ça.

L'enfant montrait son petit doigt.

— Et qui ne coupe pas ?

— Si, monsieur, dit l'enfant, ça coupe la salade et les têtes de mouches.

Ils atteignirent le village; Cosette guida l'étranger dans les rues. Ils passèrent devant la boulangerie, mais Cosette ne songea pas au pain qu'elle devait rapporter. L'homme avait cessé de lui faire des questions et gardait maintenant un silence morne. Quand ils eurent laissé l'église derrière eux, l'homme voyant toutes ces boutiques en plein vent, demanda à Cosette :

— C'est donc la foire ici ?

— Non, monsieur, c'est Noël.

Comme ils approchaient de l'auberge, Cosette lui toucha le bras timidement :

— Monsieur ?

— Quoi, mon enfant ?

— Nous voilà tout près de la maison.

— Eh bien ?

— Voulez-vous me laisser reprendre le seau à présent ?

— Pourquoi ?

— C'est que si madame voit qu'on me l'a porté, elle
me battra.

L'homme lui remit le seau. Un instant après ils étaient
à la porte de la gargote.

VIII

DÉSAGRÉMENT DE RECEVOIR CHEZ SOI UN PAUVRE QUI EST PEUT-ÊTRE UN RICHE

Cosette ne put s'empêcher de jeter un regard de côté
à la grande poupée toujours étalée chez le bimbelotier,
puis elle frappa. La porte s'ouvrit. La Thénardier parut
une chandelle à la main.

— Ah! c'est toi, petite gueuse! Dieu merci, tu y as
mis le temps! elle se sera amusée, la drôlesse!

— Madame, dit Cosette toute tremblante, voilà un
monsieur qui vient loger.

La Thénardier remplaça bien vite sa mine bourrue
par sa grimace aimable, changement à vue propre aux
aubergistes, et chercha avidement des yeux le nouveau
venu.

— C'est monsieur? dit-elle.

— Oui, madame, répondit l'homme en portant la
main à son chapeau.

Les voyageurs riches ne sont pas si polis. Ce geste
et l'inspection du costume et du bagage de l'étranger
que la Thénardier passa en revue d'un coup d'œil, firent
évanouir la grimace aimable et reparaître la mine bourrue. Elle reprit sèchement :

— Entrez, bonhomme.

Le « bonhomme » entra. La Thénardier lui jeta un
second coup d'œil, examina particulièrement sa redingote qui était absolument râpée et son chapeau qui était
un peu défoncé, et consulta d'un hochement de tête,
d'un froncement de nez et d'un clignement d'yeux, son
mari, lequel buvait toujours avec les rouliers. Le mari
répondit par cette imperceptible agitation de l'index qui,
appuyée du gonflement des lèvres, signifie en pareil cas :
débine complète. Sur ce, la Thénardier s'écria :

— Ah ça, brave homme, je suis bien fâchée, mais c'est que je n'ai plus de place.

— Mettez-moi où vous voudrez, dit l'homme, au grenier, à l'écurie. Je paierai comme si j'avais une chambre.

— Quarante sous.

— Quarante sous. Soit.

— A la bonne heure.

— Quarante sous! dit un roulier bas à la Thénardier, mais ce n'est que vingt sous.

— C'est quarante sous pour lui, répliqua la Thénardier du même ton. Je ne loge pas des pauvres à moins.

— C'est vrai, ajouta le mari avec douceur, ça gâte une maison d'y avoir de ce monde-là.

Cependant l'homme, après avoir laissé sur un banc son paquet et son bâton, s'était assis à une table où Cosette s'était empressée de poser une bouteille de vin et un verre. Le marchand qui avait demandé le seau d'eau, était allé lui-même le porter à son cheval. Cosette avait repris sa place sous la table de cuisine et son tricot.

L'homme, qui avait à peine trempé ses lèvres dans le verre de vin qu'il s'était versé, considérait l'enfant avec une attention étrange.

Cosette était laide. Heureuse, elle eût peut-être été jolie. Nous avons déjà esquissé cette petite figure sombre. Cosette était maigre et blême, elle avait près de huit ans; on lui en eût donné à peine six. Ses grands yeux enfoncés dans une sorte d'ombre étaient presque éteints à force d'avoir pleuré. Les coins de sa bouche avaient cette courbe de l'angoisse habituelle, qu'on observe chez les condamnés et chez les malades désespérés. Ses mains étaient, comme sa mère l'avait deviné, « perdues d'engelures ». Le feu qui l'éclairait en ce moment faisait saillir les angles de ses os et rendait sa maigreur affreusement visible. Comme elle grelottait toujours, elle avait pris l'habitude de serrer ses deux genoux l'un contre l'autre. Tout son vêtement n'était qu'un haillon qui eût fait pitié l'été et qui faisait horreur l'hiver. Elle n'avait sur elle que de la toile trouée; pas un chiffon de laine. On voyait sa peau çà et là, et l'on y distinguait partout des taches bleues ou noires qui indiquaient les endroits où la Thénardier l'avait touchée. Ses jambes nues étaient rouges et grêles. Le creux de ses clavicules était à faire pleurer. Toute la personne de cette enfant, son allure, son attitude, le son de sa voix, ses intervalles entre un

mot et l'autre, son regard, son silence, son moindre
geste, exprimaient et traduisaient une seule idée : la
crainte.

La crainte était répandue sur elle ; elle en était pour
ainsi dire couverte ; la crainte ramenait ses coudes contre
ses hanches, retirait ses talons sous ses jupes, lui faisait
tenir le moins de place possible, ne lui laissait de souffle
que le nécessaire, et était devenue ce qu'on pourrait
appeler son habitude de corps, sans variation possible
que d'augmenter. Il y avait au fond de sa prunelle un
coin étonné où était la terreur.

Cette crainte était telle qu'en arrivant, toute mouillée
comme elle était, Cosette n'avait pas osé s'aller sécher
au feu et s'était remise silencieusement à son travail.

L'expression du regard de cette enfant de huit ans
était habituellement si morne et parfois si tragique qu'il
semblait, à de certains moments, qu'elle fût en train de
devenir une idiote ou un démon.

Jamais, nous l'avons dit, elle n'avait su ce que c'est
que prier, jamais elle n'avait mis le pied dans une église.

— Est-ce que j'ai le temps ? disait la Thénardier.

L'homme à la redingote jaune ne quittait pas Cosette
des yeux.

Tout à coup la Thénardier s'écria :

— A propos ! et ce pain ?

Cosette, selon sa coutume toutes les fois que la Thénardier élevait la voix, sortit bien vite de dessous la
table.

Elle avait complètement oublié ce pain. Elle eut recours
à l'expédient des enfants toujours effrayés. Elle mentit.

— Madame, le boulanger était fermé.

— Il fallait cogner.

— J'ai cogné, madame.

— Eh bien ?

— Il n'a pas ouvert.

— Je saurai demain si c'est vrai, dit la Thénardier,
et si tu mens, tu auras une fière danse. En attendant,
rends-moi la pièce-quinze-sous.

Cosette plongea sa main dans la poche de son tablier,
et devint verte. La pièce de quinze sous n'y était plus.

— Ah ça ! dit la Thénardier, m'as-tu entendue ?

Cosette retourna la poche ; il n'y avait rien. Qu'est-ce
que cet argent pouvait être devenu ? La malheureuse
petite ne trouva pas une parole. Elle était pétrifiée.

— Est-ce que tu l'as perdue, la pièce-quinze-sous ?

râla la Thénardier, ou bien est-ce que tu veux me la voler ?

En même temps elle allongea le bras vers le martinet suspendu à l'angle de la cheminée.

Ce geste redoutable rendit à Cosette la force de crier :
— Grâce ! madame ! madame ! je ne le ferai plus.

La Thénardier détacha le martinet.

Cependant l'homme à la redingote jaune avait fouillé dans le gousset de son gilet, sans qu'on eût remarqué ce mouvement. D'ailleurs les autres voyageurs buvaient ou jouaient aux cartes et ne faisaient attention à rien.

Cosette se pelotonnait avec angoisse dans l'angle de la cheminée, tâchant de ramasser et de dérober ses pauvres membres demi-nus. La Thénardier leva le bras.

— Pardon, madame, dit l'homme, mais tout à l'heure j'ai vu quelque chose qui est tombé de la poche du tablier de cette petite et qui a roulé. C'est peut-être cela.

En même temps il se baissa et parut chercher à terre un instant.

— Justement, voici, reprit-il en se relevant.

Et il tendit une pièce d'argent à la Thénardier.

— Oui, c'est cela, dit-elle.

Ce n'était pas cela, car c'était une pièce de vingt sous, mais la Thénardier y trouvait du bénéfice. Elle mit la pièce dans sa poche, et se borna à jeter un regard farouche à l'enfant en disant : — Que cela ne t'arrive plus, toujours !

Cosette rentra dans ce que la Thénardier appelait « sa niche », et son grand œil, fixé sur le voyageur inconnu, commença à prendre une expression qu'il n'avait jamais eue. Ce n'était encore qu'un naïf étonnement, mais une sorte de confiance stupéfaite s'y mêlait.

— A propos, voulez-vous souper ? demanda la Thénardier au voyageur.

Il ne répondit pas. Il semblait songer profondément.

— Qu'est-ce que c'est que cet homme-là ? dit-elle entre ses dents. C'est quelque affreux pauvre. Cela n'a pas le sou pour souper. Me paiera-t-il mon logement seulement ? Il est bien heureux tout de même qu'il n'ait pas eu l'idée de voler l'argent qui était à terre.

Cependant une porte s'était ouverte et Eponine et Azelma étaient entrées.

C'étaient vraiment deux jolies petites filles, plutôt bourgeoises que paysannes, très charmantes, l'une avec ses tresses châtaines bien lustrées, l'autre avec ses longues nattes noires tombant derrière le dos, toutes deux vives, propres, grasses, fraîches et saines à réjouir le regard. Elles étaient chaudement vêtues, mais avec un tel art maternel, que l'épaisseur des étoffes n'ôtait rien à la coquetterie de l'ajustement. L'hiver était prévu sans que le printemps fût effacé. Ces deux petites dégageaient de la lumière. En outre, elles étaient régnantes. Dans leur toilette, dans leur gaieté, dans le bruit qu'elles faisaient, il y avait de la souveraineté. Quand elles entrèrent, la Thénardier leur dit d'un ton grondeur, qui était plein d'adoration : — Ah! vous voilà donc, vous autres!

Puis, les attirant dans ses genoux l'une après l'autre, lissant leurs cheveux, renouant leurs rubans, et les lâchant ensuite avec cette douce façon de secouer qui est propre aux mères, elle s'écria : — Sont-elles fagotées!

Elles vinrent s'asseoir au coin du feu. Elles avaient une poupée qu'elles tournaient et retournaient sur leurs genoux avec toutes sortes de gazouillements joyeux. De temps en temps, Cosette levait les yeux de son tricot, et les regardait jouer d'un air lugubre.

Eponine et Azelma ne regardaient pas Cosette. C'était pour elles comme le chien. Ces trois petites filles n'avaient pas vingt-quatre ans à elles trois, et elles représentaient déjà toute la société des hommes; d'un côté l'envie, de l'autre le dédain.

La poupée des sœurs Thénardier était très fanée et très vieille et toute cassée, mais elle n'en paraissait pas moins admirable à Cosette, qui de sa vie n'avait eu une poupée, *une vraie poupée*, pour nous servir d'une expression que tous les enfants comprendront.

Tout à coup, la Thénardier, qui continuait d'aller et de venir dans la salle, s'aperçut que Cosette avait des distractions et qu'au lieu de travailler, elle s'occupait des petites qui jouaient.

— Ah! je t'y prends! cria-t-elle. C'est comme cela que tu travailles! Je vais te faire travailler à coups de martinet, moi.

L'étranger, sans quitter sa chaise, se tourna vers la Thénardier.

— Madame, dit-il en souriant d'un air presque craintif, bah! laissez-la jouer!

De la part de tout voyageur qui eût mangé une tranche de gigot et bu deux bouteilles de vin à son souper et qui n'eût pas eu l'air d'*un affreux pauvre*, un pareil souhait eût été un ordre. Mais qu'un homme qui avait ce chapeau se permît d'avoir un désir et qu'un homme qui avait cette redingote se permît d'avoir une volonté, c'est ce que la Thénardier ne crut pas devoir tolérer. Elle repartit aigrement :

— Il faut qu'elle travaille, puisqu'elle mange. Je ne la nourris pas à rien faire.

— Qu'est-ce qu'elle fait donc ? reprit l'étranger de cette voix douce qui contrastait si étrangement avec ses habits de mendiant et ses épaules de portefaix.

La Thénardier daigna répondre :

— Des bas, s'il vous plaît. Des bas pour mes petites filles qui n'en ont pas, autant dire, et qui vont tout à l'heure pieds nus.

L'homme regarda les pauvres pieds rouges de Cosette, et continua :

— Quand aura-t-elle fini cette paire de bas ?

— Elle en a encore au moins pour trois ou quatre grands jours, la paresseuse.

— Et combien peut valoir cette paire de bas, quand elle sera faite ?

La Thénardier lui jeta un coup d'œil méprisant.

— Au moins trente sous.

— La donneriez-vous pour cinq francs ? reprit l'homme.

— Pardieu! s'écria avec un gros rire un roulier qui écoutait, cinq francs ? Je crois fichtre bien! cinq balles!

Le Thénardier crut devoir prendre la parole.

— Oui, monsieur, si c'est votre fantaisie, on vous donnera cette paire de bas pour cinq francs. Nous ne savons rien refuser aux voyageurs.

— Il faudrait payer tout de suite, dit la Thénardier avec sa façon brève et péremptoire.

— J'achète cette paire de bas, répondit l'homme, et, ajouta-t-il en tirant de sa poche une pièce de cinq francs qu'il posa sur la table, — je la paie.

Puis il se tourna vers Cosette.

— Maintenant ton travail est à moi. Joue, mon enfant.

Le roulier fut si ému de la pièce de cinq francs, qu'il laissa là son verre et accourut.

— C'est pourtant vrai! cria-t-il en l'examinant. Une vraie roue de derrière! et pas fausse!

Le Thénardier approcha et mit silencieusement la pièce dans son gousset.

La Thénardier n'avait rien à répliquer. Elle se mordit les lèvres, et son visage prit une expression de haine.

Cependant Cosette tremblait. Elle se risqua à demander :

— Madame, est-ce que c'est vrai ? est-ce que je peux jouer ?

— Joue ! dit la Thénardier d'une voix terrible.

— Merci, madame, dit Cosette.

Et, pendant que sa bouche remerciait la Thénardier, toute sa petite âme remerciait le voyageur.

Le Thénardier s'était remis à boire. Sa femme lui dit à l'oreille :

— Qu'est-ce que ça peut être que cet homme jaune ?

— J'ai vu, répondit souverainement Thénardier, des millionnaires qui avaient des redingotes comme cela.

Cosette avait laissé là son tricot, mais elle n'était pas sortie de sa place. Cosette bougeait toujours le moins possible. Elle avait pris dans une boîte derrière elle quelques vieux chiffons et son petit sabre de plomb.

Eponine et Azelma ne faisaient aucune attention à ce qui se passait. Elles venaient d'exécuter une opération fort importante ; elles s'étaient emparées du chat. Elles avaient jeté la poupée à terre, et Eponine, qui était l'aînée, emmaillotait le petit chat, malgré ses miaulements et ses contorsions, avec une foule de nippes et de guenilles rouges et bleues. Tout en faisant ce grave et difficile travail, elle disait à sa sœur dans ce doux et adorable langage des enfants dont la grâce, pareille à la splendeur de l'aile des papillons, s'en va quand on veut la fixer :

— Vois-tu, ma sœur, cette poupée-là est plus amusante que l'autre. Elle remue, elle crie, elle est chaude. Vois-tu, ma sœur, jouons avec. Ce serait ma petite fille. Je serais une dame. Je viendrais te voir et tu la regarderais. Peu à peu tu verrais ses moustaches, et cela t'étonnerait. Et puis tu verrais ses oreilles, et puis tu verrais sa queue, et cela t'étonnerait. Et tu me dirais : Ah ! mon Dieu ! et je te dirais : Oui, madame, c'est une petite fille que j'ai comme ça. Les petites filles sont comme ça à présent.

Azelma écoutait Eponine avec admiration.

Cependant, les buveurs s'étaient mis à chanter une chanson obscène dont ils riaient à faire trembler le plafond. Le Thénardier les encourageait et les accompagnait.

Comme les oiseaux font un nid avec tout, les enfants font une poupée avec n'importe quoi. Pendant qu'Eponine et Azelma emmaillotaient le chat, Cosette de son côté avait emmailloté le sabre. Cela fait, elle l'avait couché sur ses bras, et elle chantait doucement pour l'endormir.

La poupée est un des plus impérieux besoins et en même temps un des plus charmants instincts de l'enfance féminine. Soigner, vêtir, parer, habiller, déshabiller, rhabiller, enseigner, un peu gronder, bercer, dorloter, endormir, se figurer que quelque chose est quelqu'un, tout l'avenir de la femme est là. Tout en rêvant et tout en jasant, tout en faisant de petits trousseaux et de petites layettes, tout en cousant de petites robes, de petits corsages et de petites brassières, l'enfant devient jeune fille, la jeune fille devient grande fille, la grande fille devient femme. Le premier enfant continue la dernière poupée.

Une petite fille sans poupée est à peu près aussi malheureuse et tout à fait aussi impossible qu'une femme sans enfants.

Cosette s'était donc fait une poupée avec le sabre.

La Thénardier, elle, s'était rapprochée de l'*homme jaune*. — Mon mari a raison, pensait-elle, c'est peut-être monsieur Laffitte. Il y a des riches si farces!

Elle vint s'accouder à sa table.

— Monsieur, dit-elle...

A ce mot *monsieur*, l'homme se retourna. La Thénardier ne l'avait encore appelé que *brave homme* ou *bonhomme*.

— Voyez-vous, monsieur, poursuivit-elle en prenant son air douceâtre qui était encore plus fâcheux à voir que son air féroce, je veux bien que l'enfant joue, je ne m'y oppose pas, mais c'est bon pour une fois, parce que vous êtes généreux. Voyez-vous? cela n'a rien. Il faut que cela travaille.

— Elle n'est donc pas à vous, cette enfant? demanda l'homme.

— Oh, mon Dieu, non, monsieur! c'est une petite pauvre que nous avons recueillie comme cela, par charité. Une espèce d'enfant imbécile. Elle doit avoir de l'eau dans la tête. Elle a la tête grosse, comme vous voyez. Nous faisons pour elle ce que nous pouvons, car nous ne sommes pas riches. Nous avons beau écrire à son pays, voilà six mois qu'on ne nous répond plus. Il faut croire que sa mère est morte.

— Ah! dit l'homme, et il retomba dans sa rêverie.

— C'était une pas grand-chose que cette mère, ajouta la Thénardier. Elle abandonnait son enfant.

Pendant toute cette conversation, Cosette, comme si un instinct l'eût avertie qu'on parlait d'elle, n'avait pas

quitté des yeux la Thénardier. Elle écoutait vaguement.
Elle entendait çà et là quelques mots.

Cependant les buveurs, tous ivres aux trois quarts,
répétaient leur refrain immonde avec un redoublement
de gaieté. C'était une gaillardise de haut goût où étaient
mêlés la Vierge et l'enfant Jésus. La Thénardier était
allée prendre sa part des éclats de rire. Cosette, sous la
table, regardait le feu qui se réverbérait dans son œil
fixe ; elle s'était remise à bercer l'espèce de maillot qu'elle
avait fait, et tout en le berçant, elle chantait à voix basse :
Ma mère est morte ! ma mère est morte ! ma mère est
morte !

Sur de nouvelles insistances de l'hôtesse, l'homme
jaune, « le millionnaire », consentit enfin à souper.

— Que veut monsieur ?

— Du pain et du fromage, dit l'homme.

— Décidément, c'est un gueux, pensa la Thénardier.

Les ivrognes chantaient toujours leur chanson, et l'enfant, sous la table, chantait aussi la sienne.

Tout à coup Cosette s'interrompit. Elle venait de se
retourner et d'apercevoir la poupée des petites Thénardier qu'elles avaient quittée pour le chat et laissée à terre
à quelques pas de la table de cuisine.

Alors elle laissa tomber le sabre emmailloté qui ne
lui suffisait qu'à demi, puis elle promena lentement ses
yeux autour de la salle. La Thénardier parlait bas à
son mari, et comptait de la monnaie, Ponine et Zelma
jouaient avec le chat, les voyageurs mangeaient ou
buvaient, ou chantaient, aucun regard n'était fixé sur
elle. Elle n'avait pas un moment à perdre. Elle sortit de
dessous la table en rampant sur les genoux et sur les
mains, s'assura encore une fois qu'on ne la guettait pas,
puis se glissa vivement jusqu'à la poupée, et la saisit.
Un instant après elle était à sa place, assise, immobile,
tournée seulement de manière à faire de l'ombre sur la
poupée qu'elle tenait dans ses bras. Ce bonheur de jouer
avec une poupée était tellement rare pour elle qu'il
avait toute la violence d'une volupté.

Personne ne l'avait vue, excepté le voyageur qui mangeait lentement son maigre souper.

Cette joie dura près d'un quart d'heure.

Mais quelque précaution que prît Cosette, elle ne
s'apercevait pas qu'un des pieds de la poupée — *passait*,
— et que le feu de la cheminée l'éclairait très vivement.
Ce pied rose et lumineux qui sortait de l'ombre frappa

subitement le regard d'Azelma qui dit à Eponine :
— Tiens! ma sœur!

Les deux petites filles s'arrêtèrent, stupéfaites. Cosette
avait osé prendre la poupée!

Eponine se leva, et sans lâcher le chat, alla vers sa
mère et se mit à la tirer par sa jupe.

— Mais laisse-moi donc! dit la mère. Qu'est-ce que
tu me veux?

— Mère, dit l'enfant, regarde donc!

Et elle désignait du doigt Cosette.

Cosette, elle, tout entière aux extases de la possession,
ne voyait et n'entendait plus rien.

Le visage de la Thénardier prit cette expression particulière qui se compose du terrible mêlé aux riens
de la vie et qui a fait nommer ces sortes de femmes :
mégères.

Cette fois, l'orgueil blessé exaspérait encore sa colère.
Cosette avait franchi tous les intervalles, Cosette avait
attenté à la poupée de « ces demoiselles ». Une czarine
qui verrait un moujik essayer le grand cordon bleu de
son impérial fils, n'aurait pas une autre figure.

Elle cria d'une voix que l'indignation enrouait :

— Cosette!

Cosette tressaillit comme si la terre eût tremblé sous
elle. Elle se retourna.

— Cosette! répéta la Thénardier.

Cosette prit la poupée et la posa doucement à terre
avec une sorte de vénération mêlée de désespoir. Alors,
sans la quitter des yeux, elle joignit les mains, et, ce qui
est effrayant à dire dans un enfant de cet âge, elle se les
tordit; puis, ce que n'avait pu lui arracher aucune des
émotions de la journée, ni la course dans le bois, ni la
pesanteur du seau d'eau, ni la perte de l'argent, ni la
vue du martinet, ni même la sombre parole qu'elle avait
entendu dire à la Thénardier, — elle pleura. Elle éclata
en sanglots.

Cependant le voyageur s'était levé.

— Qu'est-ce donc? dit-il à la Thénardier.

— Vous ne voyez pas? dit la Thénardier en montrant
du doigt le corps du délit qui gisait aux pieds de Cosette.

— Hé bien, quoi? reprit l'homme.

— Cette gueuse, répondit la Thénardier, s'est permis
de toucher à la poupée des enfants!

— Tout ce bruit pour cela! dit l'homme. Eh bien,
quand elle jouerait avec cette poupée?

— Elle y a touché avec ses mains sales ! poursuivit la Thénardier, avec ses affreuses mains !

Ici Cosette redoubla ses sanglots.

— Te tairas-tu ! cria la Thénardier.

L'homme alla droit à la porte de la rue, l'ouvrit et sortit.

Dès qu'il fut sorti, la Thénardier profita de son absence pour allonger sous la table à Cosette un grand coup de pied qui fit jeter à l'enfant les hauts cris.

La porte se rouvrit, l'homme reparut, il portait dans ses deux mains la poupée fabuleuse dont nous avons parlé et que tous les marmots du village contemplaient depuis le matin, et il la posa debout devant Cosette en disant :

— Tiens, c'est pour toi.

Il faut croire que, depuis plus d'une heure qu'il était là, au milieu de sa rêverie, il avait confusément remarqué cette boutique de bimbeloterie éclairée de lampions et de chandelles, si splendidement qu'on l'apercevait à travers la vitre du cabaret comme une illumination.

Cosette leva les yeux, elle avait vu venir l'homme à elle avec cette poupée comme elle eût vu venir le soleil, elle entendit ces paroles inouïes : *c'est pour toi*, elle le regarda, elle regarda la poupée, puis elle recula lentement, et s'alla cacher tout au fond sous la table dans le coin du mur.

Elle ne pleurait plus, elle ne criait plus, elle avait l'air de ne plus oser respirer.

La Thénardier, Éponine, Azelma, étaient autant de statues. Les buveurs eux-mêmes s'étaient arrêtés. Il s'était fait un silence solennel dans tout le cabaret.

La Thénardier, pétrifiée et muette, recommençait ses conjectures : — Qu'est-ce que c'est que ce vieux ? est-ce un pauvre ? est-ce un millionnaire ? C'est peut-être les deux, c'est-à-dire un voleur.

La face du mari Thénardier offrit cette ride expressive qui accentue la figure humaine chaque fois que l'instinct dominant y apparaît avec toute sa puissance bestiale. Le gargotier considérait tour à tour la poupée et le voyageur ; il semblait flairer cet homme comme il eût flairé un sac d'argent. Cela ne dura que le temps d'un éclair. Il s'approcha de sa femme et lui dit bas :

— Cette machine coûte au moins trente francs. Pas de bêtises. A plat ventre devant l'homme !

Les natures grossières ont cela de commun avec les natures naïves qu'elles n'ont pas de transitions.

— Eh bien, Cosette, dit la Thénardier d'une voix qui voulait être douce et qui était toute composée de ce miel aigre des méchantes femmes, est-ce que tu ne prends pas ta poupée ?

Cosette se hasarda à sortir de son trou.

— Ma petite Cosette, reprit le Thénardier d'un air caressant, monsieur te donne une poupée. Prends-la. Elle est à toi.

Cosette considérait la poupée merveilleuse avec une sorte de terreur. Son visage était encore inondé de larmes, mais ses yeux commençaient à s'emplir, comme le ciel au crépuscule du matin, des rayonnements étranges de la joie. Ce qu'elle éprouvait en ce moment-là était un peu pareil à ce qu'elle eût ressenti, si on lui eût dit brusquement : Petite, vous êtes la reine de France.

Il lui semblait que si elle touchait à cette poupée, le tonnerre en sortirait.

Ce qui était vrai jusqu'à un certain point, car elle se disait que la Thénardier gronderait, et la battrait.

Pourtant, l'attraction l'emporta. Elle finit par s'approcher, et murmura timidement en se tournant vers la Thénardier :

— Est-ce que je peux, madame ?

Aucune expression ne saurait rendre cet air à la fois désespéré, épouvanté et ravi.

— Pardi ! fit la Thénardier, c'est à toi. Puisque monsieur te la donne.

— Vrai, monsieur ? reprit Cosette, est-ce que c'est vrai ? c'est à moi, la dame ?

L'étranger paraissait avoir les yeux pleins de larmes. Il semblait être à ce point d'émotion où l'on ne parle pas pour ne pas pleurer. Il fit un signe de tête à Cosette, et mit la main de « la dame » dans sa petite main.

Cosette retira vivement sa main, comme si celle de *la dame* la brûlait, et se mit à regarder le pavé. Nous sommes forcé d'ajouter qu'en cet instant-là elle tirait la langue d'une façon démesurée. Tout à coup, elle se retourna et saisit la poupée avec emportement.

— Je l'appellerai Catherine, dit-elle.

Ce fut un moment bizarre que celui où les haillons de Cosette rencontrèrent et étreignirent les rubans et les fraîches mousselines roses de la poupée.

— Madame, reprit-elle, est-ce que je peux la mettre sur une chaise ?

— Oui, mon enfant, répondit la Thénardier.

Maintenant c'étaient Eponine et Azelma qui regardaient Cosette avec envie.

Cosette posa Catherine sur une chaise, puis s'assit à terre devant elle, et demeura immobile, sans dire un mot, dans l'attitude de la contemplation.

— Joue donc, Cosette, dit l'étranger.

— Oh! je joue, répondit l'enfant.

Cet étranger, cet inconnu qui avait l'air d'une visite que la Providence faisait à Cosette, était en ce moment-là ce que la Thénardier haïssait le plus au monde. Pourtant, il fallait se contraindre. C'était plus d'émotions qu'elle n'en pouvait supporter, si habituée qu'elle fût à la dissimulation par la copie qu'elle tâchait de faire de son mari dans toutes ses actions. Elle se hâta d'envoyer ses filles coucher, puis elle demanda à l'homme jaune, *la permission* d'y envoyer Cosette, — *qui a bien fatigué aujourd'hui*, ajouta-t-elle d'un air maternel. Cosette s'alla coucher emportant Catherine entre ses bras.

La Thénardier allait de temps en temps à l'autre bout de la salle où était son homme, *pour se soulager l'âme*, disait-elle. Elle échangeait avec son mari quelques paroles d'autant plus furieuses qu'elle n'osait les dire tout haut :

— Vieille bête! qu'est-ce qu'il a donc dans le ventre? venir nous déranger ici! vouloir que ce petit monstre joue! lui donner des poupées! donner des poupées de quarante francs à une chienne que je donnerais moi pour quarante sous! encore un peu il lui dirait votre majesté comme à la duchesse de Berry? Y a-t-il du bon sens? il est donc enragé, ce vieux mystérieux-là!

— Pourquoi? C'est tout simple, répliquait le Thénardier. Si ça l'amuse! Toi, ça t'amuse que la petite travaille, lui, ça l'amuse qu'elle joue. Il est dans son droit. Un voyageur ça fait ce que ça veut quand ça paie. Si ce vieux est un philanthrope, qu'est-ce que ça te fait? si c'est un imbécile, ça ne te regarde pas. De quoi te mêles-tu, puisqu'il a de l'argent!

Langage de maître et raisonnement d'aubergiste qui n'admettaient ni l'un ni l'autre la réplique.

L'homme s'était accoudé sur la table et avait repris son attitude de rêverie. Tous les autres voyageurs, marchands et rouliers, s'étaient un peu éloignés et ne chantaient plus. Ils le considéraient à distance avec une sorte de crainte respectueuse. Ce particulier si pauvrement vêtu qui tirait de sa poche les roues de derrière avec tant d'aisance et qui prodiguait des poupées gigantesques à de petites souillons en sabots, était certainement un bon-homme magnifique et redoutable.

Plusieurs heures s'écoulèrent. La messe de minuit était dite, le réveillon était fini, les buveurs s'en étaient allés, le cabaret était fermé, la salle basse était déserte, le feu s'était éteint, l'étranger était toujours à la même place et dans la même posture. De temps en temps il changeait le coude sur lequel il s'appuyait. Voilà tout. Mais il n'avait pas dit un mot depuis que Cosette n'était plus là.

Les Thénardier seuls, par convenance et par curiosité, étaient restés dans la salle.

— Est-ce qu'il va passer la nuit comme ça ? grommelait la Thénardier. Comme deux heures du matin sonnaient, elle se déclara vaincue et dit à son mari : — Je vais me coucher. Fais-en ce que tu voudras. — Le mari s'assit à une table dans un coin, alluma une chandelle et se mit à lire le *Courrier français*.

Une bonne heure passa ainsi. Le digne aubergiste avait lu au moins trois fois le *Courrier français*, depuis la date du numéro jusqu'au nom de l'imprimeur. L'étranger ne bougeait pas.

Le Thénardier remua, toussa, cracha, se moucha, fit craquer sa chaise. Aucun mouvement de l'homme. — Est-ce qu'il dort ? pensa le Thénardier. — L'homme ne dormait pas, mais rien ne pouvait l'éveiller.

Enfin Thénardier ôta son bonnet, s'approcha doucement, et s'aventura à dire :

— Est-ce que monsieur ne va pas reposer ?

Ne va pas se coucher lui eût semblé excessif et familier. *Reposer* sentait le luxe et était du respect. Ces mots-là ont la propriété mystérieuse et admirable de gonfler le lendemain matin le chiffre de la carte à payer. Une chambre où l'on *couche* coûte vingt sous; une chambre où l'on *repose* coûte vingt francs.

— Tiens ! dit l'étranger, vous avez raison. Où est votre écurie ?

— Monsieur, fit le Thénardier avec un sourire, je vais conduire monsieur.

Il prit la chandelle, l'homme prit son paquet et son bâton, et Thénardier le mena dans une chambre au premier qui était d'une rare splendeur, toute meublée en acajou avec un lit-bateau et des rideaux en calicot rouge.

— Qu'est-ce que c'est que cela ? dit le voyageur.

— C'est notre propre chambre de noce, dit l'aubergiste. Nous en habitons une autre, mon épouse et moi. On n'entre ici que trois ou quatre fois dans l'année.

— J'aurais autant aimé l'écurie, dit l'homme brusquement.

Le Thénardier n'eut pas l'air d'entendre cette réflexion peu obligeante.

Il alluma deux bougies de cire toutes neuves qui figuraient sur la cheminée. Un assez bon feu flambait dans l'âtre.

Il y avait sur cette cheminée, sous un bocal, une coiffure de femme en fil d'argent et en fleur d'oranger.

— Et ceci, qu'est-ce que c'est ? reprit l'étranger.

— Monsieur, dit le Thénardier, c'est le chapeau de mariée de ma femme.

Le voyageur regarda l'objet d'un regard qui semblait dire : il y a donc eu un moment où ce monstre a été une vierge !

Du reste le Thénardier mentait. Quand il avait pris à bail cette bicoque pour en faire une gargote, il avait trouvé cette chambre ainsi garnie, et avait acheté ces meubles et brocanté ces fleurs d'oranger, jugeant que cela ferait une ombre gracieuse sur « son épouse », et qu'il en résulterait pour sa maison ce que les anglais appellent de la respectabilité.

Quand le voyageur se retourna, l'hôte avait disparu. Le Thénardier s'était éclipsé discrètement, sans oser dire bonsoir, ne voulant pas traiter avec une cordialité irrespectueuse, un homme qu'il se proposait d'écorcher royalement le lendemain matin.

L'aubergiste se retira dans sa chambre. Sa femme était couchée, mais elle ne dormait pas. Quand elle entendit le pas de son mari, elle se retourna et lui dit :

— Tu sais que je flanque Cosette demain à la porte.

Le Thénardier répondit froidement :

— Comme tu y vas !

Ils n'échangèrent pas d'autres paroles et quelques moments après leur chandelle était éteinte.

De son côté le voyageur avait déposé dans un coin son bâton et son paquet. L'hôte parti, il s'assit sur un fauteuil et resta quelque temps pensif. Puis il ôta ses souliers, prit une des deux bougies, souffla l'autre, poussa la porte et sortit de la chambre, regardant autour de lui comme quelqu'un qui cherche. Il traversa un corridor et parvint à l'escalier. Là il entendit un petit bruit très doux qui ressemblait à une respiration d'enfant. Il se laissa conduire par ce bruit et arriva à une espèce d'enfoncement triangulaire pratiqué sous l'escalier ou pour mieux dire formé par l'escalier même. Cet enfoncement n'était autre chose que le dessous des marches. Là, parmi toutes sortes de vieux paniers et de vieux tessons, dans la poussière et dans les toiles d'araignée, il y avait un lit ; si l'on peut appeler lit une paillasse trouée jusqu'à montrer la paille et une couverture trouée jusqu'à laisser voir la paillasse. Point de draps. Cela était posé à terre sur le carreau. Dans ce lit Cosette dormait.

L'homme s'approcha, et la considéra.

Cosette dormait profondément, elle était tout habillée. L'hiver elle ne se déshabillait pas pour avoir moins froid.

Elle tenait serrée contre elle la poupée dont les grands yeux ouverts brillaient dans l'obscurité. De temps en temps elle poussait un grand soupir comme si elle allait se réveiller, et elle étreignait la poupée dans ses bras presque convulsivement. Il n'y avait à côté de son lit qu'un de ses sabots.

Une porte ouverte près du galetas de Cosette laissait voir une assez grande chambre sombre. L'étranger y pénétra. Au fond, à travers une porte vitrée, on apercevait deux petits lits jumeaux très blancs. C'étaient ceux d'Azelma et d'Eponine. Derrière ces lits disparaissait à demi un berceau d'osier sans rideaux où dormait le petit garçon qui avait crié toute la soirée.

L'étranger conjectura que cette chambre communiquait avec celle des époux Thénardier. Il allait se retirer quand son regard rencontra la cheminée ; une de ces vastes cheminées d'auberge où il y a toujours un si petit feu, quand il y a du feu, et qui sont si froides à voir. Dans celle-là il n'y avait pas de feu, il n'y avait pas même de cendre ; ce qui y était attira pourtant l'attention du voyageur. C'étaient deux petits souliers d'enfant de forme coquette et de grandeur inégale ; le voyageur se rappela la gracieuse et immémoriale coutume des enfants qui déposent leur chaussure dans la cheminée le jour de Noël pour y attendre dans les ténèbres quelque étincelant cadeau de leur bonne fée. Eponine et Azelma n'avaient eu garde d'y manquer, et elles avaient mis chacune un de leurs souliers dans la cheminée.

Le voyageur se pencha.

La fée, c'est-à-dire la mère, avait déjà fait sa visite, et l'on voyait reluire dans chaque soulier une belle pièce de dix sous toute neuve.

L'homme se relevait et allait s'en aller lorsqu'il aperçut au fond, à l'écart, dans le coin le plus obscur de l'âtre, un autre objet. Il regarda, et reconnut un sabot, un affreux sabot du bois le plus grossier, à demi brisé et tout couvert de cendre et de boue desséchée. C'était le sabot de Cosette. Cosette, avec cette touchante confiance des enfants qui peut être trompée toujours sans se décourager jamais, avait mis, elle aussi, son sabot dans la cheminée.

C'est une chose sublime et douce que l'espérance dans un enfant qui n'a jamais connu que le désespoir.

Il n'y avait rien dans ce sabot.

L'étranger fouilla dans son gilet, se courba, et mit dans le sabot de Cosette un louis d'or.

Puis il regagna sa chambre à pas de loup.

IX

THÉNARDIER A LA MANŒUVRE

Le lendemain matin, deux heures au moins avant le jour, le mari Thénardier, attablé près d'une chandelle dans la salle basse du cabaret, une plume à la main, composait la carte du voyageur à la redingote jaune.

La femme, debout, à demi courbée sur lui, le suivait des yeux. Ils n'échangeaient pas une parole. C'était, d'un côté, une méditation profonde, de l'autre, cette admiration religieuse avec laquelle on regarde naître et s'épanouir une merveille de l'esprit humain. On entendait un bruit dans la maison; c'était l'Alouette qui balayait l'escalier.

Après un bon quart d'heure et quelques ratures, le Thénardier produisit ce chef-d'œuvre :

Note du monsieur du n° 1.

Souper.	fr.	3
Chambre	»	10
Bougie.	»	5
Feu	»	4
Service	»	1
Total	fr.	23

Service était écrit *servisse*.

— Vingt-trois francs! s'écria la femme avec un enthousiasme mêlé de quelque hésitation.

Comme tous les grands artistes, le Thénardier n'était pas content.

— Peuh! fit-il.

C'était l'accent de Castlereagh rédigeant au congrès de Vienne la carte à payer de la France.

— Monsieur Thénardier, tu as raison, il doit bien cela, murmura la femme qui songeait à la poupée donnée à Cosette en présence de ses filles, c'est juste, mais c'est trop. Il ne voudra pas payer.

Le Thénardier fit son rire froid, et dit :

— Il paiera.

Ce rire était la signification suprême de la certitude et de l'autorité. Ce qui était dit ainsi devait être. La femme n'insista point. Elle se mit à ranger les tables; le mari marchait de long en large dans la salle. Un moment après il ajouta :

— Je dois bien quinze cents francs, moi!

Il alla s'asseoir au coin de la cheminée, méditant, les pieds sur les cendres chaudes.

— Ah ça! reprit la femme, tu n'oublies pas que je flanque Cosette à la porte aujourd'hui? Ce monstre! elle me mange le cœur avec sa poupée! J'aimerais mieux épouser Louis XVIII que de la garder un jour de plus à la maison!

Le Thénardier alluma sa pipe et répondit entre deux bouffées :

— Tu remettras la carte à l'homme.

Puis il sortit.

Il était à peine hors de la salle que le voyageur y entra.

Le Thénardier reparut sur-le-champ derrière lui et demeura immobile dans la porte entrebâillée, visible seulement pour sa femme.

L'homme jaune portait à la main son bâton et son paquet.

— Levé si tôt! dit la Thénardier, est-ce que monsieur nous quitte déjà?

Tout en parlant ainsi, elle tournait d'un air embarrassé la carte dans ses mains et y faisait des plis avec ses ongles. Son visage dur offrait une nuance qui ne lui était pas habituelle, la timidité et le scrupule.

Présenter une pareille note à un homme qui avait si parfaitement l'air « d'un pauvre », cela lui paraissait malaisé.

Le voyageur semblait préoccupé et distrait. Il répondit :

— Oui, madame, je m'en vais.

— Monsieur, reprit-elle, n'avait donc pas d'affaires à Montfermeil ?

— Non, je passe par ici. Voilà tout. — Madame, ajouta-t-il, qu'est-ce que je dois ?

La Thénardier, sans répondre, lui tendit la carte pliée.

L'homme déplia le papier, et le regarda ; mais son attention était visiblement ailleurs.

— Madame, reprit-il, faites-vous de bonnes affaires dans ce Montfermeil ?

— Comme cela, monsieur, répondit la Thénardier stupéfaite de ne point voir d'autre explosion.

Elle poursuivit d'un accent élégiaque et lamentable :

— Oh, monsieur, les temps sont bien durs ! et puis nous avons si peu de bourgeois dans nos endroits ! C'est tout petit monde, voyez-vous. Si nous n'avions pas parci par-là des voyageurs généreux et riches comme monsieur ! nous avons tant de charges. Tenez, cette petite nous coûte les yeux de la tête.

— Quelle petite ?

— Eh bien, la petite, vous savez ! Cosette ! l'Alouette, comme on dit dans le pays !

— Ah ! dit l'homme.

Elle continua :

— Sont-ils bêtes, ces paysans, avec leurs sobriquets ! elle a plutôt l'air d'une chauve-souris que d'une alouette. Voyez-vous, monsieur ? nous ne demandons pas la charité, mais nous ne pouvons pas la faire. Nous ne gagnons rien, et nous avons gros à payer. La patente, les impositions, les portes et fenêtres, les centimes ! Monsieur sait que le gouvernement demande un argent terrible. Et puis j'ai mes filles, moi. Je n'ai pas besoin de nourrir l'enfant des autres.

L'homme reprit, de cette voix qu'il s'efforçait de rendre indifférente et dans laquelle il y avait un tremblement :

— Et si l'on vous en débarrassait ?

— De qui ? de la Cosette ?

— Oui.

La face rouge et violente de la gargotière s'illumina d'un épanouissement hideux.

— Ah, monsieur ! mon bon monsieur ! prenez-la, gardez-la, emmenez-la, emportez-la, sucrez-la, truffez-

la, buvez-la, mangez-la, et soyez béni de la bonne sainte
vierge et de tous les saints du paradis!

— C'est dit.

— Vrai? vous l'emmenez?

— Je l'emmène.

— Tout de suite?

— Tout de suite. Appelez l'enfant.

— Cosette! cria la Thénardier.

— En attendant, poursuivit l'homme, je vais toujours
vous payer ma dépense. Combien est-ce?

Il jeta un coup d'œil sur la carte et ne put réprimer
un mouvement de surprise:

— Vingt-trois francs!

Il regarda la gargotière et répéta:

— Vingt-trois francs?

Il y avait dans la prononciation de ces deux mots
ainsi répétés l'accent qui sépare le point d'exclamation
du point d'interrogation.

La Thénardier avait eu le temps de se préparer au
choc. Elle répondit avec assurance:

— Dame oui, monsieur! c'est vingt-trois francs.

L'étranger posa cinq pièces de cinq francs sur la
table.

— Allez chercher la petite, dit-il.

En ce moment le Thénardier s'avança au milieu de la
salle et dit:

— Monsieur doit vingt-six sous.

— Vingt-six sous! s'écria la femme.

— Vingt sous pour la chambre, reprit le Thénardier
froidement, et six sous pour le souper. Quant à la petite,
j'ai besoin d'en causer un peu avec monsieur. Laisse-
nous, ma femme.

La Thénardier eut un de ces éblouissements que
donnent les éclairs imprévus du talent. Elle sentit que
le grand acteur entrait en scène, ne répliqua pas un mot,
et sortit.

Dès qu'ils furent seuls, le Thénardier offrit une chaise
au voyageur. Le voyageur s'assit; le Thénardier resta
debout, et son visage prit une singulière expression de
bonhomie et de simplicité.

— Monsieur, dit-il, tenez, je vais vous dire, c'est que
je l'adore, moi, cette enfant.

L'étranger le regarda fixement:

— Quelle enfant?

Thénardier continua:

— Comme c'est drôle! on s'attache. Qu'est-ce que c'est que tout cet argent-là ? reprenez donc vos pièces de cent sous. C'est une enfant que j'adore.

— Qui ça ? demanda l'étranger.

— Hé, notre petite Cosette! ne voulez-vous pas nous l'emmener ? Eh bien, je parle franchement, vrai comme vous êtes un honnête homme, je ne peux pas y consentir. Elle me ferait faute, cette enfant. J'ai vu ça tout petit. C'est vrai qu'elle nous coûte de l'argent, c'est vrai qu'elle a des défauts, c'est vrai que nous ne sommes pas riches, c'est vrai que j'ai payé plus de quatre cents francs en drogues rien que pour une de ses maladies! Mais il faut bien faire quelque chose pour le bon Dieu. Ça n'a ni père ni mère, je l'ai élevée. J'ai du pain pour elle et pour moi. Au fait j'y tiens, à cette enfant. Vous comprenez, on se prend d'affection; je suis une bonne bête, moi; je ne raisonne pas; je l'aime, cette petite; ma femme est vive, mais elle l'aime aussi. Voyez-vous, c'est comme notre enfant. J'ai besoin que ça babille dans la maison.

L'étranger le regardait toujours fixement. Il continua.

— Pardon, excuse, monsieur, mais on ne donne point son enfant comme ça à un passant. Pas vrai que j'ai raison ? après cela, je ne dis pas, vous êtes riche, vous avez l'air d'un bien brave homme, si c'était pour son bonheur ? mais il faudrait savoir. Vous comprenez ? une supposition que je la laisserais aller et que je me sacrifierais, je voudrais savoir où elle va, je ne voudrais pas la perdre de vue, je voudrais savoir chez qui elle est, pour l'aller voir de temps en temps, qu'elle sache que son bon père nourricier est là, qu'il veille sur elle. Enfin il y a des choses qui ne sont pas possibles. Je ne sais seulement pas votre nom. Vous l'emmèneriez, je dirais : eh bien, l'Alouette, où donc a-t-elle passé ? Il faudrait au moins voir quelque méchant chiffon de papier, un petit bout de passeport, quoi!

L'étranger, sans cesser de le regarder de ce regard qui va, pour ainsi dire, jusqu'au fond de la conscience, lui répondit d'un accent grave et ferme :

— Monsieur Thénardier, on n'a pas un passeport pour venir à cinq lieues de Paris. Si j'emmène Cosette, je l'emmènerai, voilà tout. Vous ne saurez pas mon nom, vous ne saurez pas ma demeure, vous ne saurez pas où elle sera, et mon intention est qu'elle ne vous revoie de sa vie. Je casse le fil qu'elle a au pied, et elle s'en va. Cela vous convient-il ? Oui ou non.

De même que les démons et les génies reconnaissaient à de certains signes la présence d'un dieu supérieur, le Thénardier comprit qu'il avait affaire à quelqu'un de très fort. Ce fut comme une intuition; il comprit cela avec sa promptitude nette et sagace. La veille, tout en buvant avec les rouliers, tout en fumant, tout en chantant des gaudrioles, il avait passé la soirée à observer l'étranger, le guettant comme un chat et l'étudiant comme un mathématicien. Il l'avait à la fois épié pour son propre compte, pour le plaisir et par instinct, et espionné comme s'il eût été payé pour cela. Pas un geste, pas un mouvement de l'homme à la capote jaune ne lui était échappé. Avant même que l'inconnu manifestât si clairement son intérêt pour Cosette, le Thénardier l'avait deviné. Il avait surpris les regards profonds de ce vieux qui revenaient toujours à l'enfant. Pourquoi cet intérêt ? qu'était-ce que cet homme ? pourquoi avec tant d'argent dans sa bourse, ce costume si misérable ? Questions qu'il se posait sans pouvoir les résoudre et qui l'irritaient. Il y avait songé toute la nuit. Ce ne pouvait être le père de Cosette. Etait-ce quelque grand-père ? alors pourquoi ne pas se faire connaître tout de suite ? Quand on a un droit, on le montre. Cet homme évidemment n'avait pas de droit sur Cosette. Alors qu'était-ce ? Le Thénardier se perdait en suppositions. Il entrevoyait tout et ne voyait rien. Quoi qu'il en fût, en entamant la conversation avec l'homme, sûr qu'il y avait un secret dans tout cela, sûr que l'homme était intéressé à rester dans l'ombre, il se sentait fort; à la réponse nette et ferme de l'étranger, quand il vit que ce personnage mystérieux était mystérieux si simplement, il se sentit faible. Il ne s'attendait à rien de pareil. Ce fut la déroute de ses conjectures. Il rallia ses idées. Il pesa tout cela en une seconde. Le Thénardier était un de ces hommes qui jugent d'un coup d'œil une situation. Il estima que c'était le moment de marcher droit et vite. Il fit comme les grands capitaines à cet instant décisif qu'ils savent seuls reconnaître, il démasqua brusquement sa batterie.

— Monsieur, dit-il, il me faut quinze cents francs.

L'étranger prit dans sa poche de côté un vieux portefeuille en cuir noir, l'ouvrit et en tira trois billets de banque qu'il posa sur la table. Puis il appuya son large pouce sur ces billets, et dit au gargotier :

— Faites venir Cosette.

Pendant que ceci se passait, que faisait Cosette ?

Cosette, en s'éveillant, avait couru à son sabot. Elle
y avait trouvé la pièce d'or. Ce n'était pas un napoléon,
c'était une de ces pièces de vingt francs toutes neuves
de la restauration sur l'effigie desquelles la petite queue
prussienne avait remplacé la couronne de lauriers.
Cosette fut éblouie. Sa destinée commençait à l'enivrer.
Elle ne savait pas ce que c'était qu'une pièce d'or, elle
n'en avait jamais vu, elle la cacha bien vite dans sa poche
comme si elle l'avait volée. Cependant elle sentait que
cela était bien à elle, elle devinait d'où ce don lui venait,
mais elle éprouvait une sorte de joie pleine de peur.
Elle était contente; elle était surtout stupéfaite. Ces
choses si magnifiques et si jolies ne lui paraissaient pas
réelles. La poupée lui faisait peur, la pièce d'or lui faisait
peur. Elle tremblait vaguement devant ces magnificences.
L'étranger seul ne lui faisait pas peur. Au contraire, il
la rassurait. Depuis la veille, à travers ses étonnements,
à travers son sommeil, elle songeait dans son petit esprit
d'enfant à cet homme qui avait l'air vieux et pauvre et
si triste, et qui était si riche et si bon. Depuis qu'elle
avait rencontré ce bonhomme dans le bois, tout était
comme changé pour elle. Cosette, moins heureuse que
la moindre hirondelle du ciel, n'avait jamais su ce que
c'est que de se réfugier à l'ombre de sa mère et sous une
aile. Depuis cinq ans, c'est-à-dire aussi loin que pouvaient remonter ses souvenirs, la pauvre enfant frissonnait
et grelottait. Elle avait toujours été toute nue sous la bise
aigre du malheur, maintenant il lui semblait qu'elle était
vêtue. Autrefois son âme avait froid, maintenant elle avait
chaud. — Cosette n'avait plus autant de crainte de la Thénardier. Elle n'était plus seule; il y avait quelqu'un là.

Elle s'était mise bien vite à sa besogne de tous les
matins. Ce louis, qu'elle avait sur elle, dans ce même
gousset de son tablier d'où la pièce de quinze sous était
tombée la veille, lui donnait des distractions. Elle n'osait
pas y toucher, mais elle passait des cinq minutes à le
contempler, il faut le dire, en tirant la langue. Tout en
balayant l'escalier, elle s'arrêtait, et restait là, immobile,
oubliant son balai et l'univers entier, occupée à regarder
cette étoile briller au fond de sa poche.

Ce fut dans une de ces contemplations que la Thénardier la rejoignit.

Sur l'ordre de son mari, elle l'était allée chercher.
Chose inouïe, elle ne lui donna pas une tape et ne lui dit
pas une injure.

— Cosette, dit-elle presque doucement, viens tout de suite.

Un instant après, Cosette entrait dans la salle basse.

L'étranger prit la paquet qu'il avait apporté et le dénoua. Ce paquet contenait une petite robe de laine, un tablier, une brassière de futaine, un jupon, un fichu, des bas de laine, des souliers, un vêtement complet pour une fille de sept ans. Tout cela était noir.

— Mon enfant, dit l'homme, prends ceci et va t'habiller bien vite.

Le jour paraissait lorsque ceux des habitants de Montfermeil qui commençaient à ouvrir leurs portes, virent passer dans la rue de Paris un bonhomme pauvrement vêtu donnant la main à une petite fille toute en deuil qui portait une poupée rose dans ses bras. Ils se dirigeaient du côté de Livry.

C'était notre homme et Cosette.

Personne ne connaissait l'homme; comme Cosette n'était plus en guenilles, beaucoup ne la reconnurent pas.

Cosette s'en allait. Avec qui ? elle l'ignorait. Où ? elle ne savait. Tout ce qu'elle comprenait, c'est qu'elle laissait derrière elle la gargote Thénardier. Personne n'avait songé à lui dire adieu, ni elle à dire adieu à personne. Elle sortait de cette maison, haïe et haïssant.

Pauvre doux être dont le cœur n'avait été jusqu'à cette heure que comprimé !

Cosette marchait gravement, ouvrant ses grands yeux et considérant le ciel. Elle avait mis son louis dans la poche de son tablier neuf. De temps en temps elle se penchait et lui jetait un coup d'œil, puis elle regardait le bonhomme. Elle sentait quelque chose comme si elle était près du bon Dieu.

X

QUI CHERCHE LE MIEUX, PEUT TROUVER LE PIRE

La Thénardier, selon son habitude, avait laissé faire son mari. Elle s'attendait à de grands événements. Quand l'homme et Cosette furent partis, le Thénardier laissa écouler un grand quart d'heure, puis il la prit à part et lui montra les quinze cents francs.

— Que ça! dit-elle.

C'était la première fois, depuis le commencement de leur ménage, qu'elle osait critiquer un acte du maître.

Le coup porta.

— Au fait, tu as raison, dit-il, je suis un imbécile. Donne-moi mon chapeau.

Il plia les trois billets de banque, les enfonça dans sa poche et sortit en toute hâte, mais il se trompa et prit d'abord à droite. Quelques voisins auxquels il s'informa le remirent sur la trace, l'Alouette et l'homme avaient été vus allant dans la direction de Livry. Il suivit cette indication, marchant à grands pas et monologuant.

— Cet homme est évidemment un million habillé en jaune, et moi je suis un animal. Il a d'abord donné vingt sous, puis cinq francs, puis cinquante francs, puis quinze cents francs, toujours aussi facilement. Il aurait donné quinze mille francs. Mais je vais le rattraper.

Et puis ce paquet d'habits préparés d'avance pour la petite, tout cela était singulier ; il y avait bien des mystères là-dessous. On ne lâche pas des mystères quand on les tient. Les secrets des riches sont des éponges pleines d'or, il faut savoir les presser. Toutes ces pensées lui tourbillonnaient dans le cerveau. — Je suis un animal, disait-il.

Quand on est sorti de Montfermeil et qu'on a atteint le coude que fait la route qui va à Livry, on la voit se développer devant soi très loin sur le plateau. Parvenu là, il calcula qu'il devait apercevoir l'homme et la petite. Il regarda aussi loin que sa vue put s'étendre, et ne vit rien. Il s'informa encore. Cependant il perdait du temps. Des passants lui dirent que l'homme et l'enfant qu'il cherchait s'étaient acheminés vers les bois du côté de Gagny. Il se hâta dans cette direction.

Ils avaient de l'avance sur lui, mais un enfant marche lentement et lui, il allait vite. Et puis le pays lui était bien connu.

Tout à coup il s'arrêta et se frappa le front comme un homme qui a oublié l'essentiel, et qui est prêt à revenir sur ses pas.

— J'aurais dû prendre mon fusil! se dit-il.

Thénardier était une de ces natures doubles qui passent quelquefois au milieu de nous à notre insu et qui disparaissent sans qu'on les ait connues, parce que la destinée n'en a montré qu'un côté. Le sort de beaucoup d'hommes est de vivre ainsi à demi submergés. Dans une situation calme et plate, Thénardier avait tout ce qu'il fallait pour faire, — nous ne disons pas pour être, — ce qu'on est convenu d'appeler un honnête commerçant, un bon bourgeois. En même temps, certaines circonstances étant données, certaines secousses venant à soulever sa nature de dessous, il avait tout ce qu'il fallait pour être un scélérat. C'était un boutiquier dans lequel il y avait du monstre. Satan devait par moments s'accroupir dans quelque coin du bouge où vivait Thénardier et rêver devant ce chef-d'œuvre hideux.

Après une hésitation d'un instant :

— Bah! pensa-t-il, ils auraient le temps d'échapper!

Et il continua son chemin, allant devant lui rapidement, et presque d'un air de certitude, avec la sagacité du renard flairant une compagnie de perdrix.

En effet, quand il eut dépassé les étangs et traversé obliquement la grande clairière qui est à droite de l'avenue de Bellevue, comme il arrivait à cette allée de gazon qui fait presque le tour de la colline et qui recouvre la voûte de l'ancien canal des eaux de l'abbaye de Chelles, il aperçut au-dessus d'une broussaille un chapeau sur lequel il avait déjà échafaudé bien des conjectures. C'était le chapeau de l'homme. La broussaille était basse. Le Thénardier reconnut que l'homme et Cosette étaient assis là. On ne voyait pas l'enfant à cause de sa petitesse, mais on apercevait la tête de la poupée.

Le Thénardier ne se trompait pas. L'homme s'était assis là pour laisser un peu reposer Cosette. Le gargotier tourna la broussaille et apparut brusquement aux regards de ceux qu'il cherchait.

— Pardon, excuse, monsieur, dit-il tout essoufflé, mais voici vos quinze cents francs.

En parlant ainsi, il tendait à l'étranger les trois billets de banque.

L'homme leva les yeux :

— Qu'est-ce que cela signifie ?

Le Thénardier répondit respectueusement :

— Monsieur, cela signifie que je reprends Cosette.

Cosette frissonna et se serra contre le bonhomme.

Lui, il répondit en regardant le Thénardier dans le fond des yeux et en espaçant toutes ses syllabes :

— Vous-re-pre-nez-Cosette ?

— Oui, monsieur, je la reprends. Je vais vous dire, j'ai réfléchi. Au fait, je n'ai pas le droit de vous la donner. Je suis un honnête homme, voyez-vous. Cette petite n'est

pas à moi, elle est à sa mère. C'est sa mère qui me l'a
confiée, je ne puis la remettre qu'à sa mère. Vous me
direz : Mais la mère est morte. Bon. En ce cas, je ne puis
rendre l'enfant qu'à une personne qui m'apporterait un
écrit signé de la mère comme quoi je dois remettre l'enfant à cette personne-là. Cela est clair.

L'homme, sans répondre, fouilla dans sa poche et le
Thénardier vit reparaître le portefeuille aux billets de
banque.

Le gargotier eut un frémissement de joie.

— Bon! pensa-t-il, tenons-nous. Il va me corrompre!

Avant d'ouvrir le portefeuille, le voyageur jeta un
coup d'œil autour de lui. Le lieu était absolument désert.
Il n'y avait pas une âme dans le bois ni dans la vallée.
L'homme ouvrit le portefeuille et en tira, non la poignée
de billets de banque qu'attendait Thénardier, mais un
simple petit papier qu'il développa et présenta tout
ouvert à l'aubergiste en disant :

— Vous avez raison. Lisez.

Le Thénardier prit le papier, et lut :

M. — sur M—, le 25 mars 1823.

« Monsieur Thénardier,

« Vous remettrez Cosette à la personne. — On vous
« paiera toutes les petites choses.

« J'ai l'honneur de vous saluer avec considération.

« FANTINE. »

— Vous connaissez cette signature ? reprit l'homme.

C'était bien la signature de Fantine. Le Thénardier la
reconnut.

Il n'y avait rien à répliquer. Il sentit deux violents
dépits, le dépit de renoncer à la corruption qu'il espérait,
et le dépit d'être battu. L'homme ajouta :

— Vous pouvez garder ce papier pour votre décharge.

Le Thénardier se replia en bon ordre :

— Cette signature est assez bien imitée, grommela-t-il
entre ses dents. Enfin, soit!

Puis il essaya un effort désespéré.

— Monsieur, dit-il, c'est bon. Puisque vous êtes la
personne. Mais il faut me payer « toutes les petites
choses ». On me doit gros.

L'homme se dressa debout et dit en époussetant avec des chiquenaudes sa manche râpée où il y avait de la poussière :

— Monsieur Thénardier, en janvier la mère comptait qu'elle vous devait cent vingt francs; vous lui avez envoyé en février un mémoire de cinq cents francs; vous avez reçu trois cents francs fin février et trois cents francs au commencement de mars. Il s'est écoulé depuis lors neuf mois à quinze francs, prix convenu, cela fait cent trente-cinq francs. Vous aviez reçu cent francs de trop. Reste trente-cinq francs qu'on vous doit. Je viens de vous donner quinze cents francs.

Le Thénardier éprouva ce qu'éprouve le loup au moment où il se sent mordu et saisi par la mâchoire d'acier du piège.

— Quel est ce diable d'homme ? pensa-t-il.

Il fit ce que fait le loup, il donna une secousse. L'audace lui avait déjà réussi une fois.

— Monsieur-dont-je-ne-sais-pas-le-nom, dit-il résolument et mettant cette fois les façons respectueuses de côté, je reprendrai Cosette ou vous me donnerez mille écus.

L'étranger dit tranquillement :

— Viens, Cosette.

Il prit Cosette de la main gauche et de la droite il ramasssa son bâton qui était à terre.

Le Thénardier remarqua l'énormité de la trique et la solitude du lieu.

L'homme s'enfonça dans le bois avec l'enfant, laissant le gargotier immobile et interdit.

Pendant qu'ils s'éloignaient, le Thénardier considérait ses larges épaules un peu voûtées et ses gros poings.

Puis ses yeux, revenant à lui-même, retombaient sur ses bras chétifs et sur ses mains maigres. — Il faut que je sois vraiment bien bête, pensait-il, de n'avoir pas pris mon fusil, puisque j'allais à la chasse!

Cependant l'aubergiste ne lâcha pas prise.

— Je veux savoir où il ira, dit-il, — et il se mit à les suivre à distance. Il lui restait deux choses dans les mains, une ironie, le chiffon de papier signé *Fantine*, et une consolation, les quinze cents francs.

L'homme emmenait Cosette dans la direction de Livry et de Bondy. Il marchait lentement, la tête baissée, dans une attitude de réflexion et de tristesse. L'hiver avait fait le bois à claire-voie, si bien que le Thénardier ne les

perdait pas de vue, tout en restant assez loin. De temps
en temps l'homme se retournait et regardait si on ne le
suivait pas. Tout à coup il aperçut Thénardier. Il entra
brusquement avec Cosette dans un taillis où ils pouvaient
tous deux disparaître. — Diantre! dit le Thénardier. —
Et il doubla le pas.

L'épaisseur du fourré l'avait forcé de se rapprocher
d'eux. Quand l'homme fut au plus épais, il se retourna.
Thénardier eut beau se cacher dans les branches; il ne
put faire que l'homme ne le vît pas. L'homme lui jeta
un coup d'œil inquiet, puis hocha la tête et reprit sa
route. L'aubergiste se remit à le suivre. Ils firent ainsi
deux ou trois cents pas. Tout à coup l'homme se retourna
encore. Il aperçut l'aubergiste. Cette fois il le regarda
d'un air si sombre que le Thénardier jugea « inutile »
d'aller plus loin. Thénardier rebroussa chemin.

XI

LE N° 9430 REPARAIT, ET COSETTE LE GAGNE A LA LOTERIE

Jean Valjean n'était pas mort.

En tombant à la mer, ou plutôt en s'y jetant, il était,
comme on l'a vu, sans fers. Il nagea entre deux eaux
jusque sous un navire au mouillage, auquel était amarrée
une embarcation. Il trouva moyen de se cacher dans cette
embarcation jusqu'au soir. A la nuit, il se jeta de nouveau
à la nage et atteignit la côte à peu de distance du cap Brun.
Là, comme ce n'était pas l'argent qui lui manquait, il
put se procurer des vêtements. Une guinguette aux environs de Balaguier était alors le vestiaire des forçats évadés,
spécialité lucrative. Puis, Jean Valjean, comme tous ces
tristes fugitifs qui tâchent de dépister le guet de la loi et
la fatalité sociale, suivit un itinéraire obscur et ondulant.
Il trouva un premier asile aux Pradeaux, près Beausset.
Ensuite il se dirigea vers le Grand-Villard, près Briançon,
dans les Hautes-Alpes. Fuite tâtonnante et inquiète,
chemin de taupe dont les embranchements sont inconnus.
On a pu, plus tard, retrouver quelque trace de son pas-

sage dans l'Ain sur le territoire de Civrieux, dans les Pyrénées à Accons au lieu dit la Grange-de-Doumecq, près du hameau de Chavailles, et dans les environs de Périgueux, à Brunies, canton de la Chapelle-Gonaguet. Il gagna Paris. On vient de le voir à Montfermeil.

Son premier soin, en arrivant à Paris, avait été d'acheter des habits de deuil pour une petite fille de sept à huit ans, puis de se procurer un logement. Cela fait, il s'était rendu à Montfermeil.

On se souvient que déjà, lors de sa précédente évasion, il y avait fait, ou dans les environs, un voyage mystérieux dont la justice avait eu quelque lueur.

Du reste on le croyait mort, et cela épaississait l'obscurité qui s'était faite sur lui. A Paris, il lui tomba sous la main un des journaux qui enregistraient le fait. Il se sentit rassuré et presque en paix comme s'il était réellement mort.

Le soir même du jour où Jean Valjean avait tiré Cosette des griffes des Thénardier, il rentrait dans Paris. Il y rentrait à la nuit tombante avec l'enfant, par la barrière de Monceaux. Là il monta dans un cabriolet qui le conduisit à l'esplanade de l'Observatoire. Il y descendit, paya le cocher, prit Cosette par la main, et tous deux, dans la nuit noire, par les rues désertes qui avoisinent l'Ourcine et la Glacière, se dirigèrent vers le boulevard de l'Hôpital.

La journée avait été étrange et remplie d'émotions pour Cosette; on avait mangé derrière des haies du pain et du fromage achetés dans des gargotes isolées; on avait souvent changé de voitures, on avait fait des bouts de chemin à pied; elle ne se plaignait pas, mais elle était fatiguée, et Jean Valjean s'en aperçut à sa main qu'elle tirait davantage en marchant. Il la prit sur son dos; Cosette, sans lâcher Catherine, posa sa tête sur l'épaule de Jean Valjean, et s'y endormit.

LIVRE QUATRIÈME

LA MASURE GORBEAU

I

MAITRE GORBEAU

Il y a quarante ans, le promeneur solitaire qui s'aventurait dans les pays perdus de la Salpêtrière et qui montait par le boulevard jusque vers la barrière d'Italie, arrivait à des endroits où l'on eût pu dire que Paris disparaissait. Ce n'était pas la solitude, il y avait des passants; ce n'était pas la campagne, il y avait des maisons et des rues; ce n'était pas une ville, les rues avaient des ornières comme les grandes routes et l'herbe y poussait; ce n'était pas un village, les maisons étaient trop hautes. Qu'était-ce donc ? C'était un lieu habité où il n'y avait personne, c'était un lieu désert où il y avait quelqu'un; c'était un boulevard de la grande ville, une rue de Paris, plus farouche la nuit qu'une forêt, plus morne le jour qu'un cimetière.

C'était le vieux quartier du Marché-aux-Chevaux.

Ce promeneur, s'il se risquait au-delà des quatre murs caducs de ce Marché-aux-Chevaux, s'il consentait même à dépasser la rue du Petit-Banquier, après avoir laissé à sa droite un courtil gardé par de hautes murailles, puis un pré où se dressaient des meules de tan pareilles à des huttes de castors gigantesques, puis un enclos encombré de bois de charpente avec des tas de souches, de sciures et de copeaux au haut desquels aboyait un gros chien, puis un long mur bas tout en ruine avec une petite porte noire et en deuil, chargée de mousses qui s'emplissaient de fleurs au printemps, puis, au plus désert, une affreuse bâtisse décrépite sur laquelle on lisait en grosses lettres : DEFENCE D'AFFICHER, ce promeneur hasardeux atteignait l'angle de la rue des Vignes-Saint-Marcel, latitudes peu connues. Là, près d'une usine et entre deux murs de jardins, on voyait en ce temps-là une masure qui, au premier coup d'œil, semblait petite

comme une chaumière et qui en réalité était grande
comme une cathédrale. Elle se présentait sur la voie
publique de côté, par le pignon; de là, son exiguïté
apparente. Presque toute la maison était cachée. On
n'en apercevait que la porte et une fenêtre.

Cette masure n'avait qu'un étage.

En l'examinant, le détail qui frappait d'abord, c'est
que cette porte n'avait jamais pu être que la porte d'un
bouge, tandis que cette croisée, si elle eût été coupée dans
la pierre de taille au lieu de l'être dans le moellon, aurait
pu être la croisée d'un hôtel.

La porte n'était autre chose qu'un assemblage de
planches vermoulues grossièrement liées par des traverses pareilles à des bûches mal équarries. Elle s'ouvrait
immédiatement sur un roide escalier à hautes marches,
boueux, plâtreux, poudreux, de la même largeur qu'elle,
qu'on voyait de la rue monter droit comme une échelle
et disparaître dans l'ombre entre deux murs. Le haut de
la baie informe que battait cette porte était masqué d'une
volige étroite au milieu de laquelle on avait scié un jour
triangulaire, tout ensemble lucarne et vasistas quand la
porte était fermée. Sur le dedans de la porte un pinceau
trempé dans l'encre avait tracé en deux coups de poing
le chiffre 52 et au-dessus de la volige le même pinceau
avait barbouillé le numéro 50; de sorte qu'on hésitait.
Où est-on ? Le dessus de la porte dit : au numéro 50; le
dedans réplique : non, au numéro 52. On ne sait quels
chiffons couleur de poussière pendaient comme des dra-
peries au vasistas triangulaire.

La fenêtre était large, suffisamment élevée, garnie de
persiennes et de châssis à grands carreaux; seulement
ces grands carreaux avaient des blessures variées, à la fois
cachées et trahies par un ingénieux bandage en papier, et
les persiennes, disloquées et descellées, menaçaient plutôt
les passants qu'elles ne gardaient les habitants. Les abat-
jour horizontaux y manquaient çà et là et étaient naïve-
ment remplacés par des planches clouées perpendiculai-
rement; si bien que la chose commençait en persienne
et finissait en volet.

Cette porte qui avait l'air immonde et cette fenêtre qui
avait l'air honnête, quoique délabrée, ainsi vues sur la
même maison, faisaient l'effet de deux mendiants dépa-
reillés qui iraient ensemble et marcheraient côte à côte, avec
deux mines différentes sous les mêmes haillons, l'un ayant
toujours été un gueux, l'autre ayant été un gentilhomme.

L'escalier menait à un corps de bâtiment très vaste qui ressemblait à un hangar dont on aurait fait une maison. Ce bâtiment avait pour tube intestinal un long corridor sur lequel s'ouvraient, à droite et à gauche, des espèces de compartiments de dimensions variées, à la rigueur logeables et plutôt semblables à des échoppes qu'à des cellules. Ces chambres prenaient jour sur les terrains vagues des environs. Tout cela était obscur, fâcheux, blafard, mélancolique, sépulcral; traversé, selon que les fentes étaient dans le toit ou dans la porte, par des rayons froids ou par des bises glacées. Une particularité intéressante et pittoresque de ce genre d'habitations, c'est l'énormité des araignées.

A gauche de la porte d'entrée, sur le boulevard, à hauteur d'homme, une lucarne qu'on avait murée faisait une niche carrée pleine de pierres que les enfants y jetaient en passant.

Une partie de ce bâtiment a été dernièrement démolie. Ce qui en reste aujourd'hui peut encore faire juger de ce qu'il a été. Le tout, dans son ensemble, n'a guère plus d'une centaine d'années. Cent ans, c'est la jeunesse d'une église et la vieillesse d'une maison. Il semble que le logis de l'homme participe de sa brièveté et le logis de Dieu de son éternité.

Les facteurs de la poste appelaient cette masure le numéro 50-52; mais elle était connue dans le quartier sous le nom de maison Gorbeau.

Disons d'où lui venait cette appellation.

Les collecteurs de petits faits, qui se font des herbiers d'anecdotes et qui piquent dans leur mémoire les dates fugaces avec une épingle, savent qu'il y avait à Paris, au siècle dernier, vers 1770, deux procureurs au Châtelet, appelés, l'un Corbeau, l'autre Renard. Deux noms prévus par La Fontaine. L'occasion était trop belle pour que la basoche n'en fît point gorges chaudes. Tout de suite la parodie courut, en vers quelque peu boiteux, les galeries du Palais :

> Maître Corbeau, sur un dossier perché,
>   Tenait dans son bec une saisie exécutoire;
> Maître Renard, par l'odeur alléché,
>   Lui fit à peu près cette histoire :
> Hé bonjour! etc.

Les deux honnêtes praticiens, gênés par les quolibets et contrariés dans leur port de tête par les éclats de rire

qui les suivaient, résolurent de se débarrasser de leurs
noms et prirent le parti de s'adresser au roi. La requête
fut présentée à Louis XV le jour même où le nonce du
pape, d'un côté, et le cardinal de la Roche-Aymon, de
l'autre, dévotement agenouillés tous les deux, chaussèrent,
en présence de sa majesté, chacun d'une pantoufle les
deux pieds nus de madame Dubarry sortant du lit. Le
roi, qui riait, continua de rire, passa gaiement des deux
évêques aux deux procureurs, et fit à ces robins grâce
de leurs noms, ou à peu près. Il fut permis, de par le
roi, à maître Corbeau d'ajouter une queue à son initiale
et de se nommer Gorbeau; maître Renard fut moins
heureux; il ne put obtenir que de mettre un P devant son
R et de s'appeler Prenard : si bien que le deuxième nom
n'était guère moins ressemblant que le premier.

Or, selon la tradition locale, ce maître Gorbeau avait
été propriétaire de la bâtisse numérotée 50-52 boulevard de l'Hôpital. Il était même l'auteur de la fenêtre
monumentale.

De là à cette masure le nom de maison Gorbeau.

Vis-à-vis le numéro 50-52 se dresse, parmi les plan-
tations du boulevard, un grand orme aux trois quarts
mort; presque en face s'ouvre la rue de la barrière des
Gobelins, rue alors sans maisons, non pavée, plantée
d'arbres mal venus, verte ou fangeuse selon la saison,
qui allait aboutir carrément au mur d'enceinte de Paris.
Une odeur de couperose sort par bouffées des toits d'une
fabrique voisine.

La barrière était tout près. En 1823, le mur d'enceinte
existait encore.

Cette barrière elle-même jetait dans l'esprit des figures
funestes. C'était le chemin de Bicêtre. C'est par là que,
sous l'empire et la restauration, rentraient à Paris les
condamnés à mort le jour de leur exécution. C'est là
que fut commis vers 1829 ce mystérieux assassinat dit
« de la barrière de Fontainebleau » dont la justice n'a pu
découvrir les auteurs, problème funèbre qui n'a pas été
éclairci, énigme effroyable qui n'a pas été ouverte. Faites
quelques pas, vous trouvez cette fatale rue Croulebarbe
où Ulbach poignarda la chevrière d'Ivry au bruit du
tonnerre, comme dans un mélodrame. Quelques pas
encore, et vous arrivez aux abominables ormes étêtés de la
barrière Saint-Jacques, cet expédient des philanthropes
cachant l'échafaud, cette mesquine et honteuse place de
Grève d'une société boutiquière et bourgeoise, qui a

reculé devant la peine de mort, n'osant ni l'abolir avec
grandeur, ni la maintenir avec autorité.

Il y a trente-sept ans, en laissant à part cette place
Saint-Jacques qui était comme prédestinée et qui a
toujours été horrible, le point le plus morne peut-
être de tout ce morne boulevard était l'endroit, si
peu attrayant encore aujourd'hui, où l'on rencontrait la
masure 50-52.

Les maisons bourgeoises n'ont commencé à poindre
là que vingt-cinq ans plus tard. Le lieu était morose.
Aux idées funèbres qui vous y saisissaient, on se sentait
entre la Salpêtrière dont on entrevoyait le dôme et
Bicêtre dont on touchait la barrière; c'est-à-dire entre la
folie de la femme et la folie de l'homme. Si loin que la
vue pût s'étendre, on n'apercevait que les abattoirs, le
mur d'enceinte et quelques rares façades d'usines,
pareilles à des casernes ou à des monastères; partout des
baraques et des plâtras, de vieux murs noirs
comme des linceuls, des murs neufs blancs comme des
suaires; partout des rangées d'arbres parallèles, des
bâtisses tirées au cordeau, des constructions plates, de
longues lignes froides et la tristesse lugubre des angles
droits. Pas un accident de terrain, pas un caprice d'ar-
chitecture, pas un pli. C'était un ensemble glacial, régulier, hideux. Rien ne serre le cœur comme la symétrie.
C'est que la symétrie, c'est l'ennui, et l'ennui est le fond
même du deuil. Le désespoir bâille. On peut rêver
quelque chose de plus terrible qu'un enfer où l'on souffre,
c'est un enfer où l'on s'ennuierait. Si cet enfer existait,
ce morceau du boulevard de l'Hôpital en eût pu être
l'avenue.

Cependant, à la nuit tombante, au moment où la clarté
s'en va, l'hiver surtout, à l'heure où la bise crépusculaire
arrache aux ormes leurs dernières feuilles rousses, quand
l'ombre est profonde et sans étoiles, ou quand la lune et
le vent font des trous dans les nuages, ce boulevard
devenait tout à coup effrayant. Les lignes noires s'enfonçaient et se perdaient dans les ténèbres comme des
tronçons de l'infini. Le passant ne pouvait s'empêcher de
songer au innombrables traditions patibulaires du lieu.
La solitude de cet endroit où il s'était commis tant de
crimes avait quelque chose d'affreux. On croyait pressen-
tir des pièges dans cette obscurité, toutes les formes
confuses de l'ombre paraissaient suspectes, et les longs
creux carrés qu'on apercevait entre chaque arbre sem-

blaient des fosses. Le jour, c'était laid; le soir, c'était
lugubre; la nuit, c'était sinistre.

L'été, au crépuscule, on voyait çà et là quelques vieilles
femmes, assises au pied des ormes sur des bancs moisis
par les pluies. Ces bonnes vieilles mendiaient volontiers.

Du reste ce quartier, qui avait plutôt l'air suranné
qu'antique, tendait dès lors à se transformer. Dès cette
époque, qui voulait le voir devait se hâter. Chaque jour
quelque détail de cet ensemble s'en allait. Aujourd'hui,
et depuis vingt ans, l'embarcadère du chemin de fer
d'Orléans est là à côté du vieux faubourg, et le travaille.
Partout où l'on place, sur la lisière d'une capitale, l'embarcadère d'un chemin de fer, c'est la mort d'un faubourg
et la naissance d'une ville. Il semble qu'autour de ces
grands centres du mouvement des peuples, au roulement
de ces puissantes machines, au souffle de ces monstrueux
chevaux de la civilisation qui mangent du charbon et
vomissent du feu, la terre pleine de germes tremble et
s'ouvre pour engloutir les anciennes demeures des
hommes et laisser sortir les nouvelles. Les vieilles maisons
croulent, les maisons neuves montent.

Depuis que la gare du railway d'Orléans a envahi les
terrains de la Salpêtrière, les antiques rues étroites qui
avoisinent les fossés St-Victor et le Jardin des Plantes
s'ébranlent, violemment traversées trois ou quatre fois
chaque jour par ces courants de diligences, de fiacres et
d'omnibus qui, dans un temps donné, refoulent les maisons à droite et à gauche; car il y a des choses bizarres à
énoncer qui sont rigoureusement exactes, et de même
qu'il est vrai de dire que dans les grandes villes le soleil
fait végéter et croître les façades des maisons au midi, il
est certain que le passage fréquent des voitures élargit
les rues. Les symptômes d'une vie nouvelle sont évidents.
Dans ce vieux quartier provincial, aux recoins les plus
sauvages, le pavé se montre, les trottoirs commencent à
ramper et à s'allonger, même là où il n'y a pas encore
de passants. Un matin, matin mémorable, en juillet 1845,
on y vit tout à coup fumer les marmites noires du bitume;
ce jour-là on put dire que la civilisation était arrivée rue
l'Ourcine et que Paris était entré dans le faubourg St-Marceau.

II

NID POUR HIBOU ET FAUVETTE

Ce fut devant cette masure Gorbeau que Jean Valjean s'arrêta. Comme les oiseaux fauves, il avait choisi ce lieu désert pour y faire son nid.

Il fouilla dans son gilet, y prit une sorte de passe-partout, ouvrit la porte, entra, puis la referma avec soin, et monta l'escalier, portant toujours Cosette.

Au haut de l'escalier, il tira de sa poche une autre clef avec laquelle il ouvrit une autre porte. La chambre où il entra et qu'il referma sur-le-champ était une espèce de galetas assez spacieux meublé d'un matelas posé à terre, d'une table et de quelques chaises. Un poêle allumé et dont on voyait la braise était dans un coin. Le réverbère du boulevard éclairait vaguement cet intérieur pauvre. Au fond il y avait un cabinet avec un lit de sangle. Jean Valjean porta l'enfant sur ce lit et l'y déposa sans qu'elle s'éveillât.

Il battit le briquet, et alluma une chandelle; tout cela était préparé d'avance sur la table; et, comme il l'avait fait la veille, il se mit à considérer Cosette d'un regard plein d'extase où l'expression de la bonté et de l'attendrissement allait presque jusqu'à l'égarement. La petite fille, avec cette confiance tranquille qui n'appartient qu'à l'extrême force et qu'à l'extrême faiblesse, s'était endormie sans savoir avec qui elle était, et continuait de dormir sans savoir où elle était.

Jean Valjean se courba et baisa la main de cette enfant.

Neuf mois auparavant il baisait la main de la mère qui, elle aussi, venait de s'endormir.

Le même sentiment douloureux, religieux, poignant, lui remplissait le cœur.

Il s'agenouilla près du lit de Cosette.

Il faisait grand jour que l'enfant dormait encore. Un rayon pâle du soleil de décembre traversait la croisée du galetas et traînait sur le plafond de longs filandres d'ombre et de lumière. Tout à coup une charrette de carrier, lourdement chargée, qui passait sur la chaussée du boulevard, ébranla la baraque comme un roulement d'orage et la fit trembler du haut en bas.

— Oui, madame! cria Cosette réveillée en sursaut, voilà! voilà!

Et elle se jeta à bas du lit, les paupières encore à demi fermées par la pesanteur du sommeil, étendant le bras vers l'angle du mur.

— Ah! mon Dieu! mon balai! dit-elle.

Elle ouvrit tout à fait les yeux, et vit le visage souriant de Jean Valjean.

— Ah! tiens, c'est vrai! dit l'enfant. Bonjour, monsieur.

Les enfants acceptent tout de suite et familièrement la joie et le bonheur, étant eux-mêmes naturellement bonheur et joie.

Cosette aperçut Catherine au pied de son lit, et s'en empara, et, tout en jouant, elle faisait cent questions à Jean Valjean. — Où elle était? Si c'était grand, Paris? Si madame Thénardier était bien loin? Si elle ne reviendrait pas, etc., etc. Tout à coup elle s'écria : — Comme c'est joli ici!

C'était un affreux taudis; mais elle se sentait libre.

— Faut-il que je balaye? reprit-elle enfin.

— Joue, dit Jean Valjean.

La journée se passa ainsi. Cosette, sans s'inquiéter de rien comprendre, était inexprimablement heureuse entre cette poupée et ce bonhomme.

III

DEUX MALHEURS MÊLÉS FONT DU BONHEUR

Le lendemain au point du jour, Jean Valjean était encore près du lit de Cosette. Il attendit là, immobile, et il la regarda se réveiller.

Quelque chose de nouveau lui entrait dans l'âme.

Jean Valjean n'avait jamais rien aimé. Depuis vingt-cinq ans il était seul au monde. Il n'avait jamais été père, amant, mari, ami. Au bagne il était mauvais, sombre, chaste, ignorant et farouche. Le cœur de ce vieux forçat était plein de virginités. Sa sœur et les enfants de sa sœur ne lui avaient laissé qu'un souvenir vague et lointain qui avait fini par s'évanouir presque entièrement. Il avait fait tous ses efforts pour les retrouver, et n'ayant pu les retrouver, il les avait oubliés. La nature humaine est ainsi faite. Les autres émotions tendres de sa jeunesse, s'il en avait eu, étaient tombées dans un abîme.

Quand il vit Cosette, quand il l'eut prise, emportée et délivrée, il sentit se remuer ses entrailles. Tout ce qu'il y avait de passionné et d'affectueux en lui s'éveilla et se précipita vers cet enfant. Il allait près du lit où elle dormait, et il y tremblait de joie; il éprouvait des épreintes comme une mère et il ne savait ce que c'était; car c'est une chose bien obscure et bien douce que ce grand et étrange mouvement d'un cœur qui se met à aimer.

Pauvre vieux cœur tout neuf!

Seulement, comme il avait cinquante-cinq ans et que Cosette en avait huit, tout ce qu'il aurait pu avoir d'amour dans toute sa vie se fondit en une sorte de lueur ineffable.

C'était la deuxième apparition blanche qu'il rencontrait. L'évêque avait fait lever à son horizon l'aube de la vertu; Cosette y faisait lever l'aube de l'amour.

Les premiers jours s'écoulèrent dans cet éblouissement.

De son côté, Cosette, elle aussi, devenait autre, à son insu, pauvre petit être! Elle était si petite quand sa mère l'avait quittée qu'elle ne s'en souvenait plus. Comme tous les enfants, pareils aux jeunes pousses de la vigne qui s'accrochent à tout, elle avait essayé d'aimer. Elle n'y avait pu réussir. Tous l'avaient repoussée, les Thénardier, leurs enfants, d'autres enfants. Elle avait aimé le chien, qui était mort; après quoi, rien n'avait voulu d'elle, ni personne. Chose lugubre à dire, et que nous avons déjà indiquée, à huit ans elle avait le cœur froid. Ce n'était pas sa faute, ce n'était point la faculté d'aimer qui lui manquait; hélas! c'était la possibilité. Aussi, dès le premier jour, tout ce qui sentait et songeait en elle se mit à aimer ce bonhomme. Elle éprouvait ce qu'elle n'avait jamais ressenti, une sensation d'épanouissement.

Le bonhomme ne lui faisait même plus l'effet d'être vieux, ni d'être pauvre. Elle trouvait Jean Valjean beau, de même qu'elle trouvait le taudis joli.

Ce sont là des effets d'aurore, d'enfance, de jeunesse, de joie. La nouveauté de la terre et de la vie y est pour quelque chose. Rien n'est charmant comme le reflet colorant du bonheur sur le grenier. Nous avons tous ainsi dans notre passé un galetas bleu.

La nature, cinquante ans d'intervalle, avaient mis une séparation profonde entre Jean Valjean et Cosette; cette séparation, la destinée la combla. La destinée unit brusquement et fiança avec son irrésistible puissance ces deux existences déracinées, différentes par l'âge, semblables par le deuil. L'une, en effet, complétait l'autre. L'instinct de Cosette cherchait un père comme l'instinct de Jean Valjean cherchait un enfant. Se rencontrer, ce fut se trouver. Au moment mystérieux où leurs deux mains se touchèrent, elles se soudèrent. Quand ces deux âmes s'aperçurent, elles se reconnurent comme étant le besoin l'une de l'autre et s'embrassèrent étroitement.

En prenant les mots dans leur sens le plus compréhensif et le plus absolu, on pourrait dire que, séparés de tout par des murs de tombe, Jean Valjean était le Veuf comme Cosette était l'Orpheline. Cette situation fit que Jean Valjean devint d'une façon céleste le père de Cosette.

Et, en vérité, l'impression mystérieuse produite à Cosette, au fond du bois de Chelles, par la main de Jean Valjean saisissant la sienne dans l'obscurité, n'était pas une illusion, mais une réalité. L'entrée de cet homme dans la destinée de cet enfant avait été l'arrivée de Dieu.

Du reste, Jean Valjean avait bien choisi son asile. Il était là dans une sécurité qui pouvait sembler entière.

La chambre à cabinet qu'il occupait avec Cosette était celle dont la fenêtre donnait sur le boulevard. Cette fenêtre étant unique dans la maison, aucun regard de voisins n'était à craindre, pas plus de côté qu'en face.

Le rez-de-chaussée du numéro 50-52, espèce d'appentis délabré, servait de remise à des maraîchers, et n'avait aucune communication avec le premier. Il en était séparé par le plancher qui n'avait ni trappes ni escalier et qui était comme le diaphragme de la masure. Le premier étage contenait, comme nous l'avons dit, plusieurs chambres et quelques greniers, dont un seulement était occupé par une vieille femme qui faisait le ménage de Jean Valjean. Tout le reste était inhabité.

C'était cette vieille femme, ornée du nom de *principal locataire* et en réalité chargée des fonctions de portière, qui lui avait loué ce logis dans la journée de Noël. Il s'était donné à elle pour un rentier ruiné par les bons d'Espagne, qui allait venir demeurer là avec sa petite

COSETTE

fille. Il avait payé six mois d'avance et chargé la vieille
de meubler la chambre et le cabinet comme on a vu.
C'était cette bonne femme qui avait allumé le poêle et
tout préparé le soir de leur arrivée.

Les semaines se succédèrent. Ces deux êtres menaient
dans ce taudis misérable une existence heureuse.

Dès l'aube Cosette riait, jasait, chantait. Les enfants
ont leur chant du matin comme les oiseaux.

Il arrivait quelquefois que Jean Valjean lui prenait sa
petite main rouge et crevassée d'engelures et la baisait.
La pauvre enfant, accoutumée à être battue, ne savait ce
que cela voulait dire, et s'en allait tout honteuse.

Par moment elle devenait sérieuse et elle considérait
sa petite robe noire. Cosette n'était plus en guenilles,
elle était en deuil. Elle sortait de la misère et elle entrait
dans la vie.

Jean Valjean s'était mis à lui enseigner à lire. Parfois,
tout en faisant épeler l'enfant, il songeait que c'était avec
l'idée de faire le mal qu'il avait appris à lire au bagne. Cette
idée avait tourné à montrer à lire à un enfant. Alors le
vieux galérien souriait du sourire pensif des anges.

Il sentait là une préméditation d'en haut, une volonté
de quelqu'un qui n'est pas l'homme, et il se perdait dans
la rêverie. Les bonnes pensées ont leurs abîmes comme
les mauvaises.

Apprendre à lire à Cosette, et la laisser jouer, c'était
à peu près là toute la vie de Jean Valjean. Et puis il lui
parlait de sa mère et il la faisait prier.

Elle l'appelait : *père*, et ne lui savait pas d'autre nom.

Il passait des heures à la contempler habillant et
déshabillant sa poupée, et à l'écouter gazouiller. La vie
lui paraissait désormais pleine d'intérêt, les hommes lui
semblaient bons et justes, il ne reprochait dans sa pensée
plus rien à personne, il n'apercevait aucune raison de ne
pas vieillir très vieux maintenant que cette enfant l'aimait.
Il se voyait tout un avenir éclairé par Cosette comme par
une charmante lumière. Les meilleurs ne sont pas exempts
d'une pensée égoïste. Par moments il songeait avec une
sorte de joie qu'elle serait laide.

Ceci n'est qu'une opinion personnelle, mais pour dire
notre pensée tout entière, au point où en était Jean Valjean quand il se mit à aimer Cosette, il ne nous est pas
prouvé qu'il n'ait pas eu besoin de ce ravitaillement pour
persévérer dans le bien. Il venait de voir sous de nouveaux aspects la méchanceté des hommes, et la misère de

la société, aspects incomplets et qui ne montraient fatalement qu'un côté du vrai, le sort de la femme résumé dans Fantine, l'autorité publique personnifiée dans Javert; il était retourné au bagne, cette fois pour avoir bien fait; de nouvelles amertumes l'avaient abreuvé; le dégoût et la lassitude le reprenaient; le souvenir même de l'évêque touchait peut-être à quelque moment d'éclipse, sauf à reparaître plus tard lumineux et triomphant; mais enfin ce souvenir sacré s'affaiblissait. Qui sait si Jean Valjean n'était pas à la veille de se décourager et de retomber? il aima, et il redevint fort. Hélas! il n'était guère moins chancelant que Cosette. Il la protégea et elle l'affermit. Grâce à lui, elle put marcher dans la vie; grâce à elle, il put continuer dans la vertu. Il fut le soutien de cet enfant et cet enfant fut son point d'appui. O mystère insondable et divin des équilibres de la destinée!

IV

LES REMARQUES DE LA PRINCIPALE LOCATAIRE

Jean Valjean avait la prudence de ne sortir jamais le jour. Tous les soirs, au crépuscule, il se promenait une heure ou deux, quelquefois seul, souvent avec Cosette, cherchant les contre-allées des boulevards les plus solitaires, et entrant dans les églises à la tombée de la nuit. Il allait volontiers à St-Médard qui est l'église la plus proche. Quand il n'emmenait pas Cosette, elle restait avec la vieille femme, mais c'était la joie de l'enfant de sortir avec le bonhomme. Elle préférait une heure avec lui même aux tête-à-tête ravissants de Catherine. Il marchait en la tenant par la main et en lui disant des choses douces.

Il se trouva que Cosette était très gaie.

La vieille faisait le ménage et la cuisine et allait aux provisions.

Ils vivaient sobrement, ayant toujours un peu de feu, mais comme des gens très gênés. Jean Valjean n'avait rien changé au mobilier du premier jour; seulement il avait fait remplacer par une porte pleine, la porte vitrée du cabinet de Cosette.

Il avait toujours sa redingote jaune, sa culotte noire et son vieux chapeau. Dans la rue on le prenait pour un pauvre. Il arrivait quelquefois que des bonnes femmes se retournaient et lui donnaient un sou. Jean Valjean recevait le sou et saluait profondément. Il arrivait aussi parfois qu'il rencontrait quelque misérable demandant la charité, alors il regardait derrière lui si personne ne le voyait, s'approchait furtivement du malheureux, lui mettait dans la main une pièce de monnaie, souvent une pièce d'argent, et s'éloignait rapidement. Cela avait ses inconvénients. On commençait à le connaître dans le quartier sous le nom du *mendiant qui fait l'aumône*.

La vieille *principale locataire*, créature rechignée toute pétrie vis-à-vis du prochain de l'attention des envieux, examinait beaucoup Jean Valjean, sans qu'il s'en doutât. Elle était un peu sourde, ce qui la rendait bavarde. Il lui restait de son passé deux dents, l'une en haut, l'autre en bas, qu'elle cognait toujours l'une contre l'autre. Elle avait fait des questions à Cosette qui, ne sachant rien, n'avait pu rien dire, sinon qu'elle venait de Montfermeil. Un matin, cette guetteuse aperçut Jean Valjean qui entrait, d'un air qui sembla à la commère particulier, dans un des compartiments inhabités de la masure. Elle le suivit du pas d'une vieille chatte, et put l'observer, sans être vue, par la fente de la porte qui était tout contre. Jean Valjean, pour plus de précaution sans doute, tournait le dos à cette porte. La vieille le vit fouiller dans sa poche et y prendre un étui, des ciseaux et du fil, puis il se mit à découdre la doublure d'un pan de sa redingote et il tira de l'ouverture un morceau de papier jaunâtre qu'il déplia. La vieille reconnut avec épouvante que c'était un billet de mille francs. C'était le second ou le troisième qu'elle voyait depuis qu'elle était au monde. Elle s'enfuit très effrayée.

Un moment après Jean Valjean l'aborda et la pria d'aller lui changer ce billet de mille francs, ajoutant que c'était le semestre de sa rente qu'il avait touché la veille. — Où ? pensa la vieille. Il n'est sorti qu'à six heures du soir, et la caisse du gouvernement n'est certainement pas ouverte à cette heure-là. — La vieille alla changer ce billet et fit ses conjectures. Ce billet de mille francs, commenté et multiplié, produisit une foule de conversations effarées parmi les commères de la rue des Vignes-St-Marcel.

Les jours suivants, il arriva que Jean Valjean, en

manches de veste, scia du bois dans le corridor. La vieille était dans la chambre et faisait le ménage. Elle était seule, Cosette était occupée à admirer le bois qu'on sciait, la vieille vit la redingote accrochée à un clou, et la scruta. La doublure avait été recousue. La bonne femme la palpa attentivement, et crut sentir dans les pans et dans les entournures des épaisseurs de papier. D'autres billets de mille francs sans doute!

Elle remarqua en outre qu'il y avait toutes sortes de choses dans les poches. Non seulement les aiguilles, les ciseaux et le fil qu'elle avait vus, mais un gros portefeuille, un très grand couteau, et, détail suspect, plusieurs perruques de couleurs variées. Chaque poche de cette redingote avait l'air d'être une façon d'en-cas pour des événements imprévus.

Les habitants de la masure atteignirent ainsi les derniers jours de l'hiver.

V

UNE PIÈCE DE CINQ FRANCS QUI TOMBE A TERRE FAIT DU BRUIT

Il y avait près de St-Médard un pauvre qui s'accroupissait sur la margelle d'un puits banal condamné, et auquel Jean Valjean faisait volontiers la charité. Il ne passait guère devant cet homme sans lui donner quelque sou. Parfois il lui parlait. Les envieux de ce mendiant disaient qu'il était *de la police*. C'était un vieux bedeau de soixante-quinze ans qui marmottait continuellement des oraisons.

Un soir que Jean Valjean passait par là, il n'avait pas Cosette avec lui, il aperçut le mendiant à sa place ordinaire sous le réverbère qu'on venait d'allumer. Cet homme, selon son habitude, semblait prier et était tout courbé. Jean Valjean alla à lui et lui mit dans la main son aumône accoutumée. Le mendiant leva brusquement les yeux, regarda fixement Jean Valjean, puis baissa rapidement la tête. Ce mouvement fut comme un éclair, Jean Valjean eut un tressaillement. Il lui sembla qu'il venait d'entrevoir, à la lueur du réverbère, non le visage placide et béat du vieux bedeau, mais une figure effrayante et connue. Il eut l'impression qu'on aurait en se trouvant tout à coup dans l'ombre face à face avec un tigre. Il recula terrifié et pétrifié, n'osant ni respirer, ni parler, ni rester, ni fuir, considérant le mendiant qui avait baissé sa tête couverte d'une loque et paraissait ne plus savoir qu'il était là. Dans ce moment étrange, un instinct, peut-être l'instinct mystérieux de la conservation, fit que Jean Valjean ne prononça pas une parole. Le mendiant avait la même taille, les mêmes guenilles, la même apparence que tous les jours. — Bah!... dit Jean Valjean, je suis fou! je rêve! impossible! — Et il rentra profondément troublé.

C'est à peine s'il osait s'avouer à lui-même que cette figure qu'il avait cru voir était la figure de Javert.

La nuit, en y réfléchissant, il regretta de n'avoir pas questionné l'homme pour le forcer à lever la tête une seconde fois.

Le lendemain à la nuit tombante il y retourna. Le mendiant était à sa place. — Bonjour, bonhomme, dit résolument Jean Valjean en lui donnant un sou. Le mendiant leva la tête et répondit d'une voix dolente : — Merci, mon bon monsieur. — C'était bien le vieux bedeau.

Jean Valjean se sentit pleinement rassuré. Il se mit à rire. — Où diable ai-je été voir là Javert ? pensa-t-il. Ah ça, est-ce que je vais avoir la berlue à présent ? — Il n'y songea plus.

Quelques jours après, il pouvait être huit heures du soir, il était dans sa chambre et il faisait épeler Cosette à haute voix, il entendit ouvrir, puis refermer la porte de la masure. Cela lui parut singulier. La vieille, qui seule habitait avec lui la maison, se couchait toujours à la nuit pour ne point user de chandelle. Jean Valjean fit signe à Cosette de se taire. Il entendit qu'on montait l'escalier. A la rigueur, ce pouvait être la vieille qui avait pu se trouver malade et aller chez l'apothicaire. Jean Valjean écouta. Le pas était lourd et sonnait comme le pas d'un homme; mais la vieille portait de gros souliers et rien ne ressemble au pas d'un homme comme le pas d'une vieille femme. Cependant Jean Valjean souffla sa chandelle.

Il avait envoyé Cosette au lit en lui disant tout bas : — Couche-toi bien doucement; et pendant qu'il la baisait au front, les pas s'étaient arrêtés. Jean Valjean demeura en silence, immobile, le dos tourné à la porte, assis sur sa chaise dont il n'avait pas bougé, retenant son souffle dans l'obscurité. Au bout d'un temps assez long, n'entendant plus rien, il se retourna sans faire de bruit, et comme il levait les yeux vers la porte de sa chambre, il vit une lumière par le trou de la serrure. Cette lumière faisait une sorte d'étoile sinistre dans le noir de la porte et du mur. Il y avait évidemment là quelqu'un qui tenait une chandelle à la main, et qui écoutait.

Quelques minutes s'écoulèrent, et la lumière s'en alla. Seulement il n'entendit aucun bruit de pas, ce qui semblait indiquer que celui qui était venu écouter à la porte avait ôté ses souliers.

Jean Valjean se jeta tout habillé sur son lit et ne put fermer l'œil de la nuit.

Au point du jour, comme il s'assoupissait de fatigue, il fut réveillé par le grincement d'une porte qui s'ouvrait à quelque mansarde du fond du corridor, puis il entendit le même pas d'homme qui avait monté l'escalier la veille. Le pas s'approchait. Il se jeta à bas du lit et appliqua son œil au trou de la serrure, lequel était assez grand, espérant voir au passage l'être quelconque qui s'était introduit la nuit dans la masure et qui avait écouté à sa porte. C'était un homme en effet, qui passa, cette fois sans s'arrêter, devant la chambre de Jean Valjean. Le corridor était encore trop obscur pour qu'on pût distinguer son visage; mais quand l'homme arriva à l'escalier, un rayon de la lumière du dehors le fit saillir comme une silhouette, et Jean Valjean le vit de dos complètement. L'homme était de haute taille, vêtu d'une redingote longue, avec un gourdin sous son bras. C'était l'encolure formidable de Javert.

Jean Valjean aurait pu essayer de le revoir par sa fenêtre sur le boulevard. Mais il eût fallu ouvrir cette fenêtre; il n'osa pas.

Il était évident que cet homme était entré avec une clef, et comme chez lui. Qui lui avait donné cette clef? qu'est-ce que cela voulait dire?

A sept heures du matin, quand la vieille vint faire le ménage, Jean Valjean lui jeta un coup d'œil pénétrant, mais il ne l'interrogea pas. La bonne femme était comme à l'ordinaire.

Tout en balayant, elle lui dit:

— Monsieur a peut-être entendu quelqu'un qui entrait cette nuit?

COSETTE

A cet âge et sur ce boulevard, huit heures du soir, c'est la nuit la plus noire.

— A propos, c'est vrai, répondit-il de l'accent le plus naturel. Qui était-ce donc ?

— C'est un nouveau locataire, dit la vieille, qu'il y a dans la maison.

— Et qui s'appelle ?

— Je ne sais plus trop. Dumont ou Daumont. Un nom comme cela.

— Et qu'est-ce qu'il est, ce monsieur Dumont ?

La vieille le considéra avec ses petits yeux de fouine et répondit :

— Un rentier, comme vous.

Elle n'avait peut-être aucune intention. Jean Valjean crut lui en démêler une.

Quand la vieille fut partie, il fit un rouleau d'une centaine de francs qu'il avait dans une armoire et le mit dans sa poche. Quelque précaution qu'il prît dans cette opération pour qu'on ne l'entendît pas remuer de l'argent, une pièce de cent sous lui échappa des mains et roula bruyamment sur le carreau.

A la brune, il descendit et regarda avec attention de tous les côtés sur le boulevard. Il n'y vit personne. Le boulevard semblait absolument désert. Il est vrai qu'on peut s'y cacher derrière les arbres.

Il remonta.

— Viens, dit-il à Cosette.

Il la prit par la main et ils sortirent tous deux.

LIVRE CINQUIÈME

A CHASSE NOIRE MEUTE MUETTE

I

LES ZIGZAGS DE LA STRATÉGIE

Ici, pour les pages qu'on va lire et pour d'autres encore qu'on rencontrera plus tard, une observation est nécessaire.

Voilà bien des années déjà que l'auteur de ce livre, forcé, à regret, de parler de lui, est absent de Paris. Depuis qu'il l'a quitté, Paris s'est transformé. Une ville nouvelle a surgi qui lui est en quelque sorte inconnue. Il n'a pas besoin de dire qu'il aime Paris; Paris est la ville natale de son esprit. Par suite des démolitions et des reconstructions, le Paris de sa jeunesse, ce Paris qu'il a religieusement emporté dans sa mémoire, est à cette heure un Paris d'autrefois. Qu'on lui permette de parler de ce Paris-là comme s'il existait encore. Il est possible que là où l'auteur va conduire les lecteurs en disant : « Dans telle rue il y a telle maison », il n'y ait plus aujourd'hui ni maison ni rue. Les lecteurs vérifieront, s'ils veulent en prendre la peine. Quant à lui, il ignore le Paris nouveau, et il écrit avec le Paris ancien devant les yeux dans une illusion qui lui est précieuse. C'est une douceur pour lui de rêver qu'il reste derrière lui quelque chose de ce qu'il voyait quand il était dans son pays, et que tout ne s'est pas évanoui. Tant qu'on va et vient dans le pays natal, on s'imagine que ces rues vous sont indifférentes, que ces fenêtres, ces toits et ces portes ne vous sont de rien, que ces murs vous sont étrangers, que ces arbres sont les premiers arbres venus, que ces maisons où l'on n'entre pas vous sont inutiles, que ces pavés où l'on marche sont des pierres. Plus tard, quand on n'y est plus, on s'aperçoit que ces rues vous sont chères, que ces toits, ces fenêtres et ces portes vous manquent, que ces murailles vous sont nécessaires, que ces arbres sont vos bien-aimés, que ces maisons où l'on n'entrait pas, on y entrait tous les jours, et qu'on a laissé de ses entrailles, de son sang et de son cœur dans ces pavés. Tous ces lieux qu'on ne voit plus, qu'on ne reverra jamais peut-être, et dont on a gardé l'image, prennent un charme douloureux, vous reviennent avec la mélancolie d'une apparition, vous font la terre sainte visible, et sont, pour ainsi dire, la forme même de la France; et on les aime et on les évoque tels qu'ils sont, tels qu'ils étaient, et l'on s'y obstine, et l'on n'y veut rien changer, car on tient à la figure de la patrie comme au visage de sa mère.

Qu'il nous soit donc permis de parler du passé au présent. Cela dit, nous prions le lecteur d'en tenir note, et nous continuons.

Jean Valjean avait tout de suite quitté le boulevard et s'était engagé dans les rues, faisant le plus de lignes brisées qu'il pouvait, revenant quelquefois sur ses pas pour s'assurer qu'il n'était point suivi.

Cette manœuvre est propre au cerf traqué. Sur les terrains où la trace peut s'imprimer, cette manœuvre a, entre autres avantages, celui de tromper les chasseurs et les chiens par le contre-pied. C'est ce qu'en vénerie on appelle *faux rembuchement*.

C'était une nuit de pleine lune. Jean Valjean n'en fut pas fâché. La lune, encore très près de l'horizon, coupait dans les rues de grands pans d'ombre et de lumière. Jean Valjean pouvait se glisser le long des maisons et des murs dans le côté sombre et observer le côté clair. Il ne réfléchissait peut-être pas assez que le côté obscur lui échappait. Pourtant, dans toutes les ruelles désertes qui avoisinent la rue de Poliveau, il crut être certain que personne ne venait derrière lui.

Cosette marchait sans faire de questions. Les souffrances des six premières années de sa vie avaient introduit quelque chose de passif dans sa nature. D'ailleurs, et c'est là une remarque sur laquelle nous aurons plus d'une occasion de revenir, elle était habituée, sans trop s'en rendre compte, aux singularités du bonhomme et aux bizarreries de la destinée. Et puis elle se sentait en sûreté, étant avec lui.

Jean Valjean, pas plus que Cosette, ne savait où il allait. Il se confiait à Dieu comme elle se confiait à lui. Il lui semblait qu'il tenait, lui aussi, quelqu'un de plus grand que lui par la main; il croyait sentir un être qui le menait, invisible. Du reste il n'avait aucune idée arrêtée, aucun plan, aucun projet. Il n'était même pas absolument sûr que ce fût Javert, et puis ce pouvait être Javert, sans que Javert sût que c'était lui Jean Valjean. N'était-il pas déguisé ? ne le croyait-on pas mort ? Cependant depuis quelques jours il se passait des choses qui devenaient singulières. Il ne lui en fallait pas davantage. Il était déterminé à ne plus rentrer dans la maison Gorbeau. Comme l'animal chassé du gîte, il cherchait un trou où se cacher, en attendant qu'il en trouvât un où se loger.

Jean Valjean décrivit plusieurs labyrinthes variés dans le quartier Mouffetard, déjà endormi comme s'il avait encore la discipline du moyen âge et le joug du couvre-feu ; il combina de diverses façons, dans des stratégies savantes, la rue Censier et la rue Copeau, la rue du Battoir-Saint-Victor et la rue du Puits-l'Hermite. Il y a par là des logeurs, mais il n'y entrait même pas, ne trouvant point ce qui lui convenait. Par exemple, il ne doutait pas que, si, par hasard, on avait cherché sa piste, on ne l'eût perdue.

Comme onze heures sonnaient à Saint-Étienne-du-Mont, il traversait la rue de Pontoise devant le bureau du commissaire de police qui est au nº 14. Quelques instants après, l'instinct dont nous parlions plus haut fit qu'il se retourna. En ce moment, il vit distinctement, grâce à la lanterne du commissaire qui les trahissait, trois hommes qui le suivaient d'assez près passer successivement sous cette lanterne dans le côté ténébreux de la rue. L'un de ces trois hommes entra dans l'allée de la maison du commissaire. Celui qui marchait en tête lui parut décidément suspect.

— Viens, enfant, dit-il à Cosette, et il se hâta de quitter la rue de Pontoise.

Il fit un circuit, tourna le passage des Patriarches qui était fermé à cause de l'heure, arpenta la rue de l'Épée-de-Bois et la rue de l'Arbalète et s'enfonça dans la rue des Postes.

Il y a là un carrefour, où est aujourd'hui le collège Rollin et où vient s'embrancher la rue Neuve-Ste-Geneviève.

(Il va sans dire que la rue Neuve-Ste-Geneviève est une vieille rue, et qu'il ne passe pas une chaise de poste tous les dix ans rue des Postes. Cette rue des Postes était au treizième siècle habitée par des potiers et son vrai nom est rue des Pots.)

La lune jetait une vive lumière dans ce carrefour. Jean Valjean s'embusqua sous une porte, calculant que si ces hommes le suivaient encore, il ne pourrait manquer de les très bien voir lorsqu'ils traverseraient cette clarté.

En effet, il ne s'était pas écoulé trois minutes que les hommes parurent. Ils étaient maintenant quatre; tous de haute taille, vêtus de longues redingotes brunes, avec des chapeaux ronds et de gros bâtons à la main. Ils n'étaient pas moins inquiétants par leur grande stature et leurs vastes poings que par leur marche sinistre dans les ténèbres. On eût dit quatre spectres déguisés en bourgeois.

Ils s'arrêtèrent au milieu du carrefour et firent groupe comme des gens qui se consultent. Ils avaient l'air indécis. Celui qui paraissait les conduire se tourna et désigna vivement de la main droite la direction où s'était engagé Jean Valjean; un autre semblait indiquer avec une certaine obstination la direction contraire. A l'instant où le premier se retourna, la lune éclaira en plein son visage. Jean Valjean reconnut parfaitement Javert.

II

IL EST HEUREUX QUE LE PONT D'AUSTERLITZ
PORTE VOITURES

L'incertitude cessait pour Jean Valjean; heureusement elle durait encore pour ces hommes. Il profita de leur hésitation; c'était du temps perdu pour eux, gagné pour lui. Il sortit de dessous la porte où il s'était tapi, et poussa dans la rue des Postes vers la région du Jardin des Plantes. Cosette commençait à se fatiguer, il la prit dans ses bras, et la porta. Il n'y avait point un passant, et l'on n'avait pas allumé les réverbères à cause de la lune.

Il doubla le pas.

En quelques enjambées, il atteignit la poterie Goblet sur la façade de laquelle le clair de lune faisait très distinctement lisible la vieille inscription :

> De Goblet fils c'est ici la fabrique;
> Venez choisir des cruches et des brocs,
> Des pots à fleurs, des tuyaux, de la brique.
> A tout venant le Cœur vend des Carreaux.

Il laissa derrière lui la rue de la Clef, puis la fontaine St-Victor, longea le Jardin des Plantes par les rues basses, et arriva au quai. Là il se retourna. Le quai était désert. Les rues étaient désertes. Personne derrière lui. Il respira.

Il gagna le pont d'Austerlitz.

Le péage y existait encore à cette époque.

Il se présenta au bureau du péager et donna un sou.

— C'est deux sous, dit l'invalide du pont. Vous portez là un enfant qui peut marcher. Payez pour deux.

Il paya, contrarié que son passage eût donné lieu à une observation. Toute fuite doit être un glissement.

Une grosse charrette passait la Seine en même temps que lui et allait comme lui sur la rive droite. Cela lui fut utile. Il put traverser tout le pont dans l'ombre de cette charrette.

Vers le milieu du pont, Cosette, ayant les pieds engourdis, désira marcher. Il la posa à terre et la reprit par la main.

Le pont franchi, il aperçut un peu à droite des chantiers devant lui; il y marcha. Pour y arriver, il fallait s'aventurer dans un assez large espace découvert et éclairé. Il n'hésita pas. Ceux qui le traquaient étaient évidemment dépistés et Jean Valjean se croyait hors de danger. Cherché, oui; suivi, non.

Une petite rue, la rue du Chemin-Vert-Saint-Antoine, s'ouvrait entre deux chantiers enclos de murs. Cette rue était étroite, obscure, et comme faite exprès pour lui. Avant d'y entrer, il regarda en arrière.

Du point où il était, il voyait dans toute sa longueur le pont d'Austerlitz.

Quatre ombres venaient d'entrer sur le pont.

Ces ombres tournaient le dos au Jardin des Plantes et se dirigeaient vers la rive droite.

Ces quatre ombres, c'étaient les quatre hommes.

Jean Valjean eut le frémissement de la bête reprise.

Il lui restait une espérance; c'est que ces hommes peut-être n'étaient pas encore entrés sur le pont et ne l'avaient pas aperçu au moment où il avait traversé, tenant Cosette par la main, la grande place éclairée.

En ce cas-là, en s'enfonçant dans la petite rue qui était devant lui, s'il parvenait à atteindre les chantiers, les marais, les cultures, les terrains non bâtis, il pouvait échapper.

Il lui sembla qu'on pouvait se confier à cette petite rue silencieuse. Il y entra.

III

VOIR LE PLAN DE PARIS DE 1727

Au bout de trois cents pas, il arriva à un point où la rue se bifurquait. Elle se partageait en deux rues, obliquant l'une à gauche, l'autre à droite. Jean Valjean avait devant lui comme les deux branches d'un Y. Laquelle choisir ?

Il ne balança point, et prit la droite.

Pourquoi ?

C'est que la branche gauche allait vers le faubourg, c'est-à-dire vers les lieux habités, et la branche droite vers la campagne, c'est-à-dire vers les lieux déserts.

Cependant ils ne marchaient plus très rapidement. Le pas de Cosette ralentissait le pas de Jean Valjean.

Il se remit à la porter. Cosette appuyait sa tête sur l'épaule du bonhomme et ne disait pas un mot.

Il se retournait de temps en temps et regardait. Il avait soin de se tenir toujours du côté obscur de la rue. La rue était droite derrière lui. Les deux ou trois premières fois qu'il se retourna, il ne vit rien, le silence était profond, il continua sa marche un peu rassuré. Tout à coup, à un certain instant, s'étant retourné, il lui sembla voir dans la partie de la rue où il venait de passer, loin dans l'obscurité, quelque chose qui bougeait.

Il se précipita en avant, plutôt qu'il ne marcha, espérant trouver quelque ruelle latérale, s'évader par là, et rompre encore une fois sa piste.

Il arriva à un mur.

Ce mur pourtant n'était point une impossibilité d'aller plus loin; c'était une muraille bordant une ruelle transversale à laquelle aboutissait la rue où s'était engagé Jean Valjean.

Ici encore il fallait se décider; prendre à droite ou à gauche.

Il regarda à droite. La ruelle se prolongeait en tronçon entre des constructions qui étaient des hangars ou des granges, puis se terminait en impasse. On voyait distinctement le fond du cul-de-sac; un grand mur blanc.

Il regarda à gauche. La ruelle de ce côté était ouverte, et, au bout de deux cents pas environ, tombait dans une rue dont elle était l'affluent. C'était de ce côté-là qu'était le salut.

Au moment où Jean Valjean songeait à tourner à gauche, pour tâcher de gagner la rue qu'il entrevoyait au bout de la ruelle, il aperçut à l'angle de la ruelle et de cette rue vers laquelle il allait se diriger, une espèce de statue noire, immobile.

C'était quelqu'un, un homme, qui venait d'être posté là évidemment, et qui, barrant le passage, attendait.

Jean Valjean recula.

Le point de Paris où se trouvait Jean Valjean, situé entre le faubourg Saint-Antoine et la Râpée, est un de ceux qu'ont transformés de fond en comble les travaux récents, enlaidissement selon les uns, transfiguration selon les autres. Les cultures, les chantiers et les vieilles bâtisses se sont effacés. Il y a là aujourd'hui de grandes rues toutes neuves, des arènes, des cirques, des hippodromes, des embarcadères de chemins de fer, une prison, Mazas ; le progrès, comme on voit, avec son correctif.

Il y a un demi-siècle, dans cette langue usuelle populaire, toute faite de traditions, qui s'obstine à appeler l'Institut *les Quatre-Nations* et l'Opéra-Comique *Feydeau*, l'endroit précis où était parvenu Jean Valjean se nommait *le Petit-Picpus*. La porte Saint-Jacques, la porte Paris, la barrière des Sergents, les Porcherons, la Galiote, les Célestins, les Capucins, le Mail, la Bourbe, l'Arbre de Cracovie, la Petite Pologne, le Petit-Picpus, ce sont les noms du vieux Paris surnageant dans le nouveau. La mémoire du peuple flotte sur ces épaves du passé.

Le Petit-Picpus, qui du reste a existé à peine et n'a jamais été qu'une ébauche de quartier, avait presque l'aspect monacal d'une ville espagnole. Les chemins étaient peu pavés, les rues étaient peu bâties. Excepté les deux ou trois rues dont nous allons parler, tout y était muraille et solitude. Pas une boutique, pas une voiture ; à peine çà et là une chandelle allumée aux fenêtres ; toute lumière éteinte après dix heures. Des jardins, des couvents, des chantiers, des marais ; de rares maisons basses, et de grands murs aussi hauts que les maisons.

Tel était ce quartier au dernier siècle. La révolution l'avait déjà fort rabroué. L'édilité républicaine l'avait démoli, percé, troué. Des dépôts de gravats y avaient été

établis. Il y a trente ans, ce quartier disparaissait sous la
rature des constructions nouvelles. Aujourd'hui il est
biffé tout à fait.

Le Petit-Picpus, dont aucun plan actuel n'a gardé
trace, est assez clairement indiqué dans le plan de 1727,
publié à Paris chez Denis Thierry, rue St-Jacques, vis-à-
vis la rue du Plâtre, et à Lyon chez Jean Girin, rue Mer-
cière, à la Prudence. Le Petit-Picpus avait ce que nous
venons d'appeler un Y de rues, formé par la rue du
Chemin-Vert-Saint-Antoine s'écartant en deux branches
et prenant à gauche le nom de petite rue Picpus et à
droite le nom de rue Polonceau. Les deux branches de
l'Y étaient réunies à leur sommet comme par une barre.
Cette barre se nommait rue Droit-Mur. La rue Polonceau y aboutissait; la petite rue Picpus passait outre,
et montait vers le marché Lenoir. Celui qui, venant de la
Seine, arrivait à l'extrémité de la rue Polonceau avait
à sa gauche la rue Droit-Mur, tournant brusquement à
angle droit, devant lui la muraille de cette rue, et à sa
droite un prolongement tronqué de la rue Droit-Mur,
sans issue, appelé le cul-de-sac Genrot.

C'est là qu'était Jean Valjean.

Comme nous venons de le dire, en apercevant la
silhouette noire, en vedette à l'angle de la rue Droit-Mur
et de la petite rue Picpus, il recula. Nul doute. Il était
guetté par ce fantôme.

Que faire?

Il n'était plus temps de rétrograder. Ce qu'il avait vu
remuer dans l'ombre à quelque distance derrière lui le
moment d'auparavant, c'était sans doute Javert et son
escouade. Javert était probablement déjà au commencement de la rue à la fin de laquelle était Jean Valjean.
Javert, selon toute apparence, connaissait ce petit dédale,
et avait pris ses précautions en envoyant un de ses
hommes garder l'issue. Ces conjectures, si ressemblantes
à des évidences, tourbillonnèrent tout de suite, comme
une poignée de poussière qui s'envole à un vent subit,
dans le cerveau douloureux de Jean Valjean. Il examina
le cul-de-sac Genrot; là, barrage. Il examina la petite
rue Picpus; là une sentinelle. Il voyait cette figure sombre
se détacher en noir sur le pavé blanc inondé de lune.
Avancer, c'était tomber sur cet homme. Reculer, c'était
se jeter dans Javert. Jean Valjean se sentait pris comme
dans un filet qui se resserrait lentement. Il regarda le
ciel avec désespoir.

IV

LES TATONNEMENTS DE L'ÉVASION

Pour comprendre ce qui va suivre, il faut se figurer d'une manière exacte la ruelle Droit-Mur et en particulier l'angle qu'on laissait à gauche quand on sortait de la rue Polonceau pour entrer dans cette ruelle. La ruelle Droit-Mur était à peu près entièrement bordée à droite jusqu'à la petite rue Picpus par des maisons de pauvre apparence; à gauche par un seul bâtiment d'une ligne sévère composé de plusieurs corps de logis qui allaient se haussant graduellement d'un étage ou deux à mesure qu'ils approchaient de la petite rue Picpus; de sorte que ce bâtiment, très élevé du côté de la petite rue Picpus, était assez bas du côté de la rue Polonceau. Là, à l'angle dont nous avons parlé, il s'abaissait au point de n'avoir plus qu'une muraille. Cette muraille n'allait pas aboutir carrément à la rue; elle dessinait un pan coupé fort en retraite, dérobé par ses deux angles à deux observateurs qui eussent été l'un rue Polonceau, l'autre rue Droit-Mur.

A partir des deux angles du pan coupé, la muraille se prolongeait sur la rue Polonceau jusqu'à une maison qui portait le n° 49 et sur la rue Droit-Mur, où son tronçon était beaucoup plus court, jusqu'au bâtiment sombre dont nous avons parlé et dont elle coupait le pignon, faisant ainsi dans la rue un nouvel angle rentrant. Ce pignon était d'un aspect morne; on n'y voyait qu'une seule fenêtre, ou pour mieux dire, deux volets revêtus d'une feuille de zinc, et toujours fermés.

L'état de lieux que nous dressons ici est d'une rigoureuse exactitude et éveillera certainement un souvenir très précis dans l'esprit des anciens habitants du quartier.

Le pan coupé était entièrement rempli par une chose qui ressemblait à une porte colossale et misérable. C'était un vaste assemblage informe de planches perpendiculaires, celles d'en haut plus larges que celles d'en bas, reliées par de longues lanières de fer transversales. A côté il y avait une porte cochère de dimension ordinaire et dont le percement ne remontait évidemment pas à plus d'une cinquantaine d'années.

Un tilleul montrait son branchage au-dessus du pan coupé et le mur était couvert de lierre du côté de la rue Polonceau.

Dans l'imminent péril où se trouvait Jean Valjean, ce bâtiment sombre avait quelque chose d'inhabité et de solitaire qui le tentait. Il le parcourut rapidement des yeux. Il se disait que s'il parvenait à y pénétrer, il était peut-être sauvé. Il eut d'abord une idée et une espérance.

Dans la partie moyenne de la devanture de ce bâtiment sur la rue Droit-Mur, il y avait à toutes les fenêtres des divers étages de vieilles cuvettes-entonnoirs en plomb. Les embranchements variés des conduits qui allaient d'un conduit central aboutir à toutes ces cuvettes, dessinaient sur la façade une espèce d'arbre. Ces ramifications de tuyaux avec leurs cent coudes imitaient ces vieux ceps de vigne dépouillés qui se tordent sur les devantures des anciennes fermes.

Ce bizarre espalier aux branches de tôle et de fer, fut le premier objet qui frappa Jean Valjean. Il assit Cosette le dos contre une borne en lui recommandant le silence et courut à l'endroit où le conduit venait toucher le pavé. Peut-être y avait-il moyen d'escalader par là et d'entrer dans la maison. Mais le conduit était délabré et hors de service et tenait à peine à son scellement. D'ailleurs toutes les fenêtres de ce logis silencieux étaient grillées d'épaisses barres de fer, même les mansardes du toit. Et puis la lune éclairait pleinement cette façade, et l'homme qui l'observait du bout de la rue aurait vu Jean Valjean faire l'escalade. Enfin que faire de Cosette ? comment la hisser au haut d'une maison à trois étages ?

Il renonça à grimper par le conduit et rampa le long du mur pour rentrer dans la rue Polonceau.

Quand il fut au pan coupé où il avait laissé Cosette, il remarqua que, là, personne ne pouvait le voir. Il échappait, comme nous venons de l'expliquer, à tous les regards, de quelque côté qu'ils vinssent. En outre il était dans l'ombre. Enfin il y avait deux portes. Peut-être pourrait-on les forcer. Le mur au-dessus duquel il voyait le tilleul et le lierre donnait évidemment dans un jardin, où il pourrait au moins se cacher, quoiqu'il n'y eût pas encore de feuilles aux arbres, et passer le reste de la nuit.

Le temps s'écoulait. Il fallait faire vite.

Il tâta la porte cochère et reconnut tout de suite qu'elle était condamnée au-dedans et au-dehors.

Il s'approcha de l'autre grande porte avec plus d'espoir. Elle était affreusement décrépite, son immensité même la rendait moins solide, les planches étaient pourries, les ligatures de fer, il n'y en avait que trois, étaient rouillées. Il semblait possible de percer cette clôture vermoulue.

En l'examinant, il vit que cette porte n'était pas une porte. Elle n'avait ni gonds, ni pentures, ni serrures, ni fente au milieu. Les bandes de fer la traversaient de part en part sans solution de continuité. Par les crevasses des planches il entrevit des moellons et des pierres grossièrement cimentées que les passants pouvaient y voir encore il y a dix ans. Il fut forcé de s'avouer avec consternation que cette apparence de porte était simplement le parement en bois d'une bâtisse à laquelle elle était adossée. Il était facile d'arracher une planche, mais on se trouvait face à face avec un mur.

V

QUI SERAIT IMPOSSIBLE AVEC L'ÉCLAIRAGE AU GAZ

En ce moment un bruit sourd et cadencé commença à se faire entendre à quelque distance. Jean Valjean risqua un peu son regard en dehors du coin de la rue. Sept ou huit soldats disposés en peloton venaient de déboucher dans la rue Polonceau. Il voyait briller les baïonnettes. Cela venait vers lui.

Ces soldats, en tête desquels il distinguait la haute stature de Javert, s'avançaient lentement et avec précaution. Ils s'arrêtaient fréquemment. Il était visible qu'ils exploraient tous les recoins des murs et toutes les embrasures de portes et d'allées.

C'était, et ici la conjecture ne pouvait se tromper, quelque patrouille que Javert avait rencontrée et qu'il avait requise.

Les deux acolytes de Javert marchaient dans leurs rangs.

Du pas dont ils marchaient et avec les stations

qu'ils faisaient, il leur fallait environ un quart d'heure pour arriver à l'endroit où se trouvait Jean Valjean. Ce fut un instant affreux. Quelques minutes séparaient Jean Valjean de cet épouvantable précipice qui s'ouvrait devant lui pour la troisième fois. Et le bagne maintenant n'était plus seulement le bagne, c'était Cosette perdue à jamais; c'est-à-dire une vie qui ressemblait au dedans d'une tombe.

Il n'y avait plus qu'une chose possible.

Jean Valjean avait cela de particulier qu'on pouvait dire qu'il portait deux besaces; dans l'une il avait les pensées d'un saint, dans l'autre les redoutables talents d'un forçat. Il fouillait dans l'une ou dans l'autre, selon l'occasion.

Entre autres ressources, grâce à ses nombreuses évasions du bagne de Toulon, il était, on s'en souvient, passé maître dans cet art incroyable de s'élever, sans échelles, sans crampons, par la seule force musculaire, en s'appuyant de la nuque, des épaules, des hanches et des genoux, en s'aidant à peine des rares reliefs de la pierre, dans l'angle droit d'un mur, au besoin jusqu'à la hauteur d'un sixième étage; art qui a rendu si effrayant et si célèbre le coin de la cour de la Conciergerie de Paris par où s'échappa, il y a une vingtaine d'années, le condamné Battemolle.

Jean Valjean mesura des yeux la muraille au-dessus de laquelle il voyait le tilleul. Elle avait environ dix-huit pieds de haut. L'angle qu'elle faisait avec le pignon du grand bâtiment était rempli dans sa partie inférieure, d'un massif de maçonnerie de forme triangulaire, probablement destiné à préserver ce trop commode recoin des stations de ces stercoraires qu'on appelle les passants. Ce remplissage préventif des coins de mur est fort usité à Paris.

Ce massif avait environ cinq pieds de haut. Du sommet de ce massif l'espace à franchir pour arriver sur le mur n'était guère que de quatorze pieds.

Le mur était surmonté d'une pierre plate sans chevron.

La difficulté était Cosette. Cosette, elle, ne savait pas escalader un mur. L'abandonner ? Jean Valjean n'y songeait pas. L'emporter était impossible. Toutes les forces d'un homme lui sont nécessaires pour mener à bien ces étranges ascensions. Le moindre fardeau dérangerait son centre de gravité et le précipiterait.

Il aurait fallu une corde. Jean Valjean n'en avait pas. Où trouver une corde à minuit, rue Polonceau ? Certes en cet instant-là, si Jean Valjean avait eu un royaume, il l'eût donné pour une corde.

Toutes les situations extrêmes ont leurs éclairs qui tantôt nous aveuglent, tantôt nous illuminent.

Le regard désespéré de Jean Valjean rencontra la potence du réverbère du cul-de-sac Genrot.

A cette époque il n'y avait point de becs de gaz dans les rues de Paris. A la nuit tombante on y allumait des réverbères placés de distance en distance, lesquels montaient et descendaient au moyen d'une corde qui traversait la rue de part en part et qui s'ajustait dans la rainure d'une potence. Le tourniquet où se dévidait cette corde était scellé au-dessous de la lanterne dans une petite armoire de fer dont l'allumeur avait la clef, et la corde elle-même était protégée par un étui de métal.

Jean Valjean, avec l'énergie d'une lutte suprême, franchit la rue d'un bond, entra dans le cul-de-sac, fit sauter le pêne de la petite armoire avec la pointe de son couteau, et un instant après il était revenu près de Cosette. Il avait une corde. Ils vont vite en besogne, ces sombres trouveurs d'expédients, aux prises avec la fatalité.

Nous avons expliqué que les réverbères n'avaient pas été allumés cette nuit-là. La lanterne du cul-de-sac Genrot se trouvait donc naturellement éteinte comme les autres, et l'on pouvait passer à côté sans même remarquer qu'elle n'était plus à sa place.

Cependant l'heure, le lieu, l'obscurité, la préoccupation de Jean Valjean, ses gestes singuliers, ses allées et venues, tout cela commençait à inquiéter Cosette. Tout autre enfant qu'elle aurait depuis longtemps jeté les hauts cris. Elle se borna à tirer Jean Valjean par le pan de sa redingote. On entendait toujours de plus en plus distinctement le bruit de la patrouille qui approchait.

— Père, dit-elle tout bas, j'ai peur. Qu'est-ce qui vient donc là ?

— Chut ! répondit le malheureux homme, c'est la Thénardier.

Cosette tressaillit. Il ajouta :

— Ne dis rien. Laisse-moi faire. Si tu cries, si tu pleures, la Thénardier te guette. Elle vient pour te ravoir.

Alors, sans se hâter, mais sans s'y reprendre à deux fois pour rien, avec une précision ferme et brève, d'autant plus remarquable en un pareil moment que la patrouille et Javert pouvaient survenir d'un instant à l'autre, il défit sa cravate, la passa autour du corps de Cosette sous les aisselles en ayant soin qu'elle ne pût blesser l'enfant, rattacha cette cravate à un bout de la corde au moyen de ce nœud que les gens de mer appellent nœud d'hirondelle, prit l'autre bout de cette corde dans ses dents, ôta ses souliers et ses bas qu'il jeta par-dessus la muraille, monta sur le massif de maçonnerie et commença à s'élever dans l'angle du mur et du pignon avec autant de solidité et de certitude que s'il eût eu des échelons sous les talons et sous les coudes. Une demi-minute ne s'était pas écoulée qu'il était à genoux sur le mur.

Cosette le considérait avec stupeur, sans dire une parole. La recommandation de Jean Valjean et le nom de la Thénardier l'avaient glacée.

Tout à coup elle entendit la voix de Jean Valjean qui lui criait, tout en restant très basse :

— Adosse-toi au mur.

Elle obéit.

— Ne dis pas un mot et n'aie pas peur, reprit Jean Valjean.

Et elle se sentit enlever de terre.

Avant qu'elle eût le temps de se reconnaître, elle était au haut de la muraille.

Jean Valjean la saisit, la mit sur son dos, lui prit ses deux petites mains dans sa main gauche, se coucha à plat ventre et rampa sur le haut du mur jusqu'au pan coupé. Comme il l'avait deviné, il y avait là une bâtisse dont le toit partait du haut de la clôture en bois et descendait fort près de terre, selon un plan assez doucement incliné, en effleurant le tilleul.

Circonstance heureuse, car la muraille était beaucoup plus haute de ce côté que du côté de la rue. Jean Valjean n'apercevait le sol au-dessous de lui que très profondément.

Il venait d'arriver au plan incliné du toit et n'avait pas encore lâché la crête de la muraille lorsqu'un hourvari violent annonça l'arrivée de la patrouille. On entendit la voix tonnante de Javert :

— Fouillez le cul-de-sac! La rue Droit-Mur est gardée, la petite rue Picpus aussi. Je réponds qu'il est dans le cul-de-sac!

Les soldats se précipitèrent dans le cul-de-sac Genrot.

Jean Valjean se laissa glisser le long du toit, tout en soutenant Cosette, atteignit le tilleul et sauta à terre.

Soit terreur, soit courage, Cosette n'avait pas soufflé.
Elle avait les mains un peu écorchées.

VI

COMMENCEMENT D'UNE ÉNIGME

Jean Valjean se trouvait dans une espèce de jardin
fort vaste et d'un aspect singulier; un de ces jardins
tristes qui semblent faits pour être regardés l'hiver et la
nuit. Ce jardin était d'une forme oblongue avec une allée
de grands peupliers au fond, des futaies assez hautes dans
les coins et un espace sans ombre au milieu, où l'on distinguait un très grand arbre isolé, puis quelques arbres
fruitiers tordus et hérissés comme de grosses broussailles,
des carrés de légumes, une melonnière dont les cloches
brillaient à la lune et un vieux puisard. Il y avait çà et là
des bancs de pierre qui semblaient noirs de mousse. Les
allées étaient bordées de petits arbustes sombres et toutes
droites. L'herbe en envahissait la moitié et une moisis-
sure verte couvrait le reste.

Jean Valjean avait à côté de lui la bâtisse dont le toit
lui avait servi pour descendre, un tas de fagots, et derrière
les fagots, tout contre le mur, une statue de pierre dont
la face mutilée n'était plus qu'un masque informe qui
apparaissait vaguement dans l'obscurité.

La bâtisse était une sorte de ruine où l'on distinguait
des chambres démantelées dont une, tout encombrée,
semblait servir de hangar.

Le grand bâtiment de la rue Droit-Mur qui faisait
retour sur la petite rue Picpus, développait sur ce jardin deux façades en équerre. Ces façades du dedans
étaient plus tragiques encore que celle du dehors. Toutes
les fenêtres étaient grillées. On n'y entrevoyait aucune
lumière. Aux étages supérieurs il y avait des hottes comme
aux prisons. L'une de ces façades projetait sur l'autre
son ombre qui retombait sur le jardin comme un immense
immense drap noir.

On n'apercevait pas d'autre maison. Le fond du jardin se perdait dans la brume et dans la nuit. Cependant

on y distinguait confusément des murailles qui s'entre-
coupaient comme s'il y avait d'autres cultures au-delà,
et les toits bas de la rue Polonceau.

On ne pouvait rien se figurer de plus farouche et de
plus solitaire que ce jardin. Il n'y avait personne, ce
qui était tout simple à cause de l'heure; mais il ne semblait pas que cet endroit fût fait pour que quelqu'un y
marchât, même en plein midi.

Le premier soin de Jean Valjean avait été de retrouver
ses souliers et de se rechausser, puis d'entrer dans le
hangar avec Cosette. Celui qui s'évade ne se croit jamais
assez caché. L'enfant songeant toujours à la Thénardier,
partageait son instinct de se blottir le plus possible.

Cosette tremblait et se serrait contre lui. On entendait
le bruit tumultueux de la patrouille qui fouillait le cul-
de-sac et la rue, les coups de crosses contre les pierres,
les appels de Javert aux mouchards qu'il avait postés, et
ses imprécations mêlées de paroles qu'on ne distinguait
point.

Au bout d'un quart d'heure, il sembla que cette
espèce de grondement orageux commençait à s'éloigner.
Jean Valjean ne respirait pas.

Il avait posé doucement sa main sur la bouche de
Cosette.

Au reste la solitude où il se trouvait était si étrangement
calme que cet effroyable tapage, si furieux et si proche,
n'y jetait même pas l'ombre d'un trouble. Il semblait
que ces murs fussent bâtis avec ces pierres sourdes dont
parle l'Ecriture.

Tout à coup, au milieu de ce calme profond, un nouveau bruit s'éleva; un bruit céleste, divin, ineffable, aussi
ravissant que l'autre était horrible. C'était un hymne
qui sortait des ténèbres, un éblouissement de prière et
d'harmonie dans l'obscur et effrayant silence de la nuit;
des voix de femmes, mais des voix composées à la fois
de l'accent pur des vierges et de l'accent naïf des enfants,
de ces voix qui ne sont pas de la terre et qui ressemblent
à celles que les nouveau-nés entendent encore et que les
moribonds entendent déjà. Ce chant venait du sombre
édifice qui dominait le jardin. Au moment où le vacarme
des démons s'éloignait, on eût dit un chœur d'anges
qui s'approchait dans l'ombre.

Cosette et Jean Valjean tombèrent à genoux.

Ils ne savaient pas ce que c'était, ils ne savaient pas
où ils étaient, mais ils sentaient tous deux, l'homme et

l'enfant, le pénitent et l'innocent, qu'il fallait qu'ils fussent à genoux.

Ces voix avaient cela d'étrange qu'elles n'empêchaient pas que le bâtiment ne parût désert. C'était comme un chant surnaturel dans une demeure inhabitée.

Pendant que ces voix chantaient, Jean Valjean ne songeait plus à rien. Il ne voyait plus la nuit, il voyait un ciel bleu. Il lui semblait sentir s'ouvrir ces ailes que nous avons tous au-dedans de nous.

Le chant s'éteignit. Il avait peut-être duré longtemps. Jean Valjean n'aurait pu le dire. Les heures de l'extase ne sont jamais qu'une minute.

Tout était retombé dans le silence. Plus rien dans la rue, plus rien dans le jardin. Ce qui menaçait, ce qui rassurait, tout s'était évanoui. Le vent froissait dans la crête du mur quelques herbes sèches qui faisaient un petit bruit doux et lugubre.

VII

SUITE DE L'ÉNIGME

La bise de nuit s'était levée, ce qui indiquait qu'il devait être entre une et deux heures du matin. La pauvre Cosette ne disait rien. Comme elle s'était assise à son côté et qu'elle avait penché sa tête sur lui, Jean Valjean pensa qu'elle s'était endormie. Il se baissa et la regarda. Cosette avait les yeux tout grands ouverts et un air pensif qui fit mal à Jean Valjean.

Elle tremblait toujours.

— As-tu envie de dormir ? dit Jean Valjean.

— J'ai bien froid, répondit-elle.

Un moment après elle reprit :

— Est-ce qu'elle est toujours là ?

— Qui ? dit Jean Valjean.

— Madame Thénardier.

Jean Valjean avait déjà oublié le moyen dont il s'était servi pour faire garder le silence à Cosette.

— Ah ! dit-il, elle est partie. Ne crains plus rien.

L'enfant soupira comme si un poids se soulevait de dessus sa poitrine.

La terre était humide, le hangar ouvert de toute part, la bise plus fraîche à chaque instant. Le bonhomme ôta sa redingote et en enveloppa Cosette.

— As-tu moins froid, ainsi ? dit-il.

— Oh oui, père!

— Eh bien, attends-moi un instant. Je vais revenir.

Il sortit de la ruine, et se mit à longer le grand bâtiment, cherchant quelque abri meilleur. Il rencontra des portes, mais elles étaient fermées. Il y avait des barreaux à toutes les croisées du rez-de-chaussée.

Comme il venait de dépasser l'angle intérieur de l'édifice, il remarqua qu'il arrivait à des fenêtres cintrées, et il y aperçut quelque clarté. Il se haussa sur la pointe du pied et regarda par l'une de ces fenêtres. Elles donnaient toutes dans une salle assez vaste, pavée de larges dalles, coupée d'arcades et de piliers, où l'on ne distinguait rien qu'une petite lueur et de grandes ombres. La lueur venait d'une veilleuse allumée dans un coin. Cette salle était déserte et rien n'y bougeait. Cependant, à force de regarder, il crut voir à terre, sur le pavé, quelque chose qui paraissait couvert d'un linceul et qui ressemblait à une forme humaine. Cela était étendu à plat ventre, la face contre la pierre, les bras en croix, dans l'immobilité de la mort. On eût dit, à une sorte de serpent qui traînait sur le pavé, que cette forme sinistre avait la corde au cou.

Toute la salle baignait dans cette brume des lieux à peine éclairés, qui ajoute à l'horreur.

Jean Valjean a souvent dit depuis que, quoique bien des spectacles funèbres eussent traversé sa vie, jamais il n'avait rien vu de plus glaçant et de plus terrible que cette figure énigmatique accomplissant on ne sait quel mystère inconnu dans ce lieu sombre et ainsi entrevue dans la nuit. Il était effrayant de supposer que cela était peut-être mort, et plus effrayant encore de songer que cela était peut-être vivant.

Il eut le courage de coller son front à la vitre et d'épier si cette chose remuerait. Il eut beau rester un temps qui lui parut très long, la forme étendue ne faisait aucun mouvement. Tout à coup il se sentit pris d'une épouvante inexprimable, et il s'enfuit. Il se mit à courir vers le hangar sans oser regarder en arrière. Il lui semblait que s'il tournait la tête il verrait la figure marcher derrière lui à grands pas en agitant les bras.

Il arriva à la ruine haletant. Ses genoux pliaient; la sueur lui coulait dans les reins.

Où était-il? qui aurait jamais pu s'imaginer quelque chose de pareil à cette espèce de sépulcre au milieu de Paris? qu'était-ce que cette étrange maison? Édifice plein de mystère nocturne, appelant les âmes dans l'ombre avec la voix des anges, et lorsqu'elles viennent, leur offrant brusquement cette vision épouvantable, promettant d'ouvrir la porte radieuse du ciel et ouvrant la porte horrible du tombeau! Et cela était bien en effet un édifice, une maison qui avait son numéro dans une rue! Ce n'était pas un rêve! Il avait besoin d'en toucher les pierres pour y croire.

Le froid, l'anxiété, l'inquiétude, les émotions de la soirée, lui donnaient une véritable fièvre et toutes ces idées s'entre-heurtaient dans son cerveau.

Il s'approcha de Cosette. Elle dormait.

VIII

L'ÉNIGME REDOUBLE

L'enfant avait posé sa tête sur une pierre et s'était endormie.

Il s'assit auprès d'elle et se mit à la considérer. Peu à peu, à mesure qu'il la regardait, il se calmait, et il reprenait possession de sa liberté d'esprit.

Il apercevait clairement cette vérité, le fond de sa vie désormais, que tant qu'elle serait là, tant qu'il l'aurait près de lui, il n'aurait besoin de rien que pour elle, ni peur de rien qu'à cause d'elle. Il ne sentait même pas qu'il avait très froid, ayant quitté sa redingote pour l'en couvrir.

Cependant, à travers la rêverie où il était tombé, il entendait depuis quelque temps un bruit singulier. C'était comme un grelot qu'on agitait. Ce bruit était dans le jardin. On l'entendait distinctement, quoique faiblement. Cela ressemblait à la petite musique vague que font les clarines des bestiaux la nuit dans les pâturages.

Ce bruit fit retourner Jean Valjean.

Il regarda, et vit qu'il y avait quelqu'un dans le jardin.

Un être qui ressemblait à un homme marchait au milieu des cloches de la melonnière, se levant, se baissant, s'arrêtant, avec des mouvements réguliers, comme s'il traînait ou étendait quelque chose à terre. Cet être paraissait boiter.

Jean Valjean tressaillit avec ce tremblement continuel des malheureux. Tout leur est hostile et suspect. Ils se défient du jour parce qu'il aide à les voir et de la nuit parce qu'elle aide à les surprendre. Tout à l'heure il frissonnait de ce que le jardin était désert, maintenant il frissonnait de ce qu'il y avait quelqu'un.

Il retomba des terreurs chimériques aux terreurs réelles. Il se dit que Javert et les mouchards n'étaient peut-être pas partis, que sans doute ils avaient laissé dans la rue des gens en observation, que, si cet homme le découvrait dans ce jardin, il crierait au voleur, et le livrerait. Il prit doucement Cosette endormie dans ses bras et la porta derrière un tas de vieux meubles hors d'usage, dans le coin le plus reculé du hangar. Cosette ne remua pas.

De là il observa les allures de l'être qui était dans la melonnière. Ce qui était bizarre, c'est que le bruit du grelot suivait tous les mouvements de cet homme. Quand l'homme s'approchait, le bruit s'approchait; quand il s'éloignait, le bruit s'éloignait; s'il faisait quelque geste précipité, un trémolo accompagnait ce geste; quand il s'arrêtait, le bruit cessait. Il paraissait évident que le grelot était attaché à cet homme; mais alors qu'est-ce que cela pouvait signifier ? qu'était-ce que cet homme auquel une clochette était suspendue comme à un bélier ou à un bœuf ?

Tout en se faisant ces questions, il toucha les mains de Cosette. Elles étaient glacées.

— Ah mon Dieu! dit-il.

Il l'appela à voix basse :

— Cosette!

Elle n'ouvrit pas les yeux.

Il la secoua vivement.

Elle ne s'éveilla pas.

— Serait-elle morte! dit-il, et il se dressa debout, frémissant de la tête aux pieds.

Les idées les plus affreuses lui traversèrent l'esprit

pêle-mêle. Il y a des moments où les suppositions hideuses nous assiègent comme une cohue de furies et forcent violemment les cloisons de notre cerveau. Quand il s'agit de ceux que nous aimons, notre prudence invente toutes les folies. Il se souvint que le sommeil peut être mortel en plein air dans une nuit froide.

Cosette, pâle, était retombée, étendue à terre à ses pieds sans faire un mouvement.

Il écouta son souffle ; elle respirait ; mais d'une respiration qui lui paraissait faible et prête à s'éteindre.

Comment la réchauffer ? comment la réveiller ? Tout ce qui n'était pas ceci s'effaça de sa pensée. Il s'élança éperdu hors de la ruine.

Il fallait absolument qu'avant un quart d'heure Cosette fût devant un feu et dans un lit.

IX

L'HOMME AU GRELOT

Il marcha droit à l'homme qu'il apercevait dans le jardin. Il avait pris à sa main le rouleau d'argent qui était dans la poche de son gilet.

Cet homme baissait la tête et ne le voyait pas venir. En quelques enjambées, Jean Valjean fut à lui.

Jean Valjean l'aborda en criant :

— Cent francs !

L'homme fit un soubresaut et leva les yeux.

— Cent francs à gagner, reprit Jean Valjean, si vous me donnez asile pour cette nuit !

La lune éclairait en plein le visage effaré de Jean Valjean.

— Tiens, c'est vous, père Madeleine ! dit l'homme.

Ce nom, ainsi prononcé, à cette heure obscure, dans ce lieu inconnu, par cet homme inconnu, fit reculer Jean Valjean.

Il s'attendait à tout, excepté à cela. Celui qui lui parlait était un vieillard courbé et boiteux, vêtu à peu près comme un paysan, qui avait au genou gauche une genouillère de cuir où pendait une assez grosse clochette. On ne distinguait pas son visage qui était dans l'ombre.

Cependant le bonhomme avait ôté son bonnet, et s'écriait tout tremblant :

— Ah, mon Dieu, comment êtes-vous ici, père Madeleine! Par où êtes-vous entré, Dieu Jésus! Vous tombez donc du ciel! Ce n'est pas l'embarras, si vous tombez jamais, c'est de là que vous tomberez. Et comme vous voilà fait! Vous n'avez pas de cravate, vous n'avez pas de chapeau, vous n'avez pas d'habit! Savez-vous que vous auriez fait peur à quelqu'un qui ne vous aurait pas connu? Pas d'habit! Mon Dieu Seigneur, est-ce que les saints deviennent fous à présent? Mais comment donc êtes-vous entré ici?

Un mot n'attendait pas l'autre. Le vieux homme parlait avec une volubilité campagnarde où il n'y avait rien d'inquiétant. Tout cela était dit avec un mélange de stupéfaction et de bonhomie naïve.

— Qui êtes-vous? et qu'est-ce que c'est que cette maison-ci? demanda Jean Valjean.

— Ah, pardieu, voilà qui est fort, s'écria le vieillard, je suis celui que vous avez fait placer ici, et cette maison est celle où vous m'avez fait placer. Comment! vous ne me reconnaissez pas!

— Non, dit Jean Valjean. Et comment se fait-il que vous me connaissiez, vous?

— Vous m'avez sauvé la vie, dit l'homme.

Il se tourna, un rayon de lune lui dessina le profil, et Jean Valjean reconnut le vieux Fauchelevent.

— Ah! dit Jean Valjean, c'est vous? oui, je vous reconnais.

— C'est bien heureux! fit le vieux d'un ton de reproche.

— Et que faites-vous ici? reprit Jean Valjean.

— Tiens! je couvre mes melons donc!

Le vieux Fauchelevent tenait en effet à la main, au moment où Jean Valjean l'avait accosté, le bout d'un paillasson qu'il était occupé à étendre sur la melonnière. Il en avait déjà posé ainsi un certain nombre depuis une heure environ qu'il était dans le jardin. C'était cette opération qui lui faisait faire les mouvements particuliers observés du hangar par Jean Valjean.

Il continua :

— Je me suis dit : la lune est claire, il va geler. Si je mettais à mes melons leurs carricks? Et, ajouta-t-il, en regardant Jean Valjean avec un gros rire, vous auriez pardieu bien dû en faire autant! mais comment donc êtes-vous ici ?

Jean Valjean, se sentant connu par cet homme, du moins sous son nom de Madeleine, n'avançait plus qu'avec précaution. Il multipliait les questions. Chose bizarre, les rôles semblaient intervertis. C'était lui, intrus, qui interrogeait.

— Et qu'est-ce que c'est que cette sonnette que vous avez au genou ?

— Ça ? répondit Fauchelevent, c'est pour qu'on m'évite.

— Comment! pour qu'on vous évite!

Le vieux Fauchelevent cligna de l'œil d'un air inexprimable.

— Ah dame! il n'y a que des femmes dans cette maison-ci; beaucoup de jeunes filles. Il paraît que je serais dangereux à rencontrer. La sonnette les avertit. Quand je viens, elles s'en vont.

— Qu'est-ce que c'est que cette maison-ci ?

— Tiens! vous savez bien.

— Mais non, je ne sais pas.

— Puisque vous m'y avez fait placer jardinier!

— Répondez-moi comme si je ne savais rien.

— Eh bien, c'est le couvent du Petit-Picpus donc!

Les souvenirs revenaient à Jean Valjean. Le hasard, c'est-à-dire, la providence, l'avait jeté précisément dans ce couvent du quartier St-Antoine où le vieux Fauchelevent, estropié par la chute de sa charrette, avait été admis sur sa recommandation, il y avait deux ans de cela. Il répéta comme se parlant à lui-même :

— Le couvent du Petit-Picpus!

— Ah ça, mais au fait, reprit Fauchelevent, comment diable avez-vous fait pour y entrer, vous, père Madeleine ? vous avez beau être un saint, vous êtes un homme, et il n'entre pas d'hommes ici.

— Vous y êtes bien ?

— Il n'y a que moi.

— Cependant, reprit Jean Valjean, il faut que j'y reste.

— Ah, mon Dieu! s'écria Fauchelevent.

Jean Valjean s'approcha du vieillard et lui dit d'une voix grave :

— Père Fauchelevent, je vous ai sauvé la vie.

— C'est moi qui m'en suis souvenu le premier, répondit Fauchelevent.

— Eh bien, vous pouvez faire aujourd'hui pour moi ce que j'ai fait autrefois pour vous,

Fauchelevent prit dans ses vieilles mains ridées et tremblantes les deux robustes mains de Jean Valjean, et fut quelques secondes comme s'il ne pouvait parler. Enfin il s'écria :

— Oh! ce serait une bénédiction du bon Dieu si je pouvais vous rendre un peu cela! moi! vous sauver la vie! monsieur le maire, disposez du vieux bonhomme!

Une joie admirable avait comme transfiguré ce vieillard. Un rayon semblait lui sortir du visage.

— Que voulez-vous que je fasse? reprit-il.

— Je vous expliquerai cela. Vous avez une chambre?

— J'ai une baraque isolée, là, derrière la ruine du vieux couvent, dans un recoin que personne ne voit. Il y a trois chambres.

La baraque était en effet si bien cachée derrière la ruine et si bien disposée pour que personne ne la vît, que Jean Valjean ne l'avait pas vue.

— Bien, dit Jean Valjean. Maintenant je vous demande deux choses.

— Lesquelles, monsieur le maire?

— Premièrement, vous ne direz à personne ce que vous savez de moi. Deuxièmement, vous ne chercherez pas à en savoir davantage.

— Comme vous voudrez. Je sais que vous ne pouvez rien faire que d'honnête et que vous avez toujours été un homme du bon Dieu. Et puis d'ailleurs, c'est vous qui m'avez mis ici. Ça vous regarde. Je suis à vous.

— C'est dit. A présent, venez avec moi. Nous allons chercher l'enfant.

— Ah! dit Fauchelevent. Il y a un enfant!

Il n'ajouta pas une parole et suivit Jean Valjean comme un chien suit son maître.

Moins d'une demi-heure après, Cosette, redevenue rose à la flamme d'un bon feu, dormait dans le lit du vieux jardinier. Jean Valjean avait remis sa cravate et sa redingote; le chapeau lancé par-dessus le mur avait été retrouvé et ramassé; pendant que Jean Valjean endossait sa redingote, Fauchelevent avait ôté sa genouillère à clochette, qui maintenant, accrochée à un clou près d'une hotte, ornait le mur. Les deux hommes se chauffaient accoudés sur une table où Fauchelevent avait posé un morceau de fromage, du pain bis, une bouteille de vin et deux verres, et le vieux disait à Jean Valjean en lui posant la main sur le genou :

— Ah! père Madeleine! vous ne m'avez pas reconnu tout de suite! vous sauvez la vie aux gens, et après vous les oubliez? Oh! c'est mal! eux ils se souviennent de vous! vous êtes un ingrat!

X

OÙ IL EST EXPLIQUÉ COMMENT JAVERT
A FAIT BUISSON CREUX

Les événements dont nous venons de voir, pour ainsi dire, l'envers, s'étaient accomplis dans les conditions les plus simples.

Lorsque Jean Valjean, dans la nuit même du jour où Javert l'arrêta près du lit de mort de Fantine, s'échappa de la prison municipale de M.— sur M—, la police supposa que le forçat évadé avait dû se diriger vers Paris. Paris est un malstroëm où tout se perd, et tout disparaît dans ce nombril du monde comme dans le nombril de la mer. Aucune forêt ne cache un homme comme cette foule. Les fugitifs de toute espèce le savent. Ils vont à Paris comme à un engloutissement; il y a des engloutissements qui sauvent. La police le sait aussi, et c'est à Paris qu'elle cherche ce qu'elle a perdu ailleurs. Elle y chercha l'ex-maire de M.— sur M—. Javert fut appelé à Paris afin d'éclairer les perquisitions. Javert en effet aida puissamment à reprendre Jean Valjean. Le zèle et l'intelligence de Javert en cette occasion furent remarqués de M. Chabouillet, secrétaire de la préfecture sous le comte Anglès. M. Chabouillet, qui du reste avait déjà protégé Javert, fit attacher l'inspecteur de M. — sur M— à la police de Paris. Là Javert se rendit diversement, et, disons-le, quoique le mot semble inattendu pour de pareils services, honorablement utile.

Il ne songeait plus à Jean Valjean, — à ces chiens toujours en chasse le loup d'aujourd'hui fait oublier le loup d'hier, — lorsqu'en décembre 1823, il lut un journal, lui qui ne lisait jamais de journaux; mais Javert, homme monarchique, avait tenu à savoir les détails de

l'entrée triomphale du « prince généralissime » à Bayonne.
Comme il achevait l'article qui l'intéressait, un nom, le
nom de Jean Valjean, au bas d'une page, appela son
attention. Le journal annonçait que le forçat Jean Valjean était mort, et publiait le fait en termes si formels
que Javert n'en douta pas. Il se borna à dire : *c'est là le bon
écrou*. Puis il jeta le journal, et n'y pensa plus.

Quelque temps après il arriva qu'une note de police
fut transmise par la préfecture de Seine-et-Oise à la
préfecture de police de Paris sur l'enlèvement d'un
enfant, qui avait eu lieu, disait-on, avec des circonstances
particulières, dans la commune de Montfermeil. Une
petite fille de sept à huit ans, disait la note, qui avait été
confiée par sa mère à un aubergiste du pays, avait été
volée par un inconnu ; cette petite répondait au nom de
Cosette et était l'enfant d'une fille nommée Fantine,
morte à l'hôpital, on ne savait quand ni où. Cette note
passa sous les yeux de Javert, et le rendit rêveur.

Le nom de Fantine lui était bien connu. Il se souvenait que Jean Valjean l'avait fait éclater de rire, lui
Javert, en lui demandant un répit de trois jours pour
aller chercher l'enfant de cette créature. Il se rappela
que Jean Valjean avait été arrêté à Paris au moment où
il montait dans la voiture de Montfermeil. Quelques
indications avaient même fait songer à cette époque que
c'était la seconde fois qu'il montait dans cette voiture et
qu'il avait déjà, la veille, fait une première excursion aux
environs de ce village, car on ne l'avait point vu dans le
village même. Qu'allait-il faire dans ce pays de Montfermeil ? on ne l'avait pu deviner. Javert le comprenait
maintenant. La fille de Fantine s'y trouvait. Jean Valjean
l'allait chercher. Or, cette enfant venait d'être volée par
un inconnu ? Quel pouvait être cet inconnu ? Serait-ce
Jean Valjean ? mais Jean Valjean était mort. — Javert, sans
rien dire à personne, prit le coucou du Plat d'étain, cul-
de-sac de la Planchette, et fit le voyage de Montfermeil.

Il s'attendait à trouver là un grand éclaircissement ;
il y trouva une grande obscurité.

Dans les premiers jours, les Thénardier, dépités,
avaient jasé. La disparition de l'Alouette avait fait bruit
dans le village. Il y avait eu tout de suite plusieurs ver-
sions de l'histoire qui avait fini par être un vol d'enfant.
De là, la note de police. Cependant, la première humeur
passée, le Thénardier, avec son admirable instinct, avait
très vite compris qu'il n'est jamais utile d'émouvoir